TRIÁNGULO MORTAL
(SPENCERVILLE)

NELSON DEMILLE

TRIÁNGULO MORTAL
(SPENCERVILLE)

Traducción de María Antonia Menini

grijalbo
grijalbo mondadori

El editor agradece el permiso concedido por Faber & Faber Ltd.
y Harcourt Brace & World, Inc., para reproducir algunos versos de
«Little Gidding» de *Four Quartets*, por T. S. Eliot.

Título original:
SPENCERVILLE
Traducido de la edición de Warner Books, Inc., Nueva York, 1994
Cubierta: SDD, Serveis de Disseny, S.A.

Primera edición
ISBN: 84-253-2727-X (tela)
ISBN: 84-253-2908-6 (rústica)
Depósito legal: B. 40.224-1995
Impreso en Novagrafik, S.L., Puigcerdà, 127, Barcelona

A la memoria de mi padre, con amor.

Nunca dejaremos de explorar
Y, al final de todo,
Llegaremos donde empezamos
Y conoceremos el lugar por primera vez.

T. S. Eliot
Little Gidding

Agradecimientos

Quisiera dar las gracias a tres compañeros míos escritores por haber compartido conmigo sus conocimientos: Pete Earley, gran conocedor de los entresijos de Washington; Tom Block, piloto de aviación y novelista; y John Westermann, oficial de policía y novelista.

Mi gratitud también a mis parientes políticos de Ohio Al y Carol Schad y Mike y Melinda Myers por su ayuda en las tareas de investigación de este libro y por su típica hospitalidad del Medio Oeste.

Gracias especiales a Larry Kirshbaum, presidente de Warner Broks, por empujar esta historia por el camino recto.

Y, finalmente, gracias de todo corazón a los primeros lectores y críticos de esta obra, mi ayudante Pam Carletta, mi agente Nick Ellison, mi editora Nanscy Neiman y, por supuesto, Ginny DeMille, licenciada en Literatura Inglesa por la Universidad Estatal de Ohio, paciente esposa y excelente amiga.

Nota del Autor: Ésta es una obra enteramente imaginaria. Aunque existe en Ohio una localidad llamada Spencerville, su situación y características son distintas de la ciudad que yo describo y ni la localidad ni sus habitantes tienen el menor parecido con la ciudad o las personas de este relato.

1

Keith Landry regresaba a casa tras veinticinco años en el servicio exterior. Abandonó la Avenida Pennsylvania con su Saab 900, enfiló Constitución y se dirigió al oeste por el Mall hacia Virginia, cruzando el Potomac por el puente de Theodore Roosevelt. Vio fugazmente el monumento a Lincoln a través del espejo retrovisor, lo saludó con la mano y siguió adelante por la carretera 66, alejándose de Washington en dirección oeste.

En Ohio occidental a las ocho de la tarde, horario de verano, a mediados de agosto, Keith Landry observó que el sol todavía se encontraba unos quince grados por encima del horizonte. Ya casi había olvidado la luz que todavía quedaba a aquella hora, en aquel lugar situado justo en el límite de la zona horaria oriental, y lo grande que era su país.

La conducción por la llana y recta carretera resultaba muy cómoda, por lo que Landry aprovechó para reflexionar sobre ciertas cosas: la guerra fría había terminado, lo cual era una buena noticia. A muchos soldados les habían dado unos papelitos de color de rosa, lo cual para Keith Landry era una mala noticia.

Pero Dios se había compadecido finalmente de él, pensó Landry, y, con un soplo de su divino aliento, había alejado la nube de la guerra atómica que había amenazado el planeta durante casi medio siglo. Alegrémonos. Estamos salvados.

Gustosamente convertiré mi espada en arado o en podadera, pensó, e incluso mi pistola Glock de 9 mm en un pisapapeles. ¿Qué remedio le quedaba?

La guerra fría, que antaño fuera una pujante industria, estaba en decandencia y sus especialistas, técnicos y cuadros medios se habían visto obligados a buscar otras posibilidades. A nivel intelectual, Landry sabía que aquello era lo mejor que le había ocurrido a la humanidad desde que el invento de la imprenta por parte de Gutenberg dejara sin trabajo a toda una serie de monjes. A nivel más personal, le molestaba el hecho de que un gobierno que le había arrebatado veinticinco años de su vida no hubiera obtenido los suficientes dividendos de paz como para mantenerle unos cinco años más en activo y retirarle después con la paga íntegra.

Pero en fin, Washington ya se encontraba a dos días y mil kilómetros a su espalda. Aquél era el tercer día de su segunda vida. Quien dijera que no había segundos actos en las vidas norteamericanas no había trabajado para el Gobierno.

Tarareó unas cuantas notas de *Volver a casa*, pero oyó que le chirriaba la voz y entonces encendió la radio. Sintonizó una emisora local y oyó un reportaje en directo sobre una feria del condado, seguido de un boletín en el que se anunciaban las actividades de la parroquia, un acontecimiento deportivo y una merienda campestre y se daban los precios de los productos agrícolas y el ganado, informaciones confidenciales sobre los mejores negocios y un informe meteorológico insoportablemente detallado. En el sur de Indiana soplaban tornados. Landry apagó la radio, pensando que todas aquellas noticias ya las había escuchado veinticinco años atrás.

Sin embargo, a lo largo de aquellos años, a él le habían ocurrido muchas cosas, casi todas arriesgadas. Ahora estaba vivo y a salvo, pero se había pasado un cuarto de siglo, pensando que tenía un pie en la tumba y otro sobre una piel de plátano. Esbozó una sonrisa. «Volver a casa.»

Experimentaba unos sentimientos contradictorios que aún no había logrado aclarar. Dos semanas atrás se encontraba en Belgrado intercambiando amenazas con el ministro de Defensa y ahora estaba en Ohio, oyendo una voz gangosa que hablaba de los precios de los cerdos. Sí, estaba a salvo, pero aún no había recuperado la cordura.

Se reclinó en su asiento y concentró su atención en la carretera. Le encantaba la sensación de aire libre y el Saab funcionaba de maravilla. La insólita carrocería del vehículo despertaba la curiosidad de la gente en todas las localidades y pueblos del oeste de Ohio y Landry pensó que quizá convendría que lo cambiara por otro menos llamativo cuando se instalara en Spencerville.

Los maizales se extendían hasta juntarse en el horizonte con un cielo intensamente azul. Aquí y allá, algún granjero había plantado habas de soja, trigo o alfalfa. Pero casi todo era maíz de forraje para el ganado o maíz dulce para consumo humano. Maíz. Jarabe de maíz, palomitas de maíz, harina de maíz, maíz, maíz, maíz, pensó Landry, para engordar un país que ya estaba muy gordo. Él se había pasado años en lugares devastados por la hambruna y puede que por eso la contemplación de toda aquella prosperidad le hiciera evocar la gordura.

—Olas ambarinas de maíz —dijo en voz alta.

Observó que las cosechas eran buenas. No tenía ningún interés personal por ellas, ni como granjero ni como inversor en futuros agrícolas, pero se había pasado los primeros dieciocho años de su vida oyendo hablar de cosechas y por eso se fijaba en ellas dondequiera que fuera, en Rusia, en China, en Somalia y ahora, completando el círculo, en Ohio occidental.

Landry vio la torcida indicación de Spencerville y giró sin pisar el freno, obligando al Ford Taunus que iba detrás a hacer lo mismo con resultados mucho menos satisfactorios.

En el horizonte vio un depósito de agua, un silo de trigo y, más allá, la torre del reloj del palacio de justicia del condado de Spencer, un impresionante edificio gótico victoriano de ladrillo rojo y piedra arenisca construido en un estallido de entusiasmo y euforia muy propios de los albores del siglo. El palacio de justicia era una maravilla cuando se construyó, pensó Spencer, y lo seguía siendo ahora, pues significaba que el condado de Spencer había sido en otros tiempos lo bastante próspero como para haber financiado la construcción de semejante edificio.

Mientras se acercaba, Landry vio las agujas de las diez iglesias de la ciudad, iluminadas por el sol poniente.

No entró en la ciudad sino que enfiló el pequeño camino de una granja. Un letrero advertía de la posible presencia de vehículos agrícolas y Landry aminoró la velocidad. Quince minutos después, vio el rojo granero de la granja Landry.

Jamás había efectuado todo el recorrido hasta su casa en automóvil. Siempre había volado a Toledo o Columbus y allí había alquilado un coche. El largo viaje desde el Distrito de Columbia había sido aburrido, pero interesante. No sólo por el paisaje sino por el hecho de no saber por qué quería irse a vivir a Spencerville después de una ausencia tan prolongada. No se acostumbraba al ocio, a la inexistencia de futuras citas en su agenda, al hilo colgante donde antes había un teléfono que lo conectaba con el Gobierno, a la insólita sensación de no estar en contacto con personas que antes necesitaban saber a diario si estaba vivo o muerto, secuestrado, en la cárcel, fugado o de vacaciones. Una disposición de la Ley de Seguridad Nacional le daba treinta días a partir del momento del cese para comunicarles la dirección a la que deberían enviarle la correspondencia. De hecho, ya se la habían exigido antes de que abandonara Washington, pero él, ejercitando por primera vez sus derechos de ciudadano, les había dicho escuetamente que no sabía adónde iría. Se había ido, pero no lo olvidaban, le habían condenado a un retiro forzoso, pero sus superiores seguían mostrando interés por él.

Pasó por delante de una hilera de buzones y vio que el que ostentaba el apellido Landry tenía la bandera roja inclinada, seguramente desde hacía unos cinco años.

Enfiló la larga calzada de grava cubierta de malas hierbas.

El edificio de la granja era una típica casa victoriana de madera pintada de blanco con un porche lleno de adornos superfluos, construida por su bisabuelo en 1889. Era el tercer edificio que ocupaba aquel lugar. El primero había sido una cabaña construida en 1820 y tantos, cuando sus antepasados habían desecado el Gran Pantano Negro. La segunda se había levantado hacia la época de la guerra de Secesión y él la había visto en una vieja fotografía. Era una sencilla casita sin porche ni adorno de ninguna clase. Cuanto mejor era el aspecto de una granja, según la sabiduría popular, tanto más calzonazos era el marido. Lo cual significaba que al bisabuelo Cyrus se lo debían de pasar totalmente por el forro.

Landry acercó el Saab al porche y bajó. El sol poniente todavía calentaba, pero el clima era muy seco, totalmente distinto del baño turco de Washington.

Contempló la casa. No había nadie en el porche para darle la bienvenida. Sus padres se habían retirado de las tareas agrícolas cinco años atrás y se habían ido a Florida. Su hermana Barbara se había instalado en Cleveland donde trabajaba como ejecutiva en una agencia de publicidad y su hermano Paul era uno de los vicepresidentes de la Coca Cola en Atlanta. Paul había estado casado con una señora muy simpática llamada Carol que trabajaba en la CNN. Paul disfrutaba de la custodia compartida de sus dos hijos y su vida estaba gobernada por el acuerdo de divorcio y por la Coca Cola.

Keith Landry no se había casado, en parte por la experiencia de su hermano y de casi todos sus conocidos y en parte por su trabajo, que no hubiera favorecido precisamente la dicha matrimonial.

Y también, a fuer de sincero, porque nunca había conseguido superar por completo la pérdida de Annie Prentis, la cual vivía a unos quince kilómetros de la granja, delante de la cual él acababa de aparcar su coche. A quince kilómetros y medio, para ser más exacto.

Keith Landry bajó del Saab, se desperezó y contempló el edificio. A la luz del ocaso, se vio a sí mismo en el porche como un joven graduado universitario con una bolsa de fin de semana en la mano, besando a su madre y a su hermana Barbara y estrechando la mano del pequeño Paul. Su padre se encontraba de pie junto al Ford de la familia donde ahora se encontraba él junto al Saab. Parecía una escena del célebre ilustrador Norman Rockwell, sólo que él no se iba al ancho mundo para abrirse camino en la vida sino al palacio de justicia del condado en cuyo aparcamiento esperaba un autobús que trasladaría a la remesa mensual de jóvenes del condado de Spencer al centro de reclutamiento de Toledo.

Recordaba con toda claridad los preocupados rostros de los miembros de su familia, pero no lo que él había sentido en aquellos momentos.

Le parecía recordar, sin embargo, que lo había pasado muy mal, pese al afán de aventuras y al ansia de marcharse que experimentaba y de la cual tanto se avergonzaba. Entonces no comprendió los sentimientos contradictorios que lo embargaban, pero ahora sí los comprendía y los hubiera podido resumir con una frase de una vieja canción: «¿Cómo quieres que se estén quietos en una granja después de haber estado en París?».

Pero no fue París sino el Vietnam y los reclutas no se congregaron en la plaza del pueblo para que les pasaran lista y para la alegre ceremonia de despedida y tampoco regresaron subiendo triunfalmente por la calle Mayor después del que hubiera podido llamarse el Día V. Sin embargo, el resultado neto para Landry había sido el mismo, pues jamás regresó a la granja. Había regresado físicamente, por supuesto, y en un solo trozo, pero nunca con la mente y el espíritu y la granja ya jamás había sido su casa a partir de entonces.

Ahora había vuelto, veinticinco años después de haber abandonado aquel porche y, mientras pisaba de nuevo los peldaños, vio que las imágenes de su familia se disipaban y experimentó una inesperada tristeza.

Bueno, se dijo en su fuero interno, yo estoy en casa, aunque ellos no estén.

Subió los peldaños, se sacó la llave del bolsillo y entró.

2

En la zona norte de Spencerville, la mejor de la ciudad, a quince kilómetros y medio de la granja Landry, Annie Baxter, de soltera Prentis, quitó los platos de la cena de la mesa de la cocina.

Su marido Cliff Baxter apuró una lata de cerveza Coors, a duras penas reprimió un eructo, consultó su reloj de pulsera y anunció:

—Tengo que volver al trabajo.

Annie ya lo había deducido del hecho de que Cliff no se hubiera puesto los vaqueros y la camiseta de rigor antes de cenar. Llevaba su uniforme beige de la policía y se había remetido la servilleta en el cuello de la camisa para evitar manchársela con la salsa de carne. Annie observó que tenía manchas de sudor en los sobacos y la cintura. La pistola y su funda colgaban de un gancho de la pared y había dejado la gorra en su coche de la policía.

—¿Cuándo crees que volverás? —le preguntó Annie.

—Eso ya no tendrías ni que preguntarlo, cariño. —Cliff se levantó—. Cualquiera sabe. Este trabajo está cada vez peor. Drogas y niñas violadas —añadió, abrochándose la funda de la pistola.

Annie observó que la hebilla estaba ajustada en el último agujero del cinturón. Si hubiera querido ofenderle, se hubiera ofrecido para hacerle otro agujero con un punzón.

Cliff Baxter vio la dirección de su mirada y le dijo:

—Me alimentas demasiado bien.

Claro, la culpa era suya.

—Podrías beber un poco menos de cerveza —le sugirió Annie.

—Y tú podrías cerrar un poco más la boca.

Annie no replicó. No estaba de humor para discusiones, y tanto menos a propósito de algo que le importaba un bledo.

Miró a su marido. A pesar de los kilos de más, seguía siendo un hombre muy bien parecido, con su bronceado rostro y sus rudas facciones, su espeso cabello castaño y unos ojos azules que no habían perdido el brillo. Aquel rostro y aquel cuerpo la habían atraído unos veinte años atrás, junto con su encanto de chico malo y su impertinencia. Había sido un buen amante, por lo menos en aquellos tiempos y aquel lugar, y había resultado ser un padre aceptable que se ganaba bastante bien la vida tras haber ascendido rápidamente al puesto de jefe de policía, pero no era un buen marido, aunque él hubiera dicho que sí.

Cliff Baxter abrió la puerta, diciendo:

—No corras los pestillos como hiciste la última vez.

La última vez, pensó Annie, había sido casi un año atrás y ella lo había hecho a propósito, para que él tuviera que tocar el timbre y despertarla. Buscaba pelea y la había tenido. Aquella vez Cliff regresó a casa pasadas las cuatro de la madrugada y, desde entonces, una o dos veces a la semana regresaba sobre las cuatro.

Cierto que su trabajo tenía un horario muy raro y este hecho en sí mismo no hubiera tenido que ser sospechoso. Sin embargo, por otros medios y otras fuentes, Annie se había enterado de que su marido tonteaba por ahí.

Cliff bajó los peldaños de la puerta de atrás de la casa y les pegó un grito a los cuatro perros que tenía en el patio. Los perros se pusieron a ladrar como locos dentro de su recinto de tela metálica, Cliff les volvió a pegar un grito, se rió y le dijo a su mujer:

—No olvides darles las sobras y sácalos para que corran un rato.

Annie no contestó. Le vio subir a su automóvil de jefe y hacer marcha atrás en la calzada. Cerró la puerta de la cocina con llave, pero no corrió el pestillo.

En realidad, pensó, ni siquiera hubiera sido necesario entornar la puerta. Spencerville era una ciudad muy tranquila, aunque la gente cerraba con llave por la noche, por supuesto. El hecho de que ella no tuviera que cerrar la puerta se debía a que su marido había ordenado que los coches patrulla vigilaran Williams Street prácticamente las veinticuatro horas del día. Su explicación: «Los delincuentes saben dónde vivo y no quiero que nadie te haga daño». La realidad: Cliff Baxter era un hombre patológicamente celoso, posesivo y desconfiado.

Annie Baxter era de hecho una prisionera en su propia casa. Podía salir cuando quisiera, por supuesto, pero su marido siempre sabía adónde iba y con quién se veía.

La situación era humillante y embarazosa, por no decir algo mucho peor. Los vecinos de aquella pulcra calle de casas victorianas —médicos, abogados, hombres de negocios— habían aceptado con buen humor la explicación oficial acerca de la eterna presencia de la policía, pero, conociendo a Cliff Baxter, sabían muy bien de qué iba la cosa.

—Pedro, Pedro, el calabacero —dijo Annie en voz alta por millonésima vez—, no se fiaba de su mujer. La guardó en una calabaza y allí la dejó para su placer. Serás hijo de puta —añadió.

Se dirigió a la entrada principal de cristal emplomado y contempló la calle. Pasó un coche patrulla de la policía de Spencerville y reconoció al conductor, un joven llamado Kevin Ward, uno de los fascistas preferidos de Cliff. De vez en cuando, se imaginaba invitando a Kevin a tomar café y seduciéndole. Pero, a lo mejor, Cliff tenía a alguien que vigilaba a Kevin Ward, probablemente en un vehículo sin identificación. Esbozó una triste sonrisa, pensando que su paranoia era casi tan grave como la de su marido. En su caso, sin embargo, la paranoia estaba plenamente justificada. En el de Cliff, no lo estaba en absoluto. Annie Baxter era sexualmente fiel. Cierto que no tenía más remedio que serlo, pero, por lo demás, se tomaba en serio las promesas matrimoniales, a diferencia de su marido. Algunas veces, sin embargo, experimentaba unos secretos anhelos que hubieran hecho enrojecer de vergüenza a su madre. Cliff le prestaba atención muy de tarde en tarde y pasaba por largos períodos de desinterés. En los últimos tiempos, era ella la que no sentía el menor interés por él.

El coche patrulla subió por la calle y Annie se dirigió a la espaciosa sala de estar. Se sentó en un sillón y escuchó el tic tac del reloj de pared. Su hijo Tom había regresado muy pronto a Columbus, para buscarse un trabajo a tiempo parcial antes de que empezaran las clases, había dicho él, pero, en realidad, porque Spencerville y Williams Street en particular no tenían nada que ofrecerle ni aquel verano ni nunca. Su hija Wendy estaba en el lago Michigan con el grupo juvenil de la parroquia. Annie se había ofrecido para ser una de las acompañantes, pero Cliff le había preguntado con una sonrisa:

—¿Y a ti quién te va a acompañar, cariño?

Sus ojos recorrieron la estancia que había decorado con piezas antiguas de estilo rústico y objetos de la familia. Cliff se enorgullecía de sus gustos, pero también los despreciaba un poco. Ella pertenecía a una familia mucho mejor que la suya y, al principio, había procurado quitar importancia a las diferencias, señalando que en su familia todos eran muy inteligentes y educados, pero no tenían ni un céntimo mientras que en la familia de Cliff tenían dinero, pero eran un poco brutos. Y estúpidos, pensaba, aunque no lo decía.

A Cliff le encantaba exhibir sus animales disecados del sótano, sus trofeos de tiro, sus recortes de prensa, sus armas, su casa piloto y su esposa piloto. Se mira, pero no se toca. Cliff Baxter era el típico coleccionista, una personalidad obsesiva que no sabía distinguir entre una esposa y una cabeza de ciervo disecada.

Annie recordaba lo orgullosa que estaba al principio de su marido y de su casa y lo optimista que era. Cliff Baxter había sido un novio muy atento y considerado, sobre todo en los últimos meses de noviazgo. Si ella hubiera tenido algún recelo, tal como efectivamente lo tuvo, Cliff no le hubiera dado ningún motivo para una ruptura. Sin embargo, Annie observó enseguida que su marido mostraba una cierta desgana por la vida matrimonial. Un día se dio cuenta de que Cliff Baxter no era un encantador bribonzuelo ansioso de que su buena esposa lo domesticara sino un psicópata situado justo en el límite de la normalidad, el cual muy pronto abandonó su débil intento de aparentar ser lo que no era. Lo único que le impedía rebasar aquel límite era su actividad oficial de guardián de la ley y el orden. Spencerville había convertido al chico malo en el monitor de la sala, lo cual había sido muy beneficioso para Spencerville y para el chico malo, pero Annie temía lo que pudiera ocurrir cuando Cliff se convirtiera en un ciudadano particular, sin el prestigio y la respetabilidad de su cargo. Y juraba que el día en que él se retirara o le pidieran que se marchara, ella se fugaría.

Pensó en la colección de armas de Cliff: rifles, escopetas de caza, pistolas. Todas las armas estaban guardadas en sus vitrinas bajo llave, cosa que cualquier buen policía hubiera hecho. Cualquier buen policía, sin embargo, le hubiera facilitado una llave a su mujer por si entrara un intruso. Pero Baxter no le había dado una llave a su mujer y ella sabía lo que pensaba. Cliff temía que su mujer le descerrajara un tiro a las cuatro de la madrugada y después dijera que lo había confundido con un intruso. Algunas noches Annie contemplaba las armas guardadas en sus vitrinas y se preguntaba si hubiera sido capaz de acercar una pistola a su propia cabeza o a la de Cliff y apretar el gatillo. El noventa y nueve por ciento de las veces la respuesta era no; pero en ciertas ocasiones...

Apoyó la cabeza en el respaldo del sillón y sintió que las lágrimas rodaban por sus mejillas. Sonó el teléfono, pero no contestó.

Recogió las sobras de la cena en un trozo de periódico y las llevó a la perrera. Tres de los cuatro perros —el pastor alemán, el *golden retriever* y el labrador— se abalanzaron sobre la comida. El cuarto, una pequeña mestiza de color gris, corrió hacia ella. Annie la dejó salir y cerró la verja.

Después regresó al interior de la casa, seguida por la mestiza gris.

En la cocina, le dio a la perra una hamburguesa cruda, se llenó un vaso de limonada, salió a la galería, se acomodó en la mecedora y la mestiza gris se sentó a su lado. Estaba empezando a refrescar y una suave brisa agitaba las copas de los árboles de la calle. El aire olía a lluvia. Se sentía mejor fuera que dentro.

Tenía que haber una salida que no pasara por el cementerio de la ciudad, pensó. Ahora que su hija estaba a punto de matricularse en la universidad, Annie comprendía que ya no podía demorar por más tiempo la decisión. Si se fuera, él la atraparía antes de que tuviera tiempo de abandonar la ciudad y, si consiguiera escapar, él la seguiría. Si acudiera a un abogado de Spencerville, él se enteraría antes de que ella regresara a casa. Cliff Baxter no era especialmente apreciado ni respetado, pero era temido, de eso no cabía la menor duda.

El coche patrulla volvió a pasar por delante de la casa y Kevin Ward la saludó con la mano. Annie no le hizo ni caso y la perra ladró al ver el vehículo de la policía.

Pero así eran los Estados Unidos en el siglo XX, pensó Annie, con leyes y seguridad. Instintivamente comprendió que todo aquello no tenía ninguna importancia en su caso. Tendría que huir, abandonar su hogar, su comunidad y su familia. Hubiera preferido una solución más acorde con su forma de comportarse que con la de Cliff. Hubiera querido decirle que deseaba pedir el divorcio, que se iría a vivir con su hermana y que los abogados ya se pondrían en contacto. Pero el jefe de policía Baxter no hubiera estado dispuesto a perder uno de sus trofeos ni a hacer el ridículo en su propia ciudad. Cliff sabía, sin necesidad de que nadie se lo dijera, que ella quería irse, pero también sabía, o creía saber, que la tenía bien guardaba y protegida. *La puso en una calabaza*. Mejor que lo siguiera pensando. Aquella noche estival, sentada en la mecedora del porche, Annie recordó unas noches estivales de mucho tiempo atrás, cuando era feliz y estaba profundamente enamorada de otro hombre. Se sacó una carta del bolsillo. A la luz de la ventana que tenía a su espalda, volvió a leer la dirección del sobre. La había enviado al domicilio particular de Keith Landry en Washington y, al parecer, allí la habían enviado a otro lugar donde alguien la había puesto en un sobre y se la había devuelto con una nota que decía: «Domicilio desconocido.»

Keith le había escrito que, si alguna vez recibiera una nota semejante, no intentara volver a escribirle. Alguien de su despacho se pondría en contacto con ella y le facilitaría la nueva dirección.

Annie Baxter era una sencilla chica del campo, aunque no tan sencilla como parecía. Había comprendido lo que él le había dicho: si alguna vez le devolvieran una carta, significaría que él había muerto, en cuyo caso alguien de Washington la llamaría o le escribiría, explicándole las circunstancias.

Hacía dos días que le habían devuelto la carta a la dirección de su hermana en el condado de al lado adonde Keith le enviaba todas las cartas.

Desde entonces, Annie Baxter temía ponerse al teléfono o ver acercarse el automóvil de su hermana y que ésta le entregara otra carta, una carta oficial de Washington con una o dos líneas escritas que empezara con las palabras «Lamentamos comunicarle...»

Aunque, pensándolo bien, ¿por qué iban a tomarse la molestia?

¿Qué relación la unía con Keith Landry? Una amiga de otros tiempos, una corresponsal esporádica. Llevaba más de veinte años sin verle y no esperaba volver a hacerlo.

Pero, a lo mejor, él había dado instrucciones a sus colaboradores, quienesquiera que éstos fueran, para que se pusieran en contacto con ella en caso de que muriera. Probablemente querría que lo enterraran allí, junto a las anteriores generaciones de su familia. De repente, Annie pensó que quizá en aquellos momentos Keith yacía en la Funeraria Gibbs. Trató de convencerse de que no importaría demasiado; estaba triste, pero, en realidad, ¿qué más daba? Te enterabas de que un antiguo novio tuyo había muerto, te ponías nostálgica, pensabas en tu propia mortalidad y en el pasado, rezabas una oración y seguías adelante con tu vida. A lo mejor, asistías incluso al entierro en caso de que tal cosa no fuera inoportuna. Se le ocurrió pensar que, si Keith Landry hubiera muerto y lo enterraran en Spencerville, ella no podría asistir al entierro y tampoco visitar su tumba sin que la vieran sus perennes cancerberos de la policía.

Acarició a la perra que tenía a su lado. Era su perra..., los otros tres eran de Cliff. Contempló a la mestiza gris que se llamaba *Denise*. Tenía un valor muy especial para ella, pues era la biznieta de la perra que Keith Landry le había regalado cuando ambos eran pequeños. La perra saltó sobre sus rodillas y se acurrucó en su regazo mientras ella le rascaba las orejas.

—No está muerto —dijo Annie—. Sé que no está muerto.

Annie Baxter apoyó la cabeza en el brazo de la mecedora y se balanceó muy despacio. Un relámpago estalló por el oeste en el cielo y se oyó el fragor de un trueno sobre los maizales y la ciudad, adelantándose al aguacero. Annie rompió de nuevo a llorar. «Prometimos volver a vernos», repetía una y otra vez en su fuero interno.

3

Keith Landry recorrió la silenciosa casa. Unos parientes lejanos la habían cuidado y no estaba en muy malas condiciones, teniendo en cuenta que llevaba cinco años vacía.

Keith los había llamado para anunciarles su llegada y había hablado con una mujer de una granja cercana a quien él llamaba tía Betty, aunque en realidad, no era su tía sino una prima segunda de su madre o algo por el estilo. Quería avisarla para que no se asustara si viera luz en la casa o un coche desconocido. Después había insistido en que ni ella ni ninguna otra señora se molestara en hacer nada, pero, como era de esperar, su llamada había sido una convocatoria de escobas y estropajos, pues la casa estaba impecablemente limpia y olía a desinfectante con aroma de pino.

Las vecinas, pensó Keith, siempre se compadecían de los solteros y él sospechaba que el objetivo de aquellas buenas mujeres era demostrarles las ventajas de contar con una esposa que les echara una mano. Por desgracia, las limpiezas gratuitas, las comidas, las tartas de manzana y las mermeladas perpetuaban a menudo lo que trataban de curar.

Todo estaba casi igual que la última vez que él lo había visto unos seis años atrás y todo le resultaba familiar, pero, al mismo tiempo, los objetos se le antojaban irreales, como si estuviera soñando con su propia infancia.

Sus padres habían dejado allí casi todas sus cosas, tal vez temiendo que no les gustara Florida o quizá porque los muebles, las lámparas, las alfombras y otros enseres formaban tanta parte de la casa como las vigas de madera de roble.

Keith sabía que algunos de los objetos tenían casi dos siglos de antigüedad y habían sido llevados a Norteamérica desde Inglaterra y Alemania, de donde procedían las dos ramas de su familia. Aparte algunas piezas de valor, casi todo lo demás era simplemente viejo. Keith pensó en la frugal existencia de una familia de agricultores a lo largo de los siglos y la comparó con la de sus amigos y compañeros de Washington que tanto contribuían al crecimiento del producto nacional bruto. Sus sueldos, como el suyo propio, procedían del erario público y él, que nunca había conseguido aceptar el hecho según el cual no era necesario producir nada tangible para que a uno le pagaran un sueldo, se preguntaba a menudo si demasiadas personas de Washington no se estarían comiendo demasiado maíz de los agricultores. Lo había pensado muchas veces y no sabía si sus compañeros pensaban lo mismo alguna vez.

Keith Landry se encontraba a gusto cuando era soldado, una profesión que en el condado de Spencer estaba muy bien considerada, pero más tarde, cuando entró en el servicio de espionaje, empezó a tener sus dudas. Estaba a menudo en desacuerdo con la política nacional y, tras haber ascendido a un cargo en el que él contribuía personalmente a formular dicha política, se había dado cuenta de que el Gobierno trabajaba para sí mismo y para su perpetuación, cosa que él ya sabía mucho antes de que le invitaran a entrar en el sanctasanctórum de la Casa Blanca como miembro del Consejo Nacional de Seguridad.

Se acercó a la ventana del dormitorio principal del segundo piso y contempló la noche. Soplaba un poco de viento y unas nubes estaban surcando rápidamente el cielo tachonado de estrellas. Una luna casi llena iluminaba con su azulada luz los maizales. Recordó la sequía y las torrenciales lluvias de muchos años atrás en que el trigo —por aquel entonces se solía plantar trigo— no se pudo cosechar hasta finales de julio. Una clara luna estival coincidió con una momentánea pausa, tras la cual se preveían más lluvias, por lo que los agricultores y sus familias estuvieron cosechando hasta que se puso la luna hacia las tres de la madrugada. El día siguiente era domingo y la mitad de los niños no asistió a las clases de la escuela dominical y los que asistieron se quedaron dormidos sobre sus pupitres. Keith todavía recordaba aquel esfuerzo común por extraerle el jugo a la tierra y se compadecía de los niños de las ciudades que no podían establecer una relación entre los trigales y los panecillos de las hamburguesas y entre el maíz y las palomitas de maíz.

Cuanto más se alejaba el país de sus raíces agrarias y rurales, tanto menos comprendía los ciclos de la naturaleza, las relaciones entre la tierra y las personas y la ley de la causa y el efecto; tanto menos comprendían los individuos su propia esencia.

Keith era consciente de las discrepancias que existían entre su forma de pensar y su vida. Había rechazado la idea de ser agricultor, pero no el ideal de la vida en el campo; le encantaba el ajetreo de Washington y de las ciudades del extranjero, pero recordaba con nostalgia aquel condado rural que tanto lo aburría; estaba decepcionado con su trabajo, pero lamentaba tener que dejarlo.

Decidió resolver cuanto antes las discrepancias entre sus pensamientos y sus actos para no convertirse en un ejemplo emblemático del enloquecido lugar que acababa de abandonar.

Ahora las nubes habían cubierto la luna y las estrellas, sumiendo la campiña en una oscuridad absoluta. Apenas se distinguía el patio de la cocina a unos seis metros de la casa. Más allá, sólo se vislumbraban las luces de la granja Muller, situada a un kilómetro de distancia.

Se apartó de la ventana, volvió a bajar y subió su equipaje al segundo piso. Entró en el dormitorio que antes compartía con su hermano y arrojó las maletas sobre la cama.

Los muebles eran de madera de roble, el suelo era de tablas de pino y las paredes estaban pintadas de blanco. Una vieja alfombra cubría el suelo. Aquélla había sido la típica habitación de un chico del campo desde el siglo pasado hasta muy pocos años atrás en que los campesinos habían empezado a comprar las tonterías que se vendían en los establecimientos con descuento.

Antes de abandonar Washington, Keith había llenado el Saab con todas las cosas que necesitaría y que, en realidad, no eran muchas. Unas cuantas cajas más, sobre todo con artículos y prendas de deporte, las recibiría a través de un servicio privado de transporte. Había cedido los muebles de su apartamento de Georgetown a una parroquia. No sentía el menor afán de posesor.

La casa se había construido antes de que se inventaran los armarios empotrados y en la habitación había dos armarios roperos, el suyo y el de su hermano. Abrió el de Paul y sacó primero su equipo militar, los uniformes, las botas, un estuche de medallas y menciones y, finalmente, su espada de oficial. Después sacó algunas herramientas de su más reciente ocupación: un chaleco antibalas, un rifle M-16, una cartera de documentos con toda una serie de ingeniosos dispositivos y artilugios de espionaje incorporados y, finalmente, su pistola Glock de 9 mm con su correspondiente funda.

Le encantaba guardar todas aquellas cosas por última vez, cual un guerrero que entregara las armas y la armadura al vencedor.

Contempló el armario y pensó en el significado de aquel momento.

En la escuela, siempre se había sentido atraído por la figura de Cincinato, el soldado, estadista y agricultor romano de los tiempos anteriores al Imperio, el cual, tras haber salvado la ciudad del ataque de un ejército enemigo, había aceptado el poder sólo el tiempo suficiente para restablecer el orden y después había regresado a su granja. En Washington, Keith pasaba a menudo por delante de la impresionante Mansión Anderson de la Avenida Massachusetts, sede de la *Sociedad de los Cincinatos*, y se imaginaba que sus miembros habrían tenido la misma experiencia que su tocayo romano. Ése era el ideal romano o norteamericano, pensaba, ésa era la esencia de la república agraria; se llamaba a la gente a las armas, se formaban milicias ciudadanas, se combatía y derrotaba al enemigo y después todo el mundo regresaba a casa.

Sin embargo, no era eso lo que había ocurrido en Estados Unidos a partir de 1945 sino todo lo contrario: a lo largo de cincuenta años, la guerra se había convertido en un medio de vida. Éste era el Washington que acababa de abandonar, una ciudad que trataba de asimilar y minimizar los efectos de la victoria.

—Todo ha terminado —dijo, cerrando la puerta del armario.

Abrió el otro y sacó los dos trajes italianos hechos a la medida que había decidido conservar. Colgó el esmoquin y sonrió ante la incompatibilidad entre la prenda y el ambiente, después colgó otros artículos más informales y tomó mentalmente nota de pasar por los almacenes K-Mart para comprarse unos vaqueros y unas cuantas camisas a cuadros.

Siguiendo con el tema romano, pensó, él también había quemado los puentes a su espalda como César, pero no tenía la certeza de que en su futuro estuviera incluida aquella granja. Dependería de la clase de persona que él fuera en realidad.

Mentalmente, se seguía considerando un chico del campo, a pesar de sus estudios universitarios, los viajes, los trajes hechos a la medida, su dominio de varios idiomas y sus conocimientos sobre armas exóticas y mujeres exóticas. Aunque estuviera en París, Londres, Moscú o Bagdad, siempre pensaba que aún no se le había caído el pelo de la dehesa. Probablemente no era cierto y cabía la posibilidad de que fuera efectivamente la persona que parecía ser. En tal caso, se había equivocado de sitio. De todos modos, le concedería una oportunidad a Spencerville y, si lo pasara bien con la pesca de la trucha, las reuniones de la parroquia, la asociación de los Veteranos de Guerra y las tertulias en la ferretería, se quedaría. En caso contrario..., jamás podría regresar a Washington. Se había pasado la mitad de su vida profesional en la carretera y, a lo mejor, su hogar estaba en ningún sitio y en todos.

Observó que la cama estaba hecha con sábanas de lino y una manta a cuadros por cortesía de tía Betty y vio que ésta había recordado que aquélla era su habitación y no le había subido de categoría, preparándole el dormitorio principal de la casa. Aquél era el dormitorio de su padre y antes había sido el de su abuelo y tía Betty debía de pensar que él tenía que seguir durmiendo en la suya hasta que creciera. Le hizo gracia.

Bajó a la espaciosa cocina alrededor de cuya redonda mesa se podían sentar diez personas: miembros de la familia, peones del campo y cualquier chiquillo que quisiera quedarse a comer. Abrió el frigorífico y vio que había todo lo necesario menos cerveza. Mucha gente de allí era abstemia y, aunque en el condado no imperaba la ley seca, no se consumían demasiadas bebidas alcohólicas. Durante sus ocasionales visitas, a Keith le había resultado un poco molesto, pero, si se quedara a vivir allí, puede que fuera un problema. Quizá el menos importante, en el fondo.

Se dirigió a la sala de estar, sacó una botella de whisky de una de las cajas, regresó a la cocina y se preparó un whisky con agua en un vaso de plástico azul que confirió a la bebida un tono verdoso.

Se sentó en su silla junto a la mesa y contempló los espacios vacíos. Aparte su madre y su padre, Paul y Barbara, estaba también el tío Ned, el hermano menor de su padre. Parecía que lo estuviera viendo a la hora del desayuno, el almuerzo y la cena, comiendo en silencio tras una dura jornada de trabajo en el campo. Ned era un campesino de pies a cabeza, serio, pero con sentido del humor, un hijo de la tierra que deseaba casarse, tener hijos, cultivar los campos, arreglar cosas rotas, ir a pescar un poco los domingos, generalmente con sus sobrinos y más tarde quizá con sus hijos.

Keith tenía unos diez años cuando su tío Ned había sido llamado a filas y recordaba haberle visto regresar un día a casa vestido de uniforme. Unas semanas más tarde, Ned se fue a la guerra de Corea y jamás regresó. Enviaron sus objetos personales a la familia; éstos se encontraban todavía almacenados en la buhardilla. Una vez Keith había revuelto el baúl e incluso se había puesto el uniforme verde de su tío.

Una guerra olvidada, un hombre olvidado y un sacrificio olvidado. Recordaba el llanto de su padre al recibir la noticia, pero, curiosamente, el nombre de Ned jamás se volvió a mencionar.

A lo mejor, pensó Keith, sólo el último hombre muerto en la Segunda Guerra Mundial había hecho el último sacrificio significativo: desde entonces, no había habido más que chiflados de la política y del poder que jugaban con las vidas y las familias de la gente. Puede que ahora lo estemos empezando a comprender, pensó. Contempló el lugar de tío Ned, vacío desde hacía más de cuarenta años y dijo con cierto retraso, pero con absoluta sinceridad:

—Te echo mucho de menos.

Apuró el whisky y se preparó otro. Contempló el jardín a oscuras a través de la cancela de la puerta. El viento soplaba con fuerza, vio un relámpago hacia el oeste e inmediatamente escuchó un trueno.

Olía la lluvia antes de oírla y la oía antes de verla. Muchos circuitos de la memoria —espectáculos, sonidos, olores— quedaban profundamente grabados en la mente de una persona antes de los dieciocho años, pensó. Buena parte de lo que uno era al llegar a la mediana edad se había determinado antes de que uno tuviera ocasión de manipular, controlar o comprender las cosas que lo rodeaban. No tenía nada de extraño que las mentes de algunos ancianos regresaran a la época de la juventud; el prodigio de aquellos años, los descubrimientos, la primera experiencia con el sucio secreto de la muerte y los primeros anhelos amorosos quedaban trazados con indelebles y luminosos colores sobre un lienzo en blanco. De hecho, el primer acto sexual era algo tan tremendamente emocionante que muchas personas lo recordaban con toda claridad veinte, treinta y sesenta años después.

Annie.

Su viaje de descubrimiento lo había conducido nuevamente a casa. Por el camino había visto castillos y reyes, ciudades doradas y soberbias catedrales, guerras y muerte, hambre y enfermedad. Se preguntó si el anciano pastor Wilkes aún viviría, pues quería decirle que él había visto de verdad a los Cuatro Jinetes del Apocalipsis y conocía algo más que sus nombres; sabía quiénes eran y estaba clarísimo que éramos nosotros.

Pero también había visto amor y compasión, honradez y valentía. Ahora, sentado junto a aquella mesa, le pareció que el viaje aún no había terminado y estaba a punto de entrar en una nueva e interesante fase.

Ahora había vuelto, veinticinco años después de haber cruzado el porche para salir al mundo, con muchos millones de kilómetros de carretera a su espalda y muchas mujeres, la mitad de cuyos nombres no hubiera podido recordar aunque de ello dependiera su vida. Y, sin embargo, en los momentos más oscuros, por la mañana y por la noche, durante los largos viajes en avión hacia temibles y peligrosos destinos, en las junglas de Asia, en las calles de la Europa del Este y en los momentos en que pensaba que iba a morir, se acordaba de Annie.

4

Annie Baxter no podía dormir. Los destellos de los relámpagos iluminaban la habitación a oscuras y los truenos sacudían los cimientos de la casa. Una alarma antirrobo disparada por la tormenta gemía en alguna parte y los perros ladraban en la noche.

El sueño que había tenido afloró poco a poco a su conciencia. Era un sueño turbador porque su protagonista era Cliff y hubiera tenido que ser Keith. En su sueño, ella permanecía desnuda delante de Cliff, vestido de uniforme. Cliff la miraba con una sonrisa..., no, más bien con expresión lasciva, y ella trataba de cubrirse la desnudez con los brazos y las manos.

El Cliff Baxter de su sueño era más joven y tenía mejor figura que el Cliff Baxter con quien ella estaba casada. Y lo que más la disgustaba era el hecho de que, en el sueño, la presencia de Cliff le resultara atractiva y de que, al despertar, la sensación todavía perdurara en su mente.

Keith Landry y los otros hombres que había conocido antes de conocer a Cliff eran más sensibles y considerados en el sentido de que tenían en cuenta sus sentimientos y deseos. Cliff, en cambio, iba sólo a lo suyo. Al principio, Annie reconocía que el egoísmo de Cliff no le había importado, pero ahora se sentía insatisfecha y explotada, aunque no hubiera olvidado sus antiguos sentimientos.

Se avergonzaba de haber gozado en otros tiempos de sus relaciones sadomasoquistas con Cliff y de que todavía pensara en ellas sin repugnancia sino más bien todo lo contrario, tal como acababa de ocurrirle ahora. Tendría que matar aquel sueño y aquellos pensamientos de una vez por todas.

Consultó el reloj de la mesilla de noche. Las 5.16 de la madrugada. Se levantó, se puso la bata, bajó a la cocina y se llenó un vaso de té helado. Tras dudar un poco, descolgó el teléfono de pared y llamó a la jefatura de policía.

—Al habla el sargento Blake, señora Baxter.

Sabía que su número de teléfono, nombre y dirección aparecían en una especie de pantalla cuando marcaba, lo cual la molestaba bastante. A Cliff no le gustaban ciertos detalles de la nueva tecnología, pero comprendía intuitivamente las posibilidades de los más siniestros artilugios orwellianos de que disponían las por otra parte anticuadas fuerzas policiales de Spencerville.

—¿Todo bien, señora Baxter?

—Sí. Quisiera hablar con mi marido.

—Bueno... es que está haciendo la ronda.

—Entonces le llamaré al teléfono del coche, gracias.

—No, espere, vamos a ver, a lo mejor..., antes he tenido dificultades para ponerme en contacto con él. Por la cosa de la tormenta, ¿sabe usted? Intentaré localizarle a través de la radio y le diré que la llame. ¿Necesita alguna otra cosa?

—No, ya ha hecho usted suficiente.

Colgó y marcó el número del coche. Al cabo de cuatro timbrazos, una voz grabada dijo que la llamada no se podía completar. Colgó y bajó al sótano. Una parte del sótano era el lavadero y otra el estudio de Cliff, alfombrado y revestido de paneles de madera de pino. Cuando acompañaba a los amigos en un recorrido por la casa, Cliff solía señalar el lavadero y decir, «El despacho de mi mujer». Después señalaba su estudio y decía, «Mi despacho».

Entró en el estudio de su marido y encendió la luz. Una docena de cabezas de animales disecadas la miraron desde las paredes con los ojos vidriosos y una leve sonrisa en la boca como si los animales estuvieran contentos de que Cliff Baxter los hubiera matado. El taxidermista o su marido o probablemente los dos tenían un repugnante sentido del humor.

La radio de la policía crujió sobre una mesa y Annie oyó a un ocupante de un coche patrulla hablando con toda claridad con jefatura sin demasiadas interferencias de perturbaciones atmosféricas. No oyó al sargento Blake preguntando por el jefe Baxter.

Contempló el estante de las armas. Un cordón de metal trenzado que pasaba a través de las guardas de los gatillos de los doce rifles y escopetas de caza y de una escuadra de hierro, terminaba en un lazo asegurado por un grueso candado.

Entró en el taller, tomó una sierra de metales y regresó de nuevo al estante de las armas. Tensó el cordón metálico y empezó a aserrar. El alambre trenzado empezó a desgastarse y se partió en dos. Lo sacó de las guardas de los gatillos. Eligió una Browning del calibre 12 de dos cañones, encontró en un cajón unas cajas de municiones y deslizó al interior de cada una de las dos cámaras una pesada carga revestida de acero.

Se echó la escopeta al hombro, volvió a subir y se dirigió a la cocina. Dejó la escopeta sobre la mesa de la cocina y se llenó otro vaso de té helado.

Sonó, estridente, el teléfono de la pared y Annie se puso.
—¿Diga?
—Hola, muñeca. ¿Me estabas buscando?
—Sí.
—¿Qué te pasa, cariño?
Annie adivinó por las interferencias que Cliff la estaba llamando a través del teléfono del coche.
—No podía dormir —contestó.
—Bueno, ya es hora de levantarse de todos modos. ¿Qué hay para desayunar?
—Pensé que desayunarías en el Park 'N 'Eat. Preparan unos huevos con jamón, unas patatas y un café mucho mejores que los míos.
—¿Y de dónde has sacado tú esta idea?
—De ti y de tu madre.
Cliff soltó una carcajada.
—Mira, estoy a cinco minutos de casa. Prepara el café que voy para acá.
—¿Dónde has estado esta noche?
Cliff tardó medio segundo en contestar.
—No quiero oír jamás esta pregunta ni de ti ni de nadie.
Después, colgó sin más.
Annie se sentó junto a la mesa de la cocina y colocó la escopeta sobre sus rodillas. Tomó un sorbo de té helado y esperó.
Los minutos pasaban muy despacio.
—O sea, señora Baxter, que creyó usted que era un intruso, ¿verdad? —dijo en voz alta.
»Sí —se contestó ella misma.
»Pero no forzaron la puerta, señora, y usted sabía que el jefe ya estaba en camino. Tuvo que cortar usted el cordón de las armas mucho antes de oír el ruido en la puerta, señora, y, por consiguiente, parece una acción premeditada. Como si usted le estuviera esperando.
»No diga usted disparates. Yo quiero a mi marido. ¿Acaso conoce a alguien que no le quisiera?
»Bueno, la verdad es que no conozco a nadie que le quisiera. Y usted menos que nadie.
»Tiene usted razón. —Annie esbozó una sonrisa—. Le esperé, le volé este culo tan gordo que tiene y lo mandé al otro barrio. ¿Pasa algo?
Annie pensó en Keith Landry y en la posibilidad de que estuviera muerto y en aquellos momentos se encontrara de cuerpo presente en la Funeraria Gibbs. *Disculpe, señora Baxter, ésta es la Sala B de un tal señor Landry. El señor Baxter está en la Sala A, señora.*
Pero, ¿y si Keith no hubiera muerto? ¿Cambiaría acaso la situación? Quizá convendría que esperara para estar segura. ¿Y qué ocu-

rriría con Tom y Wendy? Cliff era su padre. Dudó y estuvo a punto de dejar otra vez la escopeta en el sótano, pero él hubiera visto el cordón cortado y hubiera comprendido por qué.

El coche de la policía enfiló la calzada de grava y Annie oyó abrir y cerrarse la portezuela, oyó las pisadas de Cliff en el porche y le vio a través del cristal de la puerta de atrás, introduciendo la llave en la cerradura.

Se abrió la puerta. Cliff entró en la cocina a oscuras y su silueta se recortó contra la luz de la lámpara del porche. Se limpió el rostro y las manos con un pañuelo, se olfateó los dedos y se encaminó hacia el fregadero.

—Buenos días —dijo Annie.

Cliff dio media vuelta y miró hacia el lugar donde ella estaba sentada junto a la mesa.

—Ah... estás aquí. No se huele a café.

—Creo que no, pues veo que te estás olfateando los dedos.

No hubo respuesta.

—Enciende la luz —dijo Annie.

Cliff regresó a la puerta, tocó el interruptor y se encendieron las luces fluorescentes de la cocina.

—¿Tiene algún problema, señora? —preguntó.

—No, señor, el problema lo tiene usted.

—Que yo sepa, no.

—¿Dónde estuviste?

—Déjate de mierdas y prepara el café —dijo Cliff, encaminándose hacia la puerta para salir al pasillo.

Annie tomó la escopeta que tenía sobre las rodillas, la apoyó sobre la mesa y apuntó contra él.

—Quieto.

Cliff vio la escopeta y le dijo en voz baja:

—Aparta la mano del gatillo.

—¿Dónde estuviste esta noche?

—En el trabajo. En el maldito trabajo, tratando de ganarme la maldita vida, cosa que tú no has hecho jamás.

—A mí no se me permite ejercer un trabajo remunerado. Sólo puedo trabajar como voluntaria en la tienda de regalos del hospital que hay delante de la comisaría de policía desde donde tú me puedes vigilar. ¿O acaso no lo recuerdas?

—Dame la escopeta y olvidemos lo ocurrido —dijo Cliff, adelantándose un paso con la mano extendida.

Annie se levantó, se colocó el arma a la altura del hombro y la amartilló.

Los clics metálicos indujeron a Cliff a retroceder hacia la puerta.

—¡Bueno! ¡Bueno! —dijo éste, cubriéndose la frente con las manos en gesto de protección—. Mira, cariño... eso... eso es muy peligroso. Este gatillo es muy sensible... basta un soplo para que se dispare... no apuntes hacia aquí...

—Cállate. ¿Dónde estuviste esta noche?

Cliff respiró hondo y procuró dominar su voz.

—Ya te lo he dicho. Embotellamientos de tráfico, el puente del Hoop's Creek está inutilizado, ancianas viudas que se asustan y se pasan la noche llamando...

—Embustero.

—Mira... mira la ropa mojada que llevo... ¿ves el barro que llevo en los zapatos? Me he pasado toda la noche ayudando a la gente. Vamos, cariño, estás muy alterada.

Annie echó un vistazo a las mojadas vueltas del pantalón y al barro de sus zapatos y se preguntó si esta vez estaría diciendo la verdad.

Cliff habló en tono tranquilizador, utilizando todos los términos afectuosos que se le ocurrieron.

—Vamos, cariño, cielo mío, eso se va a disparar, nena, y yo no he hecho nada malo, mi amor...

Annie observó que estaba muy asustado, pero, curiosamente, el cambio de papeles no le gustaba. No quería que él le suplicara; quería simplemente matarlo. Pero no podía hacerlo a sangre fría. La escopeta le pesaba.

—Saca tu arma, Cliff.

Él la miró, boquiabierto de asombro.

—Vamos. ¿Quieres que la gente sepa que has muerto con la pistola en la funda?

Cliff trató infructuosamente de respirar hondo y se pasó la lengua por los resecos labios.

—Annie...

—¡Cobarde! ¡Cobarde! ¡Cobarde!

Un trueno estalló de repente, Cliff Baxter pegó un brinco e hizo ademán de sacar su arma.

Annie disparó ambos cañones y el retroceso la empujó hacia atrás contra la pared.

Los ensordecedores disparos seguían resonando en sus oídos. Annie soltó la escopeta. En la cocina se aspiraba el acre olor de la pólvora y un polvillo de yeso bajaba como flotando desde un boquete del techo situado por encima del lugar donde Cliff Baxter se hallaba tendido en el suelo.

Cliff Baxter se levantó muy despacio sobre una rodilla, apartándose con la mano los trozos de yeso y de enlistonado de madera que le cubrían la cabeza y los hombros. Annie vio que se había mojado los pantalones.

Tras comprobar que tenía la pistola todavía en la funda, Cliff miró hacia el techo. Annie le vio temblar y se preguntó qué iba a ocurrir a continuación, aunque, en realidad, no le importaba demasiado.

Cliff pasó por su lado, descolgó el teléfono de pared y marcó.

—Sí, Blake, soy yo. —Carraspeó y trató de hablar sin que le temblara la voz—. Sí, he tenido un pequeño accidente, limpiando un arma. Si recibe alguna llamada de los vecinos, explíqueselo... sí, todo bien. Hasta luego. —Colgó el teléfono y se volvió hacia Annie—. Bueno pues.

Annie no tuvo ningún reparo en mirarle directamente a los ojos, pero vio que él no podía sostenerle la mirada. También le hizo gracia su orden de prioridades; controlar la situación para proteger su imagen y su empleo. Annie no se hacía ilusiones y sabía que no pretendía protegerla del peso de la ley. Pero eso era lo que diría él.

—Has intentado matarme —dijo Cliff—. Podría detenerte.

—En realidad, he disparado por encima de tu cabeza y tú lo sabes. Pero, si quieres, mándame a la cárcel.

—Puta de mierda. Te voy a...

Cliff hizo un gesto amenazador y se acercó a ella con el rostro congestionado, pero Annie no retrocedió, sabiendo que la placa de policía de Cliff la salvaría de una paliza. Él también lo sabía y por eso Annie se complació en observar el estallido de su impotente cólera. Pero algún día él perdería los estribos, Annie estaba segura. Entre tanto, esperaba que le diera un ataque y muriera de repente.

La acorraló contra un rincón, le abrió la bata, apoyó las manos en sus hombros y comprimió el punto donde el retroceso de la escopeta la había golpeado.

Un intenso dolor le recorrió el cuerpo y la obligó a doblar las rodillas. Arrodillada en el suelo, Annie aspiró el olor de la orina de Cliff. Cerró los ojos y apartó la cabeza, pero él la agarró por el cabello y le atrajo el rostro hacia sí.

—¿Ves lo que has hecho? ¿Estás contenta, puta asquerosa? Apuesto a que sí. Ahora tendremos que buscar el empate. Nos quedaremos aquí hasta que te mees encima, no me importa que tengamos que pasarnos todo el día. Por consiguiente, si tienes algo dentro, ya puedes empezar. Estoy esperando.

Annie se cubrió el rostro con las manos y sacudió la cabeza mientras las lágrimas asomaban a sus ojos.

—Estoy esperando.

Llamaron con los nudillos a la puerta de atrás y Cliff se volvió. Vio la cara del oficial Kevin Ward pegada al cristal de la puerta.

—¡Largo de aquí! —le rugió.

Ward dio media vuelta y se retiró, pero a Annie le pareció que había visto los pantalones mojados de su jefe. Y con toda seguridad habría visto a Cliff con la cara y el cabello cubiertos de polvo de yeso y a ella arrodillada en el suelo detrás de él. Estupendo.

Cliff se volvió de nuevo hacia su mujer.

—¿Ya estás satisfecha, puta de mierda? ¿Estás satisfecha?

—Apártate de mí —dijo Annie, levantándose— o te juro por Dios que llamo a la policía del estado.

—Como lo hagas, te mato.

—Ma da igual.

Annie volvió a ajustarse la bata.

Cliff Baxter la miró con los pulgares introducidos en la parte interior del cinturón de la pistola. Annie comprendió por su larga experiencia que ya había llegado el momento de terminar la discusión y supo cómo terminarla. Permaneció de pie sin decir nada mientras las lágrimas rodaban por sus mejillas. Después inclinó la cabeza y miró al suelo, preguntándose por qué no le habría abierto un agujero en el cuerpo.

Cliff dejó pasar un minuto y, tras haber comprobado que se había restablecido el orden a su entera satisfacción, colocó el índice bajo su barbilla y le levantó la cabeza.

—Bueno, no ha pasado nada, cariño. Limpia todo eso y prepárame un buen desayuno. Tienes una media hora.

Dio media vuelta para retirarse, volvió sobre sus pasos para recoger la escopeta y abandonó la cocina.

Annie oyó sus pisadas subiendo por la escalera y, a los pocos minutos, oyó el agua de la ducha.

Buscó una caja de aspirinas en el armario, se tomó dos con un vaso dc agua, se lavó la cara y las manos en el fregadero y bajó de nuevo al sótano.

Se pasó un minuto largo contemplando los rifles y las escopetas del estudio y después entró en el taller, tomó una escoba y una pala y regresó a la cocina.

Una vez allí, preparó el café, puso a freír el jamón en la sartén, barrió el polvo de yeso, lo echó al cubo de la basura y, a continuación, pasó un trapo por el mostrador y fregó el suelo.

Cliff bajó vestido con un uniforme limpio y ella le vio entrar en la cocina con el cinturón y la funda del arma colgados del hombro y la mano apoyada con disimulo en la culata de la pistola. Se sentó a la mesa y, en lugar de colgar el cinturón del arma en el gancho de la pared, lo dejó en el respaldo de la silla. Sin darle tiempo a reaccionar, Annie tomó el cinturón y lo colgó del gancho.

—En mi mesa sobran las armas —dijo.

Tras un inicial momento de pánico, Cliff Baxter esbozó una estúpida sonrisa forzada.

Annie le sirvió el zumo de fruta y el café, después frió los huevos y las patatas junto con el jamón y añadió la tostada.

—Siéntate —le dijo Cliff.

Annie se sentó frente a él.

—¿Has perdido el apetito? —preguntó Cliff con una sonrisa.

—Ya he comido.

—Voy a dejar las armas, las municiones y todo lo demás en el sótano. Más café.

Annie se levantó y le volvió a llenar la taza.

—Porque no creo que te hayas propuesto matarme —añadió Cliff.

—Si me lo propusiera, podría comprarme un arma en cualquier sitio.

—Sí, claro. Aunque la compres o la robes o la pidas prestada, me da igual. No te tengo miedo, cariño.

Annie comprendió que estaba tratando de reafirmar su virilidad tras haberse mojado los pantalones. Le dejó hacer su número para que se largara cuanto antes.

—Viste que intenté extraer el arma, ¿verdad? —añadió Cliff—. No tenía ninguna oportunidad pero, así y todo, lo intenté.

—Sí.

Era más tonto de lo que ella imaginaba, pensó Annie. Un hombre inteligente hubiera tenido por lo menos un cincuenta por ciento de posibilidades de convencer a su mujer de que no disparara contra él y menos de un millón contra una posibilidades de extraer su arma antes de que le pegaran un tiro con una escopeta de caza amartillada. Pero Cliff Baxter tenía una inteligencia muy corta y un orgullo muy largo. Annie confiaba en que algún día eso le costara la vida.

—Te estás preguntando si hubiera sido capaz de matarte —dijo Cliff.

—La verdad es que no me importa.

—¿Cómo que no te importa? Por supuesto que te importa. Tienes hijos. Tienes una familia. Y me tienes a mí —añadió con una sonrisa mientras extendía la mano para darle unas palmadas en la suya—. Yo sabía que no ibas a matarme. ¿Y sabes por qué? Porque me quieres. —Annie respiró hondo y reprimió un grito— Lo que ocurre es que todavía estás celosa. —Cliff le dio unos golpecitos en la nariz con su tenedor—. Y eso significa que aún me quieres, ¿verdad?

Annie estaba emocionalmente agotada y le latía el hombro. Sólo le quedaba la presencia de ánimo necesaria como para decir lo que él quería escuchar.

—Sí —dijo.

—Pero también me odias —dijo Cliff—. Y ahora voy a decirte una cosa...: la línea que separa el amor del odio es muy delgada.

Annie asintió con la cabeza como si lo que acababa de decir Cliff fuera una nueva revelación. Cliff repetía constantemente frases hechas y estúpidos aforismos como si se los hubiera inventado él y ni siquiera se le ocurría pensar que no eran ideas originales acerca de la mente humana.

—Recuerda que la próxima vez te vas a mear de miedo.

Annie esbozó una sonrisa y él se dio cuenta de que no hubiera tenido que utilizar aquellas palabras.

—Esta mañana iré a la lavandería —dijo Annie—. ¿Tienes alguna cosa para lavar?

—Ten mucho cuidado —dijo Cliff, inclinándose hacia adelante.

—Sí, señor.

—Y no me llames «señor».

—Perdón.

Cliff rebañó las yemas de los huevos fritos con la tostada.

—Llama al viejo Willie para que arregle lo del techo.

—Sí.

—Me mato a trabajar para que tengas toda una serie de cosas que la mayoría de la gente de esta ciudad no tiene —dijo Cliff, reclinándose en su asiento—. ¿Qué más quieres que haga? ¿Que me retire, que me quede todo el día en casa, que ahorre hasta el último céntimo y me pase la vida ayudándote en las tareas domésticas?

—No.

—Trabajo como un negro al servicio de esta ciudad y tú crees que ando tonteando por todo el condado.

Annie asintió y denegó con la cabeza en los momentos adecuados del consabido sermón.

Cliff se levantó, se ajustó el cinturón de la pistola y rodeó la mesa. Después abrazó a Annie por los hombros, provocándole otra punzada de dolor, y le besó el cabello diciendo:

—Vamos a olvidar lo ocurrido. Arregla un poco más todo eso y llama a Willie. Regresaré sobre las seis. Esta noche me apetece un bistec. Procura que haya cerveza en el frigorífico. Da de comer a los perros. Y lávame el uniforme —añadió, encaminándose hacia la puerta de atrás—. Y no se te ocurra volver a llamarme nunca más al trabajo a no ser que alguien se esté muriendo —dijo al salir.

Annie se quedó en la cocina con la mirada perdida en la distancia. A lo mejor, si le hubiera permitido extraer la pistola, le hubiera volado la tapa de los sesos. Pero quiza no y entonces él le hubiera pegado un tiro a ella y quizá lo hubieran ahorcado.

Lo único que sabía con toda certeza era que Cliff jamás olvidaba nada ni perdonaba nada. Le había hecho mearse de miedo encima y eso se lo haría pagar muy caro. Aunque, en realidad, no notaría demasiado la diferencia.

Se levantó y sintió debilidad en las piernas y un extraño hormigueo en el estómago. Se acercó al fregadero y abrió la ventana. Estaba saliendo el sol y unas nubes de tormenta se alejaban hacia el este. Los pájaros cantaban en el patio y los perros hambrientos trataban de llamar educadamente su atención con unos breves ladridos.

La vida, pensó, podía ser encantadora. Mejor dicho, la vida era encantadora y hermosa. Cliff Baxter no podía impedir que el sol saliera ni que los pájaros cantaran y tampoco podía controlar su mente y su espíritu. Lo odiaba por haberla obligado a rebajarse a su nivel, por haberle hecho acariciar la idea del asesinato o el suicidio.

Volvió a pensar en Keith Landry. En su mente, Cliff Baxter era siempre el caballero negro y Keith Landry el caballero blanco. La imagen sería válida mientras Keith fuera un ideal incorpóreo. Su peor pesadilla sería descubrir que Keith Landry en persona no era el Keith Landry que ella se había inventado a través de sus breves y esporádicas cartas y de los recuerdos del pasado.

La carta devuelta al remitente y el sueño sobre Cliff habían sido el catalizador de lo ocurrido. Era como si se hubiera partido por la mitad. Pero ahora ya se encontraba mejor y, si Keith estuviera vivo, encontraría el medio y el valor de verle, hablar con él y averiguar qué parte de su persona era fantasía y qué parte era realidad.

5

El monótono zumbido de una especie de maquinaria empezó a tomar cuerpo en la mente de Keith Landry y éste abrió los ojos. Una leve brisa agitaba las cortinas de encaje blanco y la luz del sol se estaba abriendo paso poco a poco en la grisácea atmósfera.

Aspiraba el olor de la tierra mojada, del aire de la campiña y de un campo de alfalfa. Tendido en la cama, sus ojos recorrieron la estancia, tratando de enfocar los objetos. Había soñado tantas veces con despertar en su antiguo dormitorio que el hecho de despertarse efectivamente en él le resultaba casi fantasmagórico.

Se incorporó, se desperezó y bostezó.

—Mañana del cuarto día de la segunda vida. En marcha.

Saltó de la cama y se dirigió al cuarto de baño situado al fondo del pasillo.

Se duchó y se vistió con unos pantalones caqui y una camiseta y examinó el contenido del frigorífico. Leche entera, pan blanco, mantequilla, jamón ahumado y huevos. Llevaba años sin comer todas aquellas cosas, pero se dijo, «¿Por qué no?». Se preparó un opíparo desayuno de esos que eran tan malos para las arterias y le supo a gloria. Le supo a hogar.

Salió por la puerta de atrás y bajó a la calzada de grava. El aire era húmedo y fresco y los campos estaban cubiertos de bruma. Paseó un poco por el patio de la granja. Vio que el granero estaba en muy mal estado y observó los escombros de la próspera granja de antaño y de un estilo de vida ya fenecido...: un hacha oxidada clavada en un tajo, un cobertizo medio en ruinas, un silo peligrosamente inclinado, la fresquera medio rota, el gallinero vacío, las vallas rotas de la dehesa y la pocilga y el cobertizo de los aperos lleno de viejas herramientas que allí se habían quedado sin que nadie las recogiera y las reciclara, contribuyendo a reforzar la desoladora imagen de agostamiento rural.

El huerto de la cocina y el emparrado estaban llenos de malas hierbas y la casa necesitaba una mano de pintura.

La añoranza que había sentido por el camino estaba en contradicción con la realidad que tenía ante sus ojos. Las granjas de su infancia no eran ahora tan pintorescas y sabía que las familias que antes trabajaban en ellas eran cada vez más escasas.

Los jóvenes se iban a buscar trabajo a la ciudad, tal como habían hecho su hermano y su hermana, y los mayores se desplazaban al sur para huir de los duros inviernos, tal como habían hecho sus padres. Buena parte de las tierras había sido vendida o arrendada a las grandes empresas agrarias y las restantes propiedades de la familia se encontraban en una situación tan precaria como cuando él era chico. La diferencia no estribaba en lo económico, sino en la voluntad del granjero de permanecer en su sitio a pesar de las dificultades. Por el camino, había soñado con explotar la granja, pero, ahora ya no estaba tan seguro.

Contempló el porche de la casa y recordó las noches estivales, las mecedoras, la limonada, la radio, la familia y los amigos. Experimentó el súbito impulso de llamar a sus padres y a su hermano y su hermana para comunicarles que estaba en casa y sugerirles una reunión en la granja. Pero después decidió esperar hasta que estuviera más mentalmente adaptado y comprendiera mejor su estado de ánimo y sus motivaciones.

Subió a su automóvil y se adentró por el polvoriento camino de la granja.

Las doscientas hectáreas de la granja Landry se habían arrendado a la familia Muller, cuya granja se encontraba situada un poco más abajo, y sus padres recibían un cheque cada primavera. Casi todos los campos eran de maíz, según su padre, pero los Muller habían plantado cincuenta hectáreas de soja para abastecer una planta industrial de una empresa japonesa en la que trabajaba mucha gente. Pese a ello, el racismo era muy fuerte en el condado de Spencer y Keith estaba seguro de que los japoneses estaban tan mal considerados como los emigrantes mexicanos que aparecían por allí todos los veranos. Era curioso, pensó Keith, que aquel condado rural del interior del país hubiera sido descubierto por los japoneses y los mexicanos y, más recientemente, por personas de la India y el Paquistán, muchas de las cuales trabajaban como médicos en el hospital del condado.

A los habitantes de la zona todo aquello no les hacía la menor gracia, pero la culpa era suya, pensó Keith. La población del condado estaba disminuyendo, los mejores se iban y muchos de los jóvenes que se quedaban no se sentían motivados para las tareas del campo y, al mismo tiempo, no estaban preparados para los trabajos cualificados.

Las carreteras estaban bastante bien y casi todas ellas discurrían formando una parrilla de norte a sur y de este a oeste sobre un terreno con muy pocos rasgos distintivos, por lo que, desde el aire, los condados del noroeste parecían una hoja de papel cuadriculado en la que el cenagoso río Maumee formaba una ondulada línea de tinta marrón que serpeaba desde el suroeste hacia la gran mancha azul del lago Erie.

Keith se pasó toda la mañana recorriendo el condado en todas direcciones, observando las granjas abandonadas, las oxidadas vías del tren, alguna que otra aldea dispersa, una tienda de maquinaria agrícola cerrada a cal y canto, las desiertas escuelas rurales y la sensación general de vacío.

Al borde de la carretera había algunas señalizaciones históricas, pues el condado de Spencer había sido escenario de algunas batallas durante las guerras francesas e indias anteriores a la Revolución americana, antes de la llegada de los antepasados de Keith, el cual siempre se había asombrado de que unos pocos ingleses y franceses que atravesaban los oscuros bosques y pantanos de la región, rodeados de indios por todas partes, se hubieran podido entregar con tanto entusiasmo a la tarea de matarse mutuamente tan lejos de casa. Aquellas guerras eran el colmo de la idiotez, pensaba en su época de colegial, cuando aún no había estado en el Vietnam.

El territorio acabó siendo británico, la Revolución apenas hizo mella en sus habitantes y la región se incorporó al país bajo el nombre de condado de Spencer en 1838. La guerra mexicana de 1846 se llevó a un considerable número de hombres, muchos de los cuales murieron de enfermedad en México y la guerra de Secesión diezmó la población de jóvenes. El condado se recuperó, creció y prosperó, alcanzando su cenit hacia la época de la Primera Guerra Mundial. Después de aquella guerra y de la Segunda, se inició un período de decadencia todavía imperceptible cuando Keith era niño, pero clarísimo en la actualidad. Keith se preguntó si podría vivir allí o si sólo había regresado para resolver un viejo asunto pendiente.

Al llegar a un cruce de las afueras de la ciudad se detuvo en una gasolinera. Era un lugar donde vendían una gasolina de marca desconocida y sospechosa calidad junto con toda una serie de baratijas y productos comestibles de la llamada «comida basura». Keith pensó que el Saab se tendría que acostumbrar a una dieta distinta, bajó y empezó a llenar el depósito de gasolina.

El dueño de la gasolinera, un hombre unos diez años más joven que él, se acercó muy despacio...

Estudió el automóvil mientras Keith llenaba el depósito, lo rodeó

y examinó su interior a través de la ventanilla. Después le preguntó:
—¿Qué es esta cosa?
—Un coche.
El hombre soltó una carcajada y se golpeó el muslo con la palma de la mano.
—Sí, hombre, eso ya lo sé. Quiero decir qué clase de coche.
—Un Saab 900. Sueco.
—¿Cómo ha dicho?
—Fabricado en Suecia.
—¿En serio?
Keith colocó el tapón y volvió a colgar la boquilla en la bomba.
El hombre echó un vistazo a la matrícula.
—Distrito de Columbia... la capital del país. ¿Es usted de allí?
—Sí.
—¿Es acaso un funcionario del Gobierno? ¿Un funcionario de Hacienda? Acabamos de pagar los últimos impuestos —añadió, riéndose.
—Soy un simple ciudadano particular —contestó Keith.
—Ah, ¿sí? ¿Y está de paso?
—Es posible que me quede una temporada —contestó Keith, entregándole al tipo un billete de veinte dólares.
El hombre le devolvió el cambio muy despacio y le preguntó:
—¿Dónde piensa alojarse?
—Tengo familia aquí.
—¿Es de por aquí?
—Hace tiempo vivía en el condado. Me llamo Landry.
—Sí, hombre, claro. ¿Cuál de ellos es usted?
—Keith Landry. Mis padres son George y Alma. Tenían la granja de Overton.
—Ah, sí. Ahora están retirados, ¿verdad?
—Viven en Florida.
El hombre alargó la mano.
—Soy Bob Arles. Mis padres eran los propietarios de la gasolinera de la Texaco en la ciudad.
—Ya me acuerdo. ¿Todavía venden los cinco litros a veintidós centavos?
Bob Arles soltó una carcajada.
—Qué va, ya han cerrado. Ya no quedan gasolineras en la ciudad. Los impuestos son demasiado altos, los alquileres también y las compañías te exprimen todo lo que pueden. Yo compro por ahí a cualquiera que me venda barato.
—¿Hoy qué he comprado?
—Ha tenido usted suerte. Hay aproximadamemte la mitad de Mobil, un poco de Shell y un poco de Texaco.

—¿Nada de jugo de maíz ?

Arles volvió a reírse.

—Bueno, un poquito de eso también. Uno se gana la vida como puede.

—¿Vende cerveza?

—Sí, claro.

Arles acompañó a Keith al interior de la tienda y lo presentó a una mujer de aspecto huraño que había al otro lado del mostrador.

—Mi mujer Mary. Aquí Keith Landry, sus padres eran los propietarios de la granja de Overton.

La mujer asintió con la cabeza.

Keith se acercó al expositor refrigerado, vio dos cervezas de importación, Heineken y Corona, pero, para no parecerle un forastero al señor Arles, eligio un *pack* de seis latas de Coors y otro *pack* de seis latas de Rolling Rock. Le pagó a Mary el importe y volvió a salir en compañía de Arles.

—¿Busca trabajo? —le preguntó Arles.

—Puede que sí.

—Aquí la cosa está un poco jodida. ¿Aún tienen ustedes la granja?

—Sí, pero las tierras están arrendadas.

—Estupendo. Pues coja el dinero y eche a correr. Las labores del campo no dan para vivir.

—¿Tan mal está la cosa?

—¿Qué tienen ustedes? ¿Doscientas hectáreas? Eso da justo para ir tirando. Los que tienen dos mil y cosechan varias cosas y crían ganado se ganan bien la vida. ¿Ha visto un tipo que tiene un Lincoln? Ése trabaja para los japoneses y los mayoristas de trigo de Maumee. ¿Dónde se aloja usted?

—En la casa de la granja.

—Ah, ¿sí? ¿Su esposa es de aquí?

—Vivo solo —contestó Keith.

Arles, percatándose de que estaba empezando a ser indiscreto, dijo:

—Bueno pues, le deseo mucha suerte.

—Gracias.

Keith dejó las cervezas en el asiento del pasajero y se sentó al volante.

—Bienvenido a casa —le dijo Arles.

—Gracias.

Keith hizo marcha atrás para regresar a la carretera de dos carriles. Vio el sur de Spencerville, una hilera de almacenes y de pequeñas industrias en el lugar por donde discurrían los viejos caminos de Wabash y Erie entre los maizales; el lugar donde terminaban los servicios y los impuestos urbanos y empezaba la vida rural.

Keith rodeó la ciudad. No sabía por qué razón aún no le apetecía entrar en ella. A lo mejor, porque detestaba la idea de circular por la calle Mayor con aquel automóvil tan raro y aún no estaba preparado para ver a los conocidos.

Se dirigió hacia la iglesia de San Jaime y pasó junto a un considerable número de caravanas, cobertizos de aluminio y vehículos abandonados. La campiña seguía siendo espectacular. Los campos cultivados y en barbecho se extendían hasta el horizonte donde las hileras de árboles marcaban todavía las líneas trazadas por los agrimensores. Arroyos y riachuelos de cristalinas aguas serpeaban entre sauces llorones y pasaban por debajo de pequeños puentes de madera.

Aquella región había estado sumergida bajo un mar prehistórico y, cuando llegaron los antepasados de Keith, buena parte del noroeste de Ohio aún estaba cubierta por bosques y pantanos. En un período de tiempo relativamente corto, trabajando sólo con herramientas manuales y bueyes, los pantanos se desecaron, se talaron árboles, se construyeron casas, se prepararon las tierras y se sembraron cereales y hortalizas. El resultado fue impresionante; las increíbles cosechas brotaron de la tierra como si ésta llevara diez millones de años esperando los cultivos de cebada y centeno, trigo y avena, zanahorias y repollos y casi todo lo que a los primeros colonizadores se les ocurrió plantar.

Después de la guerra de Secesión, lo más rentable fue el trigo, más tarde fue el maíz y ahora Keith veía cada vez más campos de soja, el haba prodigiosa y rica en proteínas para alimentar a una población mundial en rápido desarrollo.

El condado de Spencer, tanto si a sus habitantes les gustaba como si no, estaba conectado con el mundo y su futuro dependía de éste. Keith imaginaba dos posibilidades: un resurgimiento de la vida rural favorecido por la afluencia de gentes de la ciudad que buscaran una forma de vida más serena y apacible o una conversión del condado en una especie de gigantesca plantación, propiedad de unos lejanos inversores interesados tan sólo en cosechar aquello que fuera más rentable en cada momento. Vio campos y granjas donde antes había árboles y setos. Se le ocurrió pensar que, a lo mejor, todo el país estaba desequilibrado y que, si uno se hubiera equivocado de tren, ninguna de las paradas de la línea hubiera sido la que a él le interesaba.

Keith se desvió al borde de la carretera y bajó.

El cementerio estaba en una colina de aproximadamente media hectárea de superficie, bajo la sombra de unos viejos olmos y rodeado de maizales. A unos cincuenta metros de distancia se encontraba la blanca iglesia de madera de San Jaime adonde él solía acudir en su infancia y, a la derecha de la iglesia, se levantaba la pequeña rectoría donde vivía el pastor Wilkes con su mujer.

Keith entró en el cementerio y paseó entre las lápidas, muchas de ellas desgastadas por la intemperie y cubiertas de líquenes.

Encontró las tumbas de sus abuelos paternos y maternos, las de sus bisabuelos y sus hijos e hijas, todos ellos enterrados en un curioso orden cronológico, las tumbas más antiguas en la parte superior de la colina y las siguientes bajando en círculos concéntricos hasta llegar al borde del maizal. La tumba Landry más antigua se remontaba al año 1841. No había grandes grupos de fechas como consecuencia de las guerras, pues por aquel entonces los cuerpos de los soldados no se enviaban a casa. Sin embargo, las guerras de Corea y del Vietnam estaban muy bien representadas. Keith localizó la tumba de su tío, permaneció un instante en silencio delante de ella y después pasó a las tumbas de los hombres muertos en el Vietnam. Había diez, un número muy elevado para un pequeño cementerio de un pequeño condado. Keith los conocía a todos, a unos más y a otros menos, y recordaba el rostro de cada uno de ellos. Pensó que, a lo mejor, experimentaría una especie de remordimiento al recordar a sus antiguos compañeros de clase, pero no lo había experimentado en el Muro de Washington y tampoco lo experimentó allí. Sólo sentía cólera por tantas vidas malogradas. A nivel personal, pensó lo que siempre había pensado, es decir, que, a pesar de todos sus éxitos y sus logros, su vida hubiera sido mucho mejor si la guerra no hubiera existido.

Se sentó bajo un sauce entre las lápidas del pie de la colina y el maizal, mascando un tallo de hierba. El sol brillaba en el cielo y la tierra todavía estaba húmeda y fría después de la tormenta. Unos halcones gallineros sobrevolaban la zona y las golondrinas entraban y salían de la torre de la iglesia. Sintió una sensación de paz que llevaba mucho tiempo sin sentir. El silencio y la soledad ya estaban empezando a penetrar en sus huesos. Se reclinó contra el tronco del árbol y contempló el pálido cielo a través de las ramas del olmo. «Exacto. Si no me hubiera ido a la guerra, Annie y yo nos hubiéramos casado... ¿quién sabe?» Aquel cementerio, pensó, era un lugar tan bueno como cualquier otro para iniciar el camino de regreso.

Se dirigió al norte de la ciudad y localizó el punto donde empezaba Williams Street, saliendo de la carretera del condado. Dudó un poco y después enfiló la calle.

Algunas de las majestuosas casas victorianas habían sido restauradas y otras estaban en muy malas condiciones. De niño, siempre le había llamado la atención aquella parte de la ciudad con aquellas casas tan grandes en unas parcelas que entonces le parecían muy pequeñas, pero que ahora veía que no lo eran en absoluto, los gigantescos árboles cuyo follaje formaba un verde túnel en verano, el hecho de que las personas pudieran vivir tan cerca unas de otras y verse desde sus casas y el lujo de dos automóviles en cada calzada particular. Lo que entonces lo había impresionado, divertido y desconcertado ya no le impresionaba, divertía ni desconcertaba. El asombro y la inocencia de la infancia le resultaban casi embarazosos vistos retrospectivamente, pero, ¿qué clase de adulto hubiera sido si antes no lo hubiera contemplado todo con asombro?

La calle estaba muy tranquila, tal como era de esperar en una calurosa tarde estival. Pasaron unos cuantos niños en bicicleta y una mujer con un cochecito infantil y vio una furgoneta de reparto detenida calle arriba y al conductor conversando con una mujer a la puerta de su casa. Era una calle con casas de grandes porches, una característica típicamente norteamericana, tal como él había tenido ocasión de observar en sus viajes, aunque las casas ya no se construían de aquella manera en Estados Unidos. Había niños jugando en algunos porches y también ancianos sentados en mecedoras. Se alegró de que Annie viviera en aquella calle.

Mientras se acercaba a su casa, le ocurrió una cosa muy rara. El corazón le empezó a latir con fuerza y se notó la boca seca. La casa estaba a la derecha y, antes de que pudiera darse cuenta, pasó por delante de ella y se acercó al bordillo. Vio una vieja camioneta aparcada en la calzada particular y a un anciano dirigiéndose con una escalera de mano a la parte posterior de la casa. Después vio fugazmente a Annie antes de que ésta desapareciera con el anciano en la parte de atrás de la casa. Fueron sólo uno o dos segundos desde unos cincuenta metros de distancia, pero estaba seguro de que era ella y aquel reconocimiento instantáneo de sus rasgos, su porte y su forma de caminar lo dejaron sorprendido.

Hizo marcha atrás, abrió la portezuela del vehículo y se detuvo. ¿Cómo podía presentarse sin más en su casa? Pero, ¿por qué no? ¿Qué tenía de malo un abordaje directo? Llamarla por teléfono o dejarle una nota no era lo que él había imaginado. Le parecía importante llamar a su puerta, decir «Hola, Annie» y dejar que ocurriera lo que tenía que ocurrir de una forma espontánea y sin ensayo previo.

Pero, ¿y si hubiera alguien en casa? ¿Y si estuvieran sus hijos y su marido? ¿Cómo no había pensado en aquella posibilidad tras haber ensayado mentalmente la escena a lo largo de tantos años? El momento imaginado se había convertido en algo tan real que había excluido cualquier cosa capaz de malograrlo.

Cerró la portezuela y decidió regresar a la granja. Sus pensamientos corrían más que el automóvil. «¿Qué te pasa, Landry? —pensó—. A ver si te calmas, chico.»

Respiró hondo y aminoró la velocidad. No le hubiera gustado ponerse a mal con la policía local. Lo cual le hizo recordar al marido de Annie. Si ella no hubiera estado casada, pensó, se hubiera atrevido a detenerse para saludarla. Pero no se podía comprometer de aquella manera a una mujer casada. En aquel lugar, tal cosa no era posible. En Spencerville la gente no se iba a almorzar con un amigo ni a tomar unas copas después del trabajo.

Mejor sería que le enviara una nota a casa de su hermana. O quizá la llamaría por teléfono. A lo mejor, un tipo que había combatido en una guerra y había participado en un tiroteo en Berlín Este tendría el valor de llamar por teléfono a una mujer a la que antaño había querido. Pues claro. «Dentro de unas semanas, cuando esté instalado. Lo tengo que hacer.»

Regresó a la granja y se pasó la tarde en el porche con sus dos *packs* de cerveza, observando todos los coches que pasaban.

Bob Arles llenó el depósito del automóvil del jefe. El hecho de que la gasolinera fuera un autoservicio no significaba que Cliff Baxter tuviera que ponerse él mismo la gasolina.

—Oiga, jefe —dijo Arles—, esta mañana ha pasado por aquí un tipo muy curioso.

—¿Tienes un poco de cecina de buey?

—Sí, claro. Sírvase usted mismo.

Cliff Baxter entró en la tienda y se llevó la mano a la gorra a modo de saludo a la señora Arles. Ella le observó desde detrás del mostrador mientras sacaba de los estantes la cecina de buey, unas galletas de mantequilla de cacahuete, unas nueces saladas y unas cuantas barritas de chocolate Hershey. Unos doce dólares en total, calculó.

Después, Cliff sacó del expositor refrigerado una lata de zumo de naranja, se acercó a la caja registradora y lo depositó todo encima del mostrador.

—¿Qué se debe, Mary?

—Creo que con un par de dólares estamos en paz —contestó ella. Era lo que siempre decía.

Cliff dejó unas cuantas monedas sobre el mostrador mientras Mary introducía las compras en una bolsa.

Bob Arles entró con un resguardo oficial y Cliff garabateó su firma sin mirar el total.

—Le agradezco su ayuda, jefe —dijo Arles.

Mary no estaba tan segura. Los hombres, pensaba, siempre convertían todas las transacciones comerciales en una especie de vínculo especial. Bob le cobraba al Ayuntamiento más gasolina de la que gastaba Cliff y éste, en contrapartida, engordaba casi de balde.

Cliff tomó su bolsa y Bob Arles salió con él.

—Tal como le decía, esta mañana vino un tipo con un coche extranjero y matrícula de Washington y yo...

—¿Te pareció sospechoso?

—No, lo que ocurre es que antes vivía aquí y ha vuelto en busca de trabajo y ahora vive en la granja de sus padres. La gente no suele volver.

—No, desde luego. Y mejor que no vuelva.

Cliff subió a su automóvil.

—Llevaba un Saab. ¿Cuánto debe de valer eso?

—Vamos a ver... pues quizá unos veinte o treinta, si es nuevo.

—El tipo no parecía sospechoso.

—Los automóviles extranjeros siempre son sospechosos, Bob. —Cliff empezó a subir la luna de la ventanilla, pero, de pronto, se detuvo—. ¿Sabes cómo se llama el tipo?

—Landry. Keith Landry.

Cliff Baxter miró fijamente a Arles.

—¿Cómo has dicho?

—Sus padres tenían una granja en Overton —explicó Arles—. ¿Les conoce?

Cliff guardó silencio un instante antes de contestar:

—Sí... ¿Keith Landry?

—Sí.

—¿Ha vuelto?

—Eso ha dicho.

—¿Está casado?

—No.

—¿Qué pinta tenía?

Bob se encogió de hombros.

—Pues no sé. Normal.

—Menudo policía ibas a ser tú. ¿Gordo? ¿Delgado? ¿Calvo? ¿Alguna característica especial?

—Delgado. Alto y con cabello. Bastante bien parecido diría yo. ¿Por qué?

—No sé, puede que lo someta a vigilancia. Para darle la bienvenida.

—El coche llama la atención. Vive en casa de sus padres. Vigílele si le parece.

—Puede que lo haga.

Cliff se alejó y se dirigió al sur hacia Overton.

6

Cliff Baxter estaba pensando en los acontecimientos de aquella mañana. «No sé qué le habrá pasado.» Pero lo sabía muy bien. Annie lo odiaba y él aceptaba aquel hecho, pero, al mismo tiempo, estaba convencido de que ella todavía le quería. Puesto que él la amaba a ella, ella tenía que amarle a él. Lo que más le molestaba era que se hubiera puesto chula y se hubiera atrevido a amenazarle con una de sus armas.

Siempre había sido muy deslenguada, pero nunca le había arrojado tan siquiera un plato. Y ahora le disparaba postas por encima de la cabeza. «Tiene que ser la regla. Eso es. El síndrome premenstrual. La mierda de cada mes.»

Estaba seguro de que el triunfador había sido él, siempre y cuanto no contara la mala pasada que le había jugado la vejiga. En eso no había conseguido desquitarse y, por consiguiente, prefería olvidarlo. Pero no podía. «La muy puta.»

Hubiera pensado un poco más en todo aquello, pero tenía un nuevo problema en que pensar... El señor Keith Landry, ex novio de la señorita Annie Oakley.

Pasó por delante de la granja de los Landry y vio el Saab negro en la calzada particular. Vio también a un hombre en el porche y tuvo la certeza de que el hombre se había fijado en el vehículo de la policía.

Cliff tomó el teléfono móvil y llamó al sargento de su despacho.

—Soy yo, Blake. Llame a Washington, D.C., registro de vehículos motorizados, y averigüe todo lo que pueda sobre un tal Keith Landry. —Deletreó el apellido y añadió—: Tiene un Saab 900 de color negro. No puedo decirle el año y no veo el número de la matrícula. Llámeme en cuanto pueda. —Después marcó el número de Información—. Mire, necesito el número de un nuevo abonado, Keith Landry, Carretera del Condado 28.

—No tenemos ningún número a este nombre, señor —contestó la telefonista.

Cliff colgó y llamó a la oficina de correos.

—Aquí el jefe Baxter, póngame con el administrador.

A los pocos segundos el administrador de correos Tim Hodge se puso al aparato diciendo:

—¿Puedo ayudarle en algo, jefe?

—Sí, Tim. Mire a ver si tiene a un nuevo cliente apellidado Landry, de Washington. Sí, Distrito de Columbia.

—Faltaría más. No se retire. —A los pocos minutos, Hodge se puso de nuevo al teléfono—. Sí, uno de los clasificadores ha visto un par de cartas del Distrito de Columbia con notificación de envío a nueva dirección. Keith Landry.

—¿Figura el nombre de alguna señora en la notificación?

—No, sólo el de Landry.

—¿Es provisional?

—Más bien parece un cambio de dirección permanente. ¿Algún problema?

—No. Resulta que antes la granja estaba desocupada y alguien ha observado movimiento en ella.

—Ya, recuerdo a los viejos, George y Alma. Se fueron a Florida. ¿Quién es ese tipo?

—El hijo, creo. —Cliff reflexionó un instante y después preguntó—: ¿Ha alquilado un apartado de correos?

—No, yo hubiera visto el dinero, si lo hubiera hecho.

—Bueno pues. Oiga... me gustaría echar un vistazo a la correspondencia que reciba.

Hubo una larga pausa en cuyo transcurso el administrador de correos debió de comprender que aquello no era una investigación de rutina.

—Lo siento, jefe —dijo Tim Hodges—. Eso ya ha ocurrido otras veces. Necesito un mandato judicial.

—Pero, hombre, Tim, yo sólo digo echar un vistazo a los sobres, no abrir la correspondencia.

—Ya, pero..., si ese tipo tuviera malas pulgas y presentara una denuncia...

—Le estoy pidiendo un pequeño favor, Tim, y usted ya sabe adónde tiene que ir cuando necesite un favor. Y el caso es que me debe uno porque su yerno conducía más borracho que una cuba.

—Ya... bueno... usted sólo quiere ver los sobres cuando los clasifiquen, ¿verdad?

—Eso no siempre me será posible. Hágame usted fotocopias del anverso y el reverso y yo pasaré por aquí de vez en cuando.

—Bueno...

—Guarde el secreto y yo también lo guardaré. Salude de mi parte a su hija y a su marido. —Cliff colgó y siguió circulando por la recta carretera del condado, enfrascado en sus propios pensamientos—. El tipo vuelve, aún no le han instalado el teléfono, pero quiere que le envíen la correspondencia. ¿Por qué habrá vuelto?

Aminoró la velocidad del vehículo y empezó a mascar un trozo de cecina. Recordaba a Keith Landry del Instituto y lo que recordaba de él no le gustaba ni un pelo. No le conocía muy bien personalmente, pero todo el mundo conocía a Keith Landry, pues era un triunfador nato, deportista de primera, empollón y lo suficientemente famoso como para que los tipos como Cliff Baxter lo odiaran con toda su alma.

Recordaba con cierta satisfacción que más de una vez lo había empujado por los pasillos y Landry se había limitado a decir «Perdón», como si la culpa fuera suya. A su juicio, Landry era un gallina, pero algunos amigos le habían aconsejado que tuviera cuidado con él. Sin querer reconocerlo, Cliff sabía que tenían razón.

Cliff no le hubiera prestado a Keith Landry la menor atención en el Instituto de no haber sido porque el muy sinvergüenza salía con Annie Prentis.

Cliff pensó en las personas como Landry a quienes todo les salía bien. Y eso que Landry era hijo de un vulgar granjero, un chico que dedicaba los fines de semana a limpiar la porquería de los establos y cuyos padres iban a Baxter Motors y cambiaban una mierda de coche por otro un poco más nuevo y abonaban la diferencia. Era un desgraciado que no tenía donde caerse muerto y que hubiera tenido que pasarse la vida recogiendo paletadas de mierda y cavando la tierra y que pudo ir a la universidad gracias a toda una serie de becas de la parroquia, el Rotary Club, la Asociación de Veteranos de Guerra y parte del dinero que el estado les arrancaba a los contribuyentes como los Baxter. Y, por si fuera poco, el muy hijo de puta miraba por encima del hombro a los que no habían tenido tanta suerte.

—La madre que lo parió.

Cliff se hubiera alegrado mucho de que se fuera. Pero lo malo fue que se largó en compañía de Annie Prentis y, por lo que él había oído decir, ambos estuvieron saliendo juntos cuatro años en Bowling Green antes de que ella lo dejara plantado.

—¡Cabrón! —gritó airado, golpeando con fuerza el tablero de instrumentos.

La idea de que aquel malnacido que se había acostado con su mujer hubiera regresado a la ciudad era superior a sus fuerzas.

—¡Maldita sea su puta madre! —Se pasó un buen rato circulando sin rumbo. No sabía qué iba a haber. El tío se tendría que largar..., por las buenas o por las malas. Aquélla era la ciudad de Cliff Baxter y a él nadie le tomaba el pelo... y tanto menos un tío que se había acostado con su mujer—. Ha pasado usted a la historia, señor.

Aunque Landry se estuviera quietecito, Cliff no podía soportar la idea de saber que estaba tan cerca de su mujer, lo bastante como para tropezarse con ella en la calle o en algún acontecimiento social.

—¿Y si un día asistiéramos a una boda o algo por el estilo y entrara el hijo de puta que se acostó con mi mujer y se acercara para saludarla, sonriendo como si tal cosa? —se preguntó en voz alta, sacudiendo la cabeza como para borrar aquella imagen de sus pensamientos—. Ni hablar. Eso no puede ser. Maldita sea su cochina estampa —añadió, respirando hondo—, se pasó cuatro años o, a lo mejor, cinco o seis acostándose con ella y ahora se presenta aquí soltero y sin compromiso y se sienta en el cochino porche de su casa... —Volvió a descargar el puño sobre el tablero de instrumentos—. ¡Maldita sea!

El corazón le latía con fuerza y se sentía la boca pegajosa. Respiró hondo, abrió la lata de zumo de naranja, tomó un trago y notó que el ácido le quemaba el estómago. Arrojó la lata por la ventanilla.

—¡Maldita sea su estampa! Maldita sea...

La radio chirrió y se escuchó la voz del sargento Blake.

—Jefe, la información sobre esa matr...

—¿Quiere que se entere todo el condado o qué? Llámeme por el maldito teléfono.

—Sí, señor.

Sonó el teléfono y Cliff contestó:

—Hable.

—He enviado un fax al Registro de Vehículos Motorizados con el nombre de Keith Landry, la marca y el modelo del automóvil, y la respuesta ha sido negativa.

—¿Qué quiere usted decir?

—Pues que no existe esa persona.

—Maldita sea, Blake, consiga el número de la matrícula de este coche y vuelva a ponerse en contacto con ellos.

—Pero, ¿dónde está el coche...?

—En la vieja granja Landry, Carretera del Condado, 28. Quiero toda la información que haya sobre su carnet de conducir y después quiero que llame a los bancos locales y averigüe si ha abierto alguna cuenta, consiga su número de la Seguridad Social, tarjetas de crédito y todo lo demás... expediente militar, antecedentes penales, todo lo que haya.

—Sí, señor.

Cliff colgó el aparato. Al cabo de casi treinta años de labor policial, sabía cómo crear una ficha desde la base. Los dos investigadores de su equipo llevaban las fichas delictivas que a él le traían sin cuidado. Cliff tenía sus propias fichas sobre todas las personas más importantes del condado de Spencer o las personas que, por alguna razón, le interesaban.

Sabía muy bien que el hecho de tener fichas secretas sobre ciudadanos privados era ilegal, pero él pertenecía a la vieja escuela y allí había aprendido que los ascensos y las seguridades laborales se conseguían por medio de la intimidación y el chantaje.

En realidad, era algo que había aprendido mucho antes de incorporarse a la policía; su padre y la familia de su padre eran unos matones de mucho cuidado y, a decir verdad, el sistema no lo había corrompido; él solito se había bastado para corromper el sistema. Pero no lo hubiera podido hacer sin la ayuda de ciertas personas con problemas personales y empresariales..., hombres casados que tenían amantes, padres cuyos hijos tenían cuentas pendientes con la ley, hombres de negocios que necesitaban permisos de apertura o rebajas en los impuestos, políticos que deseaban averiguar algo sobre sus adversarios y gente por el estilo. Cliff siempre estaba a su lado, intuyendo sus debilidades morales, sus pequeños defectos de carácter, los signos de dificultades económicas o legales. Cliff siempre les podía echar una mano.

Lo que al sistema le faltaba cuando él entró era un corredor de bolsa, una oficina central de compensación a la que cualquier ciudadano pudiera acudir para ofrecer favores a cambio de favores y en la que cualquiera pudiera ir a vender su alma.

A partir de esos humildes comienzos, Cliff Baxter había empezado a tomar notas que se convirtieron en fichas, las cuales a su vez se convirtieron en oro.

Últimamente, sin embargo, muchas personas que no le gustaban habían entrado a formar parte del sistema. Maestros de escuela, predicadores, amas de casa e incluso agricultores. En el Ayuntamiento ya había una bruja entrometida llamada Gail Porter, profesora universitaria retirada y ex comunista de pro. La habían elegido por pura chiripa porque Bobby Cole, el otro candidato, había sido sorprendido haciendo cosas impropias en el lavabo de caballeros de la terminal de autobuses de Toledo. Cliff no se fijó en ella hasta que ya fue demasiado tarde, pero ahora tenía una carpeta de datos más gruesa que una chuleta de cordero y la echarían a patadas en noviembre. Las mujeres como ella no sabían apreciar el sistema en lo que valía y Cliff sabía que, si no la echaran, la seguirían otras.

El alcalde era primo suyo, contaba con la amistad de los concejales y delegados del condado y todos ellos tenían que presentarse a las elecciones. En cambio, a él lo habían nombrado y su cargo era vitalicio. De hecho, si alguna vez perdiera el puesto, conocía a centenares de hombres y a unas cuantas mujeres que se abalanzarían inmediatamente sobre él para despedazarlo. Por consiguiente, tenía que actuar con firmeza.

Cliff Baxter se daba cuenta de que el mundo había cambiado y de que los cambios eran peligrosos para él. Pero estaba seguro de que podía controlar la situación, sobre todo desde que Don Finney, el primo de su madre, era el *sheriff* del condado. Don sólo tenía dos agentes que patrullaban por todo el condado y había llegado a un acuerdo con Cliff, por el cual la policía de Spencerville podía traspasar los límites de la ciudad siempre que quisiera, tal como Cliff estaba haciendo en aquellos momentos. De este modo, Cliff tenía más facilidades para controlar a la gente que vivía fuera de la ciudad, como la Porter y su marido o como el señor Keith Landry.

Por consiguiente, lo conservaría todo bien tapado unos cuantos años más y después, con treinta años de servicio y con los chicos ya fuera de la universidad, cruzaría la frontera y se iría a Michigan donde tenía un pabellón de caza. Entretanto, se tendría que comer a sus enemigos aunque no tuviera apetito.

Su instinto de tiburón le permitía oler la sangre en el agua desde dos kilómetros de distancia, pero, de momento, no olía sangre en ninguna de aquellas personas, ni siquiera en Gail Porter. Una vez, en la esperanza de meterla en cintura, le había mostrado la información que tenía sobre ella, todo lo que sabía acerca de sus actividades izquierdistas en el Antioch College y otras cosas que a su marido no le hubieran gustado a propósito de ciertos novios. Pero ella le dijo que lo enrollara todo y lo aliñara con un poco de aceite y se lo metiera en el trasero. Cliff la miró estupefacto y sintió deseos de matarla. Si la gente no le tenía miedo, ¿cómo la podría meter en cintura?

Su instinto de lobo intuía el peligro antes que cualquier otro animal del bosque. En los últimos años había observado que todas aquellas gentes lo acechaban cual si fuera una pieza de caza en lugar de ser él quien las acechara a ellas.

Después tenía el problema de Annie, la refinada señorita incapaz de soltar tan siquiera una palabrota aunque tuviera toda la boca llena de mierda. Y, de repente, va y se le ocurre la idea de desafiarlo y por poco le salta la tapa de los sesos. «Pero, ¿qué coño está pasando?»

Bastante agobiado estaba ya con todas aquellas preocupaciones para que, encima, surgiera una nueva dificultad. «¡Maldita sea! La gente me persigue, algunos me quieren echar del puesto, mi mujer intenta matarme y, de pronto, aparece el tipo que se acostaba con ella. Pero, ¿qué he hecho yo, Dios mío, para merecer toda esta mierda?»

Se preguntó si Annie se habría enterado de que su antiguo novio había regresado a la ciudad. A lo mejor, era por eso por lo que había querido matarlo. Pero hubiera sido absurdo. La hubieran metido en la cárcel y no hubiera podido reunirse con su amor. No, aún no lo sabía, pero ya se enteraría y él la tendría que vigilar. Se le ocurrió pensar que, a lo mejor, ella no sentía el menor interés por Keith Landry y éste tampoco lo sentía por ella. Aun así, no quería ver a aquel gallito por la ciudad.

Comprendió que no podría vigilarlos eternamente, pero los vigilaría durante algún tiempo y, a lo mejor, los sorprendería. En caso contrario, a Landry lo joderían de todos modos, pero no sería la señora Baxter quien lo hiciera.

Cliff era un profesional de las redadas amorosas y, en otros tiempos, antes de que los chicos empezaran a hacer el amor en los moteles del condado o en sus propias casas en ausencia de sus padres, solía pillar a unos cuantos todos los fines de semana en el interior de automóviles o en graneros abandonados. Tenía una especie de sexto sentido para descubrir dónde estaban y sorprenderlos desnudos o, por lo menos, medio desnudos. Era lo que más le gustaba de su trabajo y, en tales ocasiones, solía acabar la noche en el establecimiento de alguna de las señoras que él conocía. Otras veces, en cambio, regresaba a casa tan excitado que Annie le decía que debía de haberlo pasado en grande, sorprendiendo a los enamorados. «Sí, es muy deslenguada», pensó. Demasiado, por desgracia para ella.

De tanto pensar en el sexo, se estaba poniendo como una moto.

Dio media vuelta para regresar a la ciudad y entró por el sur, la parte más degradada de la ciudad. Llamó a jefatura y le dijo a Blake:

—Tardaré una hora. Llame si me necesita para algo. Mejor dicho, llámeme dentro de una hora para que me dé tiempo a llegar al lugar adonde voy.

—Muy bien, jefe.

Baxter enfiló la calzada particular de un bungalow de madera y utilizó el dispositivo electrónico para levantar la puerta del garaje. Aparcó el coche en el interior del garaje, bajó y pulsó el botón de cierre de la puerta.

Se dirigió a la puerta de atrás y la abrió con una llave. La cocina era pequeña, estaba sucia y olía siempre muy mal a causa del pésimo estado de las cañerías. Annie por lo menos, a pesar de todos sus defectos, sabía llevar una casa.

Echó un vistazo a la desordenada sala de estar y se dirigió a uno de los dos dormitorios. Una chica de unos treinta y tantos años dormía de lado sobre las sábanas de la cama, vestida tan sólo con una camiseta. Hacía mucho calor y un ventilador contribuía a refrescar un poco la atmósfera. Su blanco uniforme de camarera y su ropa interior estaban tirados en el suelo.

Baxter se acercó a la cama y contempló a la chica. La camiseta se le había enrollado alrededor de las caderas. Cliff estudió el vello del pubis y echó un vistazo a los voluminosos pechos y los pezones que se transparentaban a través de la camiseta de color de rosa. La camiseta decía «Park N' Eat — Equipo de Béisbol».

Tenía un buen cuerpo, un excelente tono muscular y una bonita piel si se pasaban por alto algunas cicatrices y algunas picaduras de mosquito. El cabello que le caía sobre el rostro era rubio, pero no así el vello del pubis.

La chica se movió y se tendió boca abajo. Cliff contempló sus nalgas y empezó a excitarse. Alargó la mano y le comprimió una nalga. Ella murmuró algo, se dio la vuelta y abrió los ojos.

—Hola, preciosa —le dijo Cliff Baxter.

—Oh... —La chica carraspeó y esbozó una sonrisa—. Eres tú.

—¿Y quién querías que fuera?

—Nadie... —La chica se incorporó, tratando de despejarse, y se alisó la camiseta para cubrirse—. No sabía que ibas a venir.

—No tenía intención, cariño. Pero aquí me tienes.

La chica esbozó una sonrisa forzada. Cliff se sentó a su lado en la cama, introdujo la mano entre sus muslos y la penetró con los dedos.

—¿Estabas soñando algo bonito?

—Soñaba... contigo

—Más te vale.

Le buscó el clítoris y le empezó a aplicar masaje.

La chica intentó apartarse. Estaba claro que no le hacía ninguna gracia pasar sin solución de continuidad del sueño a unos dedos de hombre hurgando en su interior.

—¿Qué te pasa?

—Nada. Tengo que ir al lavabo.

La chica se levantó de la cama por el otro lado y salió al pasillo.

Cliff se limpió los dedos en las sábanas, se tendió en la cama completamente vestido y esperó. Oyó el rumor del depósito de agua del excusado, el agua del grifo y unos gargarismos.

Sherry Kolarik era la más reciente de una larga serie de mujeres que se había iniciado antes de su matrimonio y se había prolongado durante el noviazgo con Annie y a lo largo del matrimonio, simples amigas ocasionales o amantes en toda regla... todas eran diversiones de corta duración. Cliff sabía en su fuero interno que era incapaz de establecer una relación con una mujer y sus señoras eran simples juguetes para pasar el rato...: prostitutas, mujeres que tenían problemas con la ley, divorciadas desesperadamente solas, camareras que necesitaban ganarse un pequeño sobresueldo..., los elementos más bajos de la sociedad provinciana; todas ellas eran un blanco fácil para el jefe de policía Baxter.

De vez en cuando, elegía a alguna mujer casada con un don nadie, como, por ejemplo, Janie Wilson, la esposa del portero de la comisaría, o Beth Marlon, la esposa del borracho oficial de la ciudad. A veces, se acostaba con la mujer de alguien que necesitaba un gran favor, como, por ejemplo, un preso. Aquellas conquistas le gustaban más que las otras, pues acostarse con la mujer de otro equivalía a joder simultáneamente al marido.

Procuraba no acercarse a las mujeres cuyos maridos pudieran plantearle algún problema y se comía con los ojos a las abogadas, profesoras, médicas y otras profesionales que lo atraían, tanto casadas como solteras, sabiendo que no hubiera tenido la menor posibilidad con ellas. Intuía vagamente que, aunque consiguiera apuntarse un tanto con alguna, la mujer lo rechazaría en cuanto le conociera mejor. Su única conquista a ese nivel había sido Annie Prentis. Pero por aquel entonces Cliff Baxter era más guapo y seductor. Además, el país estaba en guerra y en Spencerville no abundaban demasiado los chicos y un policía en situación de excedencia militar era una buena perspectiva para muchas chicas. Cliff lo sabía muy bien, aunque no quisiera reconocerlo. De este modo, su orgullo quedaba intacto y su instinto depredador permanecía perennemente despierto. Era un lobo solitario que sabía cuál de sus presas era débil y vulnerable y cuál de ellas era peligrosa.

Pero soñaba con violar a la abogada de la oficina del fiscal del condado, a las dos médicas del hospital, a la presumida presidenta del banco, a las universitarias que regresaban para pasar las vacaciones en casa y a otras por el estilo. Sabía que acostarse con una de aquellas mujeres hubiera sido como joder a todas las personas que le miraban por encima del hombro.

Algún día, pensaba, lo probaría. Se acostaría con una de aquellas finolis y la retaría a decir algo. A lo mejor, puede que incluso le gustara. Pero, de momento, se conformaría con Sherry Kolarik y otras mujeres de su rango.

La chica regresó al dormitorio y Cliff consultó su reloj.

—Mira, no tengo mucho tiempo.

—Quisiera lavarme para ti.

—Para lo que tienes que hacer, no hace falta que te laves.

Cliff saltó de la cama, se dirigió a la sala de estar y salió por la puerta principal. Después llamó al timbre y ella le abrió la puerta tras haberse puesto una bata.

—¿Es usted la señorita Kolarik?

—Sí.

—Soy el jefe Baxter. Quisiera hablar con usted. —Cliff empujó a la chica hacia adentro y cerró la puerta—. Señorita, debe usted cien dólares de multas por aparcamiento indebido en el centro. Vengo a cobrar el dinero o a detenerla.

Si a Sherry Kolarik le pareció romántico que el jefe Baxter recreara la situación en la cual ambos se habían conocido, no lo dijo. Tampoco se rió ni le arrojó los brazos al cuello.

—Perdone, no tengo el dinero —dijo en su lugar.

—En tal caso, me veo obligado a detenerla. Vístase.

—No, por favor, tengo que ir al trabajo. Le pagaré el viernes cuando cobre.

—Ha dispuesto de tres meses para pagar las multas. Ahora está usted detenida. Acompáñeme voluntariamente si no quiere que le ponga unas esposas y la lleve tal como está.

En realidad, Sherry llevaba puesto su uniforme de camarera cuando ocurrieron los hechos un mes atrás. Pero se sintió tan impotente y desvalida como ahora. Sólo que ahora ya no le debía cien dólares al muy hijo de puta. Pero aún quedaba el asunto de la revisión de su vehículo y en Baxter Motors podrían hacer la vista gorda y no señalar ciertos fallos.

—Mire —dijo—, yo trabajo en el Park N' Eat, ¿sabe usted?, me habrá visto seguramente y, si va allí el viernes al mediodía, podremos ir al banco con el cheque de mi paga. ¿Puede usted esperar hasta entonces?

—No, señorita, me he tomado la molestia de venir hasta aquí y regresaré a la comisaría con los cien dólares o con usted. A mí no me venga con historias —añadió Cliff, haciendo tintinear las esposas que llevaba colgadas del cinto.

—Lo siento, no dispongo de esta cantidad y no puedo faltar un día al trabajo..., mire, tengo veinte dólares... —Cliff sacudió la cabeza—. Un cheque con fecha posterior...

—No.

—Tengo unas joyas, un reloj...

—Yo no soy un maldito recaptador. Soy un policía.

—Lo siento, no sé qué...

Cliff se sacó las esposas del cinto. Ambos se miraron largamente a los ojos, recordando el momento en que a ella se le había ocurrido una solución.

—¿Me puede usted prestar el dinero? —preguntó la chica.

—¿Y qué me da usted a cambio?

—Lo que usted quiera.

—Ya he almorzado.

—Mire, yo sólo me tengo a mí. ¿Me quiere a mí?

—¿Está usted tratando de sobornarme con el sexo? —Sherry asintió con la cabeza—. Vamos a ver qué garantías me ofrece. Quítese la ropa.

Sherry se desabrochó la bata, la dejó caer al suelo, se quitó la camiseta por la cabeza y la dejó en un sillón. Después permaneció desnuda en el centro de la sala de estar mientras el jefe Baxter la rodeaba para examinarla. Por el rabillo del ojo, la chica vio el bulto de su entrepierna.

—Muy bien, señorita Kolarik, veo que me puede usted ofrecer muy buenas garantías a cambio del préstamo. Se puede arrodillar aquí mismo. Vamos a ver si tienes apetito, cariño.

Sherry se arrodilló en la alfombra.

Cliff se quitó la funda de la pistola y la dejó en el sillón, después se quitó el cinturón, se bajó la cremallera de la bragueta y se bajó los pantalones y los calzoncillos.

—Adelante, cariño.

La chica respiró hondo, cerró los ojos y utilizó un dedo para acercarse a los labios el pene en erección de Cliff.

Cuando terminó, Cliff le dijo:

—Traga. —Después se subió los calzoncillos y los pantalones, se volvió a colocar la funda de la pistola y arrojó veinte dólares al sillón—. Me encargaré de resolver el problema de las multas, pero tú me debes cuatro pagos.

—Gracias —musitó Sherry, asintiendo con la cabeza.

Cliff se lo dijo la primera vez y, a pesar de que ya la había visitado diez veces, siempre le decía que le debía cuatro más.

Cliff, que no era especialmente sensible, se dio cuenta de que la chica estaba un poco alterada y le dio unas palmadas en la mejilla.

—Después tomaremos café juntos. Ahora tengo que irme.

Salió por la puerta de atrás.

Ella se levantó, se fue a la cocina, escupió en el fregadero, se lavó la boca y corrió a la ducha.

Mientras circulaba por Spencerville, Cliff Baxter se sintió eufórico. De momento, tenía dos mujeres, lo cual estaba bastante bien. Sherry para el sexo oral y una mujer separada y con hijos que se llamaba Jackie y que se las veía y deseaba para vivir con lo que su marido le enviaba desde Toledo. Jackie tenía un bonito dormitorio y una buena cama y Cliff lo pasaba muy bien con ella y siempre le llevaba productos que le regalaban en el supermercado. Y, por si fuera poco, tenía una tercera mujer que era la suya. Soltó una carcajada.

—Estás hecho todo un hombre, Cliff Baxter —dijo en voz alta.

Sonó el teléfono móvil y lo tomó.

—Jefe —dijo el sargento Blake—, le he ordenado a Ward que pasara por delante de la granja de Landry con unos prismáticos y ha anotado el número de la matrícula.

—Muy bien.

—He llamado a los del Distrito de Columbia y les he facilitado la matrícula.

—Muy bien. ¿Qué datos tienen?

—Bueno... dicen que esta matrícula es especial y que, si queremos saber algo más, tendremos que rellenar un impreso, explicando por qué y de qué se trata...

—Pero, ¿qué demonios me está usted diciendo?

—Me han enviado un fax... de dos páginas.

—Pero, ¿qué mierda es ésa? Llame a esos hijos de puta y dígales que necesitamos datos sobre la matrícula. Dígales que conducía en estado de embriaguez o lo que sea y que no podemos cursar la denuncia ni nada...

—Jefe, le digo que lo he intentado todo. Me dicen que es algo relacionado con la seguridad nacional.

—¿La seguridad... qué?

—Ya sabe, secretos oficiales.

Cliff Baxter enmudeció de golpe. Poco antes, se sentía el amo del mundo y, de pronto, aparecía el tal Landry, procedente de Washington al cabo de... ¿cuántos años...? Puede que veinticinco y él sin saber nada y sin poder averiguar tan siquiera el menor detalle sobre el registro de su vehículo y su carnet de conducir.

—¿Quién demonios es ese tío?

—¿Cómo dice, jefe?

—Muy bien, quiero que vigilen a ese hijo de puta. Quiero que alguien pase por delante de su casa un par de veces al día y quiero que se controlen sus visitas a la ciudad.

—De acuerdo, pero... ¿qué estamos buscando? Quiero decir, ¿por qué...?

—Usted haga lo que le digo y basta.

—Sí, señor.

Cliff colgó el teléfono.

—Porque el tío se acostó con mi mujer, simplemente por eso. —Y la gente de la ciudad lo sabía o se acordaría o no tardaría en enterarse, pensó—. Y eso yo no lo puedo consentir. No señor, ni hablar.

Empezó a forjar mentalmente varios planes y recordó lo que una vez le había dicho el viejo juez Thornsby...

—A veces, un problema es una oportunidad disfrazada.

—Eso es. Ahora ese pobre imbécil ha entrado en mi territorio. Y lo que yo no pude hacer hace veinticinco años, lo podré hacer ahora. Lo voy a matar... no, le voy a cortar las pelotas. Eso es. Le voy a cortar las pelotas y las pondré en una jarra sobre la repisa de la chimenea para que Annie les quite el polvo una vez a la semana.

Soltó una carcajada.

7

Un cálido y seco viento soplaba desde el suroeste, siguiendo una antigua pauta meteorológica que antaño empujaba los incendios de las praderas hacia las llanuras cubiertas de hierba, provocando la huida de grandes rebaños de búfalos enloquecidos de terror hacia el Gran Pantano Negro donde los arados todavía seguían desenterrando sus huesos. Pero ahora el viento soplaba sobre los interminables maizales y trigales y sobre los prados donde pastaba el ganado. Soplaba desde Indiana, penetrando en Ohio hacia los grandes lagos donde chocaba con la masa ártica que se desplazaba hacia el sur.

Keith Landry recordó que, a mediados de septiembre, cuando cesaban los vientos, a veces se podía aspirar una vaharada del aroma de los pinos del norte y el aire del lago y entonces el cielo se llenaba de patos canadienses. Un día de septiembre, George Landry le dijo a su mujer Alma:

—Ya es hora de que seamos tan listos como los patos.

Y se fueron.

La historia de casi todas las migraciones humanas, sin embargo, era mucho más complicada, pensó Keith. Los seres humanos se adaptaban a casi todos los climas de la tierra y en otros tiempos habían poblado el mundo con sus vagabundeos. A diferencia de los salmones, no tenían que regresar a su lugar de origen para el desove, lo cual no hubiera sido mala idea.

Keith se estaba aclimatando a la sequedad casi sofocante, al fino polvo y al incesante viento y, como todos los habitantes del norte de Ohio, ya pensaba en el invierno mucho antes de que éste llegara. Más difícil le resultaría aclimatarse al ambiente social.

Había transcurrido una semana desde su regreso y pensó que ya era hora de ir a la ciudad. Al mediodía tomó el coche y se dirigió a Baxter Motors, un concesionario de la Ford que había en el extremo oriental de Main Street. Su familia había sido durante muchos años cliente de allí y él recordaba vagamente que su padre no le tenía demasiada simpatía a aquella gente. Pero el viejo era un poco perverso y pensaba que podría conseguir mejores gangas con las personas que le eran antipáticas, lo cual parecía producirle un placer especial.

No ignoraba que Baxter Motors era propiedad de la familia del marido de Annie y puede que ello hubiera influido también en su decisión, por más que no acertara a comprender el motivo.

Bajó del Saab y miró a su alrededor. Era un concesionario exclusivo de la Ford y no comercializaba marcas extranjeras tal como se solía hacer en el Este.

Un vendedor se le acercó cruzando el aparcamiento y le preguntó:

—¿Qué tal está usted?

—Muy bien. Gracias por preguntármelo.

El vendedor se quedó momentáneamente desconcertado, pero enseguida le tendió la mano.

—Phil Baxter.

—Keith Landry.

Keith miró a Baxter, un tipo grueso de cuarenta y tantos años con más papadas que una guía telefónica china. Parecía simpático, pero puede que ello formara parte de su trabajo.

—¿Es suyo el negocio? —le preguntó Keith.

Phil se rió.

—Todavía no. Lo será cuando papá se retire.

Keith trató de imaginarse a Annie casada con una de aquellas chapuzas genéticas, pero enseguida se avergonzó de su mezquindad y falta de caridad. Fue directamente al grano, quizá con excesiva rapidez para los gustos locales, y dijo:

—Quiero cambiar este Ford trucado por otro nuevo.

Phil Baxter echó un vistazo al Saab y volvió a reírse.

—Eso no ha sido un Ford en su vida, amigo. —Después añadió en plan más serio—: Aquí no solemos aceptar marcas extranjeras. Supongo que ya sabrá usted por qué.

—¿Por qué?

—Cuesta mucho venderlas. La gente de aquí utiliza marcas americanas. —Phil estudió la matrícula—. ¿De dónde es usted?

—De Washington.

—¿Está de paso?

—En realidad, soy de aquí. Acabo de regresar.

—Sí, su nombre me suena. ¿Hemos realizado negocios alguna otra vez?

—Por supuesto. ¿Me quiere vender un coche?

—Sí, claro... pero... tengo que hablar con el jefe.

—¿Con su papá?

—Sí. Pero él no está en estos momentos. ¿Qué tipo de Ford desearía usted, Keith?

—Un Mustang GT quizá.

Phil abrió unos ojos como platos.

—Muy buena elección, oiga. Tenemos dos, uno rojo y otro negro. Pero le puedo conseguir el color que usted quiera.

—Muy bien. ¿Qué vale mi coche? Es del año pasado y tiene trece mil kilómetros.

—Se lo calcularé.

—¿Me lo va a comprar?

—Eso ya se lo dire después, Keith. De momento, aquí tiene mi tarjeta. Llámeme cuando lo haya decidido.

Keith esbozó una sonrisa ante aquella pausada manera de vender tan propia de las localidades provincianas. En Washington, cualquier vendedor de coches parecía un traficante de armas o el miembro de un lobby de la Colina del Capitolio. Allí, en cambio, nadie le atosigaba a uno.

—Gracias, Phil —dijo, dando media vuelta para marcharse. De pronto, el diablillo de la perversidad le indujo a volver la cabeza para comentar—: Recuerdo a uno que se llamaba Cliff Baxter.

—Sí, es mi hermano. Ahora es el jefe de policía.

—¡No me diga! Veo que le han ido muy bien las cosas.

—Pues sí. Una mujer preciosa, dos hijos estupendos, uno ya en la universidad y la otra a punto de matricularse.

—Dios les bendiga.

—Amén.

—Hasta luego, Phil.

Keith se adentró en el tráfico de Main Street y se detuvo ante un semáforo en rojo. «Ha sido una jugada completamente estúpida, Landry», pensó.

No tenía ninguna necesidad de ir a Baxter Motors; sabía que no aceptarían el Saab, ni siquiera estaba seguro de que le interesara un Ford y no hubiera tenido que mencionar para nada el nombre de Cliff Baxter. Para ser un ex oficial del servicio de espionaje, estaba actuando como un imbécil... pasando por delante de la casa de Annie, yendo a comprar al establecimiento de su suegro. ¿Qué iba a hacer ahora? ¿Tirarle de las trenzas? «Vamos, Landry, pórtate como una persona adulta.»

El semáforo cambió a verde y él subió por Main Street en dirección oeste. En la zona del centro abundaban los edificios de ladrillo oscuro de tres o cuatro pisos de altura, con tiendas en las plantas bajas y casi todos los apartamentos vacíos. Todo se había construido prácticamente entre finales de la guerra de Secesión y comienzos de la Gran Depresión. El ladrillo y los adornos de madera eran interesantes, pero casi todas las tiendas se habían modernizado en los años cincuenta y sesenta y resultaban más bien vulgares.

Observó que el tráfico era bastante fluido tanto en las aceras como en la calzada y que la mitad de las tiendas estaban cerradas.

Las que permanecían abiertas eran establecimientos de confección barata, locales de venta de chucherías con fines benéficos, comercios de vídeos y cosas por el estilo. Recordó que Annie le había dicho en una de sus cartas que regentaba la tienda de artículos de regalo del Hospital del Condado en el centro de la ciudad, pero él no había visto la tienda.

Los tres grandes edificios de la ciudad también estaban cerrados...: el cine, el viejo hotel y los almacenes Carter's. Faltaban además dos ferreterías, una media docena de tiendas de comestibles, tres pastelerías donde vendían refrescos y helados y la Bob's Sporting Goods, donde él se gastaba casi todo el dinero que tenía.

Quedaban algunos establecimientos antiguos... La farmacia Grove's, el restaurante Miller's y dos tabernas, la John's Place y la histórica Posthouse. Los funcionarios del Palacio de Justicia las debían de mantener a flote.

El centro de Spencerville no estaba tal y como él lo recordaba de su infancia. Entonces era el centro de su mundo y, sin necesidad de idealizarlo, Keith estaba seguro de que había sido el centro de la vida y el comercio del condado de Spencer, rebosante de prosperidad y de familias numerosas. Era lógico que el cine, las pastelerías y la tienda de articulos deportivos hubieran hecho las delicias de la chiquillería de la ciudad.

Sin embargo, ya entonces se advertían las señales de una situación económica y social que iba a provocar profundos cambios en Main Street y en Estados Unidos en general, pero entonces él no lo sabía y pensaba que el centro de Spencerville era el mejor lugar del mundo, lleno de amigos y de mil cosas interesantes que hacer. «La América que nos envió a la guerra ya no existe y no puede darnos la bienvenida», pensó.

No era necesario haber nacido en una pequeña localidad para sentir debilidad por las pequeñas localidades norteamericanas. Eran el ideal desde un punto de vista abstracto y sentimental. Más allá de la nostalgia, la ciudad provinciana había dominado buena parte de la historia norteamericana; en miles de Spencervilles de todo el país, rodeadas de interminables fincas agrícolas, se habían forjado y habían arraigado las ideas y la cultura norteamericana de las que se había nutrido la nación. Pero ahora las raíces ya se estaban muriendo y nadie se daba cuenta porque el árbol ofrecía todavía un aspecto lozano.

Al llegar al centro de la ciudad, vio un edificio que no había cambiado: al otro lado de la plaza del Palacio de Justicia se levantaba la Jefatura de Policía y, delante de ella, entre unos vehículos aparcados de la policía, un grupo de oficiales estaba conversando con un hombre en el que Keith reconoció instintivamente al jefe de policía Baxter. Vio también, unos cuantos edificios más abajo, la tienda de artículos de regalo del Hospital del Condado.

Keith pasó por delante de la mole del Palacio de Justicia que se levantaba en el centro de un pequeño parque público. La administración de la justicia civil y penal y la proliferación de organismos burocráticos estaban todavía en pleno florecimiento a finales del llamado siglo americano, incluso en el condado de Spencer. El Palacio de Justicia se había considerado en otros tiempos un edificio inútil y una locura gigantesca, pero los visionarios que lo habían construido debieron de intuir la clase de sociedad que heredaría la nación.

Aparte las salas de justicia, el edificio albergaba la oficina de la fiscalía, el Departamento de Bienestar, una librería jurídica de carácter público, la oficina topográfica del condado, la delegación de Agricultura, la Junta Electoral y toda una serie de organismos gubernamentales; el Ministerio de Todo con su torre del reloj de dieciséis pisos de altura elevándose orwellianamente por encima de la decadente ciudad que la rodeaba.

En el parque del Palacio de Justicia había niños paseando en bicicleta, mujeres con cochecitos infantiles, ancianos sentados en los bancos, paseantes, funcionarios descansando durante la pausa del almuerzo y algunos desempleados. Por un instante, Keith creyó estar en el verano de 1963, el verano en que había conocido a Annie Prentis, como si no hubieran transcurrido tres décadas o, mejor dicho, como si éstas hubieran transcurrido de una manera distinta.

Rodeó todo el Palacio de Justicia, regresó a Main Street y siguió hacia el oeste donde se levantaban las casas más antiguas. La calle había sido en otros tiempos residencial, pero ahora abundaban las pensiones, los centros de atención de día, los despachos y alguna que otra tienda dispersa. Keith les deseó suerte para que pudieran seguir pagando la hipoteca y los impuestos.

Al llegar a la señalización que decía «Límite Urbano», Main Street se ensanchaba formando cuatro carriles y se convertía en la autopista que conducía a la frontera de Indiana. Pero aquello no tenía el menor carácter rural, pues era una especie de arteria comercial con supermercados, tiendas de artículos para el hogar, establecimientos de venta con descuento y gasolineras. En lo alto de gigantescos postes campeaban unos enormes rótulos de plástico: Wendy's, McDonald's, Burger King, Kentucky Fried Chicken, Roy Rogers, Domino's Pizza, Friendly's y otros locales de comida rápida en una sucesión ininterrumpida que quizá llegaba hasta Indiana o incluso hasta la mismísima California..., aquélla era la verdadera Calle Mayor típicamente norteamericana.

En cualquier caso, era lo que había provocado la muerte del centro de la ciudad o, a lo mejor, el centro de la ciudad se había suicidado por falta de visión y también por su empeño en romper con el pasado sin haberlo sabido comprender. En las pequeñas y deliciosas ciudades que él había visto en Nueva Inglaterra, el pasado y el presente se fundían entre sí y el futuro se construía cuidadosamente sobre los cimientos del tiempo. No obstante, si se hubiera quedado en Spencerville y hubiera sido testigo de la evolución en lugar de tragársela de golpe cada cinco años, Keith no hubiera sentido tanta añoranza y la transformación física no le hubiera llamado tanto la atención. Como no quedaba ni una sola tienda de comestibles en el centro, no tuvo más remedio que entrar en el aparcamiento de un supermercado.

Tomó un carrito y entró. Los pasillos eran muy anchos, el local tenía aire acondicionado y estaba muy limpio y los artículos eran prácticamente los mismos que en Washington. A pesar de su nostalgia de la caótica tienda de comestibles del señor Erhart, el moderno supermercado era sin duda la mejor aportación norteamericana a la civilización occidental.

Curiosamente, la calle comercial que Keith solía visitar en Georgetown se parecía más a la antigua Spencerville que la propia Spencerville. Allí, las pocas veces que salía de compras, Keith se pasaba el rato entrando y saliendo de pequeñas tiendas especializadas. El concepto del supermercado le era ajeno, pero enseguida lo captó. Empujó el carrito por los pasillos, tomó lo que necesitaba, se cruzó con amas de casa y con ancianos, sonrió, dijo «Perdón» y no comparó precios. Le sorprendió que hubiera tantas personas desconocidas, recordando la época en que solía saludar a la mitad de las personas con quienes se cruzaba por la calle. Vio algún rostro familiar y algunas personas parecieron reconocerle, aunque seguramente no recordaban su nombre. Vio por lo menos a diez antiguas conocidas de su misma edad y a un hombre con quien antaño había jugado al fútbol, pero aún no estaba preparado para detenerse a conversar con aquellas personas.

No vio a ninguno de sus mejores amigos de antaño y, de haberlos visto, se hubiera sentido un poco avergonzado, pues no se había mantenido en contacto con ninguno de ellos y no había asistido a ninguna reunión de ex alumnos. Aparte su familia, su único contacto con Spencerville había sido Annie.

La vio doblando una esquina y empujó el carrito con más rapidez, después soltó el carrito y le dio alcance. Pero no era ella y ni siquiera se le parecía. Había sido una pequeña alucinación de media tarde.

Regresó al lugar donde había dejado el carrito y, sin terminar de hacer la compra, pagó en la caja y se dirigió a su automóvil con las bolsas.

Un vehículo de la policía de Spencerville con dos oficiales en su interior le estaba bloqueando la salida. Colocó las bolsas en el portamaletas, se sentó al volante del Saab y lo puso en marcha, pero ellos no se movieron. Bajó y se acercó al oficial que estaba sentado al volante.

—Disculpe, tengo que salir.

El policía le miró largo rato y después se volvió hacia su compañero diciendo:

—Yo pensaba que, a estas alturas, todos los obreros inmigrantes ya se habían ido.

Ambos se echaron a reír.

Era uno de aquellos momentos, pensó Keith, en que cualquier ciudadano corriente norteamericano les hubiera dicho a los policías que se fueran al carajo. Pero él no era un nortemericano corriente y había vivido en suficientes estados policiales como para comprender que aquello era una provocación deliberada. En Somalia o Haití o en otros muchos lugares que él conocía, lo que hubiera ocurrido a continuación hubiera sido la muerte de un ciudadano estúpido. En el antiguo imperio soviético, raras veces le pegaban a uno un tiro por la calle, pero sí lo detenían, que era lo que ahora le hubiera ocurrido a él si no se hubiera andado con cuidado.

—Cuando ustedes quieran —dijo.

Subió a su automóvil, puso marcha atrás, se encendieron los correspondientes faros y esperó. Al cabo de unos cinco minutos, cuando ya habían pasado por allí muchas personas y se habían dado cuenta de lo que sucedía y algunas incluso les habían dicho a los oficiales que estaban impidiendo la salida del señor y la cosa ya estaba empezando a llamar demasiado la atención, los policías decidieron largarse.

Keith hizo marcha atrás y enfiló la autopista. Hubiera podido tomar las carreteras rurales para regresar a casa, pero, en su lugar, regresó a la ciudad por si la Gestapo lo estuviera vigilando. Se pasó todo el rato mirando por el espejo retrovisor.

Aquello no había sido un casual incidente de corte fascista hacia un hombre con un vehículo extraño y una matrícula de otro estado. Spencerville tampoco era como una de aquellas ciudades del Sur en las que a veces los policías se comportaban de forma desagradable con los forasteros. Era una bonita, civilizada y hospitalaria ciudad del Medio Oeste en la que los forasteros solían ser tratados con cierta cortesía. Por consiguiente, se trataba de algo premeditado y no hacía falta ser un antiguo oficial del servicio de espionaje para adivinar quién lo había planeado.

Keith ya tenía la respuesta a una de sus preguntas: el jefe de policía Baxter sabía que él estaba en Spencerville. Pero, ¿lo sabía la señora Baxter?

Había pensado en la reacción de Cliff Baxter en cuanto se enterara de que el antiguo novio de su mujer había regresado a la ciudad. Las grandes ciudades estaban llenas de antiguos novios, lo cual no solía constituir ningún problema. E incluso en Spencerville forzosamente tenía que haber muchos hombres y mujeres casados que se habían acostado con otras personas antes de casarse y que, sin embargo, seguían viviendo en la ciudad donde vivían sus antiguos amantes. El problema en aquel caso era Cliff Baxter, el cual, por lo que Keith podía adivinar, no era un tipo muy sofisticado y carecía de cierto *savoir faire*.

Annie jamás había escrito ni una sola palabra en contra de su marido en sus cartas, ni siquiera entre líneas. Sin embargo, lo más significativo era más bien lo que no decía, combinado con todo lo que él recordaba de Cliff Baxter y lo que le había oído decir a su familia a lo largo de los años.

Él nunca hacía ninguna pregunta sobre Cliff, pero su madre siempre le soltaba algún comentario sobre los Baxter, no demasiado diplomático, por cierto. Cosas como «No sé qué habrá visto en él esa chica». O cosas más concretas y directas como, por ejemplo: «El otro día vi a Annie Baxter por la calle y me preguntó por ti. Está muy guapa».

Su madre siempre le había tenido mucha simpatía a Annie Prentis y hubiera querido que el muy estúpido de su hijo se casara con ella. En los tiempos de su madre, el galanteo era el preludio de una boda y un pretendiente reacio a formalizar las relaciones podía ser denunciado por ruptura del compromiso en caso de que destruyera la reputación de una chica, llevándosela a merendar al campo sin la presencia de una carabina y después no cumpliera con su obligación, casándose con ella. Keith esbozó una sonrisa. Cómo había cambiado el mundo.

Su padre, que era hombre de muy pocas palabras, solía hablar muy mal del jefe de policía, pero sus comentarios se limitaban a cuestiones de carácter público. Nunca hablaba de sexo, amor y matrimonio y jamás pronunciaba el nombre de Annie. Pero, en el fondo, pensaba lo mismo que su mujer... la chica se había equivocado.

Ellos no podían comprender el mundo de finales de los sesenta, las tensiones y los trastornos sociales, más profundamente sentidos por los jóvenes que por los mayores. La verdad era que el país se había vuelto loco y, en medio de aquella locura, Keith y Annie habían extraviado el camino y después se habían perdido el uno al otro.

En los cinco años transcurridos desde la partida de sus padres, Keith ya no había vuelto a tener noticias de Spencerville ni del jefe Baxter ni de lo bonita que estaba Annie con su vestido floreado, paseando por el parque del Palacio de Justicia.

Tanto mejor, pues su madre, a pesar de su buena intención, lo hacía sufrir mucho con sus comentarios.

Keith circuló lentamente por las calles de la ciudad, se dirigió al sur por Chestnut Street, cruzó las vías del tren y avanzó por la zona más pobre de la ciudad, pasando por delante de almacenes y talleres hasta salir al campo.

Miró de nuevo a través del espejo retrovisor, pero no vio ningún vehículo de la policía.

No tenía ni idea de cuál era el juego que se llevaba entre manos el jefe de la policía Baxter, pero, en realidad, le daba igual mientras ambos no rebasaran los límites de la ley. A Keith no le importaba que lo hostigaran y más bien le hacía gracia. En la antigua Unión Soviética y en los países del bloque del Este, el hostigamiento era la modalidad más alta de cumplido; significaba que uno estaba haciendo muy bien su trabajo y que ellos a su vez se tomaban la molestia de manifestarle su desagrado.

No obstante, Cliff Baxter hubiera dado muestras de ser un poco más inteligente de lo que era si se hubiera estado quieto durante algún tiempo.

Keith sospechaba que Baxter no era ni muy paciente ni demasiado perspicaz. Debía de ser astuto y peligroso, pero, como los policías de los estados policiales, estaba demasiado acostumbrado a obtener satisfacciones inmediatas.

Keith trató de ponerse en el lugar de Cliff Baxter. Por una parte, el hombre estaba deseando echarle cuanto antes de la ciudad. Pero su astucia innata lo inducía a provocar un incidente que desembocara en cualquier cosa, desde una detención a un balazo.

Keith comprendió, en definitiva, que no habría sitio en la ciudad para Keith Landry y Cliff Baxter y que, si él se quedara, lo más probable era que alguien acabara pasándolo mal.

8

La semana siguiente transcurrió sin ningún acontecimiento digno de mención y Keith aprovechó para trabajar un poco en la granja y en la casa. Arrancó las malas hierbas del huerto de la cocina, removió la tierra y esparció paja para que no volviera a crecer la maleza y el viento no se llevara el mantillo. Arrancó unos cuantos racimos del emparrado y cortó las vides.

Después arrancó la maleza alrededor de los árboles, la cortó con una sierra para usarla como leña en la chimenea y la amontonó junto a la puerta de atrás de la casa. Se pasó dos días arreglando vallas y empezó a limpiar el cobertizo de los aperos y el granero. Aunque se encontraba en plena forma, el trabajo de la granja lo agotaba tanto como en los días de su infancia en que apenas le quedaban fuerzas para reunirse con sus amigos después de comer. Su padre lo había hecho durante cincuenta años y ahora se tenía bien merecido el descanso en el patio de su casa de Florida. No le reprochaba a su hermano que no hubiera querido seguir la tradición de ciento cincuenta años de duro esfuerzo a cambio de muy poco dinero y no se reprochaba nada a sí mismo ni se lo reprochaba a su hermana. Y sin embargo, hubiera sido bonito que alguien como el tío Ned la hubiera continuado. Menos mal que su padre no había vendido las tierras y había conservado la casa. Casi todos los agricultores lo vendían todo y sanseacabó. Nadie, que Keith supiera, había regresado jamás de Florida o de cualquier otro lugar donde estuviera.

En el banco de trabajo del cobertizo de los aperos vio el viejo yunque. En el yunque figuraba grabada la palabra «Erfurt» y el año 1817. Recordó que era el yunque que su tatarabuelo se había llevado de Alemania, cargándolo en un velero y después probablemente en varias barcas de navegación fluvial y un carro tirado por un caballo hasta llegar finalmente a aquel lugar del Nuevo Mundo. Cien kilos de acero, arrastrados a través de medio globo hasta llegar a la nueva frontera habitada por unos indios hostiles y una flora y fauna desconocidas. Keith estaba seguro de que sus antepasados se habrían arrepentido de haber abandonado sus hogares y a sus familias y su civilizado y reposado ambiente para irse a una tierra solitaria y despiadada. Pero se habían quedado y habían construido una civilización. Ahora lo que ni los indios ni las enfermedades del pantano habían conseguido hacer, lo había hecho la propia civilización. La gente había abandonado las granjas.

Mientras trabajaba, Keith pensó que el hecho de cortar leña para la chimenea en invierno era una especie de compromiso, aunque siempre le quedaría la posibilidad de regalar la leña si decidiera marcharse. De momento, le gustaba cuidar la granja que sus padres habían heredado de sus antepasados. Experimentaba un saludable dolor muscular, estaba bronceado y se sentía en plena forma, pero el cansancio no le permitía dedicar la menor atención a las inquietudes urbanas y tanto menos pensar en el sexo. Bueno, pensaba en él, pero procuraba no hacerlo.

Le habían conectado nuevamente el teléfono y había llamado a sus padres y a su hermano y su hermana para decirles que ya estaba en casa. En Washington, no sólo su número no figuraba en la guía sino que la telefónica ni siquiera tenía registrado su nombre. En Spencerville, en cambio, había decidido poner su número y su nombre en la guía, pero, de momento, no había recibido ninguna llamada, lo cual le parecía muy bien.

Le enviaban la correspondencia desde Washington, pero eran cosas sin importancia, exceptuando las últimas facturas que ya podría pagar tras haber abierto una cuenta en el viejo Farmers and Merchants Bank de la ciudad. La UPS le había entregado las cajas con otros objetos personales y éstas se encontraban en el sótano, todavía sin abrir.

Era curioso, pensó, con qué rapidez se podía simplificar una vida complicada. Se habían acabado el fax y el télex domésticos, el teléfono del coche, el despacho, la secretaria, los billetes de avión sobre su escritorio, los montones de mensajes escritos en papelitos de color de rosa, las reuniones mensuales, los informes a la Casa Blanca. Ya no tenía que leer comunicados y lo único que tenía que descifrar era la vida.

De hecho, aunque finalmente había informado de su paradero al Consejo Nacional de Seguridad, no había recibido oficialmente ninguna noticia desde allí y tampoco sabía nada de sus amigos y compañeros de Washington. Todo ello reforzaba su opinión de que su pasada vida había sido una estupidez y de que el juego era sólo para los jugadores, no para los antiguos astros.

Mientras trabajaba, pensó en los años que había transcurrido en el Departamento de Defensa y en el Consejo Nacional de Seguridad y cayó en la cuenta de que Spencerville y el resto del país estaban llenos de monumentos a los hombres y las mujeres de las fuerzas armadas que habían servido y entregado sus vidas por su patria y de que en Arlington estaba el monumento al soldado desconocido que representaba a todos los muertos anónimos y se hacían desfiles y se dedicaban días especiales al Ejército. Sin embargo, los muertos, los inválidos y los veteranos de la guerra secreta sólo tenían monumentos privados en los vestíbulos o los jardines de algunos edificios no abiertos al público. Ya era hora de que se erigiera un monumento en una plaza pública a los guerreros de la Guerra Fría que servían y gastaban sus vidas, destrozaban sus matrimonios, eran enviados de un lado para otro y morían física y mentalmente y, a veces, incluso espiritualmente. No sabía cómo podría ser el monumento, pero a veces se imaginaba un enorme agujero en el centro de una plaza, una especie de remolino de cuyo interior brotara una llama perenne. La hipotética inscripción debería decir: *A los Guerreros de la Guerra Fría, 1945 —1989? Gracias*.

Sin embargo, aquel tipo de guerra no solía terminar con un último disparo sino más bien con un gemido y la transición de la guerra a la paz pasaba generalmente inadvertida. No había cohesión ni sensación de victoria ni pompa ni boato cuando se desactivaban las divisiones, se decomisaban los barcos y se enviaban al desierto los escuadrones de cazabombarderos. Sólo había una simple desaparición, un trozo de papel, un cheque de pensión de jubilación enviado por correo. En realidad, pensó Keith, en Washington ni siquiera le daban a uno las gracias.

A pesar de todo, no estaba amargado y más bien se alegraba de que todo hubiera terminado. No obstante, pensaba que el Gobierno y la gente hubieran tenido que aprovechar mejor sus esfuerzos, pero comprendía su propio país y la innata tendencia de los norteamericanos a suponer que la guerra y la historia eran cosas que normalmente les sucedían a otros en otros lugares y eran más bien un engorro. Vuelta a la normalidad.

Ya era hora de cortar la leña. Podó los viejos robles que rodeaban la casa, colocó las ramas en una carretilla y las llevó a los caballetes de aserrar. Allí las cortó, partió y amontonó.

Le habían visitado tía Betty y algunos parientes lejanos y también los Muller, de la finca de al lado, y Martin y Sue Jenkins de la finca del otro lado de la carretera. Todos le habían llevado un poco de comida, todos parecían un poco cohibidos y todos le habían hecho las mismas preguntas... «O sea que te vas a quedar aquí una temporada, ¿eh? ¿No echas de menos la gran ciudad? ¿Has ido al centro? ¿Has visto a los amigos?» Y cosas por el estilo. Nadie le había dicho lo que realmente pensaba, o sea, «¿Pero es que te has vuelto loco?».

Keith sacó una cerveza del frigorífico y salió a descansar un rato al porche. Contempló la solitaria carretera, los campos y los árboles agitados por el viento. Mariposas, abejorros y pájaros. De pronto vio un coche patrulla azul y blanco de la policía. Pasaban por allí una o dos veces al día o tal vez más. Temió que surgiera algún problema en caso de que Annie pasara casualmente por allí. Incluso pensó en la posibilidad de enviarle una nota a través de su hermana, pero le pareció ridículo y no hubiera sabido qué decir. *Hola, he vuelto y tu marido me vigila. No te acerques por aquí.*

Estaba claro que el marido también la estaría vigilando a ella. Sin embargo, lo más probable era que ella no tuviera la menor intención de pasar por allí y, por consiguiente, ¿por qué preocuparse? Lo que tuviera que ocurrir, ocurriría. Se había pasado demasiados años manipulando los acontecimientos, preocupándose por las manipulaciones, tratando de descubrir si las manipulaciones habían dado resultado, controlando los daños cuando las cosas fallaban y así sucesivamente. «Vigila, ponte en guardia y procura estar preparado. No hagas nada.» El consejo era bueno, pero, aun así, él estaba nervioso.

A la mañana siguiente se dirigió a Toledo y cambió el Saab por un Chevrolet Blazer de color verde oscuro como casi todos los que había visto por allí. El concesionario le facilitó una matrícula de Ohio y él guardó las de Washington debajo del asiento. Tendría que enviarlas al lugar de donde procedían y que no era, por cierto, el Registro de Vehículos Motorizados.

A última hora de la tarde regresó a casa. Cuando llegó a las afueras de Spencerville ya se estaba poniendo el sol y, al llegar a la granja, unas largas sombras alargadas cubrían el patio de la casa. Pasó por delante del buzón, enfiló la calzada y se detuvo. Hizo marcha atrás y vio que la bandera roja estaba levantada, lo cual era un poco extraño, pues había recibido la correspondencia aquella mañana. Abrió el buzón y sacó un sobre sin sello dirigido simplemente a «Keith». La escritura era inconfundible.

Se dirigió con el Blazer a la parte de atrás de la casa para que el vehículo no se viera desde la carretera, bajó y entró en la casa. Dejó el sobre encima de la mesa de la cocina, sacó una cerveza del frigorífico, la volvió a guardar y se preparó en su lugar un buen trago de whisky con soda.

Se sentó junto a la mesa, tomó un sorbo, echó un poco más de whisky, lo hizo varias veces y, al final, volvió a mirar el sobre.

—Muy bien.

Pensó en ella y en muchas cosas. *Habían mantenido una intensa relación monógama durante dos años en el instituto y después otros cuatro en la universidad y ambos se habían graduado juntos en la Universidad del Estado de Bowling Green. Annie, que era una alumna aventajada, decidió aceptar una beca para la Universidad del Estado de Ohio y él, que estaba harto de estudiar y no disponía de medios para seguir estudiando, decidió no presentar ninguna instancia a la Universidad de Ohio. La siguió a Columbus, pero, antes de que finalizara el verano, lo llamaron a filas en cuanto la junta de reclutamiento se enteró de su situación.*

Abrió el sobre y leyó la primera línea. «Querido Keith, me he enterado de que has vuelto y vives en la casa de tus padres.»

Contempló el patio a oscuras y escuchó el canto de las cigarras.

Pasaron un verano juntos, dos mágicos meses en Columbus, viviendo en el nuevo apartamento de Annie, explorando la ciudad y la universidad. En septiembre, él tuvo que irse. Dijo que regresaría y ella dijo que le esperaría. Pero no ocurrió ninguna de las dos cosas, como no era probable que ocurrieran en Estados Unidos en 1968.

Keith respiró hondo y volvió a concentrarse en la carta. «Corren rumores de que te vas a quedar aquí algún tiempo. ¿Es cierto?»

Tal vez. Se echó un poco más de whisky en el vaso y siguió recordando.

Lo enviaron a Fort Benning, Georgia, para el adiestramiento básico y avanzado y después a la Escuela de Aspirantes a Oficiales y, al cabo de un año, alcanzó el grado de subteniente. No estuvo mal para ser un chico del campo. Se escribían muy a menudo al principio, pero después lo hicieron con menos frecuencia. A ella le resultaba difícil defender o justificar la monogamia y le confesó que se veía con otros. Keith lo comprendió. Se pasó el permiso previo al embarque no en Columbus sino en Spencerville. Hablaron por teléfono. Ella estaba muy ocupada con las clases y él estaba muy nervioso con la cuestión de su traslado a la zona de combate y las clases de Annie le importaban un bledo. Le preguntó si se veía con alguien en aquellos momentos. Ella le contestó que sí, pero que no era nada serio. Al cabo de unos diez minutos de conversación, Keith pensó que ojalá ya estuviera en la zona de combate.

—Has cambiado —le dijo.

—Todos hemos cambiado, Keith —contestó ella—. Mira a tu alrededor.

—Bueno, tengo que dejarte —dijo Keith—. Que tengas suerte en los estudios.

—Gracias. Cuídate, Keith. Vuelve a casa sano y salvo.

—De acuerdo.

—Adiós.

—Adiós.

Pero no podían colgar el teléfono.

—Quiero que nos duela lo menos posible a los dos, ¿comprendes? —dijo ella.

—Comprendo. Gracias —dijo Keith.

Y colgó sin más.

Siguieron escribiéndose sin que ninguno de ellos se diera cuenta de que todo había terminado.

Keith apartó el vaso de whisky a un lado. El alcohol no le estaba dando resultado, las manos le temblaban y no conseguía que se le embotara la mente.

«Bueno pues —leyó—, bienvenido a casa, Keith, y buena suerte.»

—Gracias, Annie.

Había mandado un pelotón de infantería y había visto demasiados muertos en el suelo, demasiada sangre recién derramada o coagulándose bajo el sol. No tenía ninguna referencia para todo aquello, como no fueran los corrales de ganado de Maumee. Las aldeas y las granjas saltaban en pedazos, había sacos de arena y alambradas por todas partes y él lloraba por los granjeros y sus familias. Terminó su turno y regresó de permiso a Spencerville .

Se secó el sudor del rostro, se concentró de nuevo en la carta, la volvió a leer desde el principio y prosiguió la lectura. «Mañana acompañaré a Wendy a la universidad. Cursará primero en nuestra vieja universidad. Estoy deseando verla. Estaré ausente aproximadamente una semana.»

Keith asintió con la cabeza y tomó otro sorbo.

Pasó su permiso de treinta días en Spencerville donde no hizo más que comer, beber y dar largos paseos. Su madre le aconsejó que fuera a Columbus, pero él prefirió llamar por teléfono. Para entonces ella ya estaba preparando el doctorado. La conversación resultó un poco forzada. No le preguntó si salía con otros porque ya lo había aceptado. Él también se había acostado con otras mujeres. Le daba igual. Pero ella había cambiado mucho en comparación con el año anterior. Era una activista política, no acababan de gustarle los hombres de uniforme y aprovechó para echarle un sermón sobre la guerra.

Él estaba furioso y ella estuvo más bien fría. Cuando él ya se disponía a colgar, ella le dijo:

—Tengo que dejarte.

Él se dio cuenta de que estaba al borde de las lágrimas y se ofreció a ir a verla y ella dijo que bueno. Pero él no fue a Columbus ni ella regresó a Spencerville. Tampoco se reunieron a medio camino.

Keith leyó las últimas líneas de la carta. «Mi tía Louise sigue viviendo muy cerca de tu casa y la próxima vez que vaya a verla, pasaré para saludarte. Cuídate. Annie.»

Se guardó la carta en el bolsillo, se levantó y salió por la puerta de atrás. El cálido viento había cesado y no hacía tanto calor. Quedaba un poco de sol por el horizonte occidental, pero por el este ya habían despuntado las estrellas. Se acercó al borde del maizal y empezó a caminar entre los altos tallos, cubriendo unos cuantos centenares de metros hasta llegar a una pequeña loma que algunos consideraban un montículo funerario indio. La loma se hubiera podido cultivar, pero su familia jamás lo había hecho y a los Muller les habían pedido que tampoco lo hicieran. La loma aparecía profusamente cubierta de ballico y casi en su cima crecía un abedul que alguien había plantado o que había arraigado allí por su cuenta.

Keith se detuvo junto al abedul y contempló el maizal. Allí había jugado de niño y allí había acudido para meditar en su adolescencia.

Tampoco se reunieron a medio camino. Por orgullo quizá o por otra razón. Él no podía aceptar el hecho de que ella se hubiera acostado con otros, a pesar de que no le había hecho ninguna proposición matrimonial, tal vez porque no quería convertirla en una joven viuda. Era el clásico dilema en tiempo de guerra: ¿casarse o no casarse? No recordaba exactamente lo que habían dicho a propósito de aquella cuestión, pero estaba seguro de que ella se acordaría.

Se sentó al pie del abedul y contempló las estrellas. En Washington casi no se veían, pero allí en el campo el cielo nocturno era tan hermoso que le cortaba a uno la respiración. Contempló el universo, identificando las constelaciones tal como tantas veces había hecho con ella.

Cuando terminó su permiso tras haber combatido en Vietnam, sólo le quedaba menos de un año de servicio, pero decidió quedarse un poco más, presentó una instancia y fue aceptado en la Escuela de Espionaje Militar de Fort Holabird, Maryland. Era un sector muy interesante y el trabajo le gustaba. Le destinaron a un segundo turno en aquella guerra interminable, pero esa vez en calidad de analista de espionaje. Lo habían ascendido a capitán, la paga era buena y el trabajo no estaba mal. Mejor que los combates, mejor que Spencerville, mejor que el regreso a un país que se estaba volviendo loco.

Dejaron de escribirse, pero él se enteró de que ella había abandonado el programa del doctorado, se había ido a Europa y había regresado a Spencerville para asistir a la boda de una prima suya. En aquella boda conoció a Cliff Baxter, según un amigo que también asistió como invitado. Se lo debieron de pasar muy bien en la boda o después de ella, pues a los pocos meses se casaron. Eso le habían dicho por lo menos, pero, para entonces, ya no le interesaba que le siguieran facilitando información.

Se sacó la carta del bolsillo, pero no la pudo leer por falta de luz. Sin embargo, recordaba casi todo lo que decía. Las frases y las palabras parecían inofensivas, pero, como producto de todo lo que había ocurrido anteriormente, eran todo lo que él deseaba leer. Sabía el esfuerzo que ella había tenido que hacer para escribir aquella carta y el peligro que había corrido al echársela en su buzón. El peligro no era sólo físico bajo la forma de Cliff Baxter sino también emocional. Ninguno de los dos hubiera podido soportar una nueva decepción o un corazón destrozado. Pero ella había decidido lanzarse y tomar la iniciativa y a él le gustaba que lo hubiera hecho.

Keith se volvió a guardar la carta en el bolsillo y arrancó un puñado de hierba.

Al enterarse de que ella se había casado, procuró quitársela de la cabeza. La cosa duró aproximadamente una semana. Después le envió una nota de felicitación a través de sus padres. Ella le contestó, dándole las gracias y le pidió que no volviera a escribirle nunca más.

Él pensó, y ella quizá también lo pensó, que algún día volverían a reunirse. No se habían podido olvidar el uno al otro. Durante seis años habían sido amigos, compañeros y amantes, compartiendo las alegrías y las penas sin imaginar que alguna vez pudieran vivir separados el uno del otro. Pero el mundo se había interpuesto entre ambos y ahora la carta había dejado bien claro que todo había terminado entre los dos. Sin embargo, él nunca lo creyó.

Unos meses después de la boda de Annie, cuando él se encontraba estacionado en Europa, ella le volvió a escribir, disculpándose por el tono de su última carta y diciéndole que podían seguir escribiéndose, pero que, por favor, le enviara las cartas a casa de su hermana en el condado de al lado.

A su regreso a Estados Unidos, él le escribió desde Washington, diciéndole que había regresado y se quedaría aproximadamente un año en el Pentágono. Así se inició una correspondencia de dos décadas de duración, unas cuantas cartas al año en las que ambos se ponían mutuamente al corriente de sus cosas, ella le informaba del nacimiento de sus hijos, él le comunicaba sus cambios de dirección y su traslado al Departamento de Defensa, ella le facilitaba noticias sobre Spencerville y él le escribía desde sus destinos en distintos lugares del mundo.

Nunca hubo la menor alusión a nada que no fuera una antigua amistad... bueno, de vez en cuando, alguna frase hubiera podido interpretarse como algo más que un simple «Hola, ¿qué tal estás?». Una vez él le escribió desde Italia. «He visto por primera vez el Coliseo de noche y he pensado que ojalá tú también lo hubieras podido ver.»

Ella le contestó: «Ya lo vi cuando estuve en Europa, Keith, y, curiosamente, pensé lo mismo que tú».

Pero aquel tipo de carta era más bien insólito y ninguno de ellos solía traspasar los límites.

Siempre que él se iba a algún país exótico, ella le escribía: «Cuánto envidio tus viajes y todas estas emociones. Siempre pensé que yo sería la que llevaría una vida aventurera y que tú te quedarías en Spencerville».

Él solía contestarle diciendo: «Pues no sabes cuánto te envidio yo a ti la estabilidad, los hijos y la sociedad que te rodea».

Él nunca se había casado, Annie no se había divorciado y Cliff Baxter tampoco se había muerto. La vida y el mundo siguieron su curso.

Él se encontraba en Saigón cumpliendo su tercer turno cuando llegaron los norvietnamitas en 1975 y él subió a bordo de uno de los últimos helicópteros que salieron de allí. Le escribió a Annie desde Tokio: «Supe hace cinco años que esta guerra se perdería. Qué necios hemos sido. Algunos hombres de mi grupo se han ido y yo estoy considerando la posibilidad de hacer lo mismo».

Ella le contestó: «Una vez que jugamos contra Highland, estábamos perdiendo por 36 a 0 al llegar a la media parte. Tú saliste a jugar la segunda e hiciste el mejor partido que yo jamás te hubiera visto. Perdimos, pero, ¿qué es lo que más recuerdas, el tanteo o el partido?»

Keith escuchó el canto de un ruiseñor desde una lejana hilera de árboles y después contempló la casa de los Muller. Tenían la luz de la cocina encendida y debían de estar cenando. Seguramente él había tenido una existencia mucho más interesante que la de los Muller, pero, al terminar la jornada, ellos se reunían para cenar juntos mientras que él echaba de menos unos hijos, aunque se alegraba de que Annie los tuviera. Cerró los ojos y prestó atención a los rumores de la noche.

Había estado a punto de casarse un par de veces durante los cinco o seis años siguientes; una vez con una compañera que prestaba servicio en Moscú y otra con una vecina suya de Georgetown. Cada vez había roto el compromiso, sabiendo que no estaba preparado. En realidad, no lo estaría nunca y él lo sabía.

Llegó a la conclusión de que aquellas cartas se tendrían que acabar, pero no pudo romper por completo. En su lugar, dejaba pasar unos meses antes de contestarle y sus cartas eran siempre breves y distantes.

Ella jamás le comentó el cambio de tono y le siguió escribiendo dos o tres páginas de noticias y, de vez en cuando, de recuerdos. Al final, decidió seguir su pauta y ambos se escribieron cada vez menos. Hacia mediados de los años ochenta, pareció que la relación epistolar ya había terminado, aparte las felicitaciones de Navidad y de cumpleaños.

De vez en cuando, él, regresaba a Spencerville, pero nunca se lo comunicaba por adelantado, probablemente porque pensaba verla cuando llegara, pero nunca lo hizo.

Una vez, en 1985, ella le escribió después de una de sus visitas: «Me dijeron que estuviste en la ciudad para asistir al entierro de tu tía, pero para entonces ya te habías marchado. Me hubiera gustado tomar un café contigo, pero quizá no. Antes de asegurarme de que ya te habías marchado, me puse más nerviosa que un flan, pensando que estabas en la ciudad. Cuando supe con toda certeza que ya te habías ido, lancé un suspiro de alivio. Menuda cobarde estoy hecha».

Él le contestó: «Me temo que el cobarde soy yo. Antes preferiría entrar de nuevo en combate que tropezarme en la calle contigo. Pasé con mi automóvil por delante de tu casa. Recuerdo cuando vivía allí la señora Wallace. La habéis restaurado muy bien. Las flores son muy bonitas. Me alegré mucho por ti. Nuestras vidas siguieron rumbos distintos en 1968 y nuestros caminos ya no pueden volver a cruzarse. Para que volviéramos a reunirnos, tendríamos que abandonar nuestros caminos y adentrarnos en un territorio peligroso. En Spencerville sólo estoy de pasada y no quiero causar ningún daño durante mi estancia. Pero, si tú fueras alguna vez a Washington, me encantaría tomar un café contigo. Me voy a Londres dentro de dos meses».

Ella tardó un poco en contestar, pero le escribió a Londres sin mencionarle el último intercambio de cartas. Sin embargo, él recordaba su respuesta. «Mi hijo Tom jugó el sábado su primer partido de fútbol americano y yo recordé la primera vez que te vi en el estadio vestido con tu uniforme. Tú no tienes todas esas cosas y esos lugares a tu alrededor como las tengo yo, y, a veces, un simple partido de fútbol me hace recordar y me entran ganas de llorar. Perdona.»

Él le contestó de inmediato sin molestarse en aparentar frialdad.

«No, yo no tengo esas cosas y esos lugares a mi alrededor, pero siempre que me siento solo o estoy asustado, pienso en ti.»

A partir de aquel momento, la correspondencia entre ambos se intensificó y adquirió un tono más íntimo. Ya no eran unos chiquillos como antes. «Me parece increíble que jamás pueda volver a verte», escribió ella.

Él le contestó: «Te prometo que nos volveremos a ver, si Dios quiere».

Y, por lo visto, Dios había querido.

Sin embargo, habían transcurrido unos seis años sin que tuviera lugar el ansiado reencuentro. A lo mejor, él esperaba que ocurriera algo como un divorcio o una enfermedad. Pero no ocurrió ninguna de las dos cosas. Sus padres se fueron de Spencerville y él ya no tuvo ningún motivo para regresar.

El Muro de Berlín cayó en 1989 y él fue testigo del acontecimiento. Después lo enviaron a Moscú y fue testigo del intento de golpe de Estado de agosto de 1991. Había alcanzado la cima de su carrera y participaba directamente en la elaboración de la política de Washington. Su nombre aparecía de vez en cuando en los periódicos y se sentía profesionalmente satisfecho, pero personalmente sabía que le faltaba algo.

La euforia de finales de los ochenta cedió el lugar a la decepción de principios de los noventa. Una frase de Churchill circulaba entre sus compañeros... La guerra de los gigantes ha terminado y ahora empiezan las guerras de los pigmeos. Como para las guerras de los pigmeos se necesitaba menos personal, a muchos de sus compañeros los mandaron a casa hasta que, al final, le tocó el turno a él y allí estaba.

Keith abrió los ojos y se levantó.

—Aquí estoy —dijo.

Miró a su alrededor y, por primera vez, estableció una relación entre aquel montículo y otros montículos parecidos que había visto en el Vietnam. Eran las únicas elevaciones de terreno que había en los arrozales, por lo que los hombres de su pelotón solían cavar en ellos para construir posiciones nocturnas de defensa. Era una profanación, pero una buena táctica. Una vez un anciano monje budista se le acercó mientras los hombres estaban cavando y le dijo:

—Te deseo que vivas tiempos agradables.

El joven teniente Landry se lo tomó como una especie de bendición y sólo después averiguó que era una antigua maldición. Y, mucho más tarde, la comprendió.

El sol ya se había puesto, pero la luna iluminaba los campos. Todo estaba en silencio y el aire olía a tierra fértil y a cosechas. Era una de aquellas noches que después se conservan en la memoria durante muchos años.

Bajó de la loma y cruzó las hileras de maíz. Recordó la primera vez que su padre plantó veinte hectáreas a modo de prueba y él se entusiasmó al ver cómo crecía. Formaba un laberinto increíble de altos y verdes muros, un mundo encantado para él y sus amigos. Jugaban al escondite, se inventaban nuevos juegos, se pasaban horas y horas, perdiéndose y simulando inexistentes peligros. Los campos les daban miedo de noche y a menudo dormían bajo las estrellas, armados con rifles de juguete, haciendo guardias a lo largo de toda la noche y creyéndose de verdad lo que estaban haciendo hasta alcanzar un estado de puro terror.

«Éramos unos pequeños soldados de infantería en período de instrucción», pensó. No sabía si era algo de tipo biológico o más bien un recuerdo cultural de los tiempos en que aquella región era la frontera occidental. «A falta de verdaderos peligros, decidimos resucitar a los indios, transportar a las bestias salvajes a los maizales e imaginar cocos.» Eso fue lo que les ocurrió a él y a Annie en 1968. Keith sabía que se hubiera podido graduar con ella en la universidad y que ambos se hubieran podido casar, tener hijos y trabajar como negros para sacar adelante a la familia tal como habían hecho muchos de sus compañeros. Pero él ya estaba programado para otra cosa y ella lo comprendió. Le soltó porque sabía que necesitaba irse una temporada a matar dragones. Después hubo varios fallos, orgullo viril, discreción femenina, imposibilidad de comunicarse y simple mala suerte. «La verdad es que fuimos unos amantes con muy mala estrella», pensó.

9

Llovió todo el día, y no era una de aquellas tormentas de verano que iban y venían desde el oeste o el suroeste. Era una lluvia fría procedente del lago Erie, una primicia otoñal. Sería muy beneficiosa para el maíz, pues éste aún no estaba maduro y no lo estaría hasta el período comprendido entre Todos los Santos y el Día de Acción de Gracias. Keith pensó que, si para entonces todavía estuviera allí, les echaría una mano a los Muller y a los Jenkins. La maquinaria agrícola se encargaba de realizar casi todo el trabajo, pero un hombre sano que se pasara el rato cruzado de brazos durante la época de la cosecha se consideraba todavía un pecador condenado al fuego del infierno. En cambio, los que arrimaban el hombro figuraban entre los santos. Keith no tenía ningún problema con la predestinación protestante y sospechaba que casi todos sus vecinos, exceptuando los amish*, tampoco creían demasiado en ella. Pero, por si las moscas, todo el mundo se comportaba como si fuera un santo y a Keith le apetecía participar.

Como tenía trabajo que hacer en la casa, no le importó que lloviera. Tenía toda una lista de tareas de «manitas»...: fontanería, electricidad, persianas rotas, cosas que estaban demasiado flojas y cosas que estaban demasiado apretadas. Su padre había dejado todo su taller en el sótano, incluidas las herramientas y las piezas de ferretería.

Aquellas pequeñas ocupaciones le producían una satisfación que llevaba mucho tiempo sin experimentar.

Empezó cambiando las arandelas de goma de todos los grifos de la casa. Quizá otros ex agentes del servicio de espionaje estaban haciendo otro tipo de cosas en aquellos momentos, pero era una actividad tan sencilla que le dejaba la mente libre para pensar.

Transcurrió la semana sin incidentes y Keith observó que los vehículos de la policía habían dejado de circular por delante de su

* Amish. Individuos de una severa secta evangélica del siglo XVII, descendientes de los seguidores del suizo Jakob Amman y caracterizados por una extrema sencillez de vida y costumbres.

casa. Coincidió con la semana de ausencia de Annie y pensó que, a lo mejor, Cliff Baxter también se había ido a Bowling Green, aunque lo dudaba mucho, porque sabía cómo era Baxter. No sólo era un antiintelectual en la peor tradición de las ciudades provincianas norteamericas sino que, a nivel personal, no hubiera querido ir a un lugar donde su mujer había pasado cuatro venturosos años de felicidad prematrimonial.

Otro hombre hubiera podido tranquilizarse, pensando que su mujer sólo había tenido un amante en cuatro años de universidad y no se había acostado con todos los componentes del equipo de fútbol. Pero lo más seguro era que Cliff Baxter considerara la vida sexual prematrimonial de su mujer como algo de lo que él tenía que avergonzarse. Lo más lógico era que la señora no hubiera tenido ningún tipo de experiencia antes de la llegada del Señor Maravilloso.

Keith había pensado en la posibilidad de irse unos días a Bowling Green. ¿Qué mejor lugar para verse? Pero ella le había dicho que iría a verle a su regreso. Además, a lo mejor Cliff Baxter la había acompañado para vigilarla y observar la tristeza de sus ojos mientras le mostraba a su hija la ciudad y la universidad. Keith ya se imaginaba las discusiones que habría habido en el hogar de los Baxter al anunciar Wendy Baxter que había sido aceptada en la misma universidad donde había estudiado su madre.

Keith suponía que, ahora que sus hijos estaban en la universidad, Annie debía de tener más tiempo para pensar. Ella misma se lo había insinuado en una de sus últimas cartas al decir «Estoy pensando en terminar el doctorado o buscarme un trabajo remunerado a tiempo completo o hacer ciertas cosas que llevo mucho tiempo aplazando».

A lo mejor, existía un destino preordinado, tal como predicaba el pastor Wilkes, y la vida no era tan caótica como parecía. Al fin y al cabo, ¿acaso la llegada de Keith Landry a Spencerville no había coincidido con el nido vacío de Annie Baxter? Sin embargo, aquella coincidencia de acontecimientos no era enteramente casual. Keith sabía a través de las cartas de Annie que Wendy iría a la universidad y puede que ello hubiera influido subconscientemente en su decisión de regresar. Por otra parte, su retiro forzoso hubiera podido producirse dos o tres años antes o dos o tres años después. De todos modos, lo más importante era el hecho de que él estuviera dispuesto a cambiar de vida y ella también lo estuviera a juzgar por el tono de sus últimas cartas. ¿Qué habría sido, una coincidencia, una planificación subconsciente o un milagro? Sin duda un poquito de cada cosa.

Se debatía entre la actividad y la pasividad, entre la espera y la acción. Su adiestramiento militar le había enseñado a actuar, pero su adiestramiento como agente secreto le había enseñado a tener paciencia. «Hay un tiempo para sembrar y un tiempo para cosechar», decía su profesor de la escuela dominical. Y uno de sus instructores de la escuela de espionaje había añadido: «Como no sepan ustedes aprovecharlos, están jodidos».

—Amén.

Keith terminó de arreglar el último grifo y se lavó las manos en el fregadero de la cocina.

Había asistido a una barbacoa el Día del Trabajo en casa de su tía Betty, situada a unos pocos kilómetros de distancia. El tiempo había sido espléndido, los bistecs estaban riquísimos, todas las ensaladas eran caseras y el maíz era muy fresco, recién arrancado de las mazorcas.

Habían asistido unas veinte personas. Keith las conocía o había oído hablar de casi todas. Se entristeció al ver que los hombres de su edad parecían unos viejos a pesar de no haber cumplido todavía los cincuenta. A los adolescentes les interesó su vida en Washington y algunos le preguntaron si había estado alguna vez en Nueva York. Sus años en París, Londres, Roma, Moscú y otros lugares del mundo eran algo tan alejado de sus puntos de referencia que nadie pareció sentir la menor curiosidad por aquellos lugares. Casi todo el mundo sabía que trabajaba en el cuerpo diplomático a través de los comentarios de sus padres. Pero no todo el mundo comprendía lo que eso significaba exactamente y tampoco hubiera comprendido en qué consistía su último trabajo en el Consejo Nacional de Seguridad; lo cierto era que, tras haberse pasado más de veinte años en el Servicio de Espionaje Militar, la Agencia de Espionaje de Defensa y el CNS, Keith cada vez comprendía menos lo que hacía a medida que lo iban trasladando y ascendiendo. Cuando era un agente de espionaje, la cosa estaba más clara que el agua. En cambio, cuanto más ascendía, tanto más confuso resultaba todo. Había asistido a reuniones en la Casa Blanca con gente de la CIA, la Oficina de Espionaje e Investigación, el Grupo de Evaluaciones Esenciales, la Agencia Nacional de Seguridad —no confundir con el Consejo Nacional de Seguridad— y otros diez grupos de espionaje, incluidos sus antiguos jefes de la Agencia de Espionaje de Defensa. En el mundo del espionaje, la superposición de funciones equivalía a la máxima seguridad. ¿Cómo podían quince o veinte organismos y filiales de organismos distintos pasar por alto algo importante? Muy fácilmente.

Puede que las aguas estuvieran muy turbias en los años setenta y ochenta, pero, por lo menos, todas circulaban en la misma dirección. A comienzos de los noventa, las cosas no sólo se volvieron más turbias sino que, además, se estancaron. Keith pensaba que se había ahorrado unos cinco años más de confusión. Su último trabajo lo había desarrollado en un comité que estaba considerando muy en serio la posibilidad de crear una pensión secreta para los antiguos agentes de alto rango del KGB. Uno de sus compañeros la había llamado «una especie de Plan Marshall para nuestros antiguos enemigos». Eso sólo podía ocurrir en Estados Unidos.

Sea como fuere, la barbacoa del Día del Trabajo terminó con un partido de béisbol en el patio de tía Betty. Keith se lo pasó mucho mejor de lo que pensaba.

Se sintió un poco incómodo por culpa de la presencia de tres mujeres sin compromiso; su prima tercera Sally, de treinta años y unos noventa kilos de peso, aunque muy simpática, eso sí, y dos divorciadas, Jenny, madre de dos hijos, y una tal Anne que no tenía hijos, ambas de unos cuarenta años y muy agraciadas. Keith sospechaba que no habían acudido allí para preparar las ensaladas caseras.

En realidad, Jenny le pareció encantadora, jugaba muy bien al béisbol y tenía muy buena mano con los niños. Keith sabía que los perros y los niños juzgaban el carácter de las personas muchísimo mejor que los humanos.

Jenny le informó de que trabajaba de asistenta para ganarse un poco más de dinero y le dijo que no dudara en llamarla en caso de que necesitara ayuda. En aquella zona del país, un hombre de cuarenta y tantos años que jamás hubiera estado casado era un motivo de cierta preocupación y daba lugar a conjeturas a propósito de su orientación sexual. Keith no tenía ni idea de lo que pensaba Jenny a ese respecto, pero comprendía su deseo de averiguarlo.

Sin embargo, desde su regreso, se sentía en la obligación de ser fiel a Annie Baxter, lo cual no le planteaba ninguna dificultad. Por otra parte, le parecía prudente mostrar cierto interés por otras mujeres para que la gente no empezara a asociarle con Annie Baxter. Por consiguiente, anotó el número de Jenny, le dio las gracias a su tía, se despidió de los invitados y los dejó con sus conjeturas. Fue un Día del Trabajo muy agradable.

Estaba a punto de subir a la buhardilla cuando sonó el timbre de la puerta. Miró por la ventana y vio un automóvil desconocido, un modelo pequeño de color gris. Se dirigió a la puerta y la abrió. En el porche había un hombre de mediana edad con las guías del bigote caídas y un paraguas plegable en la mano. Era delgado, llevaba gafas de montura metálica y lucía una orla de largo cabello castaño alrededor de la calva.

—La guerra era obscena e inmoral, pero siento haberte llamado asesino de niños —dijo el hombre.

Keith sonrió al reconocer la voz.

—Hola, Jeffrey.

—Me enteré de que habías vuelto. Nunca es tarde para pedir disculpas.

El hombre le tendió la mano y Keith se la estrechó diciendo:

—Pasa, por favor.

Jeffrey Porter se quitó el impermeable y lo colgó en el perchero del espacioso recibidor.

—¿Por dónde empezamos después de tantos años?

—Yo empezaré por decirte que estás calvo.

—Pero no gordo.

—No, eso no. Los izquierdistas, bolcheviques y meones simpatizantes comunistas siempre son delgados.

—Llevaba dos décadas sin oír estas dulces palabras —dijo Jeffrey, riéndose.

—Bueno pues, ahora ya no lo podrás decir, rojillo.

Ambos se abrazaron con un poco de retraso.

—Tienes muy buena pinta, Keith —dijo Jeffrey.

—Gracias. Vamos a sacar unas cervezas.

Se dirigieron a la cocina, sacaron unas cervezas del frigorífico, salieron con ellas al porche y se sentaron en sendas mecedoras, bebiendo y contemplando la lluvia, cada uno de ellos enfrascado en sus propios pensamientos. Al final, Jeffrey preguntó:

—¿Adónde se han ido los años, Keith? ¿La pregunta te parece un tópico?

—Sí y no. Es una buena pregunta, pero ambos sabemos muy bien adonde se han ido.

—Muy cierto. La verdad es que allí fui muy duro contigo.

—Allí todos fuimos muy duros los unos con los otros —dijo Keith—. Éramos jóvenes y apasionados y teníamos unas fuertes convicciones y respuestas para todo.

—Pero no sabíamos una mierda —dijo Jeffrey, abriendo otra lata de cerveza—. Tú eras el único chico del Instituto y de Bowling Green que, a mi juicio, era casi tan inteligente como yo.

—En realidad, lo era más que tú.

—Por eso me fastidiaba tanto que fueras tan idiota.

—Y yo nunca comprendí cómo un tío tan inteligente como tú podía tragarse todas las estupideces radicales sin pensar por su cuenta.

—Nunca me las tragué todas, Keith, aunque lo decía.

—Eso es tremendo. Yo he visto países enteros comportarse de la misma manera.

—Sí, pero tú también te tragabas todas las estupideces patrióticas sin pensar por tu cuenta.

—Pero ya no. He aprendido mucho desde entonces. ¿Y tú?

Jeffrey asintió con la cabeza.

—Yo también he aprendido mucho. Pero, oye, dejemos la política, de lo contrario, acabaremos enzarzándonos en otra pelea. Cuéntame por qué estás aquí.

—Pues porque me han echado.

—¿De dónde? ¿Estabas todavía en el Ejército?
—No.
—Pues entonces, ¿quién te ha echado?
—El Gobierno.
Jeffrey le miró fijamente sin decir nada.
Keith contempló la lluvia cayendo sobre los campos. Llevaba mucho tiempo sin experimentar la agradable sensación de ver caer la lluvia desde un espacioso porche abierto.
—¿Estás casado?—le preguntó Jeffrey.
—No. ¿Y tú te casaste con aquella chica...? ¿La hippie del cabello largo hasta el trasero con quien salías durante el último curso?
—Gail. Sí, nos casamos. Y sigo casado con ella.
—Me alegro por ti. ¿Tienes hijos?
—No, ya hay demasiada gente en el mundo. Nosotros colaboramos en la medida de lo posible.
—Yo también. ¿Dónde vives?
—Aquí. En realidad, regresé hace un par de años. Nos pasamos unos cuantos años en Bowling Green.
—Ya me lo dijeron. Y después, ¿qué?
—Los dos fuimos nombrados profesores en Antioch y estuvimos enseñando allí hasta que nos retiramos.
—Pues yo creo que si me hubiera pasado un año más en un campus universitario o sus alrededores, me hubiera volado la tapa de los sesos.
—No todo el mundo está hecho para eso —reconoció Jeffrey—. Como tampoco todo el mundo está hecho para trabajar por cuenta del Gobierno.
—Muy cierto.
—Oye, ¿has visto a Annie desde tu vuelta?
—No.
Keith abrió otra lata de cerveza.
Jeffrey estudió detenidamente a su viejo amigo y compañero de clase y, al final, le preguntó:
—Aún no se te puede hablar de eso, ¿verdad?
—No.
—Me he tropezado con ella unas cuantas veces. Siempre le preguntaba si sabía algo de ti y ella siempre me contestaba que no. Es curioso que antes estuviéramos todos tan unidos... qué tiempos aquellos, amigo mío, creíamos que nunca iban a terminar...
—Pero sabíamos que sí.
Jeffrey asintió con la cabeza.
—Le dije varias veces que viniera a casa a tomar unas copas con Gail y conmigo, pero siempre me daba alguna excusa —añadió—. Al principio, me ofendí un poco, pero después me hablaron de su mari-

do. Es una especie de dictador... ¿lo sabías? Una vez los vi en una fiesta en beneficio del hospital en el Elks Lodge. Annie estaba tan encantadora como siempre, pero el muy nazi de su marido la vigilaba como si estuviera a punto de detener a un traficante de droga, ¿comprendes lo que quiero decir? El tío se estaba cabreando por momentos porque, por lo visto, no soportaba que su mujer conversara con otros hombres..., todos casados, por cierto, médicos, abogados y cosas por el estilo. En realidad, hubiera tenido que agradecerle que lo dejara en tan buen lugar y fuera algo así como su relaciones públicas... habida cuenta de la mala prensa que tiene. Al final, no pudo más, la agarró por el brazo y se marchó con ella, así por las buenas. Mira, aunque sea un socialista partidario de la igualdad, soy también un maldito esnob y, cuando veo que una mujer tan instruida y refinada tiene que aguantar todas estas mierdas... ¿adónde vas?

—Al lavabo.

Keith fue al cuarto de baño, se lavó la cara y se miró al espejo. La verdad era que tenía un aspecto estupendo y apenas había cambiado desde su época universitaria. En cambio, Jeffrey estaba casi irreconocible. Se preguntó cómo estaría Annie. Jeffrey lo sabía, pero él no pensaba preguntárselo. De todos modos, le daba igual. Regresó al porche y volvió a sentarse.

—¿Cómo te enteraste de que había vuelto? —le preguntó a Jeffrey.

—Alguien se lo dijo a Gail. No recuerdo quién. —Jeffrey regresó al otro tema—. Está muy guapa.

—¿Gail?

—Annie. —Jeffrey soltó una risita maliciosa—. Te invito a que lo compruebes, Keith, pero el muy hijo de puta es capaz de matarte. Sabe que tuvo suerte y no está dispuesto a perderla.

—O sea que Antioch, la casa de la gente políticamente correcta. Tú encajas muy bien allí.

—Pues... creo que sí. Gail y yo pasamos unos años muy agradables. Organizamos protestas y huelgas y les hicimos la vida imposible a los del centro de reclutamiento de la ciudad. Fue estupendo.

—Muy bonito, hombre —dijo Keith, riéndose—. O sea que yo me juego el pellejo por ahí y tú espantas a mis sustitutos.

Jeffrey también se rió.

—Fue un momento muy especial. Ojalá hubieras estado con nosotros. Fumábamos droga suficiente para dejar sin sentido a una manada de elefantes, nos acostábamos con la mitad de los alumnos y compañeros del claustro de profesores y...

—¿Quieres decir que os ibais a la cama con otras personas?

—Pues claro. Te lo perdiste todo, con lo divertido que resulta follar por ahí a lo bestia.

—Verás, es que yo sólo soy un pobre chico del campo... pero, ¿no estabais casados?

—Más o menos. Bueno, sí, por toda una serie de razones... vivienda, subvenciones y todas esas cosas. Nos vimos atrapados, ¿comprendes? Pero creíamos en el amor libre. Gail sigue pensando que ella inventó la expresión «haz el amor, no la guerra». En el sesenta y cuatro, dice. Se le ocurrió en un sueño. Probablemente un sueño de drogadicta.

—Pues tendría que cobrar derechos de autor.

—Sí. Sea como fuere, el caso es que rechazamos todos los valores y sentimientos de la clase media burguesa y dimos la espalda a la religión, el patriotismo, los padres y todo eso. Bien mirado, estábamos un poco jodidos, pero éramos felices y teníamos fe. No en todo, pero sí en muchas cosas. Odiábamos la guerra en serio. Puedes creerme.

—Te creo. Yo tampoco creía demasiado en ella.

—Vamos, Keith, no te engañes.

—Para mí no fue una cuestión de tipo político. Fue más bien una aventura a lo Huckleberry Finn, con armas de fuego y artillería.

—Pero la gente se moría.

—Si lo sabré yo, Jeff. Todavía lloro por ella. ¿Tú no?

—No. Pero es que yo jamás quise que muriera. —Jeff le dio a Keith una palmada en el brazo—. Vamos a olvidar todo eso. A nadie le importa una mierda.

—Muy cierto.

Ambos se tomaron otra cerveza. Keith pensó que, en cuestión de veinte años, se cubrirían las rodillas con mantas, beberían zumo de manzana y hablarían de su salud y de su infancia. Los años intermedios entre el principio y el final, los años de sexo, pasión, mujeres, política y lucha, se volverían confusos y se perderían en el olvido. Pero él confiaba en que no fuera así.

—¿Cuántos de los chicos de Spencerville estuvimos en Bowling Green? Yo, tú, Annie y aquel chico tan raro que era mayor que nosotros... Jake se llamaba, ¿verdad?

—Sí. Se fue a California y nunca he vuelto a saber de él. No sé si te acuerdas de Barbara Evans, estaba muy buena. Se fue a Nueva York y se casó con un tipo muy rico. La vi en la reunión de ex alumnos.

—¿Del Instituto de Spencerville o de Bowling Green?

—De Bowling Green. Yo nunca fui a ninguna reunión de ex alumnos del instituto. ¿Tú sí?

—No.

—Nos hemos perdido la de este verano. El año que viene iré si vas tú.

—Ya veremos.

—Había otro tipo del Instituto de Spencerville en Bowling Green.

Un tal Jed Powell, dos años más joven que nosotros. ¿Lo recuerdas?

—Pues claro. Sus padres eran los propietarios de aquella tienda de baratijas que había en la ciudad. ¿Qué tal está?

—Sufrió una herida en la cabeza en Vietnam. Regresó aquí, pasó unos cuantos años muy malos y murió. Mis padres y los suyos eran muy amigos. Gail y yo asistimos al entierro y repartimos literatura antibelicista. Qué asco.

—Pues sí.

—¿Te estás poniendo sentimental o es que estás bebido?

—Las dos cosas.

—Yo también —dijo Jeffrey.

Se pasaron un rato hablando de sus familias y sus amigos, recordando cosas de Spencerville y Bowling Green y contando historias sacadas del sótano de los tiempos.

Estaba oscureciendo y aún no había cesado de llover.

—Casi todas las personas a las que yo conocía estuvieron sentadas en este porche en algún momento.

—Mira, Keith, a pesar de que no somos viejos ni mucho menos, yo me siento rodeado de fantasmas.

—Te entiendo perfectamente. Quizá hubiera sido mejor que no regresáramos, Jeffrey. ¿Tú por qué volviste?

—No lo sé. Aquí la vida es más barata que en Antioch. No nadamos en la abundancia. En nuestro afán de forjar pequeños radicales, nos olvidamos del dinero —Jeffrey soltó una carcajada—. Hubiera tenido que comprar bonos del Departamento de Defensa.

—No es una buena inversión en estos momentos. ¿Trabajas?

—Doy clases a chicos de segunda enseñanza. Gail también. Y además, forma parte de la junta municipal con una paga de un dólar al año.

—¿En serio? ¿Y quién demonios votó a una rojilla?

—Su adversario fue sorprendido haciendo guarrerías en un lavabo de caballeros.

—Menudas alternativas tenía Spencerville.

—Pues sí. Dejará el cargo en noviembre. Baxter se la tenía jurada.

—No me extraña.

—Ten cuidado con ese tío, Keith. Es peligroso.

—Yo respeto la ley.

—No importa. El tío no anda bien de la cabeza.

—Pues habrá que hacer algo.

—Lo estamos intentando.

—¿Intentando? ¿No eres tú el que en otros tiempos quería derribar el Gobierno de Estados Unidos?

—Aquello era más fácil. —Keith se echó a reír—. Y eran otros tiempos.

Las mariposas nocturnas golpeaban contra los cristales de las ventanas de la casa y las mecedoras chirriaban. Keith abrió las dos últimas latas de cerveza y le ofreció una a Jeffrey.

—No comprendo por qué dejasteis vuestros cómodos puestos de profesores universitarios.

—Pues porque la cosa se empezó a complicar.

—¿Qué es lo que se empezó a complicar?

—Todo. Gail daba clases de sociología y yo las daba sobre Marx, Engels y otros europeos blancos que ya llevan mucho tiempo muertos. Estaba allí encerrado en mi torre de marfil y no veía lo que estaba pasando en el mundo real. La caída del comunismo me pilló por sorpresa.

—A mí también. Y eso que me pagaban para evitar las sorpresas.

—Ah, ¿sí? ¿Eras un espía o algo por el estilo?

—Dejemos eso ahora. Tus ídolos tenían los pies de barro. ¿Qué ocurrió después?

—No supe si reescribir mis clases o repensar mi vida —contestó Jeffrey sonriendo.

—Sigue.

—De todos modos, a mis clases no asistía mucha gente y, mientras que hasta entonces yo había estado en la vanguardia del pensamiento social, de pronto me encontré en la retaguardia. Te juro que ya ni siquiera podía ligar. Bueno, a lo mejor es que ya era un poco mayorcito para las alumnas, pero... la cosa era más de tipo mental que físico, ¿comprendes? Y además, ahora hay que cumplir toda una serie de normas de conducta sexual... dicen que tienes que recibir una autorización verbal por cada cosa que haces... ¿Te puedo desabrochar la blusa? ¿Te puedo quitar el sujetador? ¿Te puedo acariciar el pecho? En serio. ¿Te imaginas una cosa así cuando nosotros estudiábamos? Nosotros nos poníamos como una moto y jodíamos sin más. Bueno, tú no, pero... en fin, Gail también se quedó un poco rezagada. Sus posibles alumnos se matriculaban en cosas como Estudios Feministas, Historia Afroamericana, Filosofía Amerindia, Capitalismo de la Nueva Era y cosas por el estilo. Ya nadie se toma en serio la sociología. Se sentía una parte del... *establishment*. Yo no sé si es que el país ha cambiado o qué.

—Puede que Antioch no sea una representación del país, Jeffrey.

—Supongo que no. No hay nada más patético que un antiguo revolucionario que ya no sabe por dónde va. La revolución devora a sus hijos. Yo eso ya lo sabía hace treinta años. Sólo que no esperaba figurar tan pronto en el menú.

—¿Te despidieron?

—No. Eso no lo hacen. Gail y yo nos despertamos una mañana y tomamos una decisión. Nos fuimos por principio. Lo cual fue una estupidez.

—No, creo que hicisteis muy bien. No puedo decir lo mismo de mí. Ojalá yo hubiera hecho lo que hicisteis vosotros. Pero me despidieron.

—¿Por qué? ¿Reducciones de plantilla?

—Sí. El precio de la victoria es el desempleo. Tiene gracia.

—Bueno, pero, por lo menos, ganasteis. Yo ya no puedo soñar con un paraíso socialista en la tierra. —Jeffrey se terminó la cerveza y aplastó la lata —. La política decepciona y divide a la gente.

—Si lo sabré yo.

Keith reflexionó en silencio sobre lo que Jeffrey le había dicho. Él y su amigo de la infancia habían vivido unas existencias muy distintas, creían en cosas distintas y, al parecer, no tenían nada en común aparte su último curso en la universidad, pero, en realidad, tenían muchas más cosas en común de lo que ellos pensaban.

De niños habían jugado en el mismo patio y se habían ido a la universidad el mismo día. Cada uno de ellos se consideraba honrado y tal vez idealista y cada uno de ellos tenía el firme convencimiento de estar haciendo todo lo posible por la humanidad, pero, al final, los distintos sistemas los habían descarriado, utilizado y explotado. Y, sin embargo, seguían siendo unos chicos de Spencerville que habían compartido demasiadas cervezas sentados en el porche de aquella casa.

—Nos han dejado a los dos en el cubo de la basura de la historia, chico —le dijo Keith a Jeffrey—. Somos unas reliquias inútiles y los dos hemos perdido la guerra.

Jeffrey asintió con la cabeza.

—Sí. ¿Tú crees que podremos hacer bien las cosas en los próximos treinta años?

—Probablemente no. Pero no cometeremos los mismos errores.

—No olvides que no podemos desprendernos del pasado, Keith. Ha corrido la voz de que Gail y yo somos comunistas, lo cual en realidad, no es cierto, pero eso nos ha perjudicado en el trabajo. ¿Qué tenemos que hacer? ¿Incorporarnos a alguna Iglesia? ¿Asistir a las meriendas campestres de la fiesta nacional del cuatro de julio vestidos de rojo, blanco y azul? ¿Hacernos republicanos?

—Dios nos libre.

—Porque resulta que nosotros seguimos siendo radicales. No podemos evitarlo.

—No, y además, os encanta. Por eso estáis aquí. En Antioch no llamabais la atención. Aquí, en cambio, sois unos tipos raros y peligrosos.

—¡Exacto! —Jeff se dio una palmada en la rodilla—. Este lugar tiene muchos prejuicios y por eso me gusta. ¿Y tú? ¿Sabes por qué estás aquí?

—Creo que sí.
—¿Por qué?
—Pues porque... soy un cínico sin remedio. Creo que aquí ni siquiera saben lo que es el cinismo y he venido precisamente para curarme.
—El cinismo es un humor enfermo. Lo dijo H. G. Wells. Espero que te mejores.
—Yo también.
—Puede que a mí me cure mi idealismo. ¿Sabes lo que es un idealista? Un hombre que observa que una rosa huele mejor que un repollo y piensa que con la rosa la sopa saldrá más sabrosa. Ése es mi problema. Por eso estoy sin un céntimo y sin trabajo y soy un proscristo social. Pero no soy cínico. Aún me quedan esperanzas.
—Que Dios te las conserve. ¿Me está permitido decirle eso a un ateo?
—Faltaría más. ¿Ya te has incorporado a alguna Iglesia?
—No.
—Pues tendrías que hacerlo.
—¿Y eso me lo dices tú, Jeffrey?
—Sí... he visto el poder de la religión en Polonia, en Rusia... No estoy de acuerdo, pero he visto lo beneficioso que puede ser para las mentes atribuladas. Necesitas una buena dosis.
—Quizá.
Jeffrey se levantó tambaleándose.
—Bueno chico, me tengo que ir. Ven a cenar mañana a casa. Gail quiere verte. Seguimos siendo vegetarianos, pero puedes llevar un cerdo o lo que quieras. Beber sí bebemos.
—Ya lo he visto. —Keith también se levantó y dio unos pasos, haciendo eses—. ¿A qué hora?
—Da igual. A las seis, a las siete. Menuda trompa llevo. —Jeffrey se acercó a los peldaños y agarró la columna del porche—. Ven con alguien, si te apetece. ¿Tienes alguna señora por ahí?
—No.
—¿Cómo te las arreglas con el sexo? No persigas a las chicas. Esta ciudad está llena de mujeres divorciadas. Y no les vendría mal un pedazo de hombre como tú.
—¿Estás en condiciones de conducir?
—Sí. Es todo recto. Hemos alquilado una vieja granja y un poco de tierra para cultivos orgánicos. A unos tres kilómetros de aquí. La vieja granja Bauer.
—Deja que te lleve.
—No... si me paran, lo arreglaré a través de Gail. En cambio, como te paren a ti, te detienen.
—¿Y eso por qué?

Jeffrey se acercó a su amigo y le rodeó los hombros con su brazo.
—Eso es lo que he venido a decirte —dijo en voz baja—..., aunque no nos hubiéramos llevado bien, te lo hubiera dicho. Gail tiene una fuente de información cercana a la policía... en realidad, a la Jefatura Central, pero olvídate de lo que te he dicho. Dicen que Baxter va por ti y creo que ambos sabemos por qué. Ten muchísimo cuidado.
—Gracias.
—No sé si tú y ella habéis permanecido en contacto —añadió Jeffrey tras una leve vacilación—, pero tengo la sensación de que vosotros dos... no sé cómo expresarlo. Nunca imaginé que pudierais estar separados... siempre que veo a Annie, pienso en Keith y, cuando te vi aquí, pensé inmediatamente en ella, como si los dos me hubierais tenido que abrir la puerta juntos, tal como siempre hacíais en Bowling Green... estoy hablando demasiado.
Al final, Jeffrey se volvió, bajó los peldaños del porche, caminó bajo la lluvia sin el paraguas, subió a su automóvil y se alejó.
Keith vio alejarse las luces de cola en la oscura y lluviosa carretera.

10

El día siguiente amanececió despejado y Keith decidió trabajar un poco en la granja, pero vio que todo estaba muy húmedo a causa de la lluvia y entonces se puso unos vaqueros limpios y una camisa de manga corta y se fue a la ciudad para resolver unos cuantos asuntos.

Estuvo tentado de pasar por delante de la casa de los Baxter, pero pensó que, a lo mejor, la policía ya había descubierto su nuevo automóvil. En cualquier caso, no había ninguna razón para ver si ella ya había regresado o no; a su debido tiempo, Annie iría a visitar a su tía Louise y pasaría por su casa.

Se dirigió al centro y encontró un sitio donde aparcar cerca de la licorería del estado. Entró y echó un vistazo a la selección de vinos locales cuyas etiquetas no le sonaban de nada. Recordó que Jeffrey y Gail, como toda le gente de Bowling Green, bebían un vino dulce barato del que probablemente ahora se avergonzarían. Pese a todo, compró en plan de broma una botella de vino de manzana y una botella de una cosa llamada vino de pomelo que, en realidad, era zumo de pomelo mezclado con alcohol. Pero compró también una botella de auténtico Chianti italiano que seguramente les despertaría muchos recuerdos.

Pagó en la caja, regresó al Blazer y guardó las botellas en el portamaletas. Después tomó las matrículas de Washington que había colocado en un sobre de cartulina y se dirigió a la oficina de correos situada en el lado oeste de la Plaza del Palacio de Justicia.

La oficina de correos se hallaba ubicada en un viejo edificio de columnas clásicas que en su infancia le solía llamar mucho la atención. Una vez le había preguntado a su padre si lo habían construido los romanos y su padre le contestó que sí. Ahora su sentido de la historia había mejorado un poco y comprendió lo que Annie había querido decir al hablarle en sus cartas de los recuerdos. Varias veces la había acompañado a aquel edificio para comprar sellos y echar cartas al correo.

En una de las ventanillas no había cola, por lo que se acercó y le entregó el sobre al funcionario para que lo pesara y franqueara. En el momento en que estaba pidiendo un impreso de certificado, oyó la voz del funcionario de unas ventanillas más abajo, diciendo:

—Que tenga usted un buen día, señora Baxter.

Miró a la derecha y vio a una mujer con el cabello cobrizo largo hasta los hombros y un sencillo vestido veraniego de algodón en tonos blancos y rosa dirigiéndose hacia la salida.

Se quedó petrificado un instante.

—¿Ha terminado? —le preguntó el funcionario.

—Sí. Mejor dicho, no... déjelo.

Arrugó el impreso y se fue precipitadamente.

Al salir a los peldaños de la entrada, miró a derecha e izquierda de la acera, pero no la vio. Después la vio con otras tres mujeres dirigiéndose hacia la esquina. Vaciló un instante, bajó corriendo los peldaños y la siguió.

Su imagen mental de Annie era la de veinticinco años atrás, la víspera de su incorporación a filas. Hicieron el amor en el apartamento que ella tenía en Columbus y, al amanecer, él la besó y se fue. Ahora, a los cuarenta y tantos años, su figura era como la de entonces. Se reía y bromeaba con sus amigas, pero él sólo podía verle fugazmente el perfil del rostro cuando se volvía para hablar.

El corazón le latía apresuradamente en el pecho. Las mujeres se detuvieron en la esquina para esperar el cambio del semáforo. Keith se adelantó un paso, vaciló, dio otro paso y volvió a detenerse. *Acércate, idiota*.

El semáforo pasó a verde y las cuatro mujeres bajaron del bordillo a la calzada. Keith se las quedó mirando. Después Annie les dijo algo a sus amigas y éstas se separaron de ella para dirigirse al aparcamiento del Palacio de Justicia.

Annie permaneció inmóvil un instante, se volvió y se acercó directamente a él.

Le miró sonriendo y le tendió la mano.

—Hola, Keith. Cuánto tiempo sin verte.

—Hola, Annie —dijo Keith, tomando su mano.

—Estoy emocionadísima —dijo ella.

—Te veo muy bien. Soy yo el que está a punto de desmayarse.

—Lo dudo. —Annie sonrió y dio un paso atrás—. Deja que te vea. No has envejecido ni un día.

—He envejecido veinticinco años. Tienes muy buen aspecto.

—Gracias, señor.

Se miraron a los ojos y Keith observó que los de Annie eran tan grandes y brillantes como siempre y que ésta utilizaba la misma barra de labios rosa pálido que él recordaba. Tenía una piel preciosa, pero no estaba bronceada, lo cual le extrañó, sabiendo lo aficionada que era ella a tomar baños de sol. Las levísimas arrugas conferían a su juvenil rostro un ligero aire de madurez. La que antes fuera una joven bonita, se había convertido en una mujer guapísima.

—Bueno... —dijo Keith, tratando de encontrar las palabras más apropiadas—. Encontré tu carta en el buzón.

—Estupendo.

—¿Cómo estaba Bowling Green?

—Bonito. Pero triste.

—Yo pensaba ir... pero no sabía si irías sola o...

—Sí, fui sola. Con mi hija. Te busqué por allí —añadió—. No físicamente, claro, pero tú ya me entiendes...

—¿Tu crees en esas cosas? —preguntó Keith.

—No. Estoy soñando.

—Me... faltan las palabras.

Annie miró a su alrededor.

—Sólo un minuto y tendré que irme.

—Lo comprendo.

—Te envié una carta y me la devolvieron. Pensé que habías muerto.

—Lo que ocurrió fue... que no dejé mi nueva dirección en el despacho...

—Lo pasé muy mal durante muchos días. —Annie carraspeó antes de añadir—: Había perdido a mi amigo epistolar.

Keith se sorprendió al ver que se le humedecían los ojos. Hubiera querido ofrecerle un pañuelo, pero sabía que no debía. Annie se sacó un *kleenex* del bolso y fingió enjugarse el sudor de la frente, pero, en su lugar, se secó los ojos.

—Bueno pues... —Annie respiró hondo—. ¿Cuánto tiempo te vas a quedar aquí?

—No lo sé.

—¿Por qué has vuelto?

Keith estudió varias respuestas evasivas, pero, al final, contestó:

—Para verte.

Annie se mordió el labio inferior y miró al suelo, visiblemente a punto de echarse a llorar.

Como él tampoco podía dominar sus sentimientos, Keith prefirió no decir nada.

Al final, Annie le miró diciendo:

—Hubieras podido verme cualquiera de las veces que estuviste aquí.

—No, no podía, Annie. Pero ahora sí puedo.

—Dios mío... no sé qué decir... ¿estás... estás todavía...?

—Sí.

Annie volvió a secarse los ojos con el pañuelo de celulosa y miró hacia el parque donde sus amigas estaban junto a un tenderete de venta de helados, mirándoles a ella y a Keith.

—Me quedan sólo unos treinta segundos antes de cometer una incorrección.

—Eso sigue siendo una ciudad muy pequeña, ¿verdad? —preguntó Keith, esbozando una sonrisa un tanto forzada.

—Pequeñísima.

—Quiero que sepas que tus cartas me ayudaron a superar momentos muy difíciles —dijo Keith.

—A mí también las tuyas. Tengo que irme.

—¿Cuándo nos podremos tomar esa taza de café?

—Iré a tu casa —contestó Annie con una sonrisa—. Cuando vaya a ver a mi tía. Pero no sé cuándo podré hacerlo.

—Suelo estar en casa.

—Ya lo sé.

—Tu marido... —dijo Keith.

—Eso también lo sé. Sé cuándo hacerlo.

—De acuerdo.

Annie extendió la mano y Keith se la estrechó diciendo:

—En Europa e incluso en Washington o en Nueva York, nos despediríamos con un beso.

—Pues aquí en Spencerville nos limitamos a decir «Que pase usted un buen día, señor Landry. Me he alegrado mucho de verle».

Annie le comprimió fuertemente la mano y dio media vuelta.

Keith la vio cruzar la calle mientras las otras tres mujeres contemplaban la escena.

Permaneció inmóvil un instante sin recordar dónde estaba, en qué sitio había dejado el coche o qué tenía que hacer.

Se notaba un nudo en la garganta y no lograba apartar la vista del parque del otro lado de la calle, pero las mujeres ya se habían ido. Hubiera querido correr tras ella, tomarla del brazo y decirles a sus amigas: «Perdonen, pero estamos enamorados y nos vamos».

Quizá Annie necesitaba un poco de tiempo para pensarlo. Quizá había algo que no le había gustado. Pensó en la conversación, la revisó mentalmente para no olvidarla y trató de evocar la expresión de su rostro y lo que había leído en su mirada.

Lo debía de haber pasado muy mal, pero ni sus ojos ni su rostro ni su forma de caminar lo dejaban traslucir. Algunas personas dejaban al descubierto todas sus cicatrices, decepciones y tristezas. Annie Prentis, en cambio, era la eterna optimista jamás doblegada por la vida.

A él, por su parte, le habían ido bien las cosas y puede que no diera la impresión de estar quemado, pero llevaba en su corazón todas las penas, las decepciones y las tragedias humanas que había experimentado o de las cuales había sido testigo.

De nada servía preguntarse cómo hubiera sido su vida si ambos se hubieran casado y hubieran tenido hijos. Seguramente hubieran sido felices, pues siempre decían que estaban hechos el uno para el otro, pero lo más importante en aquellos momentos era averiguar si podían reanudar la relación desde el punto en que la habían interrumpido. El cínico que había en su interior le decía que no, pero el joven Keith Landry, el que amaba de forma absoluta e incondicional, insistía en que sí.

Regresó al lugar donde había dejado el automóvil, subió y lo puso en marcha. Sabía que tenía varias cosas que hacer, pero decidió regresar a casa.

Por el camino, recordó aquel día de veinticinco años atrás en el dormitorio de Annie en Columbus. Estaba amaneciendo y él ya llevaba mucho rato despierto y vestido. La contempló durmiendo desnuda en la cama con el largo cabello derramándose sobre la almohada.

Sabía que tardarían mucho tiempo en volver a verse, pero jamás hubiera podido imaginar que transcurriría un cuarto de siglo y que el mundo que ellos conocían se desvanecería por completo. Sentado en una butaca, pensó brevemente en la guerra de Asia y en la posibilidad de que él muriera, pero todo le parecía muy lejano en aquellos momentos. Eran unos chicos de una ciudad provinciana que habían vivido cuatro idílicos años en la universidad y aquel período de dos años en el Ejército no sería más que un alto en el camino. Su único temor era el de que Annie se sintiera muy sola sin él después de haber permanecido tanto tiempo a su lado en el instituto y la universidad.

Ya había seguido un cursillo de instrucción en Fort Dix, a cuyo término, en lugar de disfrutar de un permiso, su batallón había recibido un curso acelerado de control de disturbios y había sido enviado a Filadelfia donde las protestas contra la guerra habían adquirido tintes preocupantes. El mundo había vuelto a entrometerse en su vida, pero la experiencia había sido interesante.

Consiguió llamar a Annie desde un teléfono público, pero ella no estaba en casa y por aquel entonces aún no existían los contestadores. La llamó de nuevo por la noche, pero su teléfono comunicaba. Al final, le escribió una carta, pero tardó varias semanas en recibir la respuesta en Fort Dix. Las comunicaciones no eran fáciles entonces y lo fueron mucho menos en los meses sucesivos.

Llegó a la granja y enfiló la calzada que conducía a la casa. Detuvo el Blazer en la parte de atrás junto al huerto y permaneció un rato sentado en su interior.

Quería convencerse de que todo iría bien, pues el amor vencía todos los obstáculos. No tenía la menor duda acerca de sus sentimientos por Annie, pero, aparte los recuerdos, las cartas y el hecho de haberla visto aquel día, no sabía nada de ella. ¿Qué sentía ella por él? ¿Qué iban a hacer? ¿Y qué iba a hacer el marido?

11

Eran las siete de la tarde cuando Keith Landry llegó a la vieja granja Bauer donde vivían Gail y Jeffrey Porter. Las tardes se estaban acortando y eran cada vez más frescas y el cielo mostraba aquel intenso color púrpura y carmesí que él siempre asociaba con el final del verano.

La casa, un edificio de chapa de madera blanca que necesitaba una mano de pintura, se levantaba muy cerca de la carretera.

Gail abrió la puerta y cruzó el césped para recibirle mientras él bajaba del Blazer con las botellas de vino y el paraguas de Jeffrey.

—Keith Landry, estás estupendo —le dijo, abrazándolo y besándolo.

—Yo soy el chico de los recados, señora —contestó Keith—. Pero está usted muy buena y besa muy bien.

—Siempre serás el mismo —dijo Gail, riéndose.

—Ojalá.

En realidad, Keith había conocido a Gail en el último curso cuando Jeffrey empezó a salir con ella y apenas recordaba su aspecto porque era como todas las chicas de rostro enjuto, cuerpo delgado, gafas de abuelita, cabello largo, rostro sin maquillar, atuendos campesinos y pies descalzos que tanto abundaban por aquel entonces. Seguía vistiendo prendas campesinas, probablemente auténticas, llevaba el cabello largo e iba descalza. Keith se preguntó si hubiera tenido que vestirse estilo años sesenta. Gail seguía tan delgada como siempre y no llevaba sujetador tal como se podía ver claramente a través de su profundo escote. Nunca había sido bonita, pero poseía un fuerte atractivo sexual.

—Jeffrey se lo dejó olvidado en casa —dijo Keith, entregándole el paraguas.

—Sería un milagro que recordara dónde vive. Tengo entendido que lo pasasteis muy bien.

—Pues sí.

Gail lo tomó del brazo y lo acompañó a la casa.

—Jeffrey me ha dicho que has trabajado de espía.

—Pero ya he dejado la espada.

—Muy bien. Nada de política esta noche. Sólo los viejos tiempos.

—Es difícil separar ambas cosas.

—Muy cierto.

Entraron en la casa a través de una vieja cancela de madera y pasaron a una sala de estar sin apenas mobiliario, iluminada tan sólo por el sol poniente. Por lo poco que podía ver, a Keith le pareció que los muebles eran de moderno estilo minimalista europeo, de esos que se enviaban en unas cajas con unas instrucciones de montaje mal traducidas del sueco.

Gail dejó el paraguas en un rincón y cruzó con Keith un comedor amueblado en el mismo estilo para dirigirse a una espaciosa cocina que era una mezcla de antigua cocina de granja y elementos de los años cincuenta. Keith dejó las botellas sobre el mostrador y Gail las sacó de la bolsa.

—¡Oh, vino de manzana y zumo de pomelo con alcohol! ¡Me encanta!

—Es una broma. Hay también un buen Chianti. ¿Recuerdas el Julio's, aquel pequeño restaurante que había cerca del campus?

—Imposible de olvidar. Espaguetis de mala calidad antes de que los llamaran «pasta», mesas con manteles a cuadros y velas medio derretidas en botellas de Chianti cubiertas de paja. Por cierto, ¿qué fue de la paja?

—Buena pregunta.

Gail colocó las botellas en el frigorífico y le ofreció a Keith un sacacorchos para que abriera el Chianti. Sacó dos copas de vino y Keith las llenó. Entrechocaron las copas y ella brindó:

—Por Bowling Green.

—¡Salud!

—Jeffrey ha salido un momento a recoger hierbas —explicó Gail.

Keith vio una olla de gran tamaño hirviendo a fuego lento sobre el fuego y una mesa puesta para tres con una barra de pan integral en un cesto.

—¿Te has traído la carne? —le preguntó Gail.

—No, pero he intentado matar algo por el camino.

—Qué asco —exclamó Gail, riéndose.

—¿Os gusta vivir aquí?

—No está mal —contestó Gail, encogiéndose de hombros—. Es tranquilo. Hay muchas granjas con alquileres asequibles. Además, la familia de Jeffrey todavía vive aquí y él lleva dos años reconstruyendo el pasado. Yo soy de Fort Recovery, un lugar muy parecido. ¿Y tú qué? ¿Te encuentras a gusto?

—Por ahora, sí.

—¿Sientes nostalgia, estás triste y aburrido o eres feliz?

—De todo un poco. Aún tengo que orientarme.

Gail volvió a llenar las copas y llenó otra para Jeffrey.

—Salgamos fuera. Quiero enseñarte nuestros huertos.

Salieron por la puerta de atrás.

—¡Tenemos compañía! —gritó Gail.

Keith vio a Jeffrey a cosa de unos cincuenta metros. Éste se incorporó y lo saludó con la mano. Después se acercó a ellos vestido con unos holgados calzones cortos y una camiseta y llevando un cesto de mimbre lleno de hierbas. Keith confió en que estuvieran destinadas al cubo de la basura y no a su plato.

Jeffrey se limpió la mano en los calzones y se la tendió a Keith.

—Me alegro de verte.

—¿Llegaste sano y salvo a casa?

—Pues claro. —Jeffrey tomó el vaso de vino que le ofrecía Gail y añadió—: A mi edad, me estoy convirtiendo a los zumos. Sólo tomamos hierba en las ocasiones especiales.

—Ponemos música de nuestra época —explicó Gail—, apagamos la luz, nos desnudamos y follamos.

Keith miró a su alrededor.

—Bonitos huertos.

—Sí —dijo Jeffrey—. Disponemos de un par de hectáreas y de todo el maíz que podamos robar en los campos. Menos mal que ese tío cultiva maíz dulce, sino tendríamos que comer forraje para ganado.

Keith dedujo que los Porter debían de sacar casi todo su sustento de aquellos huertos. Dejó de compadecerse de su generosa pensión gubernamental y de las hectáreas de su familia.

—Ven —dijo Jeffrey—, te vamos a enseñar todo esto.

Recorrieron los huertos. Había una parte dedicada a las hortalizas de raíz, otra a los tomates y las calabazas y otra a toda una variada gama de judías cuya existencia Keith jamás hubiera podido sospechar. Los huertos más interesantes eran los de las hierbas, muy poco frecuentes en el condado de Spencer. Había un huerto culinario con más de cuarenta variedades distintas de hierbas, un huerto que Jeffrey llamó de «hierbas históricas y medicinales» y otro de hierbas para tintes y usos domésticos como, por ejemplo, jabones y colonias. Más allá de los huertos y antes de que empezaran los maizales, crecía una enorme variedad de flores silvestres cuya sola misión era alegrar la vista y reconfortar el ánimo.

—Muy bonito —dijo Keith.

—Yo hago perfumes, *pot-pourri*, té, lociones para las manos, perfumes de baño y cosas por el estilo —le explicó Gail.

—¿Algo para fumar también?

—Qué más quisiéramos —contestó Jeffrey riéndose—. Aquí no podemos correr este riesgo.

—Yo creo que podríamos —dijo Gail—, pero Jeffrey es un cobardica.

Jeffrey trató de defenderse.

—El *sheriff* del condado es un poco más listo que el jefe de policía de Spencerville y no nos quita el ojo de encima. Cree que todo eso son cosas psicodélicas.

—Vamos, Jeffrey, eso se cultiva como las setas... en un lugar oscuro y alimentándolo con mierda.

Los tres se echaron a reír.

—Tengo un proveedor en Antioch —dijo Jeffrey—. Hago una visita aproximadamente una vez al mes. Pero sólo una —añadió, guiñándole el ojo a Keith.

Ya había oscurecido casi por completo cuando los tres entraron en la casa. Gail colocó las hierbas en un escurridor y las lavó mientras Jeffrey removía en la olla una especie de estofado sin carne. Gail echó en la olla un poco de Chianti y añadió las hierbas.

—Que hierva un poquito —dijo.

Keith experimentó una extraña sensación de *déjà vu* y recordó su primera cena en el pequeño apartamento que Jeffrey y Gail tenían a dos pasos del campus. Casi nada había cambiado.

Gail echó el resto del Chianti en las copas y le dijo a Keith:

—Seguramente piensas que estamos anclados en los sesenta.

—No.

Sí.

—En realidad, somos unos tipos de los sesenta, pero muy selectivos. Cada década tiene cosas buenas y malas. Por ejemplo, nosotros hemos rechazado por completo el nuevo feminismo y estamos en favor del antiguo. Y, sin embargo, hemos adoptado la nueva ecología radical.

—Sois muy cucos —dijo Keith.

—Tan maniáticos como siempre —terció Jeffrey, soltando una carcajada.

Gail miró a su marido con una sonrisa.

—La verdad es que somos un poco raritos.

—Yo creo que tenemos derecho a ser todo lo raros que queramos —dijo Keith, sintiéndose en la obligación de ser amable con sus anfitriones—. Nos lo hemos ganado a pulso.

—Y que lo digas —convino Jeffrey.

—Y además, habéis dejado vuestro trabajo por principio, anteponiendo las convicciones al dinero.

Gail asintió con la cabeza.

—En parte por principio y en parte porque nos sentíamos un poco incómodos allí. Éramos dos radicales de la vieja escuela y se reían de nosotros a nuestra espalda. Los chicos de hoy en día no tienen héroes y nosotros fuimos héroes de la revolución. Ahora, en cambio, los chicos creen que la historia del mundo empezó cuando ellos nacieron.

—Bueno, tan mal no estábamos —dijo Jeffrey—, pero nos sentíamos profesionalmente insatisfechos.

—Eso no es exactamente lo que me dijiste anoche —dijo Keith.

—Bueno, es que anoche estaba bebido. —Jeffrey reflexionó un instante y reconoció—: Aunque puede que anoche estuviera más cerca de la verdad. Sea como fuere, aquí estamos, dando clases particulares a chicos del instituto.

—Jeffrey me dice que te han despedido —dijo Gail.

—Pues sí y me alegro.

—¿También se reían de ti?

—No, no creo. Los viejos guerreros siguen siendo apreciados dentro de la imperialista comunidad del espionaje militar.

—Pues, ¿por qué te han despedido? —preguntó Gail.

—Recortes presupuestarios, fin de la guerra fría... no, ésa no es toda la verdad. Me han despedido porque yo estaba empezando a tener mis dudas. Y eso lo huelen a diez kilómetros de distancia y no les gusta ni un pelo. Estaba empezando a hacerme preguntas —añadió Keith, tras una breve pausa de reflexión.

—¿Como cuáles?

—Pues... una vez, por ejemplo, estaba en la Casa Blanca para presentar un informe... hubiera tenido que dar respuestas, no hacer preguntas... —Keith sonrió al evocar lo que estaba a punto de revelar— y le pregunté al secretario de Estado:

»Señor, ¿podría usted explicarme la política exterior de este país, si es que la hay, para que yo pueda comprender un poco mejor lo que ustedes desean?»

Se hizo un silencio tan profundo que se hubiera podido cortar con un cuchillo.

—¿Y te lo explicó? —preguntó Jeffrey.

—En realidad, tuvo la delicadeza de hacerlo. Pero yo seguí sin comprenderlo. Seis meses más tarde, me encontré una carta en mi escritorio en la que se me hablaba de los recortes presupuestarios y las ventajas de un retiro anticipado. Había un espacio reservado para mi firma. Y firmé.

Los tres tomaron un sorbo de vino, Jeffrey se levantó para remover el estofado y Gail sacó del frigorífico una bandeja de hortalizas crudas con salsa de alubias y la depositó sobre el mostrador. Los tres empezaron a picar de la bandeja.

—Me parece que tú también lo dejaste por principio —dijo finalmente Jeffrey.

—No, me pidieron que aceptara una jubilación anticipada por

motivos presupuestarios —dijo Keith—. Eso es lo que decían el comunicado de prensa y el memorándum interno. Y eso fue en realidad. Mi trabajo consistía en descubrir verdades objetivas, pero, para que la verdad tenga validez, son necesarias dos personas... el que habla y el que escucha. Lo malo era que los que hubieran tenido que escuchar no escuchaban. Raras veces lo habían hecho durante las dos últimas décadas, pero yo quizá tardé demasiado tiempo en darme cuenta. Me alegro de haberlo dejado —añadió, tras reflexionar un instante.

—Te comprendemos muy bien. —Gail asintió con la cabeza—. Y ahora los tres estamos otra vez aquí en el campo donde todas esas cosas no sirven para nada. —Abrió el frigorífico y sacó las botellas de Keith diciéndole a Jeffrey—: ¿Te acuerdas de eso? Ochenta y nueve centavos la botella. ¿Cuánto te han costado, Keith?

—Unos cuatro dólares cada una.

—Un robo —dijo Jeffrey, descorchando la botella de vino de manzana y aspirando el aroma—. Está en su punto. —Lo escanció en tres vasos de agua. Gail añadió unas cuantas hojas de menta y los tres entrechocaron los vasos—. Por el pasado —dijo Jeffrey—, por los amigos ausentes de nuestra juventud, por los ideales y por la humanidad.

—Y por un brillante futuro sin la pesadilla de un holocausto nuclear —añadió Keith.

Apuraron el contenido de los vasos, los depositaron sobre el mostrador, emitieron unos exagerados sonidos de complacencia y después rompieron a reír.

—En realidad, no está nada mal —le dijo Jeffrey a Keith—. ¿Tienes más?

—No, pero sé dónde comprarlo.

—Vamos allá —dijo Gail. Se acercó a la mesa de la cocina con la botella de vino de pomelo y se sentó.

Jeffrey llevó a la mesa la bandeja de hortalizas, apagó la luz y encendió dos velas.

Keith se sentó y les llenó las copas. Comieron las verduras con salsa de alubias y Keith alabó las delicias de los huertos, cosa que ellos se tomaron como un gran cumplido por venir del hijo de un granjero.

Después se pasaron un rato hablando de temas intrascendentes, Jeffrey y Keith recordaron anécdotas del instituto, Gail les dijo que la estaban aburriendo y entonces cambiaron de tema y empezaron a evocar su último curso en Bowling Green. Gail sacó una jarra de vino y la depositó sobre la mesa. Jeffrey, que, al parecer, era el encargado de remover el estofado, se levantaba de vez en cuando para cumplir su tarea mientras Gail volvía a llenar las copas.

Keith se lo estaba pasando bastante bien a pesar de lo poco que tenía en común con sus anfitriones, aparte la experiencia compartida de los estudios. Sin embargo, ni siquiera en su época estudiantil había tenido demasiadas cosas en común con el flacucho Jeffrey Porter, aunque siempre se había llevado muy bien con él, tal vez porque ambos eran muy parecidos intelectualmente y no tenían ninguna opinión sobre la política, la guerra o la vida.

En la universidad intimaron un poco más porque eran de la misma ciudad y ambos tropezaban con los mismos problemas de adaptación al nuevo ambiente. Y allí se hicieron amigos, pensó Keith, aunque no quisiera reconocerlo.

Más tarde, cuando la guerra radicalizó y polarizó el campus, descubrieron que tenían puntos de vista distintos sobre muchas cuestiones. Tal como había ocurrido con la guerra de Secesión, la guerra del Vietnam con los consiguientes disturbios y protestas, enfrentó a hermano contra hermano, vecino contra vecino y amigo contra amigo. Vistas las cosas con la distancia del tiempo, las personas inteligentes de buena voluntad hubieran tenido que encontrar un terreno común. Sin embargo, Keith, como tantas personas, perdió muchos amigos a los que apreciaba e hizo otros nuevos que no le interesaban. Él y Jeffrey acabaron liándose a puñetazos en el edificio del sindicato estudiantil. Jeffrey no era un gran luchador y Keith le derribó al suelo tantas veces como quiso. Al final, Keith se retiró y a Jeffrey se lo llevaron en brazos.

Aproximadamente un año y medio después, Jeffrey le escribió a Keith en el Vietnam tras haberle pedido la direccción a su madre. Keith esperaba que la carta tuviera un carácter conciliador y que su amigo se interesara por su situación en el frente. Rasgó el sobre y leyó. «Querido Keith, ¿cuántos niños has matado hoy? Procura llevar la cuenta de todas las mujeres y los niños a los que asesines. El Ejército te premiará con una medalla.» Y cosas por el estilo.

Keith recordaba que, más que sentirse ofendido, se había puesto furioso. De haber tenido a Jeffrey a mano, lo hubiera matado. Ahora, pensando en ello, se dio cuenta de hasta qué extremo ambos se habían adentrado por el camino de la locura.

Había transcurrido un cuarto de siglo, Jeffrey había pedido disculpas, Keith lo había perdonado y ambos seguían siendo distintos, gracias a Dios.

Recordando todo aquello, Keith no pudo evitar una asociación con Annie, la cual se había graduado, había viajado a Europa, se había casado y había tenido hijos, había vivido dos décadas con otro hombre y había celebrado con él veinte Navidades, cumpleaños y aniversarios y desayunado y cenado miles de veces con él. Keith Landry y Annie Baxter no podían tener muchas más cosas en común de las que Keith tenía con Jeffrey. Pero él no se había pasado seis años acostándose con Jeffrey Porter. Ahí estaba la diferencia.

—¿Se te ha ido el santo al cielo, Keith? —le preguntó Gail.

—No... es que...

Jeffrey se levantó y echó un vistazo al contenido de la olla.

—Listo.

Llenó tres cuencos de estofado y consiguió llevarlos a la mesa sin contratiempos. Gail cortó el pan diciendo:

—Hecho en casa.

El pan olía como el forraje que Keith les daba al ganado y a los caballos, pero el estofado estaba muy rico.

El postre consistió en una exquisita tarta de fresas, pero el té de hierbas le recordó a Keith ciertos lugares de Asia que prefería olvidar.

—¿Te dijo Jeffrey que formo parte de la junta municipal? —le preguntó Gail a Keith.

—Sí, me lo dijo. Te felicito.

—Gracias. Mi adversario fue sorprendido follando a alguien en un lavabo de caballeros.

—¿Tan importante era eso? —preguntó Keith con una sonrisa.

—Yo he follado con muchos tíos —añadió Gail—, pero eso es distinto.

Los tres estaban francamente bebidos, pero, aun así, a Keith le molestó un poco el comentario.

—A mí nunca me han sorprendido en un lavabo de caballeros —dijo Gail—. Sea como fuere, el próximo noviembre me tendré que enfrentar con una republicana muy cursi. Lo más grave que ha hecho en su vida ha sido vestirse de blanco después del Día del Trabajo en contra de la tradición.

—Varias personas nos hemos asociado para tratar de cambiar la ciudad y el condado —dijo Jeffrey—. Hemos elaborado un plan para restaurar el centro histórico de la ciudad, atraer el turismo y los negocios, impedir la dispersión de la zona comercial por medio de demarcaciones, conseguir que la Amtrak restablezca el servicio de pasajeros y pedir una salida para Spencerville en la carretera interestatal.

Keith le escuchó en silencio y después le preguntó:

—¿O sea que ya has abandonado tus planes de derribar el Gobierno de Estados Unidos?

—Pienso globalmente y actúo localmente —contestó Jeffrey con una sonrisa—. Así son los noventa.

—Bueno, eso me suena un poco al anticuado empuje comercial tan propio del Medio Oeste. ¿Recuerdas cómo solíamos criticarlo?

—Por supuesto que sí —contestó Jeffrey—. Pero se trata de algo que va mucho más lejos. Nos preocupa también la ecología, la limpieza de la administración pública, la atención sanitaria y otras cuestiones relacionadas con la calidad de vida que rebasan con mucho los intereses económicos y comerciales.

—Todo eso también me preocupa a mí. De hecho, yo observo lo mismo que vosotros y pienso lo mismo. Pero no vayas a suponer que todas las personas tienen la misma visión. He recorrido todo el mundo, chicos —dijo Keith— y, si algo he aprendido, es que los pueblos tienen el gobierno y la sociedad que se merecen.

—No seas cínico —dijo Jeffrey—. En este país todavía queda gente buena.

—Así lo espero.

—¿Queréis dejaros de discusiones filosóficas? —dijo Gail—. Éste es el problema que se nos plantea. Las administraciones de la ciudad y el condado están alctargadas, son parcialmente corruptas y en buena parte estúpidas. Es más, Cliff Baxter, el marido de tu ex novia —añadió, mirando a Keith— constituye el núcleo de casi todos esos problemas.

Keith no dijo nada.

—Ese hijo de puta chantajea a la gente —añadió Gail—. Es un clon de J. Edgar Hoover. Tiene fichas ilegales sobre muchas personas, yo incluida. Me mostró mi ficha el muy imbécil y ahora yo voy a enviarle una citación judicial por todos esos archivos.

—Ten cuidado con ese tío —le dijo Keith.

—Es un matón —dijo Jeffrey— y, como todos los matones, es fundamentalmente un cobarde.

—Sin embargo, los cobardes también pueden ser peligrosos cuando van armados —replicó Keith.

Jeffrey asintió con la cabeza.

—Sí, pero no le tenemos miedo. Me he enfrentado con las bayonetas caladas de los soldados armados, Keith.

—A lo mejor, te enfrentaste conmigo, Jeffrey. ¿Estuviste en Filadelfia en el otoño de 1968?

—No, y tampoco estuvimos en la Universidad Estatal de Kentucky cuando los soldados dispararon, pero teníamos amigos que sí estuvieron y te aseguro que hubiera estado allí de haber sabido lo que iba a ocurrir.

—No me cabe la menor duda. Pero eran otros tiempos y la causa lo merecía. No dejes que te maten por unas ordenanzas municipales.

Los tres permanecieron un rato en silencio, tomando de vez en cuando un sorbo de vino. Las llamas de las velas parpadeaban en medio de la suave brisa que penetraba a través de la ventana y Keith aspiraba la increíble mezcla de perfumes de las flores silvestres y la madreselva.

—¿Sabes algo de él? —le preguntó Gail.

—¿De quién?

—J. Edgar Baxter.

—No. Creo recordarle del instituto. Pero eso no es lo que se podría llamar una información de espionaje.

—Bueno pues, yo lo recuerdo muy bien —dijo Jeffrey—. No ha cambiado demasiado. Es el mismo cerdo de siempre. La familia tiene dinero, pero son gente de poco seso. Los hijos de los Baxter siempre tenían problemas... ¿recuerdas? Los chicos eran unos matones y las chicas se casaban preñadas. Utilizando la jerga de las ciudades provincianas: «Esta familia tiene mala sangre».

Keith no contestó. Había comprendido con toda claridad que Gail y Jeffrey no estaban simplemente contándole chismes. Lo querían reclutar. Conocía bien el método.

—Es un hombre muy celoso y posesivo —dijo Gail—. Me refiero a su matrimonio. Por cierto, Annie sigue estando tan guapa como siempre, lo cual hace que el señor Baxter la vigile como un halcón. Por lo que he oído decir, Annie es un dechado de virtudes, pero él no se fía. Conocemos a unos vecinos de su calle y nos han dicho que, cuando él no está, mantiene la casa bajo constante vigilancia. Hace unas semanas, se oyeron unos disparos de arma de fuego sobre las cinco de la madrugada. Él estaba en casa y a los vecinos les dijeron que había sido un accidente.

Keith no dijo nada y su rostro sólo dejó traslucir aquella bien ensayada mezcla de leve interés y ligero escepticismo que solía mostrar siempre que un monólogo entraba en el terreno de los rumores. Tenía la sensación de estar sentado de nuevo en un café europeo, recibiendo información confidencial sobre algún asunto delicado.

—No es simpático, pero la gente de la ciudad lo tiene que aguantar. Algunos de los hombres que trabajan a sus órdenes lo encuentran grosero y ofensivo, pero, al mismo tiempo, puede ser encantador. Pertenece a la vieja escuela, se descubre la cabeza para saludar a las señoras y se muestra aparentemente respetuoso con los prohombres de la ciudad, los clérigos y demás. Incluso dicen que pellizca a los niños y ayuda a las ancianas a cruzar la calle. Pero también pellizca los traseros de las camareras y ayuda a las damiselas en apuros a quitarse la ropa. Es un tipo muy mujeriego.

Gail escanció el resto de la jarra de vino en las copas.

Keith escuchó las voces de las aves nocturnas y las cigarras. Todo aquello no constituía ninguna novedad para él, pero el hecho de que se lo dijeran cambiaba un poco la situación. En algún recóndito escondrijo de su mente, sede de la antigua moralidad, algo le decía que no debía romper un matrimonio, un hogar y una familia. A lo largo de los años se había visto envuelto en situaciones un tanto desvergonzadas, pero todo aquello pertenecía al pasado. Y, sin embargo, de ser cierto lo que decían Gail y Jeffrey, los Baxter no eran enteramente felices, el señor Baxter era un sociópata y la señora Baxter necesitaba ayuda. Tal vez.

—Desde el punto de vista profesional —dijo Jeffrey—, el tío es un Neanderthal. Tiene un grave problema con los chicos de la ciudad, pues muchos de ellos visten de una forma un poco estrafalaria, llevan el cabello largo hasta los hombros o van con la cabeza rapada, hacen sonar los claxons a todas horas y vagan por ahí sin hacer nada. Nosotros también hacíamos esas cosas, pero Baxter los hostiga en lugar de ayudarlos. Sus fuerzas policiales no disponen de oficiales especialmente destinados a la juventud y no tiene ningún programa de atención escolar. Sólo coches patrulla, agentes y una cárcel. La ciudad se está muriendo, pero Baxter no se da cuenta. A él sólo le interesa la ley y el orden.

—La ley y el orden son lo suyo —dijo Keith.

—Sí —convino Jeffrey—, pero te voy a decir otra cosa... eso tampoco lo hace muy bien. Aquí el índice de criminalidad todavía es muy bajo, pero ya empieza a aumentar. Ahora hay droga... no inofensiva hierba sino droga dura... y Baxter no tiene ni puta idea de dónde viene, quién la vende o quién la compra. El carácter de los delitos y de los delincuentes ha cambiado mientras que Baxter sigue siendo el mismo. Hay más violencia, ha habido robos de coches y dos violaciones en lo que va de año, vino una banda motorizada de Toledo que perpetró un atraco a mano armada en el Merchant's Bank. La detuvo la policía del estado, no Baxter. El estado ha ofrecido un adiestramiento avanzado a las fuerzas policiales de Spencerville, pero, como no se trata de algo obligatorio, Baxter lo ha rechazado. No quiere que nadie sepa hasta qué extremo son corruptos él y su Gestapo.

Keith no dijo nada. Había sido lo bastante caritativo como para pensar que, a lo mejor, Cliff Baxter era un policía duro, pero eficiente. Un ser humano asqueroso, pero un buen jefe de policía, enteramente consagrado a velar por la seguridad ciudadana. Sin embargo, el incidente en el aparcamiento del supermercado y los vehículos de la policía circulando por delante de su casa ya le habían hecho comprender que estaba en presencia de unas fuerzas policiales corruptas.

—Baxter culpa a la droga de esta oleada de minidelitos y en parte tiene razón —prosiguió diciendo Jeffrey—. Pero también culpa a las escuelas, los padres, la televisión, el cine, la música, las tiendas de vídeos, las revistas pornográficas y todas esas cosas. Puede que algo haya de verdad en sus acusaciones, pero él no ve la relación entre el delito y el desempleo y la falta de oportunidades y alicientes para los jóvenes.

—Jeffrey —dijo Keith—, ¿cuándo has visto tú una ciudad provinciana americana que sea distinta? A lo mejor, aquí se necesitan unas fuerzas policiales un poco duras. Las soluciones progresistas pueden dar resultado en ciudades más grandes, pero eso no es Columbus ni Cleveland, amigo mío. Aquí necesitamos soluciones de ciudad pequeña para problemas de ciudad pequeña y vosotros tenéis que comprender la realidad.

—Muy bien —dijo Gail—, estamos abiertos a la realidad. No somos los ideólogos que antes fuimos, pero el problema es el mismo. ¿A ti te interesa? —preguntó, mirando a Keith.

—Por supuesto que sí —contestó Keith—, es mi ciudad natal. Pensé que, a lo mejor, las cosas no habían cambiado y que aquí podría disfrutar de un poco de paz y tranquilidad, pero ya veo que vosotros dos no estaréis dispuestos a permitir que me vaya a pescar.

—Los viejos revolucionarios no desaparecen como los viejos soldados, Keith —dijo Gail con una sonrisa—. Simplemente se buscan una nueva causa.

—Ya lo veo.

—Creemos que Baxter es vulnerable —añadió Gail— y que tiene ciertos problemas profesionales que nosotros podemos explotar.

—A lo mejor, necesita un poco de asesoramiento y un cursillo de sensibilidad. Eso es lo que los progresistas como vosotros suelen ofrecerles a los delincuentes. ¿Por qué no a los policías?

—Sé que nos estás provocando y lo haces muy bien, pero también sé que eres un hombre inteligente. Pronto te darás cuenta de que Baxter no tiene remedio ni profesional ni espiritual ni de ningún otro tipo. Y él lo sabe. Por eso está tan nervioso como una rata atrapada y es más peligroso que nunca.

Keith asintió, pensando: *Y como marido, debe de ser peor que nunca.*

—Creemos que ya es hora de que lo expulsen —dijo Gail—. Necesitamos una victoria moral, algo que sirva para galvanizar a la opinión pública. Keith, tú, con la preparación que tienes...

—Tú no sabes la preparación que yo tengo —la interrumpió Keith —. Lo que os he dicho no tiene que salir de esta casa.

Gail asintió con la cabeza.

—Muy bien. Con tu inteligencia, ingenio y encanto, tú nos puedes ayudar. Nos gustaría que te unieras a nosotros.

—¿Quiénes son «nosotros»?

—Simplemente un grupo de reformadores.

—¿Tengo que convertirme en demócrata?

—No, por Dios —contestó Jeffrey, echándose a reír—. No estamos afiliados a ningún partido. Hay personas pertenecientes a todos los partidos y a todas las clases sociales. Tenemos clérigos, hombres de negocios, profesores, agricultores, amas de casa... casi toda la familia de Annie está con nosotros, no te digo más.

—¿De veras? Me pregunto qué tal debe de ser el almuerzo del día de Acción de Gracias en casa de los Baxter.

—Como muchas de las personas que nos apoyan —dijo Jeffrey—, aún no han salido a la luz pública. ¿Podemos contar contigo?

—Bueno... —A decir verdad, Keith se la tenía jurada a Cliff Baxter por el simple hecho de haberse casado con Annie—. Es que no estoy muy seguro de que vaya a quedarme.

—A mí me dio la impresión de que sí —dijo Jeffrey.

—No estoy seguro.

—No te pedimos que te batas en duelo con él a las doce del mediodía en la calle Mayor. Dinos simplemente que estás a favor de que nos libremos de él.

—De acuerdo. En principio, siempre estoy a favor de que nos libremos de cualquier funcionario público corrupto.

—Muy bien pues, ése es Cliff Baxter. El jueves de la semana que viene por la noche nos reuniremos en la iglesia de San Jaime. ¿La conoces?

—Pues claro, es mi vieja iglesia. ¿Por qué os reunís en las afueras de la ciudad?

—Como comprenderás, a la gente no le gusta que la vean en esa reunión, Keith.

—Lo comprendo, pero me parece que os pasáis un poco con este melodrama revolucionario. Estamos en Estados Unidos. Podéis utilizar el Ayuntamiento. Estáis en vuestro derecho.

—No podemos. Todavía no.

Keith se preguntó en qué medida los Porter estarían tratando de revivir el romanticismo de la revolución y en qué medida la inquietud y el temor serían reales.

—Lo pensaré —dijo.

—Muy bien. ¿Un poco más de tarta? ¿Té?

—No, gracias. Ya es hora de que me vaya.

—Es muy temprano —dijo Gail—. Ninguno de nosotros tiene nada que hacer mañana por la mañana.

Se levantó y, pensando que iba a quitar la mesa, Keith se levantó con ella, tomando su plato y su copa.

—Déjalo —dijo Gail—. Seguimos siendo unos guarros.

Después lo tomó del brazo y lo acompañó a la sala de estar.

Jeffrey los siguió con un tarro de *pot-pourri*.

—La cena ha sido estupenda y la conversación muy estimulante —dijo—. Ahora nos retiraremos al salón para fumar un poquito.

Gail encendió dos lámparas de incienso y dos velas perfumadas en la estancia a oscuras. Jeffrey se sentó en el suelo con las piernas cruzadas delante de la mesita auxiliar y, a la luz de una de las velas, echó el contenido del tarro en unos papeles de fumar que había extendido sobre la mesita.

Keith le vio liar cinco porros con más rapidez que la empleada por un viejo campesino para liar un solo cigarrillo.

Gail puso el casette de *Sergeant Pepper's Lonely Heart's Club Band* y se sentó en el suelo con la espalda apoyada en un sillón.

Jeffrey encendió un porro, dio una chupada y se lo pasó a Keith. Keith vaciló un instante, dio una calada y le pasó el porro a Gail, alargando el brazo por encima de la mesita.

Los Beatles cantaban, las velas parpadeaban, el olor de incienso y de marihuana llenaba el aire. Estaban en 1968.

El primer porro fue sujetado con un par de pinzas y apagado y después la colilla fue cuidadosamente colocada en un cenicero para su futuro uso en la pipa que Keith había visto sobre la mesa. Se encendió el segundo porro y los tres se lo fumaron por turnos.

Keith recordó los rituales como si fueran ayer. Nadie dijo apenas nada y lo poco que se dijo no tenía demasiado sentido.

No obstante, hablando en susurros tal como estaba mandado cuando se fumaba marihuana a la luz de las velas, Gail dijo de pronto:

—Ella necesita ayuda.

Keith no contestó.

Gail añadió como hablando consigo misma:

—Comprendo cómo y por qué una mujer puede aguantar esa situación..., no creo que él la maltrate físicamente..., pero le está jodiendo la cabeza...

Keith le pasó el porro.

—Ya basta.

—¿Ya basta de qué? —Gail dio una calada y añadió—: Usted, señor Landry, podría resolver simultáneamente su problema y el nuestro... ¿de acuerdo? —dijo, exhalando el humo.

Keith tenía ciertas dificultades para pensar, pero, al cabo de unos segundos o de unos minutos, oyó su propia voz diciendo:

—Gail Porter... tengo la suficiente experiencia con las mujeres como para escribir un libro sobre el tema... por consiguiente, no intentes joderme la cabeza.

Le pareció que eso era más o menos lo que quería decir.

—Siempre me ha gustado —añadió Gail como si no lo hubiera oído—, no es que fuéramos grandes amigas, pero..., siempre tenía una sonrisa y una palabra amable, siempre estaba dispuesta a ayudar..., aunque la despreciara... en el fondo, la envidiaba..., se conformaba por entero con su hombre y..., no intervenía nunca en nada...

—En Columbus participó en el movimiento antibelicista.

—¿De veras? No me digas. ¿Y eso te molestó?

Keith no contestó o, por lo menos, eso creyó. Ya no sabía si pensaba o si hablaba.

Al cabo de un buen rato, Gail dijo:

—Mira, Keith, si no quieres hacer nada más después de haber conquistado el maldito mundo... por lo menos, apártala de ese hombre.

Keith trató de levantarse.

—Creo que me voy.

—Ni hablar, amiguito —dijo Jeffrey—. Tú te quedas a dormir aquí. Ni siquiera podrías encontrar la puerta.

—No, tengo que...

—Asunto cerrado —dijo Gail—. Todos los asuntos están cerrados. Ya basta de mierdas. Vamos a ponernos un poco lánguidos, tíos.

Le pasó el porro a Jeffrey, se levantó para cambiar la cinta y empezó a bailar al ritmo de *Honky Tonk Women.*

Keith la observó a la parpadeante luz de las velas. Su esbelto cuerpo se movía con gracia al ritmo de la música. La melodía no era especialmenmte erótica en sí misma, pero él llevaba mucho tiempo sin acostarse con una mujer y empezó a experimentar una cierta desazón.

Jeffrey parecía indiferente a la danza de su mujer y mantenía los ojos fijos en la llama de la vela.

Keith apartó la vista de Gail y se unió a Jeffrey en la contemplación de la llama.

No supo cuánto tiempo había transcurrido, pero fue consciente de que la cinta era otra y de que la música era la de *Sounds of Silence.* Jeffrey declaró que aquello era el acompañamiento ideal para los porros y Keith vio que Gail se había vuelto a sentar delante de él, dando caladas a un porro.

—¿Os acordáis de las chicas sin sujetador, las blusas transparentes, la natación en pelotas, el sexo en grupo y el desprecio a las enfermedades, las normas de conducta sexual de Antioch y las mujeres y los hombres que de veras se gustaban unos a otros? ¿Os acordáis? —dijo Gail—. Yo, sí. ¿Qué nos ha pasado, Dios mío?

Nadie lo sabía y nadie contestó.

Aunque no le funcionaba muy bien la cabeza, Keith recordaba tiempos mejores, los cuales quizá no coincidían con los de Gail y Jeffrey. Pero no cabía duda de que los había conocido. De pronto, experimentó en lo más hondo de su ser una sensación de pérdida, una nostalgia y una emoción parcialmente provocadas por la marihuana y la velada, pero también parcialmente auténticas.

Gail no se le ofreció, lo cual fue un alivio, pues no hubiera sabido qué hacer o decir en caso de que lo hubiera hecho. La velada terminó, durmiendo él en ropa interior en el sofá con una colcha por encima y los Porter arriba, en su cama.

El incienso se agotó, las velas se apagaron, el álbum de Simon and Garfunkel se acabó y Keith permaneció tendido en la silenciosa oscuridad.

Al amanecer, se levantó, se vistió y se fue antes de que los Porter se despertaran.

12

Pocos días después de su cena con los Porter, un viernes por la noche, Keith Landry, recordando la típica costumbre campesina, decidió darse una vuelta por la ciudad.

Se puso unos pantalones ligeros y una camisa deportiva, subió al Blazer y se dirigió a Spencerville.

Llevaba unos cuantos días sin tener la menor noticia de Annie y no por falta de vigilancia por su parte. Había estado mucho en casa a la espera de que sonara el teléfono, había controlado varias veces al día el buzón y había observado los coches que pasaban. En resumen, se había comportado como un adolescente enamorado, lo cual no había sido enteramente desagradable.

La víspera, hacia el mediodía, había visto pasar un coche patrulla azul y blanco de la policía de Spencerville y aquella mañana un coche blanco y verde del *sheriff* del condado. Cabía la posibilidad de que el paso del coche del *sheriff* hubiera sido casual, pero el de la policía de Spencerville estaba fuera de su jurisdicción.

Por si acaso, él mantenía el Blazer escondido y no creía que ellos hubieran descubierto su nuevo automóvil a no ser que hubieran buscado su nombre en el Registro de Vehículos de Motor.

De momento, todo aquello no era más que una especie de juego del gato y el ratón, pero él sabía que la situación podía estallar de un momento a otro.

Subió por la calle Mayor, más tranquila de lo que él recordaba los viernes por la noche. En sus tiempos, el viernes era el día de mercado y se organizaba un gran Mercado Agrícola en una calle bloqueda al tráfico al norte de la plaza del Palacio de Justicia. Ahora la gente, incluidos los agricultores, lo compraba todo envasado en los supermercados.

La zona comercial de las afueras de la ciudad debía de recibir el mayor número de compradores del viernes por la noche, pensó Keith, pero había varias tiendas abiertas en el centro y el banco permanecía abierto hasta muy tarde. También estaban abiertos, con numerosos coches aparcados en las inmediaciones, el restaurante Miller's y las dos tabernas, la John's Place y la Posthouse.

Keith se introdujo en un espacio libre cerca de la John's Place y bajó del Blazer. Era un cálido anochecer de verano indio y había gente en la acera cuando él entró en la taberna.

Keith había aprendido que, para conocer bien una ciudad, había que visitar su mejor y su peor bar, a ser posible un viernes o un sábado por la noche. La John's era indiscutiblemente lo segundo.

La taberna, oscura, ruidosa y llena de humo, apestaba a cerveza pasada y su clientela estaba integrada en buena parte por hombres vestidos con vaqueros y camiseta. Keith observó que las camisetas ostentaban propaganda de marcas de cerveza, tractores John Deere y equipos deportivos locales. Algunas camisetas decían cosas curiosas como «Los buenos cavadores cavan más hondo».

Había unos cuantos videojuegos, una máquina de *pool* americano y, en el centro de la taberna, una mesa de billar. Un tocadiscos automático dejaba escapar las notas de unas melancólicas melodías *country-western*. Junto a la barra había unos cuantos taburetes vacíos y Keith se acomodó en uno de ellos.

El barman le echó un profesional vistazo para cerciorarse de que su presencia no constituía ninguna amenaza a la paz de la John's Place y le preguntó:

—¿Qué le sirvo?

—Una Bud.

El barman le colocó una botella delante y la abrió.

—Dos dólares.

Keith depositó un billete de diez dólares sobre el mostrador. El barman le dio el cambio, pero no le ofreció un vaso. Keith bebió directamente de la botella.

Miró a su alrededor. Había algunas jóvenes escoltadas por hombres, pero predominaban los varones. Un televisor situado por encima de la barra estaba ofreciendo un partido entre los Yankees y los Bluejays y el comentarista deportivo competía con un cantante *country* que emitía lastimeros gemidos por las infidelidades de su mujer.

Las edades de los clientes oscilaban entre los veinte y los sesenta años y casi todos ellos parecían unos buenos chicos que igual hubieran podido invitarle a uno a tomar una cerveza que partirle la crisma con un taburete de la barra sin que en ninguno de las dos casos tuviera por qué haber nada de tipo personal. Las mujeres vestían como los hombres, con vaqueros, camisetas y zapatillas deportivas, y también fumaban y bebían cerveza directamente de la botella. En conjunto, formaban un grupo bastante pacífico, aunque Keith sabía por experiencia que la cosa se podía animar un poco más tarde.

Se dio la vuelta en el taburete para observar un rato la partida de billar. No había tenido demasiadas ocasiones de frecuentar las tabernas de la ciudad porque lo habían llamado a filas y le habían empezado a pegar tiros a la edad en que hubiera podido votar o beber alcohol. Ahora uno podía votar y ser tiroteado, pero tenía que esperar hasta los veintiún años para poder pedir una cerveza. En cualquier caso, él había visitado de vez en cuando la John's Place y la Posthouse cuando estaba de permiso y recordaba que un considerable número de los hombres que las frecuentaban eran veteranos con muchas historias que contar y que algunos, como él, vestían de uniforme y jamás tenían que pagarse una cerveza. Ahora sospechaba que casi todos los clientes de la John's Place jamás se habían alejado demasiado de su casa y todos mostraban el aire de aburrimiento propio de los hombres que nunca se habían sometido a un significativo rito de paso a la virilidad.

No reconoció a ninguno de los hombres de su edad, pero había uno al fondo de la barra que no le quitaba los ojos de encima.

El hombre bajó de su taburete y se acercó pegado a la barra hasta detenerse directamente delante de Keith.

—Yo a ti te conozco.

Keith le miró. Era alto, delgado, llevaba el cabello rubio largo hasta los hombros, tenía los dientes estropeados, una tez cetrina y unos ojos hundidos. El cabello largo, los vaqueros, la camiseta y los modismos del lenguaje correspondían a un hombre de veintitantos años, pero el rostro tenía muchos más.

—Sé quién eres —dijo el desconocido con voz pastosa.

—¿Quién soy?

—Keith Landry.

Unos hombres se volvieron a mirarles sin demasiado interés.

Keith estudió de nuevo a su interlocutor y se dio cuenta de que le conocía.

—Claro —dijo—, tú eres...

—Vamos, Keith, me conoces muy bien.

Keith rebuscó en su memoria y varios rostros del instituto pasaron velozmente por su mente.

—Billy Marlon —dijo al final.

—¡Sí, hombre, pero si éramos muy amigos! —Marlon le dio a Keith una palmada en el hombro y después le estrechó la mano—. ¿Qué tal estás?

Keith pensó que quizá hubiera sido mejor ir a la Posthouse.

—Pues muy bien. ¿Y tú cómo estás, Billy?

—¡Estupendamente! ¡Encantado de la vida!

—¿Me permites invitarte a una cerveza?

—Faltaría más.

Keith pidió otras dos Budweisers.

Billy se acercó un poco más a él y se inclinó lo bastante como para que Keith aspirara el olor de su cerveza y otros olores.

—Cuánto me alegro, hombre —dijo Billy.

—Pues sí.

—Te veo muy bien.

—Gracias.

—¿Qué coño estás haciendo aquí?

—Estoy de visita.

—Ah, ¿sí? Muy bien, hombre. ¿Cuándo volviste?

—Hace unas semanas.

—¿En serio? Pues me alegro mucho de verte.

Estaba claro que Billy Marlon se alegraba mucho de verle. Keith trató de recordar lo que sabía de Billy y qué tenían ambos en común para poder mantener con él lo que prometía ser una conversación más que estúpida. Al final, lo recordó mientras Billy seguía charlando por los codos.

Marlon formaba parte del mismo equipo de fútbol que él, no era muy buen jugador y se pasaba buena parte del tiempo sentado en el banquillo, animando a sus compañeros. Marlon era un chico ansioso de gustar a los demás, pero, a pesar de que objetivamente fuera simpático, casi todo el mundo lo consideraba un pelmazo insufrible. Al propio Keith le seguía pareciendo simpático, pero aburrido.

—Estuviste en Vietnam, ¿verdad? —preguntó Marlon.

—Sí.

—Yo también. Estabas en el Primero de Caballería, ¿verdad?

—Sí.

—Ya me acuerdo. Tu mamá se moría de miedo. Yo le dije que no te iba a pasar nada. Qué demonios, si un desgraciado como yo había sobrevivido, a un tío como tú no podía ocurrirle nada malo. De eso estaba seguro.

—Gracias.

Keith recordó que Billy se había incorporado a filas recién salido del instituto. Él, en cambio, había aprovechado la prórroga que se concedía a los universitarios, lo cual había sido un error monumental del Gobierno. Los ricos, los inteligentes, los privilegiados y cualquiera que pudiera matricularse en una universidad, podía disfrutar de cuatro cómodos años de protestas contra la guerra o de no pensar tan siquiera en ella mientras los pobres y los tontos morían o quedaban mutilados para siempre. Sin embargo, en lugar de terminar al cabo de un razonable período de tiempo, la guerra se prolongó y los graduados universitarios como él tuvieron que incorporarse a filas. Cuando él llegó a Vietnam, Billy Marlon y casi todos sus compañeros del instituto ya habían sido licenciados del Ejército o estaban muertos.

—Yo estuve en la División Veinticinco... Relámpago de la Jungla. Nos cargamos a unos cuantos del Vietkong.

—Ya.

Pero no a los suficientes como para acabar con la maldita guerra.

—Tú también debiste de ver bastante mierda.

—Pues sí.

Por lo visto, Billy había seguido la carrera de Keith en el Ejército mientras contaba sus propias hazañas a la gente de Spencerville.

—¿Mataste a alguien? —preguntó Billy—. Quiero decir en combate cuerpo a cuerpo.

—Creo que sí.

—Es divertidísimo.

—Más bien no.

Billy reflexionó un instante y después asintió con la cabeza.

—No, no lo es... pero cuesta olvidarlo.

—Inténtalo.

—Es que no puedo, ¿comprendes? Todavía no puedo.

Keith estudió a su antiguo compañero de clase. Estaba claro que Billy Marlon había rodado muy cuesta abajo.

—¿Qué has estado haciendo? —le preguntó Keith.

—Poca cosa. Me casé y divorcié dos veces. Tengo hijos de mi primer matrimonio. Viven todos en Fort Wayne con su madre. Ella se casó con un imbécil, ¿sabes?, y la verdad es que casi nunca los veo. Mi segunda mujer... se largó. —Billy siguió contando los detalles de una vida inútil hasta que, de repente, sorprendió a Keith, añadiendo—: Mierda, ojalá pudiera volver a empezar.

—Bueno, eso es lo que todos pensamos. Pero, a lo mejor, ya es hora de seguir adelante.

—Sí. Trato de hacerlo.

—¿Dónde trabajas?

—En ningún sitio. Hago alguna chapuza. Cazo y pesco un poco. Vivo a unos dos kilómetros al oeste de la ciudad, tengo toda una granja para mí solo. Mi única misión es vigilarla. Los propietarios son unos jubilados que viven con uno de sus hijos en California. Se apellidan Cowley. ¿Los conoces?

—Me suenan.

—Ahora han vendido la finca y en noviembre me tendré que buscar otra cosa.

—¿Por qué no vas a un hospital militar?

—¿Por qué? No estoy enfermo.

—No tienes buena cara.

—Es que lo estoy pasando muy mal desde que supe que tenía que irme. Me pongo nervioso cuando no tengo ningún sitio donde vivir. Pero todo se arreglará.

—Así lo espero.
—¿Dónde vives?
—En casa de mis padres.
—Ah, ¿sí? Si necesitas compañía, puedo pagar un pequeño alquiler, encargarme de las tareas domésticas y cocinar.
—Creo que en noviembre ya no estaré aquí. Pero veré qué puedo hacer por ti antes de irme.
—Gracias, hombre.
Keith pidió otras dos cervezas.
—¿Y tú en qué trabajas? —preguntó Billy.
—Estoy retirado.
—¿De veras? ¿De qué?
—Como funcionario del Estado.
—No me digas. Oye, ¿has visto a alguien desde que has vuelto?
—No. Mejor dicho, vi a Jeffrey Porter. ¿Le recuerdas?
—Pues claro. Le he visto algunas veces. Pero apenas tiene nada que contar.
Se pasaron un buen rato hablando hasta que Keith se dio cuenta de que Billy estaba borracho como una cuba.
—Tengo que irme —dijo, consultando su reloj. Después dejó veinte dólares sobre el mostrador y añadió, dirigiéndose al barman—: Sírvale otra a mi amigo y después mejor que se vaya a casa.
El barman empujó el billete hacia él y le dijo:
—Ya no puedo servirle nada más.
Billy emitió un sonido quejumbroso.
—Vamos, Al. El hombre me quiere invitar.
—Termínate lo que tienes y lárgate.
Keith volvió a dejar el billete de veinte sobre el mostrador y le dijo a Billy:
—Tómalo y vete a casa. Pasaré un día por la granja antes de irme.
Billy le saludó con la mano mientras él se alejaba.
—Muy bien, hombre. Nos vemos. Me he alegrado muchísimo de verte, Keith.
Keith salió a la calle. La Posthouse estaba al otro lado del parque del Palacio de Justicia. Cruzó la calzada.
En el parque había unas cuantas parejas paseando y algunas personas sentadas en los bancos bajo las ornamentadas farolas. Vio un banco vacío y se sentó un momento. Tenía ante sus ojos el monumento de la Guerra Civil, una enorme estatua de bronce de un soldado de la Unión con un mosquete. En la base de granito, figuraban grabados centenares de nombres de los caídos de la Guerra Civil del condado de Spencer.
Desde el lugar donde estaba sentado, se podían ver, iluminados por las farolas, otros monumentos bélicos que él conocía muy bien,

empezando por un monolito en recuerdo de las guerras indias, siguiendo con la guerra mexicana y llegando, guerra a guerra, hasta el monumento de la guerra de Vietnam que era una simple placa de bronce con los nombres de los caídos. Era bueno, pensó, que las pequeñas ciudades recordaran, pero no le pasó inadvertido el detalle de que los monumentos fueran cada vez más pequeños e insignificantes a partir de la Guerra Civil, como si todo aquel asunto resultara un poco molesto para los ciudadanos.

Como la noche era muy agradable, permaneció un rato sentado. No había demasiadas cosas que hacer un viernes por la noche en una ciudad pequeña como aquella. Sonrió al recordar las noches de Londres, Roma, París, Washington y otros lugares. Se preguntó si podría acostumbrarse a vivir de nuevo allí. Sí, pensó, podría volver a la vida sencilla si tuviera compañía.

Miró a su alrededor y vio a un grupo de personas junto al tenderete iluminado de venta de helados. Se le ocurrió pensar que, si fuera a la ciudad un viernes por la noche, a lo mejor vería a Annie. ¿Tendrían los Baxter por costumbre salir a cenar? ¿Irían juntos de compras los viernes por la noche? No tenía ni idea.

Recordó las noches de verano en que él y Annie Prentis se pasaban horas y horas charlando sentados en un banco de aquel parque. Recordó especialmente el verano anterior a su partida hacia la universidad, a la guerrra, al asesinato de Kennedy, a las drogas, a la existencia de un mundo más allá del condado de Spencer cuando él y su país eran todavía jóvenes y rebosaban de esperanza y un chico se casaba con la chica de la casa de al lado y los domingos iba a comer a casa de los suegros.

Recordó a sus amigos en el parque, las chicas todas con falda y los chicos con el cabello corto. Los recién inventados transistores emitían piezas de Peter, Paul and Mary, Joan Baez, Dion y Elvis, siempre con el volumen muy bajo.

Se fumaban cigarrillos mentolados de la marca Newport, los porros eran desconocidos y el Coke no se tragaba sino que se bebía. Las parejas paseaban tomadas de la mano y, si un agente sorprendía a alguna de ellas besándose detrás de los arbustos, inmediatamente la conducía a la comisaría del otro lado de la calle donde el juez de guardia le pegaba un rapapolvo.

El mundo estaba a punto de estallar y ya se advertían claramente las señales, pero nadie hubiera podido predecir lo que finalmente ocurrió. Keith recordó que el verano del 63 había sido llamado el último verano de la inocencia norteamericana y para él había sido en efecto su último verano de inocencia, pues fue entonces cuando perdió su virginidad en el dormitorio de Annie Prentis.

Nunca había visto a una mujer desnuda antes de Annie, ni siquiera en fotografía o en el cine. En 1963 ya existía la revista *Playboy*, pero no llegaba al condado de Spencer y las películas peligrosas pasaban por la censura antes de llegar a Spencerville. Por eso no tenía ni idea de cómo era una mujer desnuda. Sonrió al recordar sus primeros y torpes intentos de consumar el acto. Ella era tan inexperta como él, pero tenía más intuición. Él llevaba en la cartera un preservativo que le había proporcionado un chico mayor, el cual había comprado una caja en Toledo y los vendía a dos dólares la pieza, una fortuna por aquel entonces. «Si hubiéramos sabido lo que nos esperaba —pensó—, hubiéramos procurado que aquel verano se prolongara eternamente.»

Se levantó y reanudó la marcha. Se oía desde lejos música *rap*, vio a unos adolescentes jugando a unos juegos electrónicos sentados en círculo sobre la hierba y a unos cuantos ancianos descansando en los bancos. Una pareja se abrazaba tendida sobre la hierba.

Volvió a recordar aquel verano y el otoño del mismo año. Él y Annie se convirtieron en unos amantes perfectamente compenetrados, rebosantes de fuerza y entusiasmo juvenil. Por aquel entonces no había manuales sobre el tema ni vídeos pornográficos ni guías sobre el misterio del sexo, pero ellos lo aprendieron todo de manera instintiva. No tenían ni idea de cómo lo habían conseguido y a veces se acusaban mutuamente en broma de tener largas historias sexuales o de haber visto las ilegales películas eróticas que se producían por aquel entonces en Europa o de haber recibido información a través de sus amigos. Pero lo cierto es que ambos eran vírgenes, aunque extremadamente inquisitivos y sin la menor inhibición.

Hacían el amor en todas las ocasiones y lugares que podían y lo mantenían en secreto, tal como los amantes se veían obligados a hacer por aquel entonces.

Una vez en la universidad, pudieron ser un poco más libres, pero las residencias de los chicos y las chicas estaban separadas y fuertemente vigiladas. Como los moteles no aceptaban esa clase de negocio, durante unos dos años hicieron el amor en el apartamento de unos amigos casados, muy cerca del campus. Al final, Annie alquiló una habitación encima de una ferretería, aunque ambos seguían viviendo en sus residencias.

Keith se preguntó una vez más por qué no se habrían casado entonces. A lo mejor, pensó, no querían destruir el idilio, la mística y el sabor de la fruta prohibida. En el cerrado mundo universitario, no tenían prisa ni temores ni necesidad alguna de hacerlo.

Después vino la graduación y la incorporación a filas. Casi todos los chicos que él conocía lo consideraron, no una llamada a las armas sino al altar. Un soldado casado no se libraba del Ejército, pero disfrutaba de ciertas ventajas. Podía irse a casa después de la instrucción, recibía mejor paga y no era tan probable que lo enviaran al matadero.

Y, sin embargo, ellos jamás habían hablado de matrimonio. «En el fondo —pensó—, teníamos sueños distintos. A ella le gustaba la vida universitaria y yo estaba deseando vivir aventuras.»

Habían sido almas gemelas, amigos y amantes. Compartían sentimientos y emociones. A lo largo de seis años habían compartido el dinero, los coches y la vida. Pero, a pesar de la sinceridad que presidía sus relaciones, ninguno de los dos se atrevió a plantear el tema del futuro. Al final, él se inclinó sobre la cama, la besó y se fue.

Ya había cruzado el parque y podía ver la Posthouse al otro lado de la calle.

Oyó unas voces a su izquierda y se volvió. Vio a dos policías uniformados en un cruce de senderos a unos diez metros de distancia. Hablaban a gritos a un hombre tendido en uno de los bancos del parque y uno de ellos le golpeaba las suelas de los zapatos con la porra.

—¡Levántate! ¡Levántate ya!

El hombre se levantó tambaleándose y, bajo la luz de la farola, Keith vio que era Billy Marlon.

—Te dije que no durmieras aquí —le dijo uno de los agentes.

—¡Eres un maldito borracho! —gritó el otro—. ¡Estoy harto de verte! ¡Eres un holgazán de mierda!

Keith hubiera querido decirles que Billy Marlon era un ex combatiente y un antiguo jugador de fútbol de Spencerville, un padre y un hombre. En su lugar, esperó a que terminara el incidente.

Pero no terminó. Ambos agentes empujaron a Billy contra un árbol y empezaron a maltratarlo de palabra.

—¡Te dijimos que no vinieras a la ciudad! ¡Aquí no queremos verte! ¡Es que no haces ni caso! ¡Lárgate ya!

Con la espalda apoyada contra el árbol, Billy gritó de repente:

—¡Dejadme en paz! ¡No molesto a nadie! ¡Dejadme en paz!

Uno de los policías levantó la porra y Billy se cubrió el rostro y la cabeza con las manos. Keith se adelantó, pero el policía se limitó a golpear el árbol por encima de la cabeza de Billy. Ambos agentes soltaron una risotada y uno de ellos le dijo:

—Vuelve a repetirnos qué le vas a hacer al jefe Baxter. Vamos, Rambo, dínoslo —añadió entre risas.

Ahora Billy ya no parecía tan asustado.

—Lo voy a matar —dijo, mirándolos sin pestañear—. Soy un ex combatiente y lo voy a matar. Ya podéis decirle que cualquier día de esos lo voy a matar. ¡Decídselo!

—¿Por qué? Dinos por qué.

—Porque... porque...

—Vamos. Porque se tiró a tu mujer, ¿verdad? El jefe Baxter se tiró a tu mujer.

De pronto, Billy cayó de rodillas, se cubrió el rostro con las manos y rompió en sollozos.

—Decidle que no se acerque a mi mujer. Decidle que pare. Decidle que no se acerque a ella. Que pare, que pare...

Los policías se rieron.

—Levántate ya. Te vamos a encerrar.

Pero Billy seguía llorando, acurrucado en el suelo.

Uno de los agentes lo agarró por el largo cabello.

—Levántate.

—Déjenle en paz —dijo Keith, acercándose.

Los agentes se volvieron y uno de ellos le dijo en frío tono profesional:

—Retírese, señor. Tenemos la situación perfectamente controlada.

—No, no es cierto. Están ustedes hostigando a este hombre. Déjenlo tranquilo.

—Señor, tengo que rogarle que...

El otro agente le dio un codazo a su compañero diciendo:

—Oye, ése es...

Le habló al oído mientras ambos miraban a Keith. El primero de ellos se le acercó.

—Si no se retira, tendré que detenerle por obstrucción a la justicia.

—Aquí yo no he visto ninguna justicia. Si nos detienen a él o a mí, le diré al fiscal del Distrito todo lo que he visto y oído aquí y formularé una denuncia contra ustedes dos.

Los policías le miraron largo rato en silencio. Al final, uno de ellos le dijo:

—¿Y quién le va a creer a usted?

—Ya lo veremos.

—¿Nos está amenazando? —preguntó el otro.

Keith no le hizo caso y se acercó a Billy, lo ayudó a levantarse, se pasó su brazo alrededor del hombro y echó a andar con él hacia la calle.

Uno de los agentes le gritó:

—Va usted a pagar lo de esta noche, señor. Le juro que lo va a pagar.

Keith bajó con Billy a la acera y lo acompañó rodeando el parque hasta el lugar donde había dejado el automóvil.

Billy se tambaleaba, pero él lo sostenía.

—Pero, bueno, ¿qué es lo que pasa aquí? —preguntó Billy al final—. ¿Adónde vamos?

—A casa.
—Vale, pero no tan rápido. —Billy se soltó y avanzó haciendo eses por la acera. Keith se situó a su espalda, preparado para sujetarle en caso de que cayera. Billy hablaba para sus adentros—. Esos malditos policías siempre me están tocando los cojones. Yo nunca le hice daño a nadie... me la tienen jurada... el tío se acuesta con mi mujer y después...
—Tranquilízate.
Algunas personas que caminaban por la acera en dirección contraria se desviaron al verles.
—El muy hijo de puta..., después se burló de mí... dijo que ella no valía una mierda y, cuando terminó...
—¡Callate ya, maldita sea! —le gritó Keith, agarrándolo por el brazo y empujándolo al interior del Blazer.
Keith salió de la ciudad en dirección oeste.
—¿Dónde está ese sitio? ¿Dónde vives?
Hundido en su asiento, Billy movía la cabeza hacia uno y otro lado.
—Carretera 8..., oh, me estoy mareando.
Keith bajó la luna de la ventanilla del otro asiento y empujó la cabeza de Billy hacia afuera.
—Vomita fuera.
Billy emitió unos sonidos guturales, pero no pudo vomitar.
—Para un momento...
Keith encontró la vieja granja Cowley en cuyo granero figuraba pintado el apellido de la familia. Se acercó a la casa a oscuras,
Aparcó detrás de una vieja furgoneta de color azul, sacó a Billy del automóvil y lo acompañó al porche. La puerta principal estaba abierta, por lo que Keith llevó a Billy medio a rastras al interior de la casa, buscó la sala de estar en la oscuridad y lo tendió en el sofá. Se alejó, volvió a acercarse, modificó un poco su posición para que estuviera más cómodo, le quitó los zapatos y dio media vuelta para marcharse.
—Keith —le llamó Billy—. Oye, Keith...
Keith se volvió.
—¿Sí?
—Me he alegrado mucho de verte, hombre. Ha sido estupendo...
Keith acercó el rostro al de Billy y le dijo despacio y con toda claridad:
—Repórtese, soldado.
Billy abrió los ojos de par en par y, en un momento de forzada serenidad, contestó:
—Sí, señor.
Keith se encaminó hacia la puerta y, al salir, oyó que Billy le gritaba:

—Te debo una, hombre.

Subió al Blazer y salió a la carretera del condado. Vio junto al borde un coche de la policía de Spencerville. Siguió adelante, esperando de un momento a otro ver a su espalda las luces de unos faros delanteros, pero no las vio y entonces se preguntó si los agentes iban a terminar su trabajo con Billy. Estuvo a punto de volver, pero pensó que ya había tentado demasiado la suerte por una noche.

A medio camino de su casa, vio otro coche de la policía de Spencerville siguiéndole con las luces largas.

Llegó al desvío de su casa y se detuvo. El coche de la policía se detuvo a escasa distancia. Permaneció sentado en el interior de su automóvil y los policías hicieron lo propio en el interior del suyo. Cinco minutos después, enfiló la calzada particular de la casa y el vehículo de la policía se perdió carretera abajo.

El juego se estaba calentando. No se molestó en esconder el Blazer detrás de la casa sino que se limitó a aparcarlo cerca del porche y entró por la puerta principal.

Subió directamente al piso de arriba, sacó su Glock de 9 mm del armario, la cargó y la dejó encima de la mesita de noche.

Después se quitó la ropa y se acostó. La adrenalina seguía subiendo y le costó mucho conciliar el sueño, pero, al final, se sumió en aquel estado de duermevela que había aprendido en Vietnam y perfeccionado en otros lugares. Su cuerpo descansaba, pero sus sentidos estaban preparados para entrar en acción en cualquier momento.

Su mente recorrió unos caminos que él no le hubiera permitido seguir de haber podido controlar plenamente sus procesos cerebrales. La mente le estaba diciendo que su lugar natal se había convertido en el último campo de batalla, tal como él sabía que iba a ocurrir en caso de que regresara. Era el gran secreto subconsciente que se había ocultado a sí mismo a lo largo de los años. Sus recuerdos de Cliff Baxter no eran tan vagos como les había dado a entender a los Porter ni tan fugaces como se decía a sí mismo. En realidad, recordaba al muy matón hijo de puta, recordaba sus empujones y sus risas desde las gradas durante los partidos de fútbol y recordaba con toda claridad cómo miraba a Annie Prentis en los pasillos, los bailes de la escuela y la piscina, y la vez que salieron a dar una vuelta en un carro de heno en otoño y Baxter apoyó la mano en el trasero de Annie para ayudarla a subir al carro.

Hubiera tenido que hacer algo, pero Annie ni siquiera se fijaba en Cliff Baxter y él sabía que la mejor manera de fastidiar a una persona como Baxter era no hacerle ni caso. Y así fue. La cólera de Baxter creció poco a poco, pero Baxter fue lo bastante listo como para no rebasar los límites. Al final, lo hubiera hecho, por supuesto, pero llegó el mes de junio y Keith y Annie se graduaron y se fueron a la universidad.

Keith nunca supo si el interés de Baxter por Annie era auténtico o si era simplemente fruto del absurdo e incomprensible odio que él le inspiraba. Cuando se enteró de que Cliff Baxter y Annie Prentis se habían casado, más que enfurecerse con ellos, se quedó sorprendido. Le pareció que el cielo y la tierra habían cambiado de sitio y que todo lo que él creía sobre la naturaleza humana era mentira. Con el paso de los años, empezó a comprender un poco mejor la dinámica que presidía las relaciones entre los hombres y las mujeres y entendió el proceso que había dado lugar a la unión de Cliff Baxter con Annie Prentis.

Y, sin embargo, no podía por menos que preguntarse si la situación hubiera sido distinta en caso de que él hubiera llamado a Cliff Baxter al patio y le hubiera pegado una soberana paliza al matón de la clase, cosa que, por su superioridad física, hubiera podido hacer sin ninguna dificultad. Pensó en la conveniencia de hacer ahora lo que no había hecho en el instituto. Pero, si eligiera el camino del enfrentamiento, esta vez el conflicto no se podría resolver con una pelea en el patio de la escuela.

Hacia la medianoche sonó el teléfono, pero, cuando se puso, nadie contestó. Más tarde, alguien hizo sonar el claxon de su automóvil en la carretera. El teléfono sonó unas cuantas veces más hasta que, al final, lo descolgó.

El resto de la noche fue muy tranquilo y él consiguió dormir unas cuantas horas.

Al amanecer, llamó a la Jefatura de Policía de Spencerville, se identificó y pidió hablar con el jefe Baxter.

El oficial de guardia pareció sorprenderse un poco, pero después contestó:

—No está.

—Pues entonces anote un mensaje. Dígale que Keith Landry desea verle.

—Ah, ¿sí? ¿Dónde y cuándo?

—Esta tarde a las ocho, detrás del instituto.

—¿Dónde ha dicho usted...?

—Me ha oído perfectamente. Dígale que vaya solo.

—Se lo diré.

Keith colgó.

—Mejor tarde que nunca.

13

Keith Landry apagó los faros delanteros y entró con el Blazer en el aparcamiento que había detrás del instituto situado en las afueras de la ciudad. La superficie del aparcamiento se extendía hasta la parte posterior de la vieja escuela de ladrillo donde estaba la zona de las bicicletas, las canchas de tenis y los cobertizos en los que se guardaban los pertrechos deportivos. Todo estaba iluminado con luces de vapor de mercurio, pero, por lo demás, nada había cambiado desde los tiempos en que él y sus amigos solían reunirse allí en las noches estivales.

Se detuvo cerca de una de las redes de baloncesto, apagó el encendido y bajó del Blazer. Colocó la pistola semiautomática sobre la cubierta del motor, se quitó la camisa y cubrió con ella la pistola.

Después sacó un balón de baloncesto del portamaletas y, a la luz de las lámparas de vapor, empezó a hacer encestes, pases y lanzamientos mientras el rumor del balón resonaba contra el muro del edificio en la quietud de la noche.

Se acercó driblando a la red, hizo una finta y después saltó y encestó.

Mientras hacía ejercicio, pensó en el otro juego que estaba a punto de jugar y llegó a la conclusión de que no había actuado con demasiada inteligencia. Había perdido los estribos y había lanzado un desafío infantil. «Te espero detrás del instituto, cerdo.» Sonaba bien, pero, dadas las circunstancias, podía convertirse en un error fatal. Sabía que podría hacer papilla sin ninguna dificultad al matón de la clase, pero cabía la posibilidad de que Baxter no se presentara solo tal como él le había pedido que hiciera.

No llevaba su rifle M-16 ni su chaleco antibalas porque quería estar en igualdad de condiciones con Baxter. Pero no podía saber con qué aparecería Baxter. Puede que se viera rodeado por media docena de coches de la policía con doce hombres en su interior y que, si Baxter ordenara disparar, de nada le sirviera el arma que llevara o la protección que utilizara. Keith estaba absolutamente seguro de que el jefe Baxter ya tendría preparado un guión verosímil para justificar legalmente la muerte de Keith Landry.

Hizo una breve pausa para consultar su reloj. Las siete cuarenta y cinco de la tarde. Trató de adivinar cuál sería la respuesta de Baxter a su desafío. De ser cierto, tal como se decía, que el niño era el padre del futuro hombre, Baxter se presentaría, pero no solo. No obstante, la imagen que le habían pintado los Porter era la de una personalidad egotista y orgullosa muy capaz de subestimar a su enemigo; el tipo de hombre capaz de entrar tranquilamente en la comisaría, diciendo, «Acabo de matar a un chico malo del instituto. Envíen un camión de carne a recogerlo».

Siguió jugando su partido solitario mientras el cielo se oscurecía por momentos. Pensó que, si Baxter se presentara solo, puede que jamás regresara a la comisaría. A lo largo de su carrera profesional, Keith había tenido varios arrebatos homicidas y ahora se extrañaba de que sintiera tantos deseos de liquidar a Cliff Baxter. Sin duda era algo que se había estado desarrollando durante mucho tiempo y se había enconado en el interior de su alma.

Volvió a consultar su reloj. Las ocho. Contempló el edificio del instituto, los campos de deportes al aire libre y las calles que los rodeaban, pero no vio luces de faros de automóvil ni movimiento. Efectuó una serie de lanzamientos.

Se le ocurrió pensar que los hombres de Baxter sabían más o menos cuál era el problema entre el jefe y Landry y también sabían que Landry había pedido que Baxter acudiera solo a la cita. Por consiguiente, ¿qué les iba a decir Baxter a sus hombres? ¿Que Landry estaba molestando a su mujer, pero él no quería reunirse a solas con Landry? En un mundo tan machista como el suyo, tal cosa hubiera sido la mayor mariconada que hubiera podido cometer un hombre. Keith se dio cuenta de que, de una forma consciente o inconsciente, había colocado a Baxter en una situación en la que éste no podía solicitar ayuda so pena de parecer un gallina total y, por consiguiente, el jefe tendría que presentarse solo o no presentarse y atenerse a las consecuencias de su cobardía.

A las ocho y cinco, Landry comprendió que, de acuerdo con las normas tácitas de aquel juego, ya podía irse. Pero se quedó, haciendo lanzamientos y driblando por la cancha sin apartarse demasiado del Blazer sobre la cubierta de cuyo motor descansaba la Glock. A las ocho y diez, llegó a la conclusión de que él había cumplido la parte que le correspondía en aquel reto.

Mientras se encaminaba hacia su coche, los haces luminosos de unos faros delanteros aparecieron por la esquina de la escuela y un vehículo la dobló muy despacio, dirigiéndose hacia él.

Keith botó la pelota con aire indiferente y siguió caminando en dirección al Blazer.

El automóvil, que ahora Keith identificó como un vehículo de la policía, se detuvo a unos cincuenta metros de distancia, apuntándole directamente con sus faros. Se abrió la portezuela del pasajero y bajó una figura. Keith, deslumbrado por la luz de los faros, no la pudo distinguir, pero le pareció un tipo más alto y delgado que Cliff Baxter. Dejó el balón en el suelo, tomó la camisa que había dejado sobre la cubierta del motor del Blazer y, junto con ella, la pistola, se secó el sudoroso rostro con la camisa y rodeó con la mano la culata, apoyando el dedo en el gatillo.

El hombre se adelantó unos pasos y le llamó.

—¿Keith Landry?

Aunque llevaba casi tres décadas sin oír la voz de Cliff Baxter, Keith supo que no era él.

—¿Quién me llama? —preguntó.

—El oficial Schenley, de la policía de Spencerville —contestó el hombre, acercándose a él.

—¿Quién más hay en el automóvil?

—Mi compañero.

—¿Dónde está Baxter?

—No ha podido venir.

Schenley se encontraba ahora a unos tres metros de distancia. Keith vio que sostenía algo en la mano, pero no era una pistola.

—¿Está usted solo? —preguntó Schenley, acercándose un poco más a Keith.

—Quizá. ¿Dónde está su jefe? ¿Buscándose las pelotas?

—Mire —dijo Schenley, soltando una carcajada—, quería venir, pero no ha podido.

Schenley le tendió a Keith la cosa que sostenía en la mano derecha y que resultó ser un periódico doblado.

—¿Y eso para qué lo quiero? —preguntó Keith.

—Hay una noticia que le conviene leer.

—Léamela usted.

Schenley se encogió de hombros, tomó la linterna que llevaba colgada del cinturón y enfocó con ella el periódico.

—Muy bien —dijo—. Son las notas de sociedad... vamos a ver. «Este sábado por la noche, el jefe superior de policía Cliff Baxter será homenajeado en el Elks Lodge por el alcalde y la junta municipal en reconocimiento a sus quince años de servicio como jefe superior de policía de Spencerville. La señora Baxter, de soltera Annie Prentis, junto con los amigos y colaboradores del jefe Baxter, contará interesantes y divertidas anécdotas de la carrera de su marido.» —Schenley apagó la linterna—. ¿De acuerdo? Hubiera venido si hubiera podido.

—Sabía que se iba a celebrar esa fiesta hace tiempo —replicó Keith—. Hubiera podido cambiar la fecha de nuestra cita.

—No se pase, amigo. El hombre tiene muchas obligaciones. ¿No tiene usted nada mejor que hacer un sábado por la noche?

—No se me ocurre nada mejor que hacer que darle una tunda a su jefe.

El patrullero se echó a reír.

—Ah, ¿sí? ¿Y por qué quiere usted cometer una estupidez semejante?

—Dígamelo usted. De hombre a hombre, Schenley.

Schenley esbozó una sonrisa.

—Bueno... dicen por ahí que usted y la señora Baxter habían sido novios.

—Es posible. ¿Y usted cree que eso es suficiente para que el jefe esté enfadado?

—Probablemente, sí.

—¿Y cree que podrá superarlo?

El patrullero se volvió a reír.

—Bueno, usted ya sabe cómo son los hombres.

—Por supuesto. Hágame un favor, Schenley. Dígale al jefe que la próxima vez que yo concierte una cita con él y él sepa de antemano que no podrá acudir, me lo comunique.

—Supongo que quería ver si usted acudía.

—Ya me lo figuraba. Por eso no tiene que preocuparse. Yo estoy aquí y estaré siempre aquí o en cualquier otro lugar que él elija. Ahora le toca a él decir dónde.

—Es usted muy duro. Le voy a dar un consejo. No se meta con ese hombre.

—Pues yo les voy a dar a usted y a Baxter y a todos los demás otro consejo... déjenme en paz. Estoy harto de sus mierdas.

—Se lo diré.

Keith miró a Schenley y le pareció un tipo menos belicoso que los dos agentes del parque. Incluso se le veía un poco avergonzado.

—No se mezcle usted en los asuntos personales de su jefe —le dijo, colocando la mano izquierda sobre la camisa que todavía cubría la Glock y amartillando la automática con un fuerte e inconfundible sonido metálico—. No merece la pena —añadió.

Schenley clavó los ojos en la camisa que envolvía la mano derecha de Keith y después lo miró a él.

—Cálmese —le dijo.

—Vaya a dar un buen paseo.

Schenley se volvió muy despacio y regresó al automóvil. Keith recogió el balón y subió al Blazer, observando cómo el vehículo de la policía rodeaba la escuela.

Después cruzó los campos deportivos y salió a la calle que bordeaba el recinto escolar. Giró en dirección a la ciudad y pasó por delante del Elks Lodge, vio que el aparcamiento del local estaba lleno y dio la vuelta para regresar a casa.

—O sea que la señora Baxter contará divertidas anécdotas acerca de su marido. Quizá podría contar algo sobre sus vigilancias ilegales. Bueno —añadió, procurando dominar sus emociones—, ¿qué se puede esperar de unas notas de sociedad? —Le parecía increíble que pudiera estar celoso—. Es lógico que ella tenga una vida social y oficial como esposa de un cargo público. —Recordó cómo le había mirado Annie mientras intercambiaba unas palabras con él en la calle—. Claro. Las esposas de los políticos y de los hombres importantes siempre tienen que apoyarles y sonreír como si nada aunque los tíos sean unos adúlteros, unos cobardes o unos corruptos de tomo y lomo. Son gajes del oficio.

Apartó el tema de su mente y pensó en lo que acababa de ocurrir. Cliff Baxter había tenido especial empeño en hacerle saber la razón por la cual no había podido acudir a la cita. No era ninguna novedad. El matón de la clase era un tipo extremadamente inseguro y precisamente por eso perseguía y humillaba a las personas que lo rodeaban.

Los hombres de Baxter como el oficial Schenley sabían algo y sentían curiosidad por ver cómo iba a resolver su jefe el asunto y él sospechaba que, a menos que fueran totalmente corruptos, odiaban en secreto a su jefe, pero también lo temían y obedecerían sus órdenes a no ser que alguien más poderoso y temible que él le arreglara las cuentas. La lealtad hacia un mal jefe era condicional, pero no se podía contar con que las tropas se amotinaran o se dieran a la fuga. Los hombres eran profundamente estúpidos y aborregados en presencia de la autoridad, especialmente los soldados, los policías y los funcionarios del Estado. Eso era lo que había estado a punto de ocurrirle a él en Washington.

Vio la luz del porche de su casa y enfiló la calzada a oscuras. «Bueno —pensó—, esta noche ha sido un empate.» Pero en algún momento uno de ellos se apuntaría un tanto y, por lo que a él respectaba, el juego ya estaba en tiempo de desempate.

14

Los días sucesivos transcurrieron sin ningún acontecimiento digno de mención a pesar del incidente en el patio de la escuela. No pasó ningún vehículo de la policía por delante de la casa, no sonó el teléfono en mitad de la noche, Baxter no llamó para concertar otra cita y todo estuvo muy tranquilo. Era la calma antes de la tempestad con el claro propósito de intimidarle. Pero Keith no se dejó intimidar.

Un día cruzó la carretera a las siete de la mañana para dirigirse a la granja de los Jenkins y encontró a la familia desayunando, cosa que él ya sabía que estaría haciendo a aquella hora. Sentados alrededor de la mesa vio a Martin y Sue Jenkins, un matrimonio de unos cuarenta años, y a sus hijos adolescentes Martin y Sandra, ambos alumnos del instituto.

Sue lo invitó a desayunar con ellos, pero él declinó la invitación y dijo que un café sería suficiente. Hablaron del tiempo que ya había refrescado considerablemente, de la cosecha, de la posibilidad de que lloviera y de la predicción de un invierno muy duro según el Almanaque del Granjero. Para Sue, el almanaque era una idiotez, pero Martin lo creía a pies juntillas.

Los dos chicos se excusaron para hacer sus deberes antes de ir a clase y se retiraron.

—Sé que vosotros también tenéis muchas cosas que hacer y no os quiero entretener —les dijo Keith a los Jenkins.

—¿En qué podemos servirte? —le preguntó Martin.

—Bueno, simplemente os quería hablar del concierto de claxons que hubo hace unas cuantas noches.

—Lo oímos y lo vimos.

—Tuve un pequeño roce con la policía de Spencerville y me lo quisieron hacer pagar.

Martin asintió con la cabeza.

—No tienen ningún derecho a venir por aquí —dijo Sue—. Aquella noche los llamé, pero el sargento de guardia dijo que no sabía nada del asunto. Entonces llamé al *sheriff* Don Finney y dijo que lo comprobaría. Al ver que no me llamaba, lo volví a llamar y me dijo que en la jefatura superior de policía nadie sabía nada.

—Íbamos a llamarte para ver si tú sabías algo, pero pensé que no —dijo Martin.

—Tal como ya os he dicho, resulta que se enfadaron conmigo por una cosa.

Los Jenkins no le preguntaron ni jamás le preguntarían qué era, pero Sue añadió:

—Don está un poco emparentado con Cliff Baxter y ambos son uña y carne como quien dice.

—Procuraré que no vuelva a ocurrir.

—Tú no tienes la culpa —dijo Sue—. Esa gente está perdiendo el control. Los ciudadanos tendrían que pararles los pies.

—Estoy de acuerdo. Por cierto, el maíz parece que ha ido muy bien.

—Demasiado —convino Martin—. En todo el estado. Habrá otra vez excedentes. Tendré suerte si consigo dos dólares por fanega.

Ése era el principal problema de la agricultura, pensó Keith. La oferta superaba la demanda y los precios caían. Cuando él era pequeño, un diez por ciento de la población norteamericana se dedicaba a la agricultura. En aquellos momentos, el porcentaje había bajado a un dos por ciento y, sin embargo, la producción seguía aumentando. Era una especie de milagro, pero, si uno tenía ciento cincuenta hectáreas como los Jenkins y casi todos los agricultores medios, los gastos generales se comían las ventas. En los años en que las buenas cosechas hacían bajar los precios, ambas cosas quedaban compensadas y, en un año de malas cosechas en que los precios subían, ocurría lo mismo. Era un tipo de actividad en la cual se hacía necesario el ahorro.

—Algunas veces pienso que me gustaría dedicarme a la explotación agrícola.

Sue le miró con una sonrisa.

—¿Queréis vender o alquilar uno de vuestros caballos?

—Nunca lo habíamos pensado —contestó Martin—. ¿Necesitas un caballo?

—Me gustaría montar un poco para pasar el rato.

—No hace falta que lo compres, hombre. Tendrías muchos quebraderos de cabeza. Toma uno de los nuestros y date un paseo siempre que quieras. Los chicos sólo los usan los fines de semana y durante las vacaciones.

—Gracias, pero quisiera pagaros.

—No, hombre, no, si ellos lo que necesitan es ejercicio. Les sienta bien. Dales de beber, sécalos después del paseo y dales un poco de forraje. El castrado gris es de muy buena pasta, en cambio, la yegua joven es una fiera. Aquí ocurre lo mismo —añadió, soltando una carcajada.

—Como te vuelva a ver mirando a la chica de correos —dijo Sue—, el castrado vas a ser tú.

Keith sonrió y se levantó, diciendo:

—Gracias por el café. ¿Os importa que saque uno ahora?

—Faltaría más. El castrado se llama *Willy* y la yegua, *Hilly*. *Hilly* y *Willy*. Los chicos les pusieron los nombres.

Keith salió y se encaminó hacia el establo. Los caballos estaban comiendo en sus casillas. Las abrió y ambos animales salieron. Les dio unas palmadas en los flancos y ellos trotaron hacia la dehesa.

Los estudió un rato. El castrado estaba un poco apático mientras que la yegua parecía muy fogosa.

Tomó una brida, se acercó a la yegua, se la puso y la ató al pilar de la valla mientras iba por una sudadera y por la silla. Ensilló a la yegua, la montó y cruzó la carretera para dirigirse a una zona boscosa que bordeaba un arroyo, entre su granja y la que había al oeste.

Bajó al riachuelo que estaba casi seco y se dirigió al sur por el lecho del arroyo hacia la laguna Reeves.

Estaba todo precioso y sólo se oía el rumor del agua y el gorjeo de los pájaros. Su padre nunca había tenido caballos y la mayoría de los agricultores no los tenía porque costaban dinero y no servían para nada. Si les sobraba algún dinero, preferían gastarlo en vehículos para circular sobre la nieve y en motos, cosas ambas muy ruidosas que no le permitían a uno ni pensar ni mirar. A Keith le gustaba la sensación de ir montado en un animal, percibir su calor y su movimiento y oír sus ocasionales relinchos. Además, los animales olían mucho mejor que los humos de los tubos de escape.

Él y Annie alquilaban caballos de vez en cuando para irse a recónditos lugares donde pudieran hacer el amor. A veces comentaban en broma que el único lugar donde no lo habían hecho era a lomos de un caballo, si tal cosa hubiera sido factible.

La yegua cabalgaba a buen paso por el lecho del arroyo.

Se dio cuenta de pronto de que su intención de pasar el resto de su vida en aquel lugar no sería posible mientras Baxter estuviera allí. Había permitido que Baxter le echara el anzuelo y él había picado, lo cual había sido una mala estrategia.

Su objetivo no era un enfrentamiento con Baxter, sino una conversación con la señora Baxter. Deseaba hablar con ella por lo menos otra vez durante una o dos horas y resolver todas las cuestiones que ambos tuvieran pendientes. Jamás lo habían hecho por carta y él sabía que, para poder seguir viviendo, necesitaba saber cómo y por qué se habían separado.

Lo segundo sería, por supuesto, establecer si deseaban volver a reunirse. Creía que él lo deseaba y ella también.

Cliff Baxter era un obstáculo, pero lo mejor para todos sería sortearlo en lugar de provocar un enfrentamiento directo. Era lo que él le hubiera aconsejado a un joven agente de espionaje en un ambiente hostil.

El arroyo se ensanchó y, a los pocos minutos, apareció la gran laguna. No había nadie pescando o nadando y el paraje parecía desierto. En verano, él solía acudir allí muchas veces con sus amigos para nadar y pescar y hacer navegar barquitos de juguete mientras que, en invierno, la gente encendía hogueras en la orilla y patinaba o pescaba, practicando un agujero en el hielo.

Dirigió la yegua hacia la izquierda y cabalgó por la cenagosa orilla.

Si aquello hubiera sido una misión en un país extranjero, pensó, hubiera sido relativamente fácil huir con el más preciado tesoro del enemigo, pero no era exactamente lo mismo que huir de un país extranjero con un libro de claves o un desertor. No, el problema tenía otra dimensión.

Annie. No era una misión de espionaje sino pura y llanamente un anticuado robo de esposa como los que solían practicar las tribus y los clanes de otros tiempos. Sólo que, en la sociedad actual, uno se cercioraba primero de que la esposa quisiera ir con él.

Se le ocurrió pensar que ni él ni Annie se hubieran querido pasar el resto de su vida teniendo a Cliff Baxter pisándoles los talones.

Otra opción era, por supuesto, hacer las maletas, subir a su automóvil y largarse con la mayor rapidez posible. Pero no podía quitarse de la cabeza la imagen de Annie de pie en la acera con lágrimas en los ojos ni todas las cartas escritas a lo largo de los años y el dolor que todavía sentía en el corazón. «No puedo irme y no puedo quedarme...» Tampoco podía declarar una tregua, pues Cliff Baxter lo hubiera interpretado como un signo de debilidad y hubiera incrementado la presión.

Al llegar al extremo de la laguna, dio la vuelta para regresar por la otra orilla.

A lo mejor, podrían hacer entrar en razón a Cliff Baxter. A lo mejor, los tres podrían sentarse a tomar una cerveza y hablar como personas civilizadas. «Ésa es la respuesta al problema. Ya lo tengo.» Nada de escenas desagradables, derramamientos de sangre, rescates y secuestros. «Señor Baxter, su esposa y yo nos queremos y siempre nos hemos querido. Usted a ella le importa un bledo. O sea que pórtese bien y deséenos lo mejor. Los documentos del divorcio le llegarán por correo. Gracias, Cliff. ¡Chóquela!»

Como es natural, Cliff Baxter sacaría la pistola. Pero, si Cliff Baxter supiera expresarse con claridad y fuera un hombre civilizado e inteligente, le contestaría, «Señor Landry, usted cree amar a mi esposa, pero lo más probable es que esté obsesionado con un lejano recuerdo que ahora ya no tiene realidad. Además, se aburre un poco porque lo han retirado a la fuerza y está deseando vivir una aventura. Añádase a ello el hecho de que yo no le soy simpático a causa de ciertos conflictos infantiles, por lo que, quitándome a mi esposa, usted piensa que podría vengarse de mí. Y eso no es muy saludable, señor Landry, y ni siquiera es justo para con Annie, la cual está pasando unos momentos muy difíciles por culpa del síndrome del nido vacío y las tensiones de mi trabajo. Annie y yo somos felices a nuestra manera y estamos deseando que yo me jubile para poder envejecer juntos. ¿No es cierto, Annie?»

A Keith no le gustaba ni un pelo lo que Baxter acababa de decir porque contenía una parte de verdad.

Sin embargo, semejante reunión no se podría celebrar, por lo que Keith Landry, Cliff Baxter y Annie Prentis Baxter tendrían que salir de la situación como pudieran, procurando provocar el mayor daño posible. Y, cuando todo terminara, quedarían los remordimientos y unas profundas cicatrices que no les permitirían ser felices nunca más.

Keith se adentró en la arboleda y siguió el arroyo para regresar a la granja, dispuesto a hacer las maletas y a marcharse de casa tal como hiciera veinticinco años atrás, aunque esta vez con menos esperanzas de regresar.

15

Aquella noche Keith se sentó junto a la mesa de la cocina, tratando de redactar una carta de despedida para Annie. ¿Debería sugerirle un último encuentro antes de su partida? ¿Debería ser breve y no dar demasiadas explicaciones o tendría que desnudar su mente y su alma? No, eso daría lugar a situaciones más dolorosas. Nada de adioses ni de últimos encuentros. Mejor ser noble, fuerte, valiente y breve.

«Querida Annie —escribió—, no podemos borrar el pasado ni regresar a nuestro Spencerville ni a Bowling Green. Hemos vivido existencias separadas y, tal como te escribí una vez, estoy de paso y no quiero hacerle daño a nadie mientras esté aquí. Cuídate mucho y compréndelo, por favor. Con cariño, Keith.»

Listo. Colocó la carta en un sobre y anotó el nombre y la dirección de la hermana de Annie.

Se levantó y miró a su alrededor. Había recogido algunas cosas, pero no le apetecía hacerlo.

Sabía que debería echar la carta al correo una vez se hubiera ido de allí y que tendría que irse enseguida, antes de que ocurriera algo capaz de influir en su decisión. Cada día que pasara, abriría la posibilidad de un enfrentamiento con Baxter o la posibilidad de volver a ver a Annie.

Pensó que uno llegaba a la vida en un momento que él no elegía, se quedaba aquí durante algún tiempo que él tampoco elegía y, al final, se marchaba y la única alternativa que se le ofrecía era la de marcharse temprano, aunque ni un solo momento más tarde del tiempo que le hubiera sido asignado. Entre la llegada y la partida, uno tenía varias opciones encuadradas en cuatro categorías... buenas y malas, fáciles y difíciles. Las buenas solían ser las más difíciles.

«Opción. ¿Hacer el equipaje o cenar?» Eligió cenar y abrió el frigorífico.«¿Qué voy a cenar?» No había gran cosa. «¿Coors o Budweiser?» Eligió la Bud.

Sonó el teléfono, pero optó por no contestar. Sin embargo, como seguía sonando, cambió de idea y se puso.

—Landry.
—Hola, Landry. Soy Porter. ¿Sabes cuál de ellos?
—Gail —contestó Keith, sonriendo.
—No, Jeffrey. El de los calzones cortos.
—¿Qué hay?
—Te llamo para recordarte la reunión de esta noche en San Jaime. A las ocho.
—No podré ir, chico.
—Pues claro que sí.
—Claro que sí, pero no quiero.
—Sí quieres.
—No.
—¿Quieres que la revolución empiece sin ti?
—No estaría mal. Ya me mandarás el informe. Estoy a punto de cenar.
—A mí no me vengas con esas, Keith. Tengo que hacer cincuenta llamadas.
—Mira, Jeffrey, es que... he decidido...
—Un momento... —Jeffrey cubrió el teléfono con la mano, pero Keith oyó su voz amortiguada. Después Jeffrey añadió—: Gail dice que está dispuesta a hacer lo que tú quieras si vienes y, en todo caso, estás en deuda con ella por los porros de la otra noche.
—Verás, es que... bueno, de acuerdo...
—Muy bien. ¿Quieres añadir algo más?
—Sí. Adiós.
—Nos vemos en la reunión. ¿Quieres hablar de tus impresiones sobre Spencerville después de veinticinco años de ausencia? ¿De tus esperanzas para el futuro?
—Otro día quizá. Hasta luego. Aún no me he librado del pasado —añadió mientras colgaba.
Aquel jueves por la noche Keith se dirigió en su automóvil a la iglesia de San Jaime. En las zonas de aparcamiento al aire libre había unos cincuenta automóviles y furgonetas, un número muy superior al que él jamás hubiera visto en San Jaime, como no fuera por Navidad o Pascua.
Aparcó junto al cementerio y se encaminó hacia la iglesia. En la entrada, unos chicos y chicas repartían octavillas. En el atrio, varias personas recibían a los que iban llegando. Keith vio a Gail y Jeffrey y trató de entrar sin que le vieran, pero no lo consiguió. Se le acercaron corriendo y Gail le preguntó:
—Dime qué te debo.
—Un beso será suficiente.
Gail le besó diciendo:
—Eres de buen conformar. Estaba dispuesta a darte algo más.

—Por favor, Gail, que estamos en la iglesia —la reprendió Jeffrey—. Me extraña que el techo todavía no se nos haya caído encima.

—No me dirás que crees en el castigo divino — le dijo Keith a su amigo.

—Nunca se sabe —contestó Jeffrey.

—Ya hay más de cien personas —dijo Gail—. Los bancos están llenos y el coro también. Te lo dije, la gente está harta. Todo el mundo quiere un cambio.

—No, Gail —dijo Keith—, la gente está aquí porque las cosas han cambiado. Quiere retrasar el reloj y eso no se puede hacer. Tienes que hacérselo comprender.

—Tienes razón. —Gail asintió con la cabeza—. Nosotros tres tenemos raíces rurales, pero hemos olvidado cómo piensa la gente. Tenemos que cambiar su forma de pensar y sus anticuadas actitudes.

Keith puso los ojos en blanco. No le extrañaba que los revolucionarios asustaran tanto a la gente.

—No —dijo—, la gente no quiere cambiar de actitud ni de forma de pensar. Quiere que se defiendan sus valores y creencias y que el Gobierno y la sociedad reflejen sus valores y creencias, no los tuyos.

—Pues entonces quiere retrasar el reloj y eso no se puede hacer.

—No al pie de la letra, pero se tiene que pintar una imagen del futuro que se parezca al pasado, con colores más brillantes. Una especie de litografía de Currier & Ives sometida a un proceso de limpieza.

—Veo que manipulas tanto las cosas como nosotros —dijo Gail con una sonrisa—. ¿Así te ganabas la vida?

—Más o menos... sí, una vez trabajé en labores de propaganda... pero no me gustaba.

—Es fantástico. Lo podrías utilizar en tu vida personal y seguro que te daba resultado.

—Ojalá. —Keith cambió de tema—. Por cierto, ¿quién es el insensato pastor que os ha cedido la iglesia para actividades subversivas?

—El pastor Wilkes —contestó Jeffrey.

—¿De veras? Pensé que ya estaría retirado o se habría muerto.

—Ambas cosas hubieran podido ocurrir —dijo Jeffrey—. Es muy viejo, pero lo hemos podido convencer. Es más, me dio la impressión de que el jefe Baxter no le gustaba demasiado.

—Ah, ¿no? No creía que conociera personalmente a Cliff Baxter. Los Baxter siempre iban a la iglesia de San Juan de la ciudad adonde va toda la gente importante.

—Por lo visto, lo conoce de oídas y habla con otros clérigos. Ojalá tuviéramos nosotros esta red de espionaje. Lo que vas a oír aquí esta noche es que el jefe Baxter es un pecador y un adúltero.

—Simplemente por eso no sería un mal chico.

Gail soltó una carcajada.

—Eres incorregible. Ponte de cara a la pared.

—Sí, señora.

Keith entró en la iglesia y encontró sitio de pie detrás del último banco. La iglesia estaba llena de bote en bote y se habían colocado unas mamparas que ocultaban el altar de tal forma que el sencillo interior, que no tenía vidrieras de colores, más parecía una sala de reuniones cuáquera o amish que un templo luterano.

La gente que lo rodeaba de pie o sentada en los bancos era una muestra representativa del condado de Spencer. Keith identificó a muchos hombres y mujeres como agricultores, independientemente de su atuendo. Martin y Sue Jenkins figuraban entre ellos. Había también gente de la ciudad, obreros y profesionales, y personas de todas las edades, desde chicos de instituto a ancianos decrépitos.

Keith recordó la época anterior a la televisión y otras distracciones electrónicas, en que las reuniones estaban profundamente arraigadas en la vida rural. Sus padres siempre tenían que asistir a alguna reunión del club, de la iglesia o de cualquier otro tipo. Las mujeres se reunían para coser colchas para los pobres y los hombres asistían a encuentros políticos y reuniones de agricultores. Keith recordaba incluso muy vagamente conciertos de piano en residencias particulares, meriendas y juegos de salón. Pero aquel estilo de vida ya no existía y ahora la gente prefería una buena película o un partido de fútbol con el acompañamiento de un *pack* de seis botellas de cerveza antes que los malos conciertos de piano, los juegos de salón y las meriendas. Y, sin embargo, en otros tiempos la población rural se inventaba ella misma las diversiones y muchos de los grandes movimientos sociales del país como, por ejemplo, el abolicionismo y el populismo, habían tenido su origen en las pequeñas iglesias rurales. Pero Estados Unidos ya no era una nación agrícola y la gente no mostraba el menor interés por la política nacional. El interior del país se había encerrado en sí mismo y, sintiéndose tal vez abandonado y aislado de los centros del poder, estaba empezando a pensar y actuar por su cuenta... con una ligera ayuda de los refugiados urbanos y académicos como él y los Porter.

Observó a la gente que seguía entrando y vio a Jenny, con quien no había vuelto a hablar desde el Día del Trabajo. Ella le vio, le sonrió y lo saludó con la mano, pero la acompañaba un hombre y ambos se apretujaron juntos en un banco.

Entre los presentes debía de haber por lo menos dos espías que informarían al jefe Baxter en cuanto finalizara la reunión. Jeffrey y Gail, como antiguos revolucionarios que eran, lo sabían muy bien, por más que los simples ciudadanos de Spencerville no tuvieran ni idea. Keith confiaba en que los Porter supieran en qué berenjenal estaban metiendo a toda aquella gente. Los revolucionarios profesionales podían ser o bien idealistas o bien pragmáticos. Los idealistas se dejaban detener y matar junto con los que los rodeaban mientras que los pragmáticos, como los primeros nazis y bolcheviques, eran unas rameras totales que hacían y decían cualquier cosa con tal de salvar el pellejo y triunfar. Los Porter, a pesar de su evidente longevidad, tenían una cierta tendencia idealista y sólo habían logrado sobrevivir porque la cultura americana era todavía hospitalaria con los revolucionarios y porque el Gobierno se guardaba mucho de convertir en mártires a las personas que no planteaban ninguna amenaza de despertar un país perpetuamente dispuesto a irse a dormir.

Y, sin embargo, a nivel local se podía despertar y llamar a la gente a la acción. Estaba claro que el atrincherado *establishment* de la ciudad y el condado había incumplido el artículo número uno del contrato social que era y siempre sería, «Conservar la felicidad o la perplejidad de los ciudadanos o ambas cosas a la vez».

La reunión comenzó con un juramento de lealtad a la bandera que a los Porter les debió de provocar un acceso de náuseas, seguido de una oración de un joven pastor a quien Keith no conocía. Éste miró al estrado y vio a los Porter inclinando la cabeza. Puede que, con los años, hubieran aprendido un poco de pragmatismo. Los que estaban en los bancos se sentaron y Gail Porter se adelantó hacia el centro del estrado para probar el micrófono diciendo:

—Keith Landry... ¿me oyes bien desde el fondo?

Casi todo el mundo se volvió a mirarle y Keith experimentó el repentino impulso de estrangularla. Pero, en su lugar, se limitó a asentir con la cabeza. Gail esbozó una sonrisa y añadió:

—Bienvenidos a la que yo espero que sea la primera de muchas reuniones como ésta. El propósito y objetivo de este encuentro es muy sencillo..., queremos explorar caminos que nos conduzcan a una administración honrada, responsable y eficaz tanto en la ciudad como en el condado. Tal como era hace años —dijo, mirando a Keith—. Una administración que refleje nuestros valores y nuestras creencias.

Keith la miró a los ojos sin que ella especificara en qué consistían dichos valores y creencias.

Mientras Gail hablaba, a Keith se le ocurrió pensar que, tanto en el poder como fuera de él, Cliff Baxter seguiría siendo Cliff Baxter y, conociendo el funcionamiento de las pequeñas ciudades, no le cabía la menor duda de que el *sheriff* del condado, pariente de Cliff Baxter, se limitaría a representar al muy hijo de puta por un dólar al año y conservaría la placa y la pistola.

—Como miembro de la junta municipal —prosiguió diciendo

Gail— y único cargo públicamente elegido presente en esta reunión, quiero decirles que he cursado invitaciones a todos los demás cargos de la ciudad y el condado, pero su respuesta ha sido convocar una reunión conjunta de los representantes municipales y del condado en el Palacio de Justicia. Por consiguiente, no creo que ninguno de ellos se encuentre presente entre nosotros. —Mirando a su alrededor, añadió—: Si hay alguno, le ruego que tenga la bondad de acercarse al estrado. Hay espacio suficiente.

Nadie se levantó y Keith aplaudió en su fuero interno la gallardía de Gail.

—He pedido a la *Gazette* de Spencerville que envíe a un reportero aquí esta noche. ¿Está aquí? —Gail miró a su alrededor—. ¿No? ¿Será quizá porque el periódico pertenece a la familia del alcalde o porque Baxter Motors es su mayor anunciante?

Varias personas se rieron y se oyeron unos aplausos.

Keith observó que Gail disfrutaba pinchando a los peces gordos y estaba seguro de que ella ya había comprendido que se iba a ganar un número de enemigos muy superior al de los amigos que tenía en su comunidad de adopción. Gail era capaz de encender la chispa de una revolución, pero ni ella ni Jeffrey la encabezarían ni tendrían el menor protagonismo en el nuevo régimen. Seguirían siendo unos proscritos, pobres y sin amigos, aislados de sus iniciales raíces y fuera de la nueva sociedad que ellos mismos habrían contribuido a forjar, como extranjeros en un país extranjero. A Keith le recordaban un poco lo que era él.

Gail habló de cuestiones generales y después se refirió a casos concretos, empezando por el jefe de policía Cliff Baxter.

—En mis tratos con el jefe Baxter —dijo—, he podido comprobar que es un hombre inepto y dictatorial. Pero no acepten sólo mi testimonio. Esta noche tenemos aquí a varias personas que se han ofrecido para contar sus propias experiencias con el jefe Baxter. Algunos de los relatos les escandalizarán y hace falta mucho valor para que esas personas, vecinas suyas, se atrevan a contarlas. Buena parte de lo que van a escuchar será más bien un descrédito para sus protagonistas, pero ellos han decidido hablar para hacer algo positivo para sí mismos y para su comunidad. Les hablarán de corrupción, sobornos, contrataciones a dedo, irregularidades electorales y, tal como ustedes ya saben, conductas sexuales impropias.

Gail sabía cuándo hacer una pausa para escuchar los murmullos de los buenos ciudadanos de Spencerville. Aunque todo lo que Gail estaba diciendo e iba a decir fuera probablemente cierto, como también lo debía de ser todo lo que dirían las personas que estaban a punto de hablar, Keith tuvo la sensación de estar asistiendo a un juicio de brujas del siglo XVII en el que los testigos se iban levantando uno tras otro para contar historias sobre uno de sus vecinos. Sólo faltaba el acusado.

Gail hizo hizo otros comentarios y después contó la historia de la ficha ilegal que Cliff Baxter tenía sobre ella y terminó diciendo:

—Voy a entablar una querella civil contra él, pediré la presentación de la ficha y la daré a conocer públicamente. No tengo nada que ocultar ni de que avergonzarme. Muchos de ustedes conocen mi pasado y dejaré que ustedes me juzguen. No puedo y no quiero someterme a chantaje. Además, estoy considerando la posibilidad de formular una denuncia contra el señor Baxter y ya he hablado de ello con el fiscal del condado. Si no puedo conseguir que se haga justicia en el condado de Spencer, me iré a Columbus y hablaré con el fiscal general del estado. Lo haré no por mí sino por todas las personas del condado que han sido sometidas a investigaciones ilegales y fichadas por el jefe de policía.

»Algunas de las víctimas de Baxter están presentes aquí esta noche —añadió mirando al público—. Algunas no quieren identificarse y yo respeto su decisión. Otras se han ofrecido voluntariamente a hablar. Por consiguiente, ya no les voy a seguir hablando de mí misma y paso a presentarles a la primera voluntaria.

Gail dirigió la mirada al banco de la primera fila y asintió con la cabeza.

Una agraciada joven con cara de estar pasándolo muy mal se levantó para subir al estrado. Gail la recibió con un afectuoso abrazo y le dijo algo mientras la acompañaba a los micrófonos.

La pálida y asustada joven permaneció en silencio unos segundos. Después carraspeó varias veces y dijo:

— Me llamo Sherry Kolarik y trabajo como camarera en el Park 'N Eat de la ciudad. —Tomó un sorbo de agua, miró a Gail, sentada a su lado, y añadió—: Conocí al jefe Baxter cuando vino hace seis meses a mi casa para cobrar unas multas por aparcamiento indebido. Yo sabía que tenía que pagarlas, pero no tenía el dinero y así se lo dije. Me pareció un poco raro que el propio jefe superior de policía acudiera a mi casa... bueno, yo no le conocía personalmente, pero sabía que era él porque le había visto muchas veces desayunando en el Park 'N Eat. Yo nunca le había atendido porque se sentaba a una mesa que servía otra chica..., no diré su nombre, pero él, se sentaba allí porque se acostaba con ella.

Se oyeron unos murmullos, pues todo el mundo sabía que el jefe Baxter estaba casado. Keith sabía que la cosa iría a mejor... o a peor, según se mirara.

—Pero una vez —añadió Sherry—, la otra chica no estaba y él se sentó a la mesa que yo atendía. Casi no habló, pero señaló la chapa donde figuraba mi nombre a la izquierda de la pechera y me dijo:

»Sherry. Bonito nombre. ¿Cómo se llama el otro?»

Se oyeron algunas risas involuntarias mientras Sherry proseguía diciendo:

—Al cabo de unas semanas, se presentó en mi casa para cobrar las multas. Le dejé pasar y hablamos. Le dije que no tenía dinero, pero que le pagaría el día del cobro. Dijo que, si no le pagaba inmediatamente las multas, me tendría que detener y que yo pasaría la noche en el calabozo hasta que, al día siguiente, me presentara ante el juez. Me explicó que a todos los detenidos los registraban y los obligaban a ducharse y a ponerse un uniforme. Más tarde descubrí que, por impago de unas simples multas por aparcamiento indebido, eso no se hacía, pero, en aquel momento, me asusté.

Keith había sido testigo de los abusos de poder en todo el mundo y les tenía una manía especial a los hombres que utilizaban su autoridad o sus armas para intimidar a mujeres indefensas a cambio de favores sexuales, tal como había ocurrido en aquel caso.

Sherry prosiguió su relato y terminó diciendo:

—Entonces yo... le ofrecí... le ofrecí acostarme con él...

El público guardó un silencio sepulcral.

—Bueno... él no me dijo nada en concreto... pero yo comprendí que la cosa iba por ahí y, tal como ya he dicho, me moría de miedo y estaba sin un céntimo. No quiero decir que yo fuera un dechado de pureza ni nada de todo eso. He tenido algunos novios, pero eran chicos que me gustaban y nunca lo he hecho por dinero ni con nadie que no me gustara... sin embargo, no veía ninguna otra manera de salir de la situación. Entonces me ofrecí... y él aceptó. Dijo que me prestaría el dinero y me pidió que me quitara la ropa para ver qué garantías tenía.

El publico emitió un jadeo al oír el comentario. Sherry inclinó la cabeza, respiró hondo y volvió a mirar al público. Keith comprendió que todo aquello no había sido preparado de antemano y que la chica era valiente y se sentía realmente humillada y asustada. No sabía cuáles podían ser sus motivos, pero pensaba que éstos no debían de obedecer tanto a un deber cívico cuanto a un deseo de venganza. Pero, ¿qué más daba?

Keith ya había oído suficiente. Se estaba abriendo paso entre el público cuando Sherry empezó a facilitar una descripción gráfica de lo ocurrido a continuación. Cruzó el atrio lleno de gente y bajó los peldaños. Vio entre los vehículos aparcados varios hombres con linternas encendidas. Eran unos agentes de la policía que estaban anotando las matrículas. No se sorprendió, pero le pareció increíble. Se acercó y observó que uno de ellos era un agente del *sheriff* y no de la policía.

—Pero, ¿qué está usted haciendo? —le preguntó.

El hombre pareció sobresaltarse, lo cual era una buena señal.
—Cumplo órdenes —contestó.
—¿De quién?
—No se lo puedo decir.
—¿Quién manda aquí?
El hombre miró a su alrededor.
—Nadie, en realidad. Aquí no hay ningún jefe.
Keith vio a un agente de la policía de Spencerville y, al acercarse a él, descubrió que era el mismo del instituto.
—Oficial Schenley —le dijo—, ¿se da usted cuenta de que está quebrantando la ley?
Schenley miró a su alrededor y llamó a los otros dos agentes.
—Kevin, Pete —les llamó—, venid aquí.
Los dos se acercaron y Keith reconoció en ellos a los mismos que habían estado hostigando a Billy Marlon en el parque. Las fuerzas policiales de Spencerville sólo disponían de unos quince agentes y Keith pensó que los llegaría a conocer a todos en caso de que se quedara allí. Los apellidos que figuraban en las chapas decían Ward y Krug. Ward, el que había golpeado a Billy en las suelas de los zapatos, comentó:
—Vaya, vaya, mira quién está aquí. Es usted como las boñigas de las vacas. Siempre metiéndose entre los pies. Vaya a dar un paseo mientras pueda.
Keith se dirigió a ellos, llamándoles por sus apellidos.
—Oficial Ward, oficial Krug y oficial Schenley, eso es una reunión legal, protegida por la primera enmienda a la Constitución de Estados Unidos, por si ustedes no lo saben. Si no se van ahora mismo, aviso a la policía del estado y haré que los detengan.
Los tres agentes se miraron entre sí y volvieron a mirar a Keith.
—¿Está usted loco o qué? —preguntó Ward.
—Estoy furioso. Lárguense de aquí ahora mismo.
—Un momento, cálmese, amigo.
—Tienen sesenta segundos para largarse, de lo contrario, entro en la iglesia y hago salir a todo el mundo.
Se produjo una prolongada pausa en cuyo transcurso los demás agentes, siete en total, se acercaron a los otros tres.
—Este hombre dice que va a denunciarnos a la policía —les dijo Ward.
Se oyeron unas risitas apagadas, pero nadie parecía muy tranquilo.
—Y haré que la reunión se celebre aquí —añadió Keith.
Estaba claro que ninguno de los agentes quería enfrentarse con sus amigos y vecinos en semejantes circunstancias, pero tampoco estaban dispuestos a dejarse intimidar por un ciudadano indignado. Se encontraban en una situación de tablas. Keith se preguntó si no sería

mejor dejarlo correr, pero llegó a la conclusión de que no se lo merecían.

—Les doy diez segundos para largarse de aquí —dijo.

—Y yo le doy a usted mucho menos antes de que le espose —replicó el oficial Ward.

—Cinco segundos.

Nadie se movió.

Keith se volvió para entrar de nuevo en la iglesia, pero se dio cuenta de que lo habían rodeado y de que, para salir del cerco, tendría que empujar o dar algún codazo a uno de los policías, lo cual era justamente lo que ellos querían.

—Apártense de mi camino —dijo.

No lo hicieron.

Keith se acercó al policía que le bloqueaba el paso hacia la iglesia. Ellos sacaron las porras, extendieron los brazos y separaron las piernas.

Keith consideró la posibilidad de cargar contra ellos estilo delantero de fútbol americano, pero la línea defensiva disponía en aquel caso de porras y armas de fuego.

Se encontraba en una situación tan apurada como ellos, pero nadie quería dar el primer paso.

—Es usted un botarate —le dijo Ward a su espalda—. Y un estúpido.

Keith se volvió a mirarle.

—¿Dónde está Baxter esta noche? ¿Recibiendo otro homenaje en el Elks Lodge?

—No es asunto de su incumbencia —contestó Ward.

—Debe de estar en la reunión de la junta municipal para cubrirse el trasero mientras ustedes están aquí, jugándose el tipo. ¿Y dónde están sus sargentos? Menudo hato de cobardes tienen ustedes por jefes. Díganle a Baxter lo que yo les he dicho.

Keith había puesto el dedo en la llaga, pues nadie dijo nada, si bien Warf se sintió obligado a replicar diciendo:

—Dígaselo usted mismo cuando lo llevemos detenido.

—Pues háganlo. Deténganme o apártense de mi camino.

No parecían dispuestos a hacer ninguna de las dos cosas.

Keith se preguntó cuánto iba a durar la reunión.

Al cabo de unos minutos, Keith decidió lanzarse. Se volvió de cara a la iglesia y, cuando ya estaba a punto de romper la línea de uniformes azules, se oyó una voz preguntando:

—¿Qué es lo que pasa aquí?

Desde la pequeña rectoría se acercó un hombre, caminando con la ayuda de un bastón. Cuando estuvo más cerca, Keith reconoció finalmente al anciano pastor Wilkes.

—Todo está bajo control, señor —contestó el oficial Ward.
—Yo no le he preguntado eso. ¿Qué es lo que pasa?
Como no sabía qué responder, Ward guardó silencio.
El pastor Wilkes se abrió paso a través del cordón policial y se detuvo delante de Keith.
—¿Quién es usted?
—Keith Landry.
—Me suena. ¿Pertenece al grupo que hay aquí dentro?
—Sí, señor.
—¿Y qué hacen estos policías aquí?
—Debería preguntárselo a ellos.
El pastor Wilkes se volvió hacia el oficial Ward.
—¿Alguien les ha llamado?
—No, señor.
—Pues entonces, ¿por qué han venido?
—Para... ofrecer protección y seguridad.
—Todo eso me parece una excusa, hijo mío. Retírense de mi propiedad si no les importa.
Ward miró a los demás hombres y ladeó la cabeza en dirección a los automóviles de la policía. Mientras se retiraban, Ward se acercó a Keith y le dijo en un susurro:
—Yo que usted regresaría a Washington inmediatamente.
—No olviden decirle a Baxter lo que les he dicho.
—Descuide.
Ward dio media vuelta y se alejó.
O sea, pensó Keith, que ya sabían que procedía de Washington, lo cual no le extrañaba. Se preguntó qué otras cosas sabrían de él. En realidad, le daba igual en caso de que tuviera que irse, aunque Cliff Baxter estaba haciendo involuntariamente todo lo posible para que se quedara.
—¿Tiene un minuto? —le preguntó el pastor Wilkes a Keith.
—Sí —contestó Keith tras dudar un instante.
Wilkes le indicó por señas que le siguiera y ambos se encaminaron hacia la rectoría. Keith recordó la última vez que había estado allí cuando tenía dieciocho años y el pastor Wilkes le había echado un sermón sobre las tentaciones del mundo que había más allá de los confines del condado de Spencer, y, en concreto, de las tentaciones de la bebida y el sexo en la universidad. De bien poco había servido.

16

La rectoría era un viejo edificio de madera construido al mismo tiempo y en el mismo estilo que la iglesia de cien años de antigüedad.

Una vez dentro, Wilkes acompañó a Keith a la salita de estar y le indicó un combado sillón. Keith se sentó y él se acomodó en una mecedora delante de él.

—Tengo un poco de jerez —dijo el pastor.

—No, gracias.

Keith le miró. Le había visto algunas veces en bodas y entierros a lo largo de los años, pero habían transcurrido por lo menos siete desde la última vez. Cada vez estaba un poco más encogido y arrugado.

—¿Por qué estaba aquí la policía? —preguntó Wilkes.

—Para anotar los números de las matrículas.

Wilkes asintió con la cabeza, permaneció un rato en silencio y después miró a Keith.

—Tú eres el hijo de George y Alma.

—Sí, señor.

—¿No te bauticé yo?

—Eso me han dicho.

—¿Y no te casé yo? —preguntó Wilkes, sonriendo.

—No, señor. No estoy casado.

—Ah, sí, tú eres el que se fue al Ejército y después trabajó para el Gobierno.

—Primero fui a la universidad en Bowling Green. Usted me hizo unas advertencias sobre las mujeres de vida fácil.

—¿Te sirvieron de algo?

—Más bien no.

Wilkes volvió a sonreír.

—¿Has vuelto para quedarte?

—No creo.

—Pues entonces, ¿para qué has vuelto?

—Para cuidar de la casa.

—¿Eso es todo?

Keith reflexionó un instante.

—Como no me gusta mentir, prefiero no decírselo.
—Bueno, es que yo he oído rumores sobre tu vuelta, pero no me gustan los chismes y no te diré lo que me han dicho.
Keith no dijo nada.
—¿Cómo está tu familia?
Keith le facilitó la información y le preguntó:
—¿Cómo está su esposa?
—El Señor tuvo a bien llamarla.
Keith se dio cuenta de que el habitual comentario de «Cuánto lo siento» no resultaba adecuado en aquel caso, por lo que dijo:
—Era una mujer extraordinaria.
—Vaya si lo era.
—¿Por qué no ha asistido usted a la reunión? —preguntó Keith.
—No quiero mezclar la religión con la política. Hoy en día eso lo hacen muchos jóvenes predicadores y vuelven locos a la mitad de sus feligreses.
—Sí, pero hay mucha injusticia social en el mundo y las Iglesias pueden ser muy útiles.
—Lo hacemos. Yo predico el amor y la caridad, la gracia y las buenas obras. Si la gente escuchara, no se cometerían injusticias sociales.
—Pero la gente no puede escuchar si no viene y, aunque venga, no escucha.
—Algunos vienen y otros no. Algunos escuchan y otros no. Más no puedo hacer.
—¿Sabe una cosa, pastor? Yo vi cómo en Dresde algunos pastores luteranos organizaban las marchas que ustedes vieron aquí en la televisión. Ellos contribuyeron a derribar el Gobierno comunista. Lo mismo hicieron los sacerdotes católicos en Polonia.
—Dios los bendiga. Siguieron los dictados de su conciencia. Si eso te hace sentir mejor —añadió el pastor Wilkes—, te diré que yo estaría dispuesto a entregar la vida por mi fe sin ninguna vacilación.
—Espero que no sea necesario.
—Nunca se sabe.
—Pero usted ha permitido que esa gente usara su iglesia. Y ha echado de aquí a la policía.
—Sí, es verdad.
—¿Sabe usted cuál es el tema de la reunión?
—Sí.
—¿Y lo aprueba?
—En la medida en que no se contemplen acciones ilegales o violentas, sí. Mira, la utilización de las iglesias como lugares de reunión es una antigua tradición rural. Se remonta al tiempo en que la iglesia era el único edificio rural lo bastante espacioso como para albergar a

muchas personas y la ciudad quedaba demasiado lejos como para poder ir en coche de caballos. La iglesia de San Jaime ha sido testigo de toda clase de reuniones políticas y patrióticas a partir de la guerra hispano-norteamericana. Yo no soy propietario de este lugar, sólo soy un administrador de Dios.

—Sí, pero estoy seguro de que no permitiría que aquí se celebrara una reunión del Ku Klux Klan.

—El administrador de Dios no es un fanático ni un idiota, Landry, y además, no te he invitado a entrar para que me hagas preguntas. Soy yo quien quiere hacerte a ti algunas preguntas, si me lo permites.

—Adelante.

—Gracias. ¿Tú apruebas la reunión?

—En principio, sí.

—¿Has descubierto que no todo marcha bien en Spencerville?

—Sí.

—¿Conoces, por casualidad, al jefe Baxter?

—Fuimos juntos al instituto.

—Pero yo he deducido por las palabras y la actitud de esos policías que él ha tenido algo que ver contigo en fechas posteriores.

—No... bueno, quizá sí. Pero creo que todo se debe a que no nos teníamos simpatía en la escuela.

—¿De veras? ¿Acaso erais rivales?

—Yo nunca lo pense, pero, por lo visto, él sí.

Keith no estaba seguro de adónde iría a parar todo aquello y no había muchas personas a las cuales les hubiera consentido semejante interrogatorio, pero el pastor Wilkes era una de ellas.

—Me falla un poco la memoria —dijo el anciano tras reflexionar un instante—, pero me parece recordar que tú salías con la que ahora es su esposa.

Keith no contestó.

—Es más, creo que me lo dijo tu madre.

—Es posible.

—A lo mejor, el señor Baxter está disgustado porque el antiguo novio de su mujer ha decidido regresar a Spencerville.

—Fui su amante en la universidad, señor.

Keith prefirió no mencionar sus relaciones con ella en el instituto para no disgustar al clérigo.

—Llámalo como quieras. Lo comprendo. ¿Crees que eso puede haber molestado al señor Baxter?

—Sería una muestra de inmadurez por su parte.

—Dios me perdone por decirlo, pero el comportamiento de los Baxter no ha sido demasiado maduro a lo largo de los años.

Keith esbozó una sonrisa.

—El apellido de soltera de la esposa es Prentis, ¿verdad?

—Sí. Annie.

—Annie Prentis. Una buena familia. El pastor Schenk de San Juan habla muy bien de ellos. Nosotros tenemos nuestras conversaciones, ¿sabes? Incluso con los sacerdotes de la Inmaculada Concepción. El consejo ecuménico se reúne una vez al mes y, al, terminar, nos contamos chismes. Nunca mencionamos nombres a no ser que sea absolutamente necesario y nada sale de aquella estancia. Pero uno se entera de cosas.

—Ya me lo imagino.

Keith se dio cuenta de que el pastor Wilkes formaba parte de una comisión conjunta muy similar a la que él acababa de abandonar. Más aún, tal como Jeffrey había insinuado, el pastor Wilkes estaba al corriente de una gran cantidad de información confidencial capaz de rivalizar con todo lo que el jefe de policía Baxter pudiera guardar en sus archivos.

—Nuestro propósito no es el de chismorrear sin más. Queremos ayudar, evitar los divorcios, aconsejar a los jóvenes descarriados, librar de la tentación a los hombres y las mujeres. En resumen, salvar las almas.

—Me parece admirable.

—Es mi misión. Sé muy bien lo que estarás pensando. Piensas que Spencerville se ha convertido en la aldea de los condenados. Sin embargo, aquí casi todo el mundo es bueno y temeroso de Dios, a pesar de que muchas personas se han descarriado como en todas partes. Me gustaría que vinieras este domingo a la iglesia y después te reunieras con nosotros a tomar el té y compartir nuestra amistad.

—Puede que lo haga. Pero usted sabe que está predicando a los ya convertidos. Tendría que llegar a los demás.

—Ellos ya saben dónde estamos.

—Bien, gracias por haberme rescatado de la ley —dijo Keith. Quería marcharse antes de que finalizara la reunión.

El pastor Wilkes no se dio por enterado y prosiguió diciendo:

—El señor y la señora Baxter tiene ciertas dificultades, tal como quizá ya sabes. El pastor Schenk está ayudando espiritualmente a la señora Baxter.

—¿Y qué tengo yo que ver con eso?

—Alguien te vio hablar con ella en en el centro.

—Pastor, aunque ésta sea una pequeña ciudad, un caballero soltero puede hablar con una señora casada en público.

—No me eches sermones, jovenzuelo. Estoy tratando de ayudarte. Sinceramente.

—Se lo agradezco...

—Iré directamente al grano: «No desearás a la mujer de tu prójimo».

El comentario no pilló a Keith totalmente por sorpresa.

—Le aconsejo, pastor, que le recuerde al pastor Schenk su deber de mencionarle al señor Baxter el mandamiento del adulterio.

—Todos sabemos lo que hace el señor Baxter. Lo que yo te quiero decir... no debería hacerte esta confidencia, pero quizá tú ya sabes que la señora Baxter está muy enamorada de ti.

Era la mejor noticia que Keith hubiera recibido en varias semanas. Estudió distintas posibilidades, incluida la de no contestar, pero, al final, decidió hacerlo:

—Llevamos muchos años escribiéndonos y ella jamás me ha dado a entender tal cosa en sus cartas. No ha hecho nada malo.

—Depende de lo que uno piense acerca del hecho de que una mujer casada se escriba con su antiguo... novio.

—No ha hecho nada malo. Las posibles incorrecciones las he cometido yo.

—Eso es muy noble de tu parte, Landry. Sé que me consideras muy anticuado y te agradezco que me sigas la corriente.

—No le sigo la corriente, le estoy escuchando y comprendo su postura y su preocupación. Le aseguro que mi relación con la señora Baxter ha sido puramente platónica.

—Muy bien pues, procura ser fuerte y mantener las cosas en este plano.

Keith miró al pastor Wilkes y, en contra de sus deseos o quizá porque necesitaba decírselo a alguien, contestó:

—Si he de serle sincero, pastor, el espíritu está pronto, pero la carne es débil.

El pastor Wilkes se quedó momentáneamente sin habla, pero después contestó:

—Te agradezco la sinceridad. Y me alegro de que recuerdes las Escrituras.

—Tengo que irme —dijo Keith, levantándose.

El pastor Wilkes tomó el bastón y se levantó trabajosamente para acompañar a Keith hasta la puerta, saliendo con él al porche. Keith vio que la reunión aún no había terminado. Se preguntó cuántos testigos habrían reunido Gail y Jeffrey para confesar sus tratos con el demonio.

—Sabía usted más de mí de lo que yo pensaba cuando me senté a conversar con usted —dijo, volviéndose hacia el pastor Wilkes.

—Sí, pero yo no sabía si tú eras la clase de hombre con quien yo podría conversar. Te he dado unos consejos y una información que tú no me habías pedido. Espero que los consejos no te hayan ofendido y que guardes el secreto de la información.

—No estoy ofendido y guardaré el secreto de la conversación. Pero me preocupa que la gente hable de mí.

—Mira, Landry, esta pequeña ciudad está muy trastornada y, curiosamente, uno de nuestros problemas, el del comportamiento del señor Baxter como cargo público y esposo, se ha convertido en tu problema. Pero no permitas que eso ocurra.

—¿Por qué no? ¿Por qué tengo yo que hacer menos que las personas que ahora están en la iglesia?

—Sabes muy bien por qué. Examina tus motivos y considera las consecuencias de tus actos.

—Pastor, desde que dejé Spencerville, he servido como funcionario militar en distintos menesteres y todos ellos eran cuestiones de vida o muerte para mí, para mis compañeros y, dicho sea entre nosotros, para este país.

—En tal caso, no necesitas un sermón de un predicador rural.

—Pero le agradezco su preocupación.

El pastor Wilkes apoyó la mano en el hombro de Keith y le miró a los ojos.

—Te aprecio y no quiero que te ocurra nada malo.

—Yo tampoco. Pero, si algo ocurriera, ¿se encargaría usted de organizarlo todo aquí en San Jaime?

—Sí... por supuesto. —El pastor Wilkes tomó a Keith del brazo y añadió—: Deja que te acompañe a tu coche. Ayúdame a bajar los peldaños. Keith... ¿me permites que te llame Keith?

—Pues claro.

—Sé que hay algo entre ti y Annie Baxter y, si he de ser sincero, no estoy totalmente en contra, pero tienes que seguir el recto camino, pues de otro modo nunca daría resultado.

—Yo todavía no he reconocido que deseo a la mujer de mi prójimo, pastor —contestó Keith—, pero le escucho.

—Muy bien pues. Escucha y después olvida dónde lo escuchaste. La mujer en cuestión vive un matrimonio muy desdichado según su director espiritual. Su marido es un adúltero y la maltrata de palabra. Pertenezco a la vieja escuela, pero escucho a los jóvenes pastores y estoy convencido de que ella tiene que dejar este matrimonio antes de que la situación empiece a ser peligrosa. Él se ha puesto hecho una furia ante la sugerencia de recibir asesoramiento y ni el director espiritual ni la esposa en cuestión abrigan la menor esperanza de cambio.

Keith se dirigió en silencio a su automóvil y permaneció de pie junto a él.

—El divorcio es aceptable en estas circunstancias —añadió el pastor Wilkes—. Y, una vez divorciada, ella sería libre de hacer lo que quisiera. Tú, Landry, tienes que ser paciente y no convertirte en parte del problema. Ella es buena y no quiero que le ocurra nada malo.

Ambos hombres permanecieron de pie en la oscuridad mientras la escasa luz que se filtraba a través de los ventanales de la iglesia arrojaba unas sombras sobre las lápidas sepulcrales.

—Yo tampoco lo quiero —dijo Keith.

—Estoy seguro de que tus intenciones son honradas, Landry, pero lo más honrado que puedes hacer ahora es interrumpir cualquier contacto con ella. Las cosas se irán arreglando con la ayuda de Dios.

—Y sin mi intervención.

—Exactamente. ¿Quieres o no quieres quedarte a vivir aquí? —preguntó Wilkes.

—Lo quería, pero ahora ya no estoy tan seguro.

—Creo que tu presencia aquí alimenta el fuego. ¿No podrías irte una temporadita a otro sitio?

Keith esbozó una sonrisa.

—¿Me está usted expulsando de la ciudad?

—Te estoy diciendo que, si te vas, podría haber un final feliz para los dos mientras que, si te quedas preveo un desastre.

Al parecer, él y el pastor Wilkes habían llegado por separado a la misma conclusión.

—No esperaba que me diera usted consejos sobre la mejor manera de conseguir a la mujer de otro hombre —dijo Keith—. Creía que me iba a amenazar con el fuego del infierno.

—Eso lo hacen los de la iglesia fundamentalista de allí abajo. Nosotros practicamos el amor y la compasión. ¿Te veré el domingo?

—Quizá. Buenas noches.

17

Keith se alejó de la iglesia. Estaba claro, pensó, que una sencilla comunidad rural no tenía nada de sencilla. De hecho, la vida era mucho más fácil en la gran ciudad. En una pequeña comunidad se preocupaban por tu alma y te obligaban a pensar en ella y eso complicaba las cosas.

Mientras circulaba por la oscura carretera rural, pensó que la policía podía detenerle en cualquier momento y lugar y con cualquier pretexto. Había estado en manos de las policías de otros países y se conocía el paño. Sabía cuándo querían simplemente intimidar y cuándo querían hacer daño de verdad. Jamás había pasado por la experiencia de la tortura y tampoco se había enfrentado con un pelotón de fusilamiento, aunque años atrás había estado a punto de pasar por aquel trance en Birmania.

Había sido detenido innumerables veces y no creía que la comisaría de policía de Spencerville pudiera encerrar ninguna terrorífica novedad para él, pero uno nunca sabía lo que podía pasar hasta que llegaba y los veía actuar. Mucho más inquietante que la improbable posibilidad de morir en un calabozo de la comisaría era la más probable de morir durante un intento de escapar a una detención, cosa mucho más habitual en los países civilizados. No creía que se hicieran muchas investigaciones en caso de que le pegaran un tiro en una carretera rural, sobre todo si la policía le colocara un arma en la mano una vez muerto. Pero le tendrían que colocar su propia arma, pues él no llevaba consigo la suya, por más que lo hubiera deseado.

Sin embargo, ¿tanto habían bajado aquellas fuerzas policiales en la escala de la criminalidad y la maldad? No lo creía, pero Cliff Baxter sin duda sí, sobre todo tras haber sido desafiado por él.

Miró por el espejo retrovisor, pero no vio ningún faro de automóvil. Se adentró por toda una serie de caminos rurales y dio un rodeo para regresar a su casa, pero sólo había una carretera que pasaba por delante de su granja con una sola salida. A poco inteligentes que fueran, se limitarían a esperarle en cualquiera de los dos extremos de aquella carretera.

Mientras circulaba, pensó en lo que había oído en la iglesia y en la rectoría, por no hablar del incidente del exterior. El culpable de todo era Cliff Baxter, una perversa bruma que cubría la antaño soleada y serena campiña.

Entra el héroe, el salvador.

—No, sale el héroe. Aquí todo el mundo recibirá lo que se merece, para bien o para mal.

Wilkes tenía razón. Mejor dejarlo en manos de Dios, o de Annie, o de los Porter o de quienquiera que actuara primero.

—No te mezcles en esto por una cuestión de orgullo. Ésta es la cuestión, Landry... si Annie no fuera la esposa de Cliff Baxter, ¿participarías tú en esta lucha por la justicia?

Lo había hecho muchas veces, pensó, pero le habían pagado por ello, aunque no había en el mundo dinero suficiente para compensarle de los riesgos que había corrido. El patriotismo y el sentido de la justicia habían sido sus motivaciones, por supuesto. Sin embargo, al desaparecer éstas, sus motivos habían sido un egoísta deseo de aventura y de promoción en su carrera. No obstante, allí en Spencerville había descubierto que podía cumplir varios objetivos simultáneamente; matando a Baxter, le haría un favor a la ciudad y se lo haría a sí mismo, liberaría a Annie y, a lo mejor, la conseguiría. Pero no le parecía lo más apropiado por mucho que lo analizara.

Estaba circulando por la carretera rural que conducía a la carretera 28, que era la suya. En lugar de adentrarse por la 28, desvió el Blazer hacia un camino de tractor que cruzaba los maizales de la granja Muller. Se orientó por la brújula de su tablero de instrumentos y, al final, consiguió llegar a las tierras de su granja y, en cuestión de diez minutos, se plantó en el patio que había detrás del granero.

Apagó los faros delanteros del Blazer, giró hacia la casa y aparcó muy cerca de la puerta posterior.

Bajó, abrió la puerta y entró en la cocina a oscuras. No encendió la luz y prestó atención. Sabía que, a partir de aquel momento, procuraría no conducir demasiado de noche y que, en caso de que lo hiciera, se llevaría la Glock o el M-16.

Consideró la posibilidad de subir al piso de arriba por la pistola, pero el instinto le dijo que estaba a salvo o que, si no lo estuviera, se encontraría más protegido allí en la cocina, cerca de la puerta. Abrió el frigorífico y sacó una cerveza.

—¿Qué tengo que hacer —dijo—, poner la otra mejilla y marcharme tal como me ha aconsejado Wilkes que haga?

Hubiera ido en contra de sus propias convicciones.

Abrió la cerveza y, todavía de pie, tomó un buen sorbo.

—¿O acorralo a Baxter en lugar de que él me acorrale a mí? Le sorprendo al salir de la casa de una de sus amiguitas y le corto la garganta. Demasiado sucio. Sí, la gente sospecharía que lo he hecho yo, pero hay miles de sospechosos y nadie investigaría demasiado.

Pero el jefe dejaría viuda y dos hijos huérfanos y, a lo mejor, no estaba bien matar a un hombre por el hecho de ser un mal marido, un policía corrupto y un matón.

—Pero, ¿por qué no? He matado a hombres mucho mejores con menos motivo.

Se terminó la cerveza y sacó otra.

—No, no puedo asesinar a ese hijo de puta. Simplemente no puedo hacerlo. Por consiguiente, tengo que marcharme.

Se acercó a la mesa de la cocina y, bajo la débil luz que penetraba a través de la puerta y la ventana posteriores, buscó la carta que había dejado encima de la mesa, pero no la vio. Encendió la luz, buscó en las sillas y en el suelo, pero la carta había desaparecido.

Cuidado. Volvió a apagar la luz y dejó la lata de cerveza sobre la mesa. Prestó atención, pero no oyó nada. A lo mejor, tía Betty o alguna de las mujeres había entrado para limpiar un poco o dejarle comida. Y, al ver la carta, la había tomado para echarla al correo. No era probable.

Si aún hubiera alguien en la casa, ya sabría que él había llegado. Mejor olvidarse de las armas del piso de arriba, pues, aunque pudiera subir, éstas ya no estarían allí.

Se acercó en silencio a la puerta de atrás y apoyó la mano en el tirador.

Oyó un conocido crujido desde la sala de estar. Se apartó de la puerta posterior y salió al desierto pasillo para dirigirse a la sala de estar. Encendió la lámpara de pie y preguntó:

—¿Cuánto rato llevas aquí?

—Aproximadamente una hora.

—¿Cómo has entrado?

—La llave estaba en el cobertizo de las herramientas bajo el banco de trabajo, tal como siempre ha estado desde hace cien años.

La vio sentada en la mecedora con unos vaqueros y un jersey. La carta descansaba sobre su regazo.

—Pensé que estarías en casa y estaba a punto de irme —dijo ella—, pero entonces me acordé de la llave y decidí darte una sorpresa.

—Pues me la has dado.

Aun así, Keith había intuido al final que era ella la que estaba en la sala.

—¿Te importa que haya entrado?

—No.

—Me sigue pareciendo mi segundo hogar.

Keith tuvo la sensación de que aquello era un sueño y trató de recordar cuándo se había quedado dormido.

—¿Estás solo? —preguntó ella.

—Sí.

—Me pareció oírte hablar en la cocina y entonces me quedé quieta aquí como un ratón.

—Es que hablo solo. ¿Dónde tienes el coche?

—En el granero.

—Bien pensado. ¿Dónde está el señor Baxter?

—En una reunión de la junta municipal.

—¿Y tú dónde estás?

—En casa de tía Louise.

—¿Has oído lo que he dicho?

—Sólo he oído el tono. ¿Estás enfadado por algo?

—No, simplemente discuto conmigo mismo.

—¿Y quién ha ganado?

—El ángel bueno.

—Pero te veo alterado.

—Precisamente porque ha ganado el ángel bueno.

—Bueno —dijo ella, sonriendo—. Yo también he discutido conmigo misma sobre la conveniencia de venir aquí. Esto no es un encuentro casual en la calle.

—No, desde luego.

—Como iba dirigida a mí... —dijo ella, tomando la carta que tenía sobre las rodillas.

—Sí, me parece bien. Me has ahorrado el sello.

—Lo comprendo —dijo ella, acercándose a él—. Tienes razón. No podemos... ¿recuerdas aquel poema que tanto nos gustaba? «Aunque nada puede devolver la hora del esplendor en la hierba, de la gloria en la flor, no nos afligiremos y buscaremos la fuerza en lo que nos quede.» Creo que nos gustaba porque sabíamos que íbamos a ser unos amantes desgraciados y aquel poema era nuestro consuelo... —Dudó un poco antes de inclinarse y besarle en la mejilla, diciendo—: Adiós, amor mío.

Pasó por su lado y salió al pasillo.

Keith la oyó entrar en la cocina y abrir y cerrar la puerta de atrás.

—Sé fuerte, noble y valiente. Pero no seas completamente idiota. Dio rápidamente media vuelta en el momento en que se cerraba la puerta.

—¡Espera!

—No, Keith —dijo ella, volviéndose al verle en la puerta—. Por favor. Tú tienes razón. Eso no puede acabar bien. No podemos... es demasiado complicado... nos hemos estado engañando...

—No, escucha... tenemos que... tenemos que comprender... tengo que saber lo que ha ocurrido... porque... —Al no encontrar las palabras que buscaba, Keith se limitó a decir—: Annie, no podemos volver a separarnos sin más.

Annie respiró hondo.

—No puedo quedarme aquí. Quiero decir aquí afuera.

—Entra, por favor.

Annie dudó un instante y después entró de nuevo en la cocina.

—¿Te puedes quedar un ratito? —le preguntó Keith.

—De acuerdo... nos vamos a tomar finalmente esa taza de café. ¿Dónde está la cafetera?

—Yo no quiero café. Necesito un trago. —Keith encendió la lámpara que iluminaba el fregadero, se acercó al armario y sacó una botella de whisky—. ¿Quieres?

—No, y tú tampoco.

—Muy bien. —Keith volvió a guardar la botella—. Me pones nervioso.

—¿Que tú estás nervioso? Pues anda que yo. Oigo los latidos de mi corazón y noto que me tiemblan las rodillas.

—A mí también. ¿Te quieres sentar?

—No.

—Bueno, mira... ya sé el riesgo que has corrido viniendo aquí...

—He corrido dos riesgos, Keith. Uno, que me siguieran y dos, que se me rompiera el corazón. No, perdona, no puedo echarte este peso encima.

—No me pidas perdón. Me alegro de que hayas venido. Te escribí la carta porque...

—No me des explicaciones. Te aseguro que lo comprendo.

Ambos permanecieron de pie mirándose el uno al otro desde ambos extremos de la cocina.

—No me lo había imaginado así —dijo Keith.

—¿Cómo te lo habías imaginado?

Keith vaciló un instante y después se acercó a ella y la estrechó en sus brazos.

—Así.

Mientras se besaban y abrazaban, Keith volvió a experimentar la sensación de tenerla en sus brazos.

Annie se apartó momentáneamente de él y después hundió el rostro en su hombro. Lloraba, temblaba y se estremecía sin poder evitarlo. Keith la atrajo de nuevo hacia sí.

Al final, ella volvió a apartarse, se sacó un pañuelo de celulosa del bolsillo de los vaqueros, se secó los ojos, se sonó la nariz y se rió diciendo:

—Dios mío... fíjate qué pinta tengo... ya sabía yo lo que me iba a ocurrir... no te burles de mí.

—No me burlo. —Keith se sacó un pañuelo del bolsillo y le enjugó las mejillas—. Qué guapa eres.

—Ya, con la cara que debo de tener. Me tengo que sonar la nariz. —Se la sonó y miró a Keith—. Bueno... —dijo, carraspeando—. Bueno, señor Landry, me he alegrado mucho de verle. ¿Quiere usted acompañarme a mi coche?

—No te vayas.

—Tengo que irme.

—¿Llamará él a casa de tu tía después de la reunión?

—Sí.

—¿Y ella qué dirá?

—Que ya estoy de camino. Le he dicho a Cliff que no me funcionaba el teléfono del coche, o sea que no me puede llamar. Mi tía llamará aquí.

—¿Sabe dónde estás?

—Sí. Contesta y dile que ya estoy en camino hacia casa.

—¿Por qué no esperamos su llamada?

—Porque quiero irme ahora.

—¿Por qué?

—Porque... no sé, ya hablaremos otro día... tenemos que hablar, pero no quiero que ocurra nada esta noche.

—Es justo lo que me dijiste cuando tenías dieciséis años la noche en que ambos perdimos nuestra virginidad —dijo Keith con una sonrisa.

—Esta vez lo digo en serio. —Annie se echó a reír—. Por mucho que me esfuerce, no puedo quitarte las manos de encima.

Volvieron a abrazarse y besarse.

—Estréchame así —dijo Annie, apoyando la mejilla contra su pecho.

Keith la rodeó con su brazo mientras le acariciaba el cabello con la otra mano.

—Iba a subir a tu dormitorio para darte una auténtica sorpresa —dijo Annie sin apartar la mejilla de su pecho.

Keith no dijo nada.

—Pero entonces pensé, «¿Y si trae a alguien a casa? ¿Y si hay alguien arriba?».

—No, arriba no hay nadie y no ha habido nadie desde que volví.

—No será por falta de admiradoras, por lo que yo he oído decir.

—Pues yo no he oído nada y solamente me ocupo de mis propios asuntos.

—Muy bien. No tienes por qué... quiero decir, tienes derecho a... todo eso es una tontería porque, en realidad, no es asunto de mi incumbencia...

—Annie, sólo me interesas tú.

Ella le estrechó con más fuerza, se puso de puntillas y empezó a besarle las mejillas, los labios, la frente y el cuello.

—Me parece que no sé disimular muy bien mis sentimientos. Tendría que ser un poco más discreta. ¿Cómo tengo que hacerlo, Keith?

—Vamos a tratar de ser sinceros esta vez.

—Muy bien. Te quiero. Siempre te he querido.

—Y yo te quiero a ti y siempre te he querido. Por eso he vuelto. No te puedo apartar de mis pensamientos.

—Maldigo el día en que te dejé marchar.

—No hiciste tal cosa. Me fui yo. Hubiera tenido que pedirte que te casaras conmigo. ¿Qué me hubieras contestado?

—Te hubiera contestado que no.

—¿Por qué?

—Porque tú te querías ir. Te morías de aburrimiento, Keith. Veías que tus amigos se iban a la guerra y estabas obsesionado con las noticias de la guerra que daban en la televsión. Yo lo veía. Y además, estabas deseando acostarte con otras mujeres.

—No.

—Vamos, Keith.

—Bueno... una cosa es querer y otra hacer.

—Ya lo sé, tú nunca me hubieras engañado, pero no hubieras soportado una vida sin unas cuantas aventuras sexuales. Todo el mundo lo hacía con todo el mundo menos nosotros, Keith.

—De ti no me fío demasiado —dijo Keith en broma.

—¿Quieres que te sea sincera? —dijo Annie—. Me apetecía probarlo con otros hombres. Ambos queríamos tener otras experiencias, pero no podíamos porque habíamos cerrado un compromiso. Éramos dos chicos del campo que estaban locamente enamorados el uno del otro, se acostaban juntos y se sentían culpables, pero al mismo tiempo querían acostarse con otras personas y eso los hacía sentirse doblemente culpables. En cierto modo, estábamos más que casados.

—Tienes razón. O sea que querías acostarte con otros, ¿eh?

—A veces. ¿Me estoy ruborizando?

—Un poquito. —Keith reflexionó un instante y después preguntó—: ¿Qué hubiéramos tenido que hacer?

—No teníamos que hacer nada. El mundo lo hizo por nosotros.

—Supongo que sí. Pero, ¿por qué no volvimos a juntarnos?

—Tú no podías aceptar la idea de otros hombres.

—No. ¿Y tú?

—Las mujeres somos distintas. Quería que mataras el gusanillo.

—Pues ya lo he hecho.

—Yo también. Nunca tuve una aventura— dijo Annie.

—No me importaría que la hubieras tenido. Te la merecías.
—No, verás, es que yo soy tremendamente anticuada, pero, tratándose de usted, señor Landry, haré una excepción.
—Es lo que más quisiera en este momento. Pero... tendremos que atenernos a las consecuencias si...
—Me importan un bledo las consecuencias, Keith. Hemos aclarado el pasado que era lo único que teníamos que hacer. Ahora acuéstate conmigo y que se vaya al infierno el futuro.
Keith la tomó del brazo y la acompañó hacia la escalera, temiendo que sonara el teléfono o que no sonara.
No supo cómo llegaron al dormitorio, pero allí estaban, con todas las luces encendidas. Le pareció que Annie estaba nerviosa y le pregunto:
—¿Te apetece un trago?
—No, quiero hacerlo con la cabeza despejada —contestó ella, mirando a su alrededor—. Una vez lo hicimos aquí aprovechando que tu familia no estaba.
—Es verdad. Dije que estaba indispuesto y me quedé en casa.
Annie fingió no escucharle y siguió mirando a su alrededor. Después clavó los ojos en un armario cuya puerta estaba abierta. Keith la vio contemplar la funda de la pistola, el chaleco antibalas, la espada, los uniformes y el rifle M-16. Annie se volvió a mirarle y se limitó a decirle:
—Veo que lo tienes todo muy ordenado.
—Es que soy un soltero muy hacendoso.
Se miraron el uno al otro como si, de pronto, no supieran qué decirse. Annie se sacó el jersey de cuello cisne del interior de los vaqueros diciendo:
—Voy a tener que empezar yo. —Se quitó el jersey por la cabeza y lo arrojó a un lado y después se desabrochó el sujetador y lo dejó caer al suelo—. ¿Vale?
Extendió las manos y él se las tomó. Después la acarició suavemente y la sintió estremecerse.
Annie le desabrochó a su vez la camisa y le pasó las manos por el pecho.
—No has cambiado nada, Keith —le dijo.
—Tú tampoco.
Annie volvió a comprimirse contra su pecho mientras él se quitaba la camisa. Sin dejar de besarle, se desabrochó los vaqueros y se los bajó junto con las bragas hasta los muslos, tomando su mano para colocársela entre las piernas donde él percibió el vello de su pubis y su humedad.
Después se apartó de él y se sentó en la cama para quitarse los zapatos, los calcetines, los vaqueros y las bragas.

—¿Es cierto lo que nos está ocurriendo? —preguntó, mirándole con una sonrisa.

—Eres preciosa, Annie.

Ella se levantó de repente y lo rodeó con sus brazos.

—Te quiero.

Keith la levantó y la depositó sobre la colcha con las piernas colgando a los pies de la cama y le besó los pechos y el vientre. Después se arrodilló y le pasó la lengua por la parte interior de los muslos mientras ella separaba las piernas.

Keith se levantó muy despacio y se desabrochó el cinturón y los pantalones.

Respirando afanosamente, Annie se echó hacia atrás para apoyar la cabeza en la almohada y le observó mientras se desnudaba. Cuando él se acercó, tomó sus manos en las suyas.

Keith se colocó a horcajadas encima suyo y la besó en la mejilla.

—¿Todo bien?

Annie asintió con la cabeza.

Keith descendió y ella le guió hacia su interior.

Se besaron y acariciaron suavemente, moviéndose muy despacio como si tuvieran todo el tiempo del mundo.

Permanecieron tendidos de lado en la cama, ella detrás de él rodeándole con sus brazos.

—¿Duermes? —preguntó Annie.

—No. Estaba soñando.

—Yo también —dijo Annie, estrechándole con fuerza mientras le acariciaba las pantorrillas con los pies.

—Me encanta.

—Lo sé.

Keith se volvió hacia ella.

—Si supieras cuántas veces lo había soñado...

—No más que yo.

—¿De veras?

—Sí.

—Te he dicho que nunca había tenido una aventura —dijo Annie—. Ni siquiera fugaz.

—No me importa.

—A mí, sí. Eso es algo muy especial para mí.

—Lo comprendo.

—No te lo digo para que te sientas obligado a casarte conmigo. Ya estoy casada. Digo simplemente que es especial. Y, si tiene que terminar, lo comprenderé. Es lo único que quería. Una última vez.

—¿Hablas en serio?
—No.
Keith se rió.
Ella le alborotó el cabello y se incorporó en la cama.
—Dime una cosa... ya sé que ha habido otras mujeres, pero, ¿hubo alguna mujer que...?
—Nada que mereciera la pena. —Keith reflexionó un instante—. No te podía apartar de mis pensamientos y por eso no pude... quiero decir que no tenía ningún motivo para casarme.
—A lo mejor, si no hubiera tenido hijos —dijo Annie tras una prolongada pausa—, un día me hubiera presentado en tu puerta.
—Hubo algunos momentos y lugares en que ni siquiera tenía una puerta. No hubiera sido una vida muy agradable.
—Nunca lo sabremos. Algunas veces te envidiaba y otras pensaba que habías muerto...
—Y otras veces deseabas que hubiera muerto.
—No. Estaba furiosa, pero rezaba por tu seguridad. Sin embargo, algunas veces deseaba morir yo —añadió.
—Lo siento.
—Ahora ya no importa. Llevo veinte años durmiendo con un hombre al que no amo. Y eso es un pecado, pero ya no quiero pecar más.
Keith no quería preguntarlo, pero se sintió en la obligación de hacerlo.
—Annie, ¿por qué permaneciste a su lado?
—Cada día me lo pregunto. Creo que fue por los hijos... los lazos familiares, la sociedad....
—¿Quieres decir que, si hubieras pedido el divorcio...?
—Me hubiera tenido que ir —repuso Annie—. Él hubiera adoptado una actitud...
—¿Violenta?
—No lo sé. Esperaba que muriera. Que alguien lo matara. Es terrible. Me avergüenza decirlo.
—No te preocupes. Ahora ya no será necesario que esperes a que alguien lo mate. —Al ver que no contestaba, Keith añadió—: Puedes dejarle sin más.
—Lo haré. A lo mejor, te estaba esperando a ti. Siempre supe que regresarías. Pero no quiero nada de ti, ninguna promesa de que cuidarás de mí y ningún ofrecimiento de librarme de él. Ahora que mi hija está en la universidad, puedo marcharme.
—Tú ya sabes que te ayudaré, por consiguiente...
—Es un hombre muy peligroso, Keith.
—Un matón de vía estrecha.
Annie se incorporó en la cama y le miró, tendido a su lado.

—Si algo te ocurriera, te juro que me mataría. Prométeme que no te enfrentarás con él.

Sonó el teléfono.

—Es mi tía —dijo Annie.

Keith se puso.

—¿Diga?

—Mire, me ha parecido ver luz en su casa. ¿Cómo ha llegado?

—¿Quién habla?

—El oficial Ward. Un simple control. ¿Ya se ha ido a dormir?

—Pues claro. Ya he tenido bastante diversión para esta noche.

—Pues yo, no. No soy un hombre feliz esta noche.

—Yo no estoy aquí para hacerle feliz.

Annie se inclinó hacia Keith y acercó el oído al teléfono. Keith se apartó de ella y le dijo a su interlocutor antes de colgar:

—No vuelva a llamar aquí.

—¿Quién era? —preguntó Annie.

—Un vendedor de coches.

Annie estaba a punto de decir algo cuando volvió a sonar el teléfono. Keith lo tomó.

—¿Sí?

Una voz femenina con un anticuado acento del Medio Oeste preguntó:

—¿Señor Landry?

—Al habla.

—Soy la señora Sinclair, la tía de Annie Baxter.

—Dígame, señora.

—Annie me dijo que, a lo mejor, pasaría un momento por su casa a la vuelta.

Keith sonrió al percibir la tensión de la voz de tía Louise.

—No ha estado aquí ni un minuto, señora Sinclair. Ni siquiera bajó del coche. Hemos estado comentando los precios agrícolas a través de la cancela de la puerta durante unos quince segundos...

Keith notó un golpe en el brazo mientras Annie le decía por lo bajo sin poder contener la risa:

—Ya basta.

—Después se fue a casa volando —añadió Keith.

—Ya lo suponía y es lo que le he dicho al señor Baxter cuando llamó hace un rato preguntando por ella. Le he dicho que no tardaría.

—Por supuesto que no, señora Sinclair.

—He tenido mucho gusto, señor Landry. Cuídese.

—Gracias, señora Sinclair. Le agradezco la llamada —dijo Keith, colgando.

Annie rodó en la cama para colocarse encima suyo y comprimió la nariz contra la suya.

—Eres muy gracioso.
—Tu tía también. ¿Está conforme con eso?
—No demasiado. He tenido que llevarle una botella de licor de amargón. —Annie se apartó de él y se levantó de la cama—. Tengo que irme.
Cruzó desnuda la estancia y Keith oyó el rumor del agua del grifo del cuarto de baño. Se levantó y empezó a vestirse, guardándose la Glock bajo la camisa.
Annie recogió su ropa y la arrojó sobre la cama.
—No quiero vestirme —dijo—. Quiero estar desnuda para ti toda la noche y toda la semana.
—Me parece muy bien.
Annie se puso el sujetador y el jersey y se sentó en la cama para ponerse las bragas y los calcetines.
—Te sigues vistiendo desde arriba hacia abajo —dijo Keith.
—¿No es lo que hace todo el mundo? —Annie se puso los vaqueros y los zapatos y se levantó—. Ya estoy lista. ¿Me vas a acompañar?
—Es lo que siempre hace un caballero.
Bajaron juntos los peldaños tomados de la mano.
—¿No te parece increíble? —preguntó Annie.
—Por supuesto que sí.
—Me siento una chiquilla. Llevaba sin darme un revolcón como éste desde... bueno, desde que estaba contigo.
—Es muy amable de tu parte.
—Lo digo en serio. Tengo el corazón desbocado y me noto las piernas como de goma.
—Y además, tienes el rostro arrebolado y los ojos como brasas. Ten cuidado cuando vuelvas a casa.
—Oh, Dios mío... —exclamó Annie, acercándose una mano al rostro—. Sí, tendré cuidado. ¿Tú crees que...?
—Imagínate que has pasado la noche con tía Louise. Cuando vuelvas a casa, tendrás otra pinta.
—De acuerdo. Pero, ¿y si el semen me baja todavía por la pierna? —dijo Annie entre risas.
Keith esbozó una sonrisa, recordando que una de las cosas que más le gustaban de ella era el inesperado lenguaje procaz que a veces brotaba de su delicada boca.
Al llegar a la puerta de la cocina, Annie le preguntó:
—¿Qué vamos a hacer, Keith?
—Yo haré lo que tú me digas.
—¿Me quieres?
—Lo sabes muy bien.
—¿Has follado bien conmigo? No me puedo creer lo que acabo de decir. Adiós. Ya te llamaré.

—No —dijo Keith, sujetándola por el brazo.
—Tengo que irme.
—Lo sé. Pero a veces... los hombres de tu marido vigilan esta casa.
—Oh...
—No te han visto entrar porque antes no vigilaban o, si vigilaban, al verme salir, me siguieron. Voy a salir yo primero para que, si estuvieran vigilando, me sigan a mí. Tú espera diez minutos antes de salir.
—Es terrible... —dijo Annie en un susurro—. Perdona, Keith, no puedo colocarte en...
—Tú no tienes la culpa. La tiene él. Ya me las arreglaré. Pero, ¿tú te las podrás arreglar?
—Por ti, sí.
—Muy bien. Recuerda que te has pasado todo el rato en casa de tía Louise. Tienes que insistir en ello, ocurra lo que ocurra.
Annie asintió en silencio.
—¿Qué coche llevas? —preguntó Keith.
—Un Lincoln Continental. De color blanco.
—Diez minutos.
—Ten cuidado, Keith.
Keith salió, subió al Blazer, saludó a Annie con la mano y bajó por la larga calzada hacia la carretera. Giró en dirección a la ciudad y recorrió unos cuantos kilómetros hasta llegar a un cruce en el que se detuvo.
No vio ningún faro de automóvil a su espalda y siguió adelante. Vio un granero medio en ruinas, apagó los faros delanteros, se apartó de la carretera, se adentró por un camino de tierra que conducía al granero e introdujo el Blazer entre las tablas de madera medio caídas.
Bajó y estudió la carretera. A los cinco minutos, vio acercarse unos faros a gran velocidad desde la dirección de su granja. Se arrodilló detrás de unos arbustos y esperó.
El vehículo pasó a gran velocidad, pero él no pudo reconocer la silueta de un Lincoln Continental de color claro.
Esperó diez minutos más y volvió a subir al Blazer para regresar a casa.
No estaba muy seguro de que ella estuviera a salvo, pero, si Baxter la interrogara y ella se atuviera a su historia, todo iría bien.
Tenía la inquietante sensación de que le había subido la adrenalina y de que, en el fondo, lo estaba pasando bien. ¿Qué tenía de malo que uno se divirtiera con las cosas que sabía hacer bien?
No le cabía la menor duda de que Annie disfrutaba hasta cierto punto con aquella intriga. Era lo que siempre le ocurría cuando buscaban lugares y momentos para hacer el amor. El peligro la estimulaba y la fruta prohibida le sabía mejor.

Aquella noche, sin embargo, él había visto el temor reflejado en sus ojos. Era valiente y estaba dispuesta a correr cualquier riesgo, pero, si la pillaran *in fraganti* la cosa no se resolvería con una simple expulsión de la escuela sino con una paliza o un asesinato, lo cual le quitaría toda la gracia. Tendría que resolver cuanto antes el asunto.

Pensó en ella y en la conversación que habían mantenido en la cama y comprendió que ya volvían a estar juntos como antes. Habían recorrido kilómetros y años y, contra toda probabilidad y venciendo todos los obstáculos, habían acabado desnudos el uno en brazos del otro en su viejo dormitorio. El cuerpo y el alma estaban satisfechos, la carne se estremecía, el espíritu volaba y el corazón cantaba. Por primera vez en muchas semanas y muchos meses, Keith Landry era feliz y podía sonreír.

18

Cliff Baxter llegó muy temprano a su trabajo y mandó llamar a Kevin Ward a su despacho.

—Bueno pues, ¿qué ocurrió anoche en San Jaime? —le preguntó.

—Pues... la iglesia estaba llena a rebosar —contestó el oficial Ward, carraspeando.

—Ah, ¿sí? ¿Y anotaron ustedes los números de las matrículas?

—Algunos, sí.

—¿Cómo algunos? ¿Qué coño quiere usted decir con eso?

—Verá, jefe... es que... el tal Landry...

—¿Sí?

—Pues... estaba allí.

—Ah, ¿sí? No me sorprende.

—Pues sí... y nos planteó problemas.

—¿Qué mierda significa eso?

Ward volvió a carraspear y le contó a su jefe lo ocurrido, tratando de presentarlo de la mejor manera posible.

Baxter le escuchó sin decir nada. Cuando el oficial Ward terminó su informe, Baxter le dijo:

—¿Me está usted diciendo, Ward, que un individuo en solitario y un viejo predicador los pusieron en fuga?

—Bueno, es que ellos... quiero decir que estábamos en la propiedad del predicador. Si sólo hubiera sido Landry, le juro que le hubiéramos arreglado las cuentas, pero...

—Cállese. Deme los números de matrícula que consiguieron anotar antes de que los echaran de allí.

—Ahora mismo, jefe.

—Y colóquese las pelotas en su sitio porque más tarde le iremos a hacer una visita a Landry.

—Sí, señor.

Ward se encaminó hacia la puerta.

—La próxima vez que le encomiende un trabajo y no lo haga, vaya pensando en la posibilidad de volver al negocio de fertilizantes de su papá.

—Jefe —dijo Ward, tras dudar un poco—, quizá hubiera sido conveniente que usted nos acompañara. Lo que estábamos haciendo era ilegal y...

—Lárguese ahora mismo de aquí.

Ward se retiró.

Cliff Baxter se pasó un buen rato sentado junto a su escritorio con los ojos clavados en la pared. Todo se estaba empezando a desmoronar.

—Puta —dijo, contemplando la fotografía enmarcada de Annie que tenía sobre su escritorio.

Recordó lo ocurrido la víspera. Annie regresó a casa después que él y él la estaba esperando en la cocina. Apenas se dijeron nada, pues ella se fue directamente a la cama, diciendo que le dolía la cabeza. Él salió y comprobó el funcionamiento del teléfono móvil de su coche. Annie no había contestado a ninguna de sus llamadas, a pesar de que el teléfono funcionaba perfectamente. Aunque, con aquellos teléfonos, uno nunca sabía lo que podía pasar. Por otra parte, ella se había comportado de una manera muy rara la víspera. Hubiera podido acosarla un poco, pero primero prefería hacer unas cuantas comprobaciones. Él sólo formulaba preguntas cuando ya conocía las respuestas.

Sabía, aunque no quisiera reconocerlo, que su mujer era mucho más lista que él. Pero a veces las personas listas lo eran demasiado, se sentían muy seguras de sí mismas y pensaban que sus mierdas no apestaban. Asintió con la cabeza, diciendo para sus adentros:

—Tía Louise. Llevo mucho tiempo sin ver a tía Louise.

Consultó su reloj y vio que eran las siete de la mañana. Tomó el teléfono y marcó.

—Diga... —contestó la soñolienta voz del administrador de correos de Spencerville, Tim Hodge.

—Hola, Tim, ¿lo he despertado?

—Sí... ¿quién es?

—Espabile y vístase que el correo se tiene que despachar.

—Ah... hola, jefe, ¿qué tal está usted?

—Eso dígamelo usted.

—Ah, sí... —Tim Hodge carraspeó—. Bueno, sí... anoche estuve en San Jaime...

—Más le valía. ¿Qué ocurrió?

—Vamos a ver... pues... había una cantidad de gente...

—Ya lo sé. ¿Se mencionó mi nombre?

—Pues... más bien sí. La verdad es que se mencionó unas cuantas veces.

Baxter asintió impacientemente con la cabeza.

—Vamos, Tim, soy un hombre muy ocupado. Dígame quién, qué, dónde, cuándo y cómo.

—De acuerdo. La chica esta de la junta municipal, Gail Porter, fue la que dirigió la reunión. También estaba su marido y tenían... muchos testigos.

—¿Testigos? Pero, ¿qué era aquello, una maldita reunión o un juicio?

Tim Hodge guardó silencio un instante y después añadió:

—Bueno... había varias personas que tenían... ciertas quejas contra usted.

—¿Como quién?

—Como Mary, la mujer de Bob Arles, y una tal Sherry... con un apellido muy raro.

—¿Kolarik?

—Sí.

Mierda.

—¿Qué dijo?

—¿Cuál de ellas?

—Las dos. ¿Qué dijeron las muy putas embusteras?

—Pues... Mary explicó que usted se llevaba cosas de la tienda y que después firmaba unos resguardos en los que figuraba una cantidad de gasolina superior a la que le habían puesto en el depósito.

—Maldita sea su estampa. ¿Y qué dijo la otra zorra?

—Pues... algo sobre... dijo que usted... que usted y ella... tenían una especie de lío...

Dios bendito.

—¿Quiere decir que la muy puta se levantó delante de toda la gente que había en la iglesia... y mintió sobre... ¿qué es lo que dijo?

—Dijo que usted la folló. Que llevaba algún tiempo follando con ella. Que le pagó unas multas por aparcamiento indebido o algo así y que, para agradecerle el favor, ella tuvo que acostarse con usted. Dio muchos detalles —añadió Hodge.

—Zorra embustera.

—Sí.

—¿Y la gente lo creyó?

—Pues eso... no lo sé.

—Oiga, ¿por qué no se pasa usted esta tarde por aquí a tomar un café y así me cuenta todo lo que vio y oyó anoche? Sobre las tres. Entretanto, no se vaya de la lengua por ahí y mantenga los oídos bien abiertos.

—De acuerdo, jefe.

Baxter colgó el teléfono y contempló la calle Mayor a través de la ventana.

—¡Maldita sea...! —exclamó, descargando un puñetazo sobre el escritorio—. Malditas zorras, no hay forma de que mantengan la boca cerrada.

Pensó en las consecuencias que se podrían derivar para él y llegó a la conclusión de que podría controlar los daños. Sherry Kolarik era una puta, un testigo de la peor especie. Mary Arles era otro problema, pero ya se encargaría de que su marido le cerrara inmediatamente la bocaza. Baxter se preguntó qué otras cosas se habrían contado en la reunión. Tomó un papel y empezó a confeccionar una lista, empezando con «Keith Landry» y siguiendo con «Sherry Kolarik», «Mary Arles», «Gail Porter», el otro Porter cuyo nombre de pila no recordaba, el «pastor Wilkes», y, por si acaso, «Bob Arles». Hubiera podido anotar también el nombre de Annie, sólo que ésta siempre ocupaba automáticamente el primer lugar de su lista semanal de personas que lo habían fastidiado.

Se llenó una taza de café de un termo y tomó un sorbo. La situación se le estaba escapando de las manos. Aquello no había sido simplemente una mala semana, sino el comienzo de una vida muy mala a no ser que empezara a pegar patadas en unos cuantos traseros.

Se levantó rápidamente y pasó al despacho donde Ward estaba introduciendo la lista de números de matrícula en el ordenador de los vehículos motorizados y sacando impresiones de nombres y direcciones.

—Apague este maldito trasto —le dijo a Ward. Éste archivó el documento y Baxter le preguntó—: ¿Tiene usted un informe sobre los movimientos de Landry anoche?

—Sí, señor.

Ward le entregó a Baxter una hoja mecanografiada de papel.

—Krug le vio salir de su casa a las siete y media de la tarde —dijo Baxter, echando un vistazo a la hoja—. Después, usted y Krug y los otros chicos le vieron en el aparcamiento de San Jaime a las ocho treinta y cinco.

—Exacto. La reunión aún no había terminado, pero creo que él se marchó temprano.

—¿Y después?

—Bueno, Landry entró en la rectoría con el pastor Wilkes. Fui a casa de Landry y esperé en la 28 a unos doscientos metros de su calzada particular, pero no vi entrar a nadie. Después vi luz en el piso de arriba, llamé a través del teléfono móvil y contestó él. No sé por dónde entró, a no ser que lo hiciera por el sur, utilizando caminos de tractores. Debía de tener miedo de que le estuviéramos esperando, ¿comprende? Está todo en el informe.

Baxter volvió a estudiar la hoja y preguntó:

—¿Le llamó usted a las diez treinta y ocho y él contestó?

—Sí.

—Puede que ya llevara aproximadamente una hora en casa.

—Es posible. Depende del rato que estuviera con Wilkes y de adónde fuera desde allí. Tal como ya le digo, creo que dio un buen rodeo para regresar a casa. Tenía miedo.

—Ya. Se ve que ustedes le pegaron un buen susto. ¿Vio algún otro coche entrar o salir de su granja?

—No.

—¿Permaneció usted un rato por allí después de haberle llamado?

—No, porque me pareció que ya se había ido a dormir. Sin embargo, aproximadamente una hora más tarde, volví a pasar por allí y la luz del piso de arriba aún estaba encendida. ¿Usted qué piensa, jefe?

—Nada. Voy a desayunar al Park 'N Eat.

—Muy bien.

Cliff Baxter salió de la jefatura superior de policía, recorrió a pie un kilómetro de la calle Mayor en dirección este y entró en el Park 'N Eat a las siete y media de la mañana.

Se sentó junto a su mesa de costumbre y una camarera llamada Lanie se acercó a él y le preguntó:

—¿Qué tal está usted esta mañana, jefe?

—Muy bien.

—¿Café?

—Sí, por favor.

La camarera le escanció café de una cafetera y le preguntó:

—¿Quiere echar un vistazo al menú?

—No. Jamón, dos huevos, patatas fritas, unas galletas, nada de tostadas y nada de zumo.

—Ahora mismo se lo sirvo.

En el momento en que Lanie se retiraba, Baxter le preguntó:

—Oye, ¿dónde está Sherry esta mañana?

—Ha llamado diciendo que estaba enferma —contestó Lanie.

—Ah, ¿sí? Pues anoche un amigo mío la vio por ahí.

—Demasiada juerga quizá —comentó Lanie, sonriendo.

—Qué va. El tipo este la vio en la iglesia de San Jaime en Overton.

Baxter estudió el rostro de la camarera y comprendió que ésta no sabía nada.

—Enseguida le sirvo los huevos.

—Muy bien. Oye, si viene o llama, dile que la estoy buscando. Tenemos que hablar de unas multas por aparcamiento indebido.

Lanie se puso repentinamente seria, asintió con la cabeza y se retiró.

Le sirvieron el desayuno y empezó a comer. Casi todos los que entraban lo saludaban. Trató de adivinar quién sabía qué a aquella temprana hora de la mañana.

Chet Coleman, uno de los miembros de la junta municipal que era también farmacéutico, entró y le vio. Se sentó delante de él y, sin ningún preámbulo, le dijo:

—Jefe ¿se ha enterado de la reunión que se celebró anoche en San Jaime?

—Algo me han dicho.

—Pues sí, mientras nosotros estábamos reunidos, aquella gente nos estuvo poniendo de vuelta y media.

—¿De veras?

—No me ha gustado ni un pelo lo que me han dicho.

—¿Y cómo lo ha sabido?

—Bueno... es que una amiga mía estuvo allí.

—Ah, ¿sí? ¿Una amiga que se fue a dormir muy tarde para llamarle o una amiga que se levantó temprano para informarle?

—Pues... lo he sabido esta mañana...

—Ah, ¿sí? ¿La amiga no será por casualidad la señora Coleman?

Chet Coleman no contestó a la pregunta porque no tenía por qué hacerlo.

—¿Sabe una cosa, Chet?, este maldito país se nos está escapando de las manos. ¿Y sabe usted por qué? Por las tías. Cuando los hombres no controlan a las tías, el país se va al carajo.

—Ya... pero allí también había muchos hombres y, por lo que me han dicho...

—Permítame que le dé un consejo, señor regidor municipal... si su esposa se pasa al bando que no debe, va a tener usted muy pocas posibilidades en noviembre y además, tendrá dificultades con su negocio.

Dicho lo cual, Baxter se levantó, arrojó unos cuantos dólares sobre la mesa y se retiró.

Eran las ocho cuarenta y cinco de la mañana y ya había muchos coches y personas en la calle Mayor, no tantos como solía haber a aquella hora veinte años atrás, pero los suficientes como para que Cliff Baxter tuviera la sensación de pasearse por sus dominios, saludando a sus súbditos como un príncipe que hubiera salido de palacio para comprobar el estado de ánimo de la plebe. Casi todo el mundo se comportaba como de costumbre, pero, de vez en cuando, alguien parecía querer evitarle o bien le miraba de una manera un poco rara. Cliff Baxter se detuvo para conversar con algunos ciudadados, estrechó muchas manos, cruzó unas palabras con los tenderos que estaban abriendo las puertas, se quitó el sombrero para saludar a las mujeres e incluso ayudó a la anciana señora Graham a cruzar la calle.

Se detuvo un ratito delante de la jefatura, saludó a todos los que pasaban, llamando a casi todo el mundo por su nombre, y bromeó con el banquero Oliver Grebbs sobre la presunta malversación de fondos que éste había cometido para mantener a su amante, sabiendo ambos que lo de la malversación era una broma, pero lo de la amante, no. Contempló al otro lado de la calle el Palacio de Justicia y vio a los funcionarios municipales cruzando el parque para entrar a trabajar. Aquel mismo día o al siguiente tendría que ir a ver al alcalde.

Cliff Baxter no sabía muy bien en qué dirección soplaba el viento aquella mañana, pero tenía la sensación de que era un viento del norte tan imperceptible que resultaba un poco difícil darse cuenta de que el cálido viento del oeste ya no soplaba por allí. De hecho, la atmósfera estaba en calma y muy pocas personas se habían percatado de que el viento había cambiado de dirección. El jefe de policía Baxter dio media vuelta y entró en la jefatura donde el sargento Blake, sentado en el mostrador de recepción, lo saludó con forzada indiferencia.

Baxter pasó al despacho interior y le dijo a Ward:

—Salimos a las diez.

Después entró en su despacho y cerró la puerta. Se acercó a la ventana y contempló la calle Mayor, el parque, el Palacio de Justicia, todo su mundo. Un hombre con menos arrestos, pensó, hubiera estado preocupado, pero él tenía cojones suficientes como para resistir. Y, en caso de que no pudiera, arrastraría consigo en su caída a toda una serie de personas, empezando por las de la breve lista que tenía encima de su escritorio hasta llegar a las de la larga lista de sus archivos personales.

Toda aquella mierda estaba en cierto modo asociada con la llegada de Keith Landry, aunque sabía que se estaba incubando desde hacía mucho tiempo. No obstante, si pudiera librarse de Landry, se quitaría de encima uno de sus problemas. Después iría por Gail Porter, por no hablar de Sherry Kolarik, la muy puta, y de Mary Arles y de cualquier otra mujer que creyera tener más cojones que Cliff Baxter. Y, finalmente, iría por los hombres si fuera necesario. Sabía que las personas se asustaban fácilmente; no quedaban héroes, sólo había cobardes que de vez en cuando se reunían y se creían héroes. No creía que tuviera que liquidar a nadie, bastaría con que les metiera un poco el miedo en el cuerpo..., cuando se metía dos veces un poco de miedo en el cuerpo a una persona... ésta se moría de miedo al cien por cien.

Keith se despertó a las siete y lo primero que le vino a la mente fue Annie.

Ahora las cosas estaban un poco más claras. Habían hecho el amor y estaban enamorados. No quería irse sino quedarse a vivir allí con ella y sentarse con ella en el porche para contemplar la puesta de sol.

Pero sabía que ella no querría, estando Cliff Baxter allí, y tampoco le deseaba la muerte a su marido ahora que se le ofrecía otra opción. La opción era huir juntos, pero Keith no quería huir.

Permaneció un rato tendido, contemplando el techo, y tardó un poco en darse cuenta de que las sábanas conservaban el perfume de Annie.

Hacía mucho calor y Keith estaba trabajando en el granero, desnudo de cintura para arriba. Se preguntó cuándo volverían a verse y cuándo podrían volver a hacer el amor. Sabía que se la hubiera podido llevar en cuestión de pocos días. En menos de una semana se hubieran podido plantar en París. No sabía si ella tenía pasaporte. Daba igual. Él se lo hubiera podido conseguir en veinticuatro horas. Muchas personas le debían favores.

Al cabo de un año más o menos, podrían regresar a Spencerville y, si Baxter aún estuviera allí, la cuestión se podría resolver sin derramamiento de sangre. Entonces Annie y él podrían regresar como marido y mujer.

—Buena solución. Asunto arreglado.

A las diez y cuarto, oyó el rumor de un vehículo sobre la grava y salió del granero. Vio en su calzada particular un automóvil azul y blanco cuya portezuela ostentaba el escudo dorado del jefe de la policía. El vehículo se interponía entre su persona y la casa y él no llevaba ningún arma encima. El conductor le vio y el automóvil cruzó el patio para acercarse a él, deteniéndose a menos de diez metros de distancia. Keith vio a dos hombres sentados delante. Se abrió la portezuela del pasajero y un corpulento individuo con gafas ahumadas reflectantes y sombrero de ala ancha bajó y se acercó a él.

Keith se acercó a su vez a Cliff Baxter. Se detuvieron a escasa distancia el uno del otro y se miraron fijamente. Keith observó que el conductor del vehículo también había bajado. Era el oficial Ward, el cual no se acercó sino que permaneció de pie junto al automóvil, observando la escena.

Keith volvió a mirar a Baxter. Le reconoció a pesar de los casi treinta años transcurridos y vio que, a pesar de que había echado un poco de barriga, seguía siendo un hombre muy bien parecido y conservaba la misma sonrisa despectiva de siempre.

Estudió su rostro, pero las gafas ahumadas y el sombrero de ala ancha no permitían adivinar ni su estado de ánimo ni sus intenciones y tanto menos si sabía algo de lo de la víspera. Estaba preocupado no por sí mismo sino por Annie.

—Estaba empezando a pensar que no vendrías —le dijo a Baxter.

Baxter hizo una mueca, pero se limitó a mirarle a través de las gafas ahumadas.

—No me gustas —le dijo al final.

—Me parece muy bien.

—Nunca me gustaste.

—Ya lo sé.

Keith miró más allá de Baxter y vio que Ward se había sentado sobre la cubierta del motor y le estaba mirando con una sonrisa.

—Y nunca me gustarás —añadió Baxter.

—Es una descortesía hablar con una persona sin quitarse las gafas de sol —le dijo Keith.

—Vete al carajo.

—Oye, jefe, estás invadiendo una propiedad privada, a no ser que tengas un motivo oficial para estar aquí.

Baxter se volvió a mirar a Ward y después se acercó un poco más a Keith y le dijo:

—Eres un maldito gilipollas.

—Lárgate de aquí.

—¿Por qué has vuelto?

—Porque ésta es mi casa.

—Y un cuerno. Ése no es el lugar que te corresponde.

—Mira, jefe, tengo seis generaciones de mi familia enterradas en este condado. No vengas a decirme ahora que ése no es el lugar que me corresponde.

—A ti te van a enterrar en este condado antes de lo que te imaginas.

Keith se adelantó para mirarle cara a cara.

—¿Me estás amenazando?

—Apártate o te mato.

Baxter apoyó la mano en su pistola y Keith vio que Ward bajaba de la cubierta del motor y hacía ademán de extraer su arma.

Keith respiró hondo y retrocedió.

Baxter sonrió.

—No eres tan tonto como pareces.

—Suelta lo que tengas que decir y lárgarte, Cliff —dijo Keith, procurando dominarse.

Estaba claro que a Baxter no le gustaba que lo llamaran por su nombre de pila por todo lo que ello suponía. Se quitó las gafas y miró largo rato a Keith. Al final, le dijo:

—Estás molestando a mis chicos. —Keith no contestó—. Y me estás molestando a mí. —Keith tampoco dijo nada—. Detrás de la escuela. Reúnete conmigo detrás de la escuela. ¿No es eso lo que dijiste?

—Sí. Yo estuve allí.

—Tuviste suerte de que yo no fuera. Ahora mismo serías un fiambre en Gibbs y te habrían inyectado en las venas esa mierda de color de rosa que suelen emplear en tales casos. Y yo te escupiría en la cara si te quedara cara después de haber acabado contigo.

Keith no contestó.

—Mis chicos me dijeron que te habías escondido detrás de la sotana del predicador en San Jaime.

—No mezcles en eso al pastor Wilkes.

—Ah, ¿no? ¿Y por qué? Cualquiera que me fastidie a mí o a mis chicos está metido en el fregado hasta las orejas, aunque fuera el mismísimo Dios Todopoderoso.

Keith se limitó a sacudir la cabeza sin decir nada.

—¿Y qué coño estabas haciendo en Baxter Motors? —preguntó Baxter.

—Hablando con tu hermano sobre un coche.

—Ah, ¿sí? Y también sobre mi mujer. Como sigas preguntando cosas por ahí sobre mi persona y mi familia, vas a morir. ¿Entendido?

Keith observó que Baxter tenía los ojos muy juntos como los depredadores del reino animal y que su cabeza se movía de un lado para otro mientras hablaba como si acechara a una presa o temiera algún peligro.

Keith trató de imaginarse a Annie en compañía de aquel hombre durante veinte años, pero sabía que existía otro Cliff Baxter, el modelo doméstico. Lo más probable era que Cliff Baxter la amara, por más que Annie no quisiera reconocerlo, y que se considerara un esposo protector y considerado, aunque la mayoría de la gente dijera que era dominante y posesivo.

—¿Se te ha comido la lengua el gato? —preguntó Baxter.

—No.

—Apuesto a que ahora tienes ganas de hacer pis.

—No.

—No, sí, no, sí. ¿No tienes nada más que decir?

—Por supuesto que sí. ¿Cómo te libraste de ir a la guerra? ¿Por deficiencia mental o física?

—Por si no lo sabes, imbécil, yo era policía y tenía que cumplir con mi deber aquí.

—Claro. Igual que las mujeres y los colegiales que enviaban cartas y paquetes.

—Serás hijo de puta...

—Oye, jefe, no hables de lo que no sabes. ¿Quieres demostrar que tienes pelotas? Voy dentro por mi trasto y tú saca el tuyo. Tú eliges. Arma de fuego, navaja, hacha, puños. No me importa la manera en que te mate.

Baxter respiró hondo y Keith adivinó a través de su lenguaje corporal que sentía deseos de retirarse. En realidad, Baxter era el único que llevaba un arma y no le hubiera costado ningún esfuerzo extraerla. Aunque lo más probable era que tuviera otros planes para él. No había acudido allí con el propósito de matarle, por lo que Keith no pudo resistir la tentación de hostigarle un poco y quizá arrastrarle a una buena pelea.

—Bueno —dijo Keith—. ¿La sacas o no? Yo iba a tomarme un descanso de todos modos.

—Sí, las vamos a sacar —contestó Baxter sonriendo—. Pero tú ni siquiera verás venir la bala.

—Sigues siendo el matón de la clase.

—Sí, y tú sigues siendo el gilipollas de la clase. ¿Recuerdas las veces que yo te propinaba empujones en el pasillo? Seguro que prefieres olvidarlo, ¿a que sí? Yo jodía con la mirada a tu novia y tú no hacías una mierda. La manoseaba siempre que podía y tú me veías y te quedabas tan pancho. ¿Y sabes una cosa? A ella le gustaba. Quería un hombre de verdad, no un maldito marica. Y, por cierto, como te vea hablar con ella, te aseguro que te corto los cojones y se los doy a mis perros para que se los coman. Hablo en serio.

Keith permaneció absolutamente inmóvil. Lo mejor en estas circunstancias era no decir nada y dejar que el tío se cavara su propia tumba con su bocaza.

Envalentonado, Baxter le preguntó:

—Oye, ¿qué haces para satisfacer tus ansias sexuales? Como te pille jodiendo el ganado, te encierro en chirona. Vosotros los chicos del campo siempre andáis jodiendo el ganado, por eso los bichos están siempre tan nerviosos. Tu hermano follaba con los gansos del lago y se cargó a casi la mitad de ellos. Era el follador de gansos. Lo recuerdo muy bien. Y anda que tu hermana...

—Ya basta. Cállate, por favor.

—Repítelo si no te importa.

—Cállate, por favor. Mira, me voy dentro de una semana. Sólo he venido para ver la granja. No pienso quedarme. Me iré aproximadamente dentro de una semana.

Baxter le miró fijamente.

—Ah, ¿sí? A lo mejor, no quiero que estés aquí tanto tiempo.

—Necesito sólo una semana.

—Vamos a ver... te doy seis días de plazo. Si me fastidias o me sacas de quicio, te pego una paliza que te hago picadillo y te envío en un maldito camión de carne de cerdo a Toledo. ¿Comprendido?

—Sí.

—Ahora vuelve a la mierda de tu trabajo.

Baxter dio la vuelta para marcharse, pero después lo pensó mejor, giró inesperadamente en redondo y hundió dolorosamente el puño en el estómago de Keith.

Éste se dobló hacia adelante y cayó de rodillas.

Baxter colocó la puntera del zapato bajo la barbilla de Keith y le levantó la cabeza con ella.

—Lárgate de esta ciudad —le dijo.

Después regresó a su automóvil y Keith vio que él y Ward se intercambiaban unas palabras.

Acto seguido, subieron al vehículo, dieron la vuelta, pasaron por encima de unos frambuesos y bajaron a gran velocidad por la calzada de grava.

Keith se levantó y, al ver que el automóvil salía a la carretera, esbozó una sonrisa, diciendo:

—Gracias.

19

Sentado junto a la mesa de la cocina, Cliff Baxter cortó un trozo de su chuleta de cerdo.

—Eso está quemado —dijo.

—Perdona.

—Y las patatas están frías.

—Lo siento.

—¿Es que ya se te ha olvidado cocinar?

—No.

—No me extraña que no comas.

—Es que no tengo apetito.

—Pues por mucho apetito que uno tenga, eso no hay quien se lo coma.

—Perdona.

—Y muchas gracias por ofrecerme la posibilidad de preparar otra cosa.

—¿Qué te apetece?

—Saldré a comer algo por ahí.

—Muy bien.

Baxter posó el cuchillo y el tenedor.

—¿Te ocurre algo? —preguntó, mirando a Annie.

—No.

—Apenas hablas.

—Me duele la cabeza.

—Lástima porque a mí me apetece lo que tú sabes. —Annie tensó los músculos sin decir nada—. ¿Ya se te ha terminado la regla?

—No... no del todo.

—Bueno, pero no te sangran las encías, ¿verdad? —Cliff Baxter tomó un sorbo de su lata de cerveza sin quitarle los ojos de encima—. Hoy he pasado por casa de tu tía Louise.

Annie se notó un nudo en el estómago.

Cliff posó la lata de cerveza.

—Ésa sí sabe guisar como Dios manda. ¿Qué te preparó anoche para cenar?

—No... no cené allí.
—Ah, ¿no?
—No.
—Pues eso no es lo que ella me ha dicho, cariño.
Annie le miró a los ojos diciendo:
—Tía Louise se está volviendo muy distraída. Cené en su casa la semana pasada. Pero anoche sólo le hice una visita.
—¿De veras? Debe de ser cosa de la familia. Desde que regresaste a casa anoche andas como entre nubes.
—No me encuentro bien.
—¿Y eso?
—No lo sé... a lo mejor, echo de menos a los chicos. Me apetecería ir a verles la semana que viene.
—No necesitan para nada que les mimes constantemente. Si quieren vernos, pueden venir a casa los fines de semana.
—Quería asegurarme de que Wendy está bien instalada. Es la primera vez que sale de casa y...
—Mira, no me gusta aquel sitio. No me gusta Bowling Green y creo que la voy a sacar de allí.
—¡No!
Baxter casi se sobresaltó al oír su tono de voz.
—¿Cómo has dicho? —preguntó, inclinándose hacia adelante.
—A ella le gusta.
—Ah, ¿sí? Lo que le gusta es la maldita residencia mixta. ¿Ya era así cuando tú estabas allí?
—No.
—¿Qué coño pretenden con eso? ¿Promover la promiscuidad sexual?
—Cliff... el mundo ha cambiado...
—Aquí, no. Ésa es una casa cristiana y una comunidad cristiana y los hombres y las mujeres no conviven bajo un mismo techo si no están casados.
—Confío en que ella ponga en práctica las enseñanzas que ha recibido en la iglesia... y que siga nuestro ejemplo.
Dios la libre de eso.
Cliff la miró largo rato antes de decirle:
—Sí, tú tienes algo entre ceja y ceja.
—Ya te he dicho lo que me preocupa. ¿Vas a trabajar esta noche?
—Quizá. Por cierto, hablando de la universidad, un viejo amigo tuyo ha regresado a la ciudad.
Annie se levantó, se acercó con su vaso al frigorífico, lo abrió y vertió un poco de té helado en el vaso. Le temblaban las manos.
—¿A que no sabes quién?
—No.

Cliff se levantó y apoyó la mano en la puerta del frigorífico antes de que ella pudiera cerrarlo.

—Necesito una cerveza.

Sacó una lata y Annie cerró la puerta.

Cliff se la quedó un buen rato mirando y después le volvió a preguntar:

—¿No sabes quién?

Annie tomó repentinamente una decisión.

—Ah, te refieres a Keith Landry.

—Sabes muy bien a quién me refiero.

—Me dijeron que había vuelto.

—Ya me lo imagino. ¿Y qué otras cosas te dijeron?

—Nada más. ¿Quieres postre?

—Aún no he cenado. ¿Cómo quieres que tome postre?

—¿Vas a salir a cenar?

—No me vengas con mierdas, señora. Estoy hablando contigo.

—Y yo te escucho, Cliff. Keith Landry ha vuelto a la ciudad. ¿Y qué? ¿Alguna otra cosa?

—Ahí está la cuestión.

—¿Qué quieres decir?

—Maldita sea, vosotras las mujeres sois especialistas en sacar a un hombre de quicio.

—¿Qué quieres que te diga, Cliff? Él ha vuelto a la ciudad. Me lo han dicho y te lo han dicho. ¿Por qué estás tan furioso conmigo?

Ambos se miraron fijamente a los ojos, sabiendo muy bien por qué razón Cliff Baxter estaba furioso.

—¿Por qué no me dijiste que había vuelto? —preguntó Baxter.

—No se me ocurrió.

—Todo eso son excusas de mierda.

—A mí no me hables así —dijo Annie, sintiendo que la cólera estaba venciendo al miedo—. A mí no me puedes hablar así. Me voy.

Arrojó el vaso al fregadero y se encaminó hacia la puerta.

Baxter la asió por el hombro, la obligó a dar media vuelta y le inmovilizó los brazos.

—Tú no te vas a ninguna parte.

—¡Suéltame! ¡Ya basta!

Baxter la soltó y se apartó.

—Bueno... lo siento. Cálmate y siéntate. Quiero hablar contigo.

Annie no se fiaba ni un pelo de su marido, pero se sentó a regañadientes.

Baxter se acomodó frente a ella y empezó a juguetear con su lata de cerveza.

—Mira... —dijo al final—, tú ya sabes cómo soy. A veces me pongo muy celoso. Y pienso que tu antiguo novio ha vuelto a la ciudad, averiguo que está soltero y se me suben los celos a la cabeza. Tendrías que estar contenta de que yo me preocupara tanto por ti.

A Annie se le ocurrieron varias respuestas sarcásticas que lo hubieran dejado estupefacto.

—Lo comprendo —dijo—, pero no me apetece hablar de todo eso. No hay nada de que hablar.

—Pero tú comprendes que eso a mí me preocupa.

—No hay por qué.

—Ah, ¿no? ¿Quieres decir que el hombre que follaba con mi mujer vive a dos pasos de aquí y yo no tengo que preocuparme?

—Mira, Cliff... diga yo lo que diga, te vas a enfadar. Si digo que no me importa que viva a dos pasos de aquí, tú lo interpretarás a tu manera y, si digo que me importa, pensarás que...

Baxter descargó un puñetazo sobre la mesa y Annie se puso en pie de un salto.

—Follaste con ese tío durante seis malditos años y ahora me dices que no tengo que preocuparme por el hecho de que él viva a dos pasos de aquí. ¿Y si una de mis antiguas novias viviera unas puertas más abajo? ¿Te gustaría?

Annie hubiera querido recordarle que más de una vez él le había señalado a alguna de sus antiguas novias, las cuales, por cierto, sólo le inspiraban compasión. En su lugar, le contestó:

—Creo que me molestaría.

—¡Por supuesto que te molestaría!

—No grites, por favor. Sé que estás enfadado, pero...

—¿Te acuerdas de Cindy North? La estuve follando durante casi un año poco antes de empezar a salir contigo. ¿Qué dirías si se mudara a vivir a la casa de al lado y estuviera soltera? ¿Te molestaría?

—Pues claro.

—Claro. ¿Y yo no tengo que molestarme?

—Yo no he dicho eso. Digo que no te enfades conmigo porque yo no he hecho nada.

—Pero, a lo mejor, te gustaría hacer algo.

—No digas eso, Cliff.

—Recuerdas los buenos ratos que pasabas con él, ¿verdad?

—Ya no recuerdo absolutamente nada. Todo aquello terminó hace más de veinte años.

A Annie le pareció que Cliff se sorprendía de que ya hubiera transcurrido tanto tiempo.

—Pero, cuando te enteraste de que había vuelto, empezaste a recordar los revolcones que os dabais sobre el heno. ¿Dónde follabas con él? ¿En el granero? ¿O te lo tirabas en su coche?

Annie se levantó, pero Cliff alargó el brazo por encima de la mesa, la asió por el cinturón y la obligó a sentarse de nuevo.

Annie tenía miedo, pero no por sí misma. Ella ya se las arreglaría, pero tenía que advertir a Keith de que Cliff estaba empezando a perder los estribos. Respiró hondo y le dijo:

—Cliff, cariño, ya sé que estás enfadado, pero para mí no hay nadie en el mundo más que tú.

Cliff se calmó un poco, pero aún estaba furioso.

—Más te vale que no lo haya.

—No lo hay. Sé que me quieres y que por eso estás enojado, lo cual me halaga. —Sabía que no hubiera tenido que añadir nada más, pero lo odiaba tanto que no pudo resistir la tentación de fastidiarle—. No quiero que sigas pensando en todo lo que Keith y yo hicimos durante seis años. —Baxter la miró en silencio—. No éramos más que unos alumnos de instituto y de universidad —añadió Annie— y hacíamos lo que hacía todo el mundo. Tendrías que alegrarte de que sólo lo hiciera con él y no con...

—¡Cállate!

—Perdona.

—Cállate.

Annie inclinó la cabeza sobre su plato, tratando de reprimir una sonrisa.

—No quiero que hables con él ni sobre él —dijo Cliff al cabo de un minuto.

—No lo haré.

—¿Te ha llamado?

Annie sacudió la cabeza.

—¿Por qué iba a...?

—¿Y tú has intentado llamarle a él?

—Ni loca.

—Ah, ¿no? O sea que vosotros dos no habéis hablado desde que él ha vuelto, ¿verdad?

Annie volvió a tomar otra decisión, se levantó y se situó detrás de la silla de Cliff.

—Cliff, no te puedo mentir... —dijo— me tropecé con él en la calle. —Cliff no hizo ningún comentario—. Estaba con Charlene, la anciana señora Whitney y Marge, la mujer del pastor —añadió Annie—. Me tropecé con él al salir de correos. Ni siquiera le reconocí y, cuando me dirigió la palabra, no supe quién era. Ya sabes lo que ocurre cuando una persona te habla, creyendo que tú ya sabes quién es. Ocurre muy a menudo. Entonces comprendí quién era y me limité a decirle:

«Que tenga usted un buen día, señor Landry.»

»Y me fui con las chicas.

Sin apartar las manos de sus hombros, Annie percibió la tensión de sus músculos sin necesidad de verle la cara.

—Se me fue de la cabeza, Cliff, y, cuando quise comentártelo, tú no estabas. Pensé que, a lo mejor, te enfadarías, pero me pareció que tenías que saberlo. Sin embargo, como me daba miedo mencionártelo, puede que lo ocultara en mi subconsciente. Pensé que había venido de visita. Siento no habértelo dicho. Jamás volveré a hablar con él. Te lo juro.

Cliff permaneció inmóvil un minuto largo y después le dijo:

—No podrás.

Annie sintió que el corazón le daba un vuelco en el pecho y se quedó sin habla. Al final, comprendió que tendría que decir algo, aunque no podía hacer la pregunta más lógica.

—No pienso hacerlo.

—No puedes ni podrás. He expulsado de la ciudad al muy hijo de puta.

—Ah...

—He pasado por su casa esta mañana —dijo Cliff, levantándose y mirándola con una sonrisa—. ¿Te sorprende?

—No.

—Le he dicho que se largue y me ha asegurado que se irá antes de una semana.

—¿Una semana...?

—Sí. Es un gallina de mierda por si te interesa saberlo.

—No me interesa.

—Me ha pedido que le dejara quedarse unos días más. Y yo le he dado seis días y un puñetazo en el vientre que lo ha doblado como una hoja. Hubieras tenido que verlo. Se ha desplomado al suelo como un tronco y no se ha movido mientras yo le escupía toda la mierda que me ha dado la gana. Hasta le he ofrecido la posibilidad de soltar el arma y la placa si quería batirse conmigo, pero tenía tanto miedo que por poco se mea encima. Me parece increíble que salieras con un cobardica semejante.

Annie se mordió el labio para evitar que le temblara, pero no pudo impedir que una lágrima le resbalara por la mejilla.

—Pero, ¿qué es eso? ¿Estás llorando?

—No... — Annie se enjugó el rostro—. Simplemente me disgusta... que hayas tenido que hacer eso.

—¿Que te disgusta? ¿Y por qué coño te disgusta? ¿Acaso estás enfadada conmigo?

—No.

—Santo cielo, no te entiendo. ¿Lloras porque lo he tumbado?

—No. Las mujeres se disgustan cuando sus maridos hacen algo peligroso.

—¿Peligroso? Ese pobre idiota no es peligroso... bueno, hubiera podido serlo. No sabía lo que me iba a encontrar cuando he ido allí. Pero sabía que tenía que resolver el asunto de hombre a hombre.

—Prométeme que no volverás por allí, por favor.

—Iré para asegurarme de que se ha dado por enterado.

—No lo hagas. Envía a alguien.

Cliff pellizcó cariñosamente la mejilla de su mujer.

—No te preocupes. El tío debió de perder las pelotas en Vietnam. Tuviste suerte de no casarte con él.

—Nunca me lo pidió.

—¿Y eso a mí qué coño me importa?

Annie se inclinó sobre la mesa para tomar un plato.

—Voy a quitar la mesa.

—Luego. Sube al dormitorio. Espérame que yo iré enseguida.

—Cliff...

—¿Sí?

Annie hubiera querido decirle, «Anoche follé con Keith y no quiero ni que te me acerques». Sentía más deseos de decírselo que de clavarle en el corazón el cuchillo de trinchar la carne.

—Cliff, yo...

—¿Sí? ¿Te duele la cabeza? ¿Estás disgustada? ¿Tienes la regla? ¿Qué es lo que te pasa?

—Nada.

—Pues sube arriba.

Annie abandonó la cocina y salió al pasillo. Hubiera querido salir por la puerta principal y echar a correr, pero no hubiera llegado muy lejos. Hubiera querido gritar, subir arriba y cortarse las muñecas, arrojarle una lámpara contra la cabeza cuando subiera, prender fuego a la casa, hacer cualquier cosa menos acostarse con Cliff Baxter.

Se apoyó en la barandilla y procuró serenarse. Lo único que podía hacer era fingir que no ocurría nada. Lo podía hacer sin dificultad cuando hablaba con él, pero en la cama no podría disimular. Él nunca se daba cuenta de nada con tal de que ella se sometiera. Pero esta vez Annie ni siquiera podría hacerlo. Regresó a la cocina.

Cliff estaba sentado junto a la mesa, apurando la cerveza y leyendo el periódico.

—¿Qué hay? —le preguntó al verla.

—Me apetece un trago.

Cliff soltó una carcajada.

—Ah, ¿sí? ¿Por qué? ¿Acaso no puedes follar conmigo si no estás borracha?

—A veces, un trago me ayuda a situarme.

—Pues toma unos cuantos. Hace tiempo que no te sitúas muy bien.

Annie se acercó al armario, sacó una botella de licor de melocotón, tomó una copa y se encaminó hacia la puerta.

Cliff la miró por encima del periódico, diciendo:

—Procura situarte para hacer unas cuantas cositas que llevas algún tiempo sin hacer, cariño.

Annie salió al pasillo y subió al dormitorio. Se llenó la copa hasta el borde, cerró los ojos y se la bebió mientras las lágrimas rodaban por sus mejillas. Se la volvió a llenar, bebió hasta la mitad y se sentó en la cama, llorando.

No recordaba cómo se quitó la ropa, pero sí recordaba cuándo entró él. Después, se olvidó de todo.

20

A las ocho y veinte del sábado por la mañana sonó el teléfono en la granja Landry. Keith, que estaba en la cocina preparando el café, contestó:

—¿Diga?

—Keith, tengo que hablar contigo.

Keith retiró la cafetera del fuego.

—¿Estás bien?

—Sí. Te llamo desde un teléfono público de la ciudad. ¿Te puedes reunir conmigo en algún sitio?

—Claro. ¿Dónde?

—He pensado que quizá en el recinto de la feria. Hoy no habrá nadie allí.

—No nos conviene. Oye, ¿recuerdas la laguna Reeves, al sur de mi casa?

—Donde solíamos patinar.

—Sí. Toma un poco de pan o lo que sea para dar de comer a los patos. Yo estaré allí dentro de veinte minutos. ¿Todo bien?

—Sí y no. Tú tienes un rifle. Lo vi...

—Sí, por supuesto. ¿Te ocurre algo?

—No, estoy bien. Perdona, es que estoy preocupada por ti. Él sospecha...

—Veinte minutos. Si te han seguido, ve a dar de comer a los patos de todos modos —dijo Keith—, pero deja la portezuela abierta como señal. ¿Entendido?

—Sí.

—Cálmate.

Keith colgó, subió al piso de arriba y abrió el armario. Tomó los prismáticos y dos cargadores llenos y se guardó uno de ellos en el bolsillo. El otro lo introdujo en el rifle M-16, colocando un cartucho en la cámara.

Se colgó el rifle y los prismáticos del hombro, bajó y salió por la puerta principal. Cruzó la carretera y se dirigió a toda prisa al establo de los Jenkins.

En cinco minutos, ensilló y montó a la yegua, le dio una palmada en la grupa, atravesó la verja abierta de la dehesa y cruzó de nuevo la carretera para entrar en el bosque.

Agachó la cabeza mientras la yegua se abría paso entre los árboles y bajaba por la pendiente hacia el lecho del arroyo donde él la guió corriente abajo hacia la laguna.

A unos cien metros del lugar donde el arroyo abandonaba la arboleda, se detuvo, desmontó y ató la yegua a un árbol joven.

Bordeó el arroyo y se detuvo a la sombra de los últimos árboles, a escasos metros de la soleada orilla de la vasta laguna. No había ningún automóvil aparcado en la herbosa pendiente que bajaba hacia la otra orilla y no se veía a nadie.

La única carretera se encontraba a unos cien metros más al sur y él no podía verla porque discurría al otro lado de la elevación de terreno, pero, de vez en cuando, veía pasar la capota de algún vehículo.

Consultó su reloj. Eran las nueve menos cuarto. Se preguntó qué habría ocurrido desde la última vez que había visto a Annie dos noches atrás.

Minutos antes de las nueve, vio el morro de un automóvil subiendo por la elevación y bajando por la pendiente hacia la orilla de la laguna. Pero no era un Lincoln sino un Ford Fairlane, el modelo que utilizaba la policía de Spencerville para sus vehículos, tanto los que llevaban signos de identificación como los secretos, todos ellos adquiridos sin duda en Baxter Motors.

El automóvil, sin ningún signo de identificación, se detuvo en el lugar donde comenzaba la cenagosa orilla. Keith se acercó los prismáticos a los ojos. Se abrió la portezuela del lado del conductor y bajó Annie, vestida con falda roja y blusa blanca. Permaneció un momento de pie junto a la portezuela abierta, miró a su alrededor y la cerró.

Bajó a la orilla de la laguna con una barra de pan. Keith la observó mientras desgarraba con aire ausente la envoltura y arrojaba rebanadas enteras al agua. Varias docenas de patos y gansos nadaron hacia el pan que flotaba sobre el agua. A cada pocos segundos, Annie volvía la cabeza.

Keith dejó pasar unos minutos y entonces salió de entre los árboles y la saludó con la mano. Annie le vio, arrojó el pan al suelo y bordeó a toda prisa la orilla mientras él se acercaba por el otro lado.

Cuando ya estaban más cerca, Keith vio por la expresión de su rostro que Annie estaba preocupada, pero no asustada. Annie cubrió los últimos diez metros corriendo y saltó literalmente a sus brazos, rodeándole con los brazos y las piernas.

—Hola, señor Landry.

Ambos se besaron, tras lo cual ella se deslizó al suelo y tomó las manos de Keith.

—Me alegro de verte —le dijo. Al ver el cañón del rifle asomando por encima de su hombro, añadió—: A lo mejor, no te hacía falta.

—He salido a cazar alimañas. Vamos al bosque.

Mientras caminaban el uno al lado del otro por la orilla, Annie volvió varias veces la cabeza

—No creo que me hayan seguido —dijo—. Esta mañana he llevado mi Lincoln a Baxter Motors y he dicho que me habían golpeado el motor. Me han prestado un coche. El maldito Lincoln llama demasiado la atención. Creo que el padre de Cliff me lo dio precisamente por eso.

—Seguramente habrás tenido unas cuantas aventuras —dijo Keith, sonriendo.

—No, señor, aunque no creas que no lo he pensado. ¿Y tú qué? «Deja la portezuela del coche abierta si te han seguido.»

—Ésa era mi vocación. Pero mi afición era el tenis. ¿Ha metido la pata tía Louise? —preguntó Keith.

—Más o menos, pero sin culpa por su parte. Cliff fue a verla y ella le comentó que yo había cenado en su casa y entonces él le preguntó qué había cenado.

—El demonio se esconde en los pequeños detalles.

—Y que lo digas. Todo eso no se me da nada bien, Keith. Sea como fuere, el caso es que él sospecha como siempre. Aunque esta vez con razón.

Llegaron a los árboles y caminaron por la orilla del arroyo. El aire era allí más fresco y los árboles, casi todos ellos sauces y abedules, estaban empezando a cambiar de tonalidad. A Keith siempre le había gustado el otoño en el campo, los árboles estallando de color, las calabazas y la sidra, la temporada de caza y la cosecha. No había visto nada semejante en ningún otro lugar del mundo y, siempre que pensaba en su casa, más que el verano, recordaba el otoño.

Annie le dio una ligera palmada en el hombro y señaló algo con el dedo.

—¿Es tu caballo?

—Es una yegua que me han prestado los Jenkins del otro lado de la carretera.

—O sea que así has venido hasta aquí. ¿Te vigilan todavía?

—Es posible. Hoy no lo he querido comprobar.

—¿No podrías conseguir una orden judicial o algo por el estilo?

—Me gusta llamar la atención.

—Pues a mí no. —Annie se acercó a la yegua y le dio unas palmadas en el cuello—. Bonito animal. Antes montábamos muy a menudo, ¿te acuerdas?

—Sí. ¿Tú montas todavía?

—No, pero me gustaría. —Annie se quitó los zapatos y los pantys, desató la yegua y la acompañó a la orilla—. Tiene sed.

Keith se descolgó del hombro el rifle y los prismáticos y los depositó junto al tronco de un árbol. Después se sentó sobre un tronco caído y miró a Annie.

—¿Ha comido? —preguntó Annie.

—Le he dado de comer sobre las siete. A mí, en cambio, nadie me ha dado de comer.

Annie se rió.

—Los solteros son unos tontos. Si les apartas el plato quince centímetros a la izquierda, se mueren de hambre. ¿Quién ha cuidado de ti durante todos estos años?

—El Tío y la American Express.

—¿Te lo has pasado bien, Keith? —preguntó Annie mientras subía con la yegua desde la orilla y la ataba de nuevo al árbol.

—Sí.

—Yo también, a pesar de mi matrimonio. He aprendido a disfrutar de otras cosas.

—Tú siempre veías el lado bueno de las cosas. Yo, en cambio, era más pesimista.

—No siempre. Aparentabas ser más cínico de lo que eras.

—A ti no te podía engañar.

—Casi nunca. —Todavía descalza, Annie se acercó a él y se tendió a lo largo del tronco, apoyando los pies sobre sus rodillas—. Se me han enfriado.

Keith se los secó con su pañuelo y se los frotó.

—Qué gusto.

—¿Qué tal vamos de tiempo?

—¿Y eso a quién le importa?

—Nos importa a nosotros.

—Tranquilo. Estoy haciendo las compras del sábado en la ciudad. Él se ha ido a pescar al lago Grey de Michigan con sus amigotes. Allí tenemos un pabellón de caza. Regresará a última hora de la tarde.

—¿Estás segura?

—Lo único que le gusta más que el hecho de fastidiarme es ir a pescar y cazar con sus amigos. —Annie reflexionó un instante en silencio—. No sabes cuánto odio aquel lugar, pero me alegro de que a él le guste. Así me libro de él... y podemos estar juntos.

—¿Tú vas con él?

—A veces. Las pocas veces que hemos subido solos allí sin los chicos y sin otra compañía, parecía otra persona. No necesariamente mejor ni peor..., simplemente otra persona..., callado..., distante, como si..., no sé..., como si pensara en algo. No me gusta subir sola allí con él y normalmente consigo librarme de esta obligación.

—Bueno, dime qué ocurrió.

Annie cerró los ojos mientras él le aplicaba masaje a los pies y los tobillos.

—Anoche —dijo— tuvimos una pequeña escena a la hora de cenar. Primero se quejó de que la cena estaba quemada. Lo hice a propósito —añadió riéndose.

—Vivir contigo debe de ser muy entretenido.

—Sin comentarios. Trató de sorprenderme en una contradicción a propósito de la cena en casa de tía Louise, después discutimos sobre la la residencia mixta de Wendy, hablamos de Keith Landry, el tío que folló conmigo durante seis años y que ahora vive a dos pasos y finalmente trató de pillarme de nuevo, preguntándome si te había visto. Adiviné que ya lo sabía y le dije que me había tropezado contigo al salir de correos.

—Muy bien —dijo Keith, asintiendo con la cabeza.

—No conseguí tranquilizarle. Está muy enojado y sospecha. Eso es lo que quería decirte. Pero creo que ya lo sabes. Me dijo que ayer había ido a tu casa.

Keith no hizo ningún comentario.

Annie levantó los pies de sus rodillas, se incorporó y se sentó a su lado en el tronco, tomando su mano.

—Perdóname. Te estoy complicando la vida.

—Annie, cuando me puse al volante de mi coche en Washington y vine aquí, ya sabía lo que iba a ocurrir. Y también sabía lo que quería.

—Pero no conocías la situación.

—Lo único que a mí me interesaba era saber lo que tú sentías.

—Eso ya lo sabías, Keith. Tenías que saberlo.

—Tus cartas las hubieran podido leer tu tía y la mía sin ruborizarse —dijo Keith con una sonrisa.

—¿Mis cartas? Pues anda que las tuyas. Firmabas con un «mis mejores saludos».

—Pero quería decir: «Con todo mi cariño».

Ambos permanecieron sentados un rato en silencio, escuchando el rumor del agua del arroyo, los relinchos de la yegua, el susurro de las hojas y el gorjeo de los pájaros.

—Sabías que yo te seguía queriendo y que te estaba esperando, ¿verdad?

—Lo sabía. Pero es posible que jamás hubiera vuelto.

—Yo siempre estuve segura de que sí. —Annie tomó una ramita y trazó con ella unos dibujos en el suelo—. Si no hubieras vuelto, no tenía a nadie más. —Se enjugó los ojos y, sin dejar de mirar al suelo, lanzó un profundo suspiro—. Temía que te mataran o que te casaras o que hubieras dejado de quererme.

—No.

—Pero, ¿por qué esperaste? ¿Por qué?

—No lo sé... cuando me fui, estábamos los dos enfadados... Antes de irme, se me ocurrió pensar que, a lo mejor, me matarían o perdería una pierna o un brazo o sufriría alguna otra desgracia...

—Si yo hubiera sido tu mujer, hubiera cuidado de ti, y, si hubiera sido tu viuda, hubiera honrado tu memoria.

—Por suerte, no ha sido necesario. Después, cuando regresé... no sé... no pudimos reanudar el contacto. Tú te casaste, yo te odié y me odié a mí mismo, pasaron los años..., llegaban las cartas o no llegaban..., tú tenías hijos y una familia... casi nunca me hablabas de tu matrimonio...

—Y tú nunca me hablabas de tus sentimientos.

—Sí te hablaba.

—Nunca decías ni una sola palabra sobre nosotros.

—Tú tampoco.

—Lo intentaba... pero tenía miedo. Temía que dejaras de escribirme.

—Yo también temía que tú te cansaras.

Annie volvió a secarse los ojos.

—Éramos unos idiotas. Nosotros que solíamos hablar de mil cosas nos pasamos veinte años sin podernos decir «Te quiero» o «Te echo de menos».

—Es cierto. —Keith reflexionó un instante en silencio—. Este mes se cumplen veinticinco años de nuestra despedida en tu apartamento de Columbus.

—Lo sé. Parece increíble. —Annie apoyó una mano en la pierna de Keith—. Cuando te fuiste, me pasé varias semanas llorando. Después me sobrepuse un poco y me entregué en cuerpo y alma a los estudios. No salía con nadie...

—Hubieras tenido perfecto derecho a hacerlo.

—Déjame hablar. Empecé a comprenderlo y a enfadarme contigo... y, cuando las mujeres se enfadan, se vuelven rencorosas.

—No lo sabía.

Annie le pellizcó la pierna.

—Fui a ver a un psiquiatra de la universidad y me ayudó mucho. Me dijo que te estaba odiando porque era la única manera de aceptar la posibilidad de perderte por culpa de otra mujer o de que te mataran. Me dijo que te quería con toda mi alma y que debería decírtelo.

—No recuerdo que me lo dijeras.

—Porque no recibiste la carta. La rompí, la volví a escribir y la rompí de nuevo. Lo hice como unas doce veces. Al final, me di cuenta de que estaba enojada y dolida y me sentía traicionada. Recordé una frase que había leído no sé dónde...: los hombres que son felices en casa no van a la guerra.

—Pero los hombres felices también tienen inquietudes.

—Pero tú no me lo dijiste. Y, cuando llamabas, estabas muy frío.

—Tú también.

—Lo sé. Odio los teléfonos. Saqué fuerzas de flaqueza y decidí salir con otros. Quiero que sepas que nunca amé a ninguno, Keith. Nunca les amé tal como te sigo queriendo a ti. En realidad, no les amé ni poco ni mucho. Todos me dejaron —añadió Annie riéndose—. Se quejaban todos de lo mismo. «Eres fría, egoísta e insensible», me decían. Y no lo era. Lo que ocurría es que estaba enamorada de otro.

—No hace falta que me lo digas.

—Pues claro que sí. Me fui a Europa para distraerme un poco y me impresionó la belleza de todo lo que vi... porque yo sólo conocía Spencerville, Bowling Green y Columbus. Cada vez que veía algo que me llamaba la atención, decía para mis adentros: «Mira, Keith, qué bonito es». —Annie apoyó los codos en las rodillas y se cubrió el rostro con las manos—. Perdona... llevo años sin llorar y ahora no paro de hacerlo desde hace varias semanas.

—No te preocupes.

Annie se sacó un pañuelo de celulosa del bolsillo y se sonó ruidosamente la nariz.

—Cuando regresé a casa... mi prima se iba a casar y yo fui su dama de honor. En la recepción, me encontré con Cliff Baxter.

—Me lo dijo alguien que estuvo allí. Mi madre me dijo que te habías comprometido con él y me dio a entender que había sido un tonto.

—Tu madre tenía razón. Y mi madre también. Me advirtió de que no me casara con él, pero lo más curioso es que, al principio, Cliff le gustaba mucho a mi padre. Gustaba mucho a los hombres y a casi todas las mujeres. A las mujeres les gustaba porque cada año estrenaba un coche nuevo. Tenía encanto y era guapo. Aún sigue cambiando de coche cada año.

—Annie...

—Espera. Yo no tenía demasiada experiencia con los hombres y no podía juzgar... pensaba, «Bueno, nunca habrá otro Keith, y a Cliff lo tengo a mano, ejerce un trabajo de responsabilidad y no irá a la guerra. Además, los otros chicos están casados o se han ido a la guerra y Cliff siempre me ha gustado». Qué forma de pensar tan estrecha e inmadura, ¿verdad?

—Y que lo digas. Así éramos entonces, Annie.

—Desde luego. Cuando me pidió que me casara con él, en el fondo me sentí halagada porque me consideraba un ser estúpido e inferior.

—Pero, ¿por qué te casaste con él, Annie? —preguntó Keith—. Tienes que saberlo y me lo tienes que decir.

Annie se levantó y contestó:

—Para vengarme de ti.

Keith se levantó y la miró a los ojos.

—Hijo de puta —dijo Annie—. ¿Sabes lo que me hiciste? ¿Lo sabes? Te odio y aborrezco lo que me hiciste y lo que yo hice por tu culpa.

—Lo sé. ¿Te sientes mejor ahora?

Annie asintió con las cabeza.

Keith le tomó la mano y ambos se sentaron a la orilla del arroyo, contemplando el agua.

—Gracias —dijo Annie—. Ya me encuentro mejor.

—Yo también.

—Ya no te odio.

—Puede que un poco.

—No, ya no. Ahora estoy enojada conmigo misma.

—Y yo conmigo. Pero creo que nos podremos perdonar si esta vez hacemos bien las cosas.

—¿Seguro que ya no estás enfadado conmigo? —preguntó Annie—. ¿Por la forma en que yo te traté cuando te incorporaste a filas y por haberme casado con Cliff?

—Estaba enfadado y tú lo sabes. Pero, al final, lo comprendí. Nunca hablábamos de ello en nuestras cartas, pero el hecho de escribirnos y de mantener el contacto era una manera de decirnos que nos habíamos equivocado y lamentábamos lo ocurrido y de pedirnos disculpas y de perdonar y de seguir queriéndonos sin necesidad de decir, «Lo siento, perdóname, te quiero». Me alegro de que hayas planteado el tema y de que puedas hablar de ello conmigo.

—Eres el primer hombre a quien llamo «hijo de puta» desde... bueno, desde que te lo llamé a ti la vez que almorzamos en el sindicato estudiantil con aquella zorra que ahora no recuerdo cómo se llamaba.

—Karen Rider.

—Serás hijo de puta —dijo Annie, riéndose.

Ambos contemplaron un buen rato la corriente, enfrascados en sus propios pensamientos.

—Qué tranquilo es todo esto —dijo Annie al final—. Antes venía a pescar con los niños a la laguna. Aquí les enseñé a patinar. Creo que te gustarían. Se parecen mucho a mí.

—Me alegro.

—Ya no son niños. Tienen una madurez impropia de sus años.

—Pues entonces son más listos que nosotros. Nosotros no queremos crecer.

—Ya crecimos. Quiero volver a ser una niña.

—¿Por qué no? Elige la edad que prefieras y quédate con ella. Es mi nuevo lema.

—Muy bien pues —dijo Annie, riéndose—. Veintiuno.

—Tienes el cuerpo de veintiuno, cariño —dijo Keith.

—Conque te has dado cuenta, ¿eh? Tengo la misma talla que en la universidad y soy muy presumida y superficial.

—Estupendo. Yo también lo soy. La otra noche estabas muy bien con los vaqueros. ¿Hoy para qué vas vestida?

—Bueno... es que él quiere que me vista cuando voy a la ciudad. Ni siquiera soporta que me vean en traje de baño en una piscina pública... Una vez pasó por el instituto donde yo estaba siguiendo un cursillo de gimnasia aeróbica, vio las prendas que llevaba en una clase mixta y se puso furioso. Desde entonces, hago gimnasia en casa... perdona. No te gusta que te hable de todo eso.

—¿Estás autorizada a hacer el amor con un jinete al que acabas de conocer en el bosque?

—Es una de mis fantasías sexuales más frecuentes.

—Muy bien. —Keith se levantó y miró a su alrededor—. Aquí no es muy adecuado.

—Vamos, Keith, sé un poco más ingenioso. Mira... lo haremos en aquel tronco. —Annie lo tomó de la mano y lo acompañó de nuevo al gran tronco caído sobre el que antes se habían sentado. Le quitó la camisa y la dejó sobre el tronco—. Siéntate. No, primero te tienes que quitar los pantalones.

Keith se quitó los zapatos y los vaqueros mientras ella se desabrochaba la blusa y el sujetador. Después se quitó las bragas, pero no la falda.

—No podemos quedarnos completamente en cueros por si pasara alguien.

—Yo podría decir que estoy recogiendo setas y que no sé quién eres.

—Bien pensado. Bueno... —Keith se sentó en el tronco sin quitarse los calzoncillos y Annie, con blusa, sujetador y falda, apoyó las manos en sus hombros, colocó primero una pierna y después otra sobre el tronco y se sentó sobre sus rodillas. Después se introdujo la mano bajo la falda, lo encontró y lo guió, y empezaron a moverse—. Oh... sigue, cariño...

Annie lo rodeó con sus brazos y Keith apoyó las manos en el tronco para no perder el equilibrio.

—Nos vamos a caer hacia atrás —dijo Keith.

—¿Y qué? —Annie apoyó la cabeza en su hombro sin dejar de moverse—. Es una experiencia... distinta... ¿tú qué tal vas?

—Muy bien.
—¿Nos vamos a caer?
—No, ya le he cogido el tranquillo.
Annie se comprimió contra su pecho desnudo mientras subía y bajaba muy despacio. Después aceleró el ritmo y empezó a respirar afanosamente.
De pronto, contrajo los músculos y experimentó el orgasmo mientras él eyaculaba.
Su cuerpo se aflojó entre los brazos de Keith y, poco a poco, su respiración se normalizó.
—Me siento una puta —dijo al cabo de un rato—. Ha sido estupendo. ¿Y ahora cómo salimos de la posición?
—Espera. —Keith la rodeó con sus brazos, se levantó y se apartó del tronco. Annie se desprendió suavemente de él sin dejar de abrazarlo—. Ha sido muy bonito —añadió Keith.
—Me lo he pasado muy bien —dijo Annie, apoyando la mano en su ingle—. Ahora tenemos que limpiarte.
—Me gusta llevarlo encima.
—Ah, ¿sí? —Annie tomó sus bragas, las mojó en el agua del arroyo, limpió a Keith y después se limpió ella—. Ya está. No podemos ir por ahí de esta manera.
—Eres muy graciosa.
—Me siento graciosa y aturdida —dijo Annie, arrojando las bragas a unos arbustos—. Me siento como una chiquilla. Llevo sin hacerlo al aire libre desde el instituto. La próxima vez lo haremos en tu granero y otra vez en el asiento de atrás de tu coche.
—Podríamos ir a un motel.
—También. No —dijo Annie al ver que Keith se disponía a recoger sus vaqueros—. Quítate los calzoncillos. Nunca he visto a un hombre desnudo en el bosque. Ojalá tuviera una cámara. Los calcetines también.
Keith se quitó los calzoncillos y los calcetines.
—Me muero de vergüenza.
—Date la vuelta. —Annie se le acercó por detrás y le pasó las manos por la espalda y las nalgas, comprimiéndoselas con fuerza—. Eres todo músculo.
—¿Es que has estado alguna vez en la cárcel o qué? ¿Me puedo vestir?
—No, date la vuelta. —Keith se volvió y ella le acarició el pecho y el vientre—. Ya te lo dije, no puedo quitarte las manos de encima... —le miró el estómago y preguntó—: ¿Qué es eso?
—Una magulladura.
—Ah...
Annie se abrochó el sujetador y la blusa mientras él se vestía.

Después regresó de nuevo a la orilla del arroyo y se sentó al sol, de espaldas a un sauce.

Keith se le acercó y se sentó a su lado.

Annie arrojó unas ramitas al agua y las vio alejarse corriente abajo, tropezando con las piedras.

—¿Qué ocurrió cuando él vino a tu casa? —preguntó.

—Lo que tú ya te imaginas.

—Cuéntamelo.

—Estaba más nervioso de lo que la situación requería y entonces pensé que se había enterado de tu visita a mi casa y... me preocupé. Por ti.

—Gracias.

—Pero sólo había decidido visitarme, lo cual también me preocupó un poco. Entonces comprendí que no sabía nada y que simplemente estaba chiflado.

—¿Iba solo?

—No. Le acompañaba uno de sus hombres. Un tipo llamado Ward. ¿Lo conoces?

—Sí, es mi vigilante. Cliff me dio a entender que iba solo.

—Si se hubiera presentado solo —replicó imprudentemente Keith—, a esta hora ya habría muerto.

Annie se pasó un rato sin decir nada.

—Es un cobarde y un embustero —dijo al final.

—Pero, aun así, es peligroso, Annie. Ten mucho cuidado.

—Nunca me ha pegado. Sé cómo manejarlo.

—Los chicos no están, tiene problemas en el trabajo, yo he regresado a la ciudad y está dispuesto a descargar un golpe. Hazme caso.

—¿Cómo sabes que tiene problemas en el trabajo? —preguntó ansiosa Annie.

—Estuve en la reunión de San Jaime. ¿Te enteraste?

—Sí. Mis padres estuvieron allí. Desde entonces, se comportan de una manera muy rara. Creo que se planteó el tema de Cliff Baxter, pero nadie me quiere decir nada. ¿Me lo quieres decir tú?

—No.

—No soy completamente ingenua —dijo Annie, tras una pausa—. Sé que anda tonteando por ahí, pero no creo que el tema se comentara en una reunión pública.

—Te voy a decir una cosa... existe una transcripción. ¿Recuerdas a Jeffrey Porter?

—Sí. Me tropiezo con él de vez en cuando. Y con Gail también. Era la chica con quien salía en la escuela.

—Exacto. Ellos me han puesto al día. Me fío de ellos... Si alguna vez necesitas algo y no puedes ponerte en contacto conmigo, acude a ellos. Les hablaré.

—No... Keith. No quiero que nadie sepa lo nuestro. Es demasiado peligroso.

—Escucha, yo sé cuándo puedo fiarme de alguien. Esa gente es de confianza. Pero primero ve a hablar con ellos y dime qué te parecen.

—De acuerdo... ¿dices que tienen una transcripción de la reunión?

—Sí. Él me llamó ayer. La venden por toda la ciudad al precio de cinco dólares y no dan abasto. Pero a ti te la darán gratis.

—Keith, ¿qué se dice en la transcripción? ¿Me sentiré turbada, humillada o ambas cosas a la vez?

—Siento tener que decírtelo, Annie, pero llegaron un poco lejos con los testigos contra tu marido. De todos modos, tú no tienes por qué sentirte turbada ni humillada. No obstante, puede que te enfades.

—En realidad, ya no me importa.

—Ve a ver a los Porter. Puede que necesitemos su ayuda.

—¿Para qué?

—Citas. Coartadas.

—¿Y cuánto tiempo vamos a necesitar coartadas?

—Eso depende de ti, Annie. ¿Estás dispuesta a marcharte? —preguntó Keith, tomando su mano.

—¿Se me está usted declarando, señor Landry?

—En efecto, señorita Prentis.

—Pues le acepto.

Keith la rodeó con su brazo y ambos rodaron por el suelo. Tendida encima de él, Annie lo besó diciendo:

—Has tardado un poco en decidirte.

—Es que soy tímido.

—Lo eres de verdad. Aunque seas un hombre de mundo, sigues siendo muy tímido.

—No se lo digas a nadie.

—Has cambiado, Keith. Más de lo que te imaginas... pero yo te conozco.

—Tú no has cambiado. Y me sigues gustando.

Ella se comprimió contra su cuerpo y ambos permanecieron tendidos en la inclinada orilla.

—¿Cuándo? —preguntó de repente.

—¿Cuándo qué?

—¿Cuándo podemos fugarnos?

—Pues... ¿qué te parecería si te limitaras a mudarte a mi casa?

Annie se apartó de encima suyo y se arrodilló a su lado.

—No podemos, Keith. Eso no es Washington. Aquí la gente no cambia de pareja sin más. Se fuga. Siempre se fuga. Tú lo sabes.

—Lo sé. Pero a mí no me gusta fugarme, Annie.

—No hay otro camino. Iré contigo adonde tú quieras. Pero no aquí.

—De acuerdo... pero, primero, yo hablaré con él.

—No. Se pondrá agresivo.

Era justamente lo que Keith quería.

—Él y yo tenemos que hablar de hombre a hombre.

Annie clavó los ojos en él.

—Mírame, Keith —le dijo al final.

Keith se incorporó y la miró.

—¿Sí?

—Prométeme que no le harás daño.

Keith no contestó.

Annie apoyó las manos en sus hombros.

—Sé que te golpeó y sé que no eres la clase de hombre dispuesto a perdonar o a olvidar. Pero no hace falta que le arregles las cuentas. Déjalo correr. Hazlo por mí.

Keith no contestó.

—Por favor —dijo Annie—. Que Dios o Spencerville le den su merecido. No tenemos por qué incorporar este asunto a nuestra historia, es el padre de Tom y de Wendy —añadió.

—Te prometo que no lo mataré.

—Nada de violencias de ningún tipo, Keith. Por favor. Ni siquiera la paliza que se merece. —Tomando la cabeza de Keith entre sus manos, Annie añadió—: Lo que estamos a punto de hacer es lo peor que le podríamos hacer. Dejémoslo así.

—De acuerdo. Te lo prometo.

—Te quiero —dijo Annie, inclinándose para darle un beso.

Keith se levantó diciendo:

—Te voy a acompañar.

—Caminemos por el agua.

—De acuerdo.

Keith se quitó los zapatos y los calcetines y los dejó en la orilla, se subió las perneras de los vaqueros y se colgó el rifle del hombro mientras ella recogía las medias y los zapatos.

Bajaron por la corriente hacia la laguna, tomados de la mano.

—Necesito una semana para ordenar mis asuntos. ¿Es mucho?

—Después de veinticinco años, no.

—¿Adónde iremos? —preguntó Annie, comprimiendo su mano.

—¿Tienes pasaporte?

—No, pero puedo pedirlo.

—En la oficina de correos de aquí no puedes.

—Ya lo sé. Subiré a Toledo.

—Primero iremos a Washington. Toma todos tus documentos personales.

—De acuerdo. Nunca he estado en Washington.
—¿Cuál es la ciudad europea que más te gusta?
—Roma.
—Pues nos iremos a Roma.
—¿Hablas en serio?
—Si tú hablas en serio, yo también.
Annie lo pensó un momento.
—Hablo en serio.
—¿Te das cuenta de lo que significa dejar tu casa? —preguntó Keith.
—No, pero si estoy contigo, estaré en casa. ¿Te parece suficiente?
—Conozco este sentimiento. ¿Has pensado lo que será echar de menos a tus hijos, a tu familia y tu comunidad?
—Sí, lo he pensado. Pero ya es hora de que haga lo que Annie Prentis quiere hacer.
—¿Y tu trabajo? ¿Sigues regentando la tienda de regalos del hospital?
—Sí, y me gusta, aunque tampoco me entusiasma. Es el tipo de trabajo que aprueban los maridos que no quieren que sus mujeres trabajen. Nada de hombres, nada de dinero, nada de fines de semana, horarios flexibles y a dos pasos de su despacho.
Keith asintió con la cabeza.
—La vi cuando bajé al centro.
—¿Te importaría que yo trabajara?
—Podrás hacer lo que quieras.
—¿Podré trabajar largas horas en un despacho, llevarme trabajo a casa los fines de semana y hacer viajes de negocios con hombres?
—No te pases, Prentis.
Annie le miró sonriendo. Avanzaron con el agua hasta los tobillos y sorteando las piedras. A Keith le encantaba la sensación del légamo en sus pies descalzos y el contacto de la mano de Annie.
—Puede que algún día podamos volver de visita —dijo Annie.
—Puede que sí.
—¿Y qué me dices de ti, Keith? Ésta es también tu casa. ¿Querías quedarte?
—Quería, pero sabía que no podría. Puede que algún día.
—Si... él no estuviera aquí... —dijo Annie tras una pausa.
—¿Qué haría si lo expulsaran del cuerpo?
—No se quedaría. No podría. Se sentiría humillado. Y hay demasiadas personas que le odian en secreto. Es posible que, si la señora Baxter se fugara con otro hombre, él se avergonzara hasta el punto de dimitir y abandonar la ciudad. En tal caso, podríamos regresar si quisiéramos.
Keith asintió con la cabeza y le preguntó:

—¿Adónde crees que iría?

—Al lago Grey. Es el sitio adonde siempre decía que iríamos cuando él se retirara. Puede que ese día llegue antes de lo que él se imagina —añadió Annie, sonriendo—. Pero tendrá que irse solo. Sabe que no podrá quedarse en Spencerville en cuanto deje de ser el jefe de la policía.

—¿Quieres decir que ya no habría más cenas de homenaje en el Elks Lodge?

—Lo debiste de leer en los periódicos —dijo Annie—. Fue una de las peores noches de mi vida. —Al ver que Keith no decía nada, le preguntó—: ¿Tuviste celos?

—Experimenté unos sentimientos extraños, pero no supe muy bien lo que sentía.

—Pues yo me pasé toda la noche pensando en ti, y me pregunté qué estarías haciendo un sábado por la noche. ¿Sabes cuántos sábados por la noche me pregunté dónde estarías después de nuestra separación?

—Me lo estaba pasando en grande en el centro de instrucción de infantería. Los sábados por la noche hacía largas colas en los teléfonos públicos para llamarte. Pero tú no estabas.

—Vaya si estaba, lo que ocurre es que no me quería poner. El orgullo y la terquedad son unos pecados que se pagan muy caros.

—Desde luego.

—Los celos también son un pecado. No soy celosa, pero... te llamé desde el Elks Lodge. Necesitaba oír tu voz aquella noche. Pero no estabas.

—Fui al instituto a encestar unas cuantas pelotas. Regresé a casa sobre las nueve, me tomé una ducha muy fría y me fui a la cama.

—¿Soñaste conmigo?

—Probablemente, sí. Sé que lo primero que me viene a la mente cada mañana eres tú.

—Tú también a mí.

Llegaron al final de la arboleda donde el arroyo se ensanchaba y vertía sus aguas a la vasta laguna. Subieron a la orilla y contemplaron los prados y el agua. Ahora ya había otros automóviles aparcados cerca del de Annie y también algunas bicicletas descansando sobre la alta hierba.

Keith vio a unos niños navegando en una gran balsa de goma y a dos hombres pescando. Dos madres con hijos pequeños estaban jugando con unos barquitos en la orilla.

La serena superficie de la laguna parecía un espejo, pero, de vez en cuando, un pececillo pegaba un brinco desde el agua y producía unos escarceos concéntricos a su alrededor. Las libélulas sobrevolaban el agua y las espadañas oscilaban, mecidas por la brisa. Había junto a la orilla unos nenúfares cuyas dulces raíces se podían guisar y comer. Keith se preguntó si los niños seguirían sabiendo esas cosas.

La laguna Reeves no era muy distinta a como Keith la recordaba en cualquier caluroso sábado de verano de treinta años atrás, exceptuando el hecho de que entonces había muchos más niños; eran la generación de la actividad organizada de antemano, tal vez la última generación de los niños tipo Huckleberry Finn que cocinaban raíces de nenúfar y mascaban pimienta de agua y pescaban con cañas de bambú y utilizaban neumáticos viejos como flotadores y molestaban a los animalillos del campo y a las personas mayores con sus tirachinas y se paseaban en bicicletas de hierro que pesaban más que ellos.

—¿Por qué sonríes? —preguntó Annie.

—Estaba recordando que los chicos solíamos venir a bañarnos aquí en pelotas en las calurosas noches de verano. Fumábamos cigarrillos, bebíamos cerveza y hablábamos de chicas.

—Lo sé. Nosotras nos escondíamos detrás de aquellas hierbas tan altas de allí arriba para miraros.

—No te creo.

—¡Pues te aseguro que sí! —Annie se rió—. Lo hicimos un par de veces. Apenas se veía nada, pero todas decíamos que sí.

—¿Y por qué no os reunisteis con nosotros?

—Lo hubiéramos tenido que hacer. Una noche estábamos a punto de robaros la ropa, pero no nos atrevimos.

—Pues mira... una noche de verano tú y yo vendremos aquí para bañarnos en pelotas.

—Te tomo la palabra.

Permanecieron inmóviles un instante como si quisieran detener el tiempo.

—Éste será seguramente el último fin de semana de buen tiempo —dijo Annie.

—Sí, ya aspiro en el aire la atmósfera del otoño.

—Yo también.

Contemplando distraídamente a la gente que rodeaba la laguna, Keith preguntó:

—Tú conoces al pastor Wilkes de San Jaime, ¿verdad?

—Sí.

—Hablé con él hace unas cuantas noches.

—¿Cómo está?

—Muy viejo. Pero sigue en la brecha, advirtiendo contra los peligros.

—¿Qué quieres decir?

—Me ha aconsejado que no desee a la mujer de mi prójimo.

—¿De veras? Bueno, si se refiere a la señora Jenkins o a la señora

Muller, me parece un buen consejo. Pero me temo que se refería a mí. Qué vergüenza.

—Te tiene simpatía. No quiso echarme un sermón, pero me aconsejó que esperara a que te divorciaras. Entonces te podré desear.

—¿De veras dijo eso?

—Sí. En el fondo es un viejo romántico.

—No creía que fueras capaz de pedir consejo a nadie, ni siquiera a un pastor.

—En realidad, no lo hice. Fue él quien planteó el tema.

—¿Quieres decir que sabía... cómo es posible...?

—A través de tu pastor, el reverendo Schenk. Te lo digo por si tuvieras intención de acudir al pastor Schenk en busca de consejo, absolución o lo que sea.

—Ya he... hablado de mi matrimonio con él. A decir verdad —añadió Annie tras una leve vacilación—, le hablé también de ti.

—Ah, ¿sí? ¿Le dijiste que tenías fantasías sexuales sobre mí?

—Por supuesto que no. —Annie se echó a reír—. Por lo menos, no directamente.

—Pues, si vuelves a hablar con el, te dirá lo que Wilkes me dijo a mí... consigue el divorcio y, entretanto, no cometas adulterio.

—Ya es un poco tarde para eso.

—Además, estas cosas se acaban sabiendo.

Annie asintió con la cabeza.

—Soy amiga de Marge, la mujer del pastor Schenk... ¿qué más te dijo el pastor Wilkes?

—No te lo puedo decir, pero sí te diré que, a pesar de sus buenas intenciones, saben demasiado.

—Tendré cuidado. Dentro de una semana, Keith.

—Dentro de una semana.

Annie se sentó en el suelo y alisó los pantys.

—¿Me puedes secar?

Keith se arrodilló a su lado y le secó los pies con los faldones de su camisa. Después la ayudó a ponerse los pantys y los zapatos.

—¿Dónde tienes las bragas? —le preguntó.

—Las he perdido —contestó Annie, extendiendo la mano para que él la ayudara a levantarse—. Dios mío, mira cómo voy... cubierta de hojas, con la ropa sucia... Cualquiera diría que acabo de darme un revolcón en el bosque —añadió, riéndose—. ¿Crees que tendría que pasar por casa antes de ir a hacer la compra? —preguntó, alisándose la falda—. Buenos días, señora Smith, pues sí, en realidad, vengo de follar con un tío en el bosque. Un alto y desconocido jinete. ¿A cómo están hoy las zanahorias?

—Te lo estás pasando bien, ¿verdad? —le preguntó Keith.

—Sí, y además, sé lo que estás pensando... qué ocurrirá cuando ya no haya peligro y desaparezca la emoción del fruto prohibido. Bueno pues, aunque todo eso es muy divertido, yo tengo auténtico miedo. Quiero estar a salvo contigo, pero, dentro de veinte años, cuando tú entres en la habitación, el corazón todavía me dará un vuelco en el pecho.

—Te creo.

—Más te vale, de lo contrario, sería una equivocación. Me tengo que ir de aquí pase lo que pase, Keith, y quisiera que tú me echaras una mano. Pero no es necesario que me hagas ninguna promesa. Sácame de aquí y después haz lo que quieras. Hablo en serio.

—No, no te creo... Bueno, puede que sí. Pero eso no está en el programa. La cosa es muy sencilla... he regresado para estar contigo.

—¿Y qué hubiera ocurrido si yo hubiera engordado y pesara ciento cincuenta kilos?

—Hubiera disimulado al cruzarme contigo por la calle. Pero no me pongas en un aprieto.

—¿Alguien te escribió sobre mí?

—Sí, algunas personas. Sobre todo, mi madre. Ella vigilaba tu peso.

—Se fue hace cinco años.

—¿Me estás sometiendo a prueba?

—No, son cosas que quería preguntarte.

—¿De veras?

—Pues sí. Estás atrapado. ¿Tienes algún plan?

—No, pero lo más sencillo, es lo mejor. ¿Qué suele hacer él los sábados?

—El sábado es un buen día. Siempre pasa los sábados con sus amigos en el pabellón de caza del lago Grey o en el lago Michigan o en el Erie. Practican un poco la vela, pescan y cazan un poco cuando no hay veda. La temporada de caza acaba de empezar.

—¿Y cuando llueve?

—Van de todos modos. Por regla general, juegan a las cartas en algún sitio... casi todos ellos tienen segunda residencia en Michigan.

—Muy bien pues, llévate sólo lo más esencial y nos reuniremos en algún sitio. Nos iremos en mi automóvil al aeropuerto de Toledo y listo.

—De acuerdo... iré a casa de mi hermana Terry. Cualquier vehículo de la policía de Spencerville llamaría la atención en el condado de Chatham.

—Buena idea.

—¿Te importará reunirte conmigo en casa de mi hermana?

—No. Antes nos llevábamos muy bien. Me encantará saludarla y darle las gracias por haberte hecho llegar mis cartas durante veinte años. Le enviaba una postal todas las Navidades.

—Lo sé. Eres un cielo y ella te aprecia. Nos cubría las espaldas en el instituto cuando tú y yo estábamos donde no teníamos que estar.

—Ya me acuerdo. —Keith reflexionó un instante—. ¿Eso no será una molestia para ella?

—Odia a Cliff. Mejor dicho, lo desprecia. Y su marido también. Sabe perfectamente que no nos hemos estado enviando recetas de cocina durante veinte años.

—¿Nunca comentaste con ella esa extraña correspondencia?

—Por supuesto que no. Bueno, puede que de vez en cuando. Cada vez que se recibía una carta tuya, se emocionaba tremendamente y me telefoneaba enseguida. Teníamos un código, por si acaso. Me decía: «Acabo de recibir un catálogo de venta por correspondencia que, a lo mejor, te interesa». Entonces nos reuníamos en su casa o en Spencerville o a medio camino, en casa de tía Louise. Y yo le entregaba una carta para que te la enviara desde su oficina de correos... nunca me fié de la gente de la oficina de correos de Spencerville. Son muy chismosos.

—Ya me había dado cuenta de que todas tus cartas tenían un matasellos de fuera de Spencerville. Veo que las dos os lo pasabais muy bien —añadió Keith con una sonrisa.

—Parecíamos unas colegialas, pero la verdad es que el condado de Chatham es bastante aburrido y eso era casi tan emocionante como los culebrones de la televisión.

—Sí, pero... una cosa son las cartas y otra muy distinta ayudarte a fugarte con un hombre.

—Estará encantada de hacerlo.

—¿El jefe Baxter no le causará ningún problema?

—Larry, su marido, es un hombre muy duro. Buen chico, pero odia a Cliff y Cliff le tiene miedo. Larry es también delegado honorario del *sheriff* en Chatham y se alegraría mucho de poder darle su merecido a Cliff Baxter.

—Lo digo para que sepan a qué atenerse.

—Hablaré con ellos y les diré que estaremos allí el sábado... ¿a qué hora?

—Hay un vuelo directo a Washington a las dos y cuarto. Si salimos de casa de tu hermana a las diez, podremos tomarlo.

—Muy bien. Cliff se irá temprano con sus amigos. Yo haré el equipaje y me iré a casa de Terry, lo pondré todo en bolsas de compra y cajas de cartón para que mi vigilante no sospeche nada si lo ve.

—¿Ves muchas películas de espías?

—Pertenecía a la asociación Phi Beta Kappa de alumnos aventajados. El cerebro todavía me funciona.

—Ya lo veo. Mira, yo he vivido en estados policiales donde la policía no causaba tantos problemas como aquí.

—Son unos estúpidos. Bueno pues, yo estaré en casa de Terry sobre las nueve. Tú puedes ir más temprano, si quieres. Te estarán esperando. Nos tomaremos un café, yo les entregaré unas cartas para Tom y Wendy, nos despediremos y Terry hablará con papá y mamá.

—¿Te has fugado alguna otra vez?

—Keith, me he fugado mil veces mentalmente. Ojalá hubiera tenido el valor de hacerlo, pero ahora me alegro de haber esperado. Jamás pensé fugarme contigo —añadió, mirándole con cariño—, pero siempre soñaba con reunirme contigo en alguna parte.

—Estoy muy emocionado.

—¿Que tú estás emocionado? Pues a mí me da vueltas la cabeza, el corazón salta en mi pecho y estoy tan enamorada que no sé ni lo que me hago. Soy más feliz ahora de lo que jamás he sido desde el día en que te incorporaste a filas. Sabía que ya nada iba a ser igual a partir de entonces.

—Pues yo, no. Tú lo supiste comprender mejor.

—Los dos lo comprendimos, cariño, pero esperábamos que todo se arreglara de la mejor manera posible. La gente comete errores estúpidos a los veintitantos años, pero no nos podemos juzgar con dureza dos décadas después. Vivimos seis años estupendos, Keith, y doy gracias a Dios de que pudiera estar contigo. Si Dios quiere, pasaremos el resto de nuestras vidas juntos.

Keith tomó su mano en silencio y se la besó. Annie respiró hondo.

—Tengo que irme. ¿Nos volveremos a ver antes del sábado?

—No, no sería seguro, y prefiero que no me llames. Temo que los teléfonos estén pinchados.

Annie asintió con la cabeza.

—Puedo asegurar sin temor a equivocarme que mis llamadas telefónicas se graban en la jefatura superior de policía. Por eso te llamo desde cabinas. ¿Crees que tu teléfono...?

—Quizá. Y puede que el de los Porter también. ¿Todo irá bien en casa?

—Haré todo lo posible. Sí, todo irá bien. No le daré ningún motivo de sospecha. Lo comprendes, ¿verdad?

Keith asintió en silencio.

—¿Tienes todavía la dirección de Terry?

—Creo que, después de veinte años de enviar sobres a su dirección, todavía me acordaré.

—Sigues siendo tan sarcástico como siempre. Eso lo tendré que arreglar.

—No, cariño, lo siento, pero tendrás que aprender a convivir con mi defecto.

—De acuerdo, seré una auténtica bruja durante cierto período del mes que tú sabes y el resto del mes seré una malva.

—Me encantará.

Ambos permanecieron de pie un instante.

—No quiero irme.

—Pues quédate.

—No puedo... tengo recados que hacer antes de que él regrese a casa, de lo contrario, se extrañará y me preguntará qué he estado haciendo todo el día.

—Te tiene muy sujeta.

—Desde luego. Tú nunca lo hiciste.

—Ni jamás lo haré.

—No será necesario. —Annie alargó la mano y Keith se la tomó—. Que tenga usted un buen día, señor Landry. Le veré el sábado que viene y nos fugaremos juntos.

Keith la miró sonriendo y le dijo:

—Annie... si cambias de idea...

—No, y tú tampoco cambiarás. Te espero allí, Keith. Es una casa de estilo victoriano construida en ladrillo rojo. Muy cerca de la carretera 6.

Annie le besó, dio media vuelta y se alejó a toda prisa.

Keith la vio alejarse por la orilla, hablar con algunas personas y detenerse a conversar un momento con los dos pescadores. Éstos se rieron de buena gana por algo que ella les dijo y se la quedaron mirando mientras se alejaba.

Annie llegó a su automóvil, abrió la portezuela y se volvió a mirar hacia la arboleda. Aunque no podía ver a Keith en las sombras desde tan lejos, le saludó con la mano y él le devolvió el saludo. A continuación, subió a su automóvil, hizo marcha atrás, subió por la cuesta y desapareció al otro lado.

Keith permaneció inmóvil un instante y después se volvió para regresar, bordeando la orilla del arroyo.

21

Keith Landry acudió a San Jaime para asistir a las celebraciones del domingo, más que nada porque el pastor Wilkes le había invitado a hacerlo, pero en parte también por curiosidad y añoranza.

La iglesita estaba casi llena y, en la mejor tradición de las gentes del campo, todo el mundo iba vestido con la ropa del domingo. El pastor Wilkes pronunció un incisivo sermón sobre la moralidad gubernamental, señalando en concreto que los funcionarios públicos que incumplían los diez mandamientos e ignoraban las leyes de Dios no eran aptos para ocupar cargos de confianza en la nación o la comunidad. Keith adivinó que Wilkes había leído una transcripción de la reunión del jueves e inmediatamente se habría puesto a trabajar en su sermón. El pastor no mencionó ningún nombre, por supuesto, pero Keith tuvo la absoluta certeza de que todo el mundo sabía a quién se refería. Se alegró de que Wilkes no aprovechara la oportunidad para hablar de los deseos impuros y los adulterios.

Sólo se celebraba un servicio en aquella pequeña iglesia rural, lo cual ponía en un cierto apuro a los feligreses que no podían hacer novillos, dejando que sus vecinos pensaran que habían asistido a otro servicio. Aquella circunstancia había sido un problema para Keith en su adolescencia hasta que, durante el último curso en el instituto, empezó a ir a la iglesia de San Juan en Spencerville donde siempre acababa sentándose cerca de la familia Prentis. Su asistencia a la iglesia mejoró notablemente y los señores Prentis se mostraban encantados de verle allí. Por su parte, él se sentía culpable por sus motivos y por los pensamientos que le pasaban por la imaginación durante el servicio.

Keith miró a su alrededor y vio a varios conocidos, entre ellos, su tía Betty, los Muller y los Jenkins, Jenny sin su amigo del jueves por la noche, pero con dos niños de corta edad y, curiosamente, el oficial de policía Schenley, el de los incidentes en el instituto y el aparcamiento de la iglesia, en compañía de su familia. Estaba también nada menos que Sherry Kolarik, la cual, pensó Keith, habría regresado al escenario de su confesión pública como primer paso de una renovación espiritual. La señorita Kolarik también se debió de alegrar de que el pastor Wilkes no hiciera ninguna alusión a ella. No obstante, el pastor recordó que las mujeres eran siempre la parte más débil y que, más que pecadoras, muchas veces eran objeto de pecado. Keith se preguntó qué tal hubiera sonado todo aquello en Washington.

No vio a los Porter ni lo esperaba, pero pensaba que, a lo mejor, Annie lo sorprendería con su presencia. Sin embargo, ella debía de haber acudido a San Juan con su pecador marido. Keith sopesó la posibilidad de ir a la ciudad para asistir al servicio de las once en San Juan. Al final, llegó a la conclusión de que no hubiera sido muy prudente dadas las circunstancias.

Al finalizar el servicio, Keith bajó los peldaños donde el pastor Wilkes estaba estrechando la mano a todos los asistentes y llamándolos por sus nombres. Normalmente, Keith solía evitar aquel rito social después de la celebración, pero esta vez decidió hacer cola. Cuando llegó al pastor Wilkes, éste le estrechó la mano y pareció alegrarse sinceramente de verle.

—Bienvenido a casa, Landry —le dijo el pastor—. Me alegro de que hayas podido venir.

—Gracias por invitarme, señor. Me ha gustado mucho su sermón.

—Confío en que puedas venir la semana que viene. Nuestra conversación me dio una idea para un sermón.

—¿Sobre el regreso del hijo pródigo?

—Yo había pensado otra cosa, Landry.

—Puede que el domingo que viene no esté en la ciudad.

Wilkes esbozó una pícara sonrisa.

—Lástima. Iba a discutir el papel de la Iglesia en los asuntos públicos.

—Interesante tema. Podría usted enviarme una copia.

—Lo haré.

Volvieron a estrecharse la mano y Keith se alejó. Las frías ráfagas de viento del norte que soplaban sobre los maizales provocaban la caída de las primeras hojas de otoño sobre la hierba y las lápidas sepulcrales del cementerio. El día era precioso y el sol iluminaba la blanca iglesia y la rectoría, los altos olmos y la valla de estacas del cementerio mientras unas nubes surcaban un cielo de color peltre. Pero se respiraba en el aire un mal presagio, pensó Keith. El viento de otoño alejaba el verano y llevaba consigo unos colores rojos y dorados cuya belleza era el anuncio del mal tiempo invernal. Aunque le apetecía quedarse, Keith se alegraba en cierto modo de no tener que permanecer mucho tiempo allí.

En el aparcamiento se tropezó con su tía, la cual le expresó su complacencia por el hecho de que hubiera acudido a la iglesia y lo invitó a comer en su casa. Como no se le ocurrió ninguna excusa educada (a no ser que le hubiera dicho que prefería ver el partido de los Redskins y tomarse una cerveza, cosa que a ella le hubiera parecido una grosería), decidió aceptar.

A la hora acordada, justo la hora del comienzo del partido, llegó a casa de tía Betty con una botella de vino tinto de Borgoña. Tía Betty estudió detenidamente la etiqueta, leyendo las palabras en francés, y guardó la botella en el frigorífico. No importó demasiado, pues, al final, resultó que tía Betty no tenía sacacorchos y Keith se tuvo que sentar en la sala de estar con un vaso de té helado desteinado y excesivamente azucarado.

A la cena habían sido invitadas otras personas a las que Keith no había visto en la barbacoa del Día del Trabajo... el primo de su madre Zack Hoffman con su mujer Harriet y Lilly, la hija mayor de éstos, con su marido Fred. Lilly y Fred habían acudido a casa de tía Betty con sus tres hijos, unos niños cuyos nombres Keith no captó y que, por desgracia, eran demasiado pequeños como para exigir que se encendiera el televisor para ver el partido de los Redskins contra Cleveland. Los niños salieron al patio a jugar.

Keith conversó de cosas intrascentes con sus parientes y comentó con ellos ciertos detalles genealógicos, cosa que, en el fondo, le interesaba desde un punto de vista tribal.

Durate la comida, en la que se sirvió el tradicional rosbif con salsa, puré de patatas, guisantes y galletas, el tipo de comida americana que ya había desaparecido de la capital de la nación dos décadas atrás, Harriet, hablando todavía del árbol genealógico, señaló:

—Mi hermana Dorothy se casó con Luke Prentis. Creo que tú conoces a la familia Prentis, Keith.

Keith la miró y comprendió por qué razón su rostro no le resultaba desconocido.

—Creo que tú habías salido con mi sobrina Annie.

—Sí.

—Ahora está casada con uno de los chicos de los Baxter. Cliff, el jefe de policía.

Keith se preguntó si podría abrir la botella de vino con un destornillador.

—Tengo entendido que en San Jaime se celebró una reunión sobre Cliff Baxter —dijo Zack, levantando la vista de su rosbif—. Este tipo es un... —miró a los niños y se contuvo a tiempo— un salvaje, si quieres que te diga la verdad.

Lilly y Fred se mostraron de acuerdo. Tía Betty no participaba en la conversación y los niños habían pedido y obtenido permiso para retirarse.

En cuanto se fueron, Zack se inclinó hacia adelante y dijo en tono de conspirador:

—Dicen que anda tonteando por ahí. Allí en la iglesia una mujer tuvo la audacia de confesar que ella y Cliff Baxter habían tenido un lío.

—¿Alguien quiere repetir? —preguntó tía Betty.

Harriet se volvió a mirar a Keith y le preguntó:

—¿Has vuelto a ver a Annie desde que terminasteis la universidad?

—No.

—Dicen —terció Fred— que también estuvo allí Mary Arles, la que tiene una gasolinera con su marido en la 22. Y, por lo visto, dijo que Cliff Baxter tomaba lo que quería de la tienda y hacía que lo cargara en la cuenta municipal de la gasolina.

—Mi hermana asistió a la reunión —dijo Harriet, mirando a Keith— y se puso enferma al oír lo que allí se contaba de su yerno.

Keith observó que Fred y Zack se mostraban más críticos con las fechorías económicas del jefe de policía que con sus transgresiones maritales mientras que Lilly y Harriet se centraban más en la santidad del matrimonio.

—Si yo me enterara de que mi marido tonteaba por ahí —dijo Lilly—, lo echaría de casa sin contemplaciones.

Fred no parecía un tipo capaz de tontear demasiado por ahí, pensó Keith, pero, al oír las palabras de su mujer, casi puso cara de arrepentimiento.

—Hay más en la cocina —dijo tía Betty.

—No me extrañaría lo más mínimo que ella lo dejara —le dijo Harriet a Keith.

—¿Quién?

—Annie.

—Ah, ya. La esposa suele ser la última en enterarse.

—Mi sobrina es una santa —dijo Harriet—, ha criado a dos hijos estupendos y tiene una casa como los chorros del oro. Se merece algo mucho mejor.

—Alguien se lo tendría que decir por si no lo sabe —le dijo Lilly a su madre—. Si mi marido me hiciera eso y nadie me lo dijera, te aseguro que no los consideraría amigos míos —añadió, mirando a Fred de quien Keith ya estaba empezando a sospechar que era un adúltero.

Harriet salió en defensa de su yerno diciendo:

—A Fred ni siquiera le podría pasar por la cabeza la idea de tontear.

Keith había descubierto que a la gente le encantaba el tema del adulterio, tanto allí como en Washington, Roma, París, Moscú o en cualquier otro sitio. Sin embargo, aunque fuera un tema interesante en abstracto o en algunos casos concretos, siempre acababa siendo un poco delicado, por lo que, a pesar de que todos los comensales estaban libres de pecado menos él, al final decidieron dejarlo.

—Le diré a Annie que te he visto —le dijo Harriet a Keith—. Seguro que me dirá que te salude de su parte.

—Gracias. Dale recuerdos de la mía, por favor.

—Lo haré sin falta. Puede que algún día te tropieces con ella por la calle.

—Nunca se sabe.

Keith tomó mentalmente nota de decirle a Annie que le enviara una postal a tía Harriet desde Roma.

—Para postre tenemos gelatina de lima con malvavisco —anunció tía Betty—. ¿Alguien quiere café? Tengo instantáneo descafeinado. Puedo poner a hervir el agua.

—Me molesta mucho salir corriendo despues de comer, tía Betty —dijo Keith, levantándose—, pero tengo una cita a las cinco.

—Sólo son las cuatro y cuarto. Toma un poco de postre primero.

Keith recordó que tía Betty siempre tenía problemas con los razonamientos cronológicos, por lo que le dijo:

—Prefiero conducir despacio. Ha sido una comida estupenda y te doy las gracias. —Después le dio un beso y estrechó las manos de los demás, diciéndole a Fred—: No te metas en líos. —Y a Harriet—: Dales mis mejores recuerdos a tu hermana y al señor Prentis.

—Estarán encantados.

—Así lo espero.

Se retiró, no sin antes despedirse de los niños que estaban jugando a la pelota en el patio, y subió a su automóvil.

Por el camino, repasó las distintas partes de la conversación. Lo que más le interesaba no era lo que se había dicho sobre Cliff Baxter o Annie Baxter sino el hecho de que la buena de Harriet estuviera haciendo el papel de Cupido. Algunas personas, por muy mayores que fueran o por muy estricta que hubiera sido su educación, llevaban el idilio en las venas. Los pobres Lilly y Fred no tenían chispa y probablemente jamás la habían tenido, como tampoco tía Betty. En cambio, Zack y Harriet seguían mirándose el uno al otro con un brillo especial en los ojos. Los enamorados eran unos seres especiales, pensó, y todos identificaban de inmediato a los demás enamorados, por lo que él estaba seguro de que Harriet había oído el latido de su corazón cada vez que ella había mencionado el nombre de Annie.

Los tres días siguientes, de lunes a miércoles, Keith los pasó en casa. No quería correr el riesgo de salir de la granja y tener algún incidente o enfrentamiento con Baxter o sus hombres. Ya estaba muy cerca de la meta, hablando en términos futbolísticos, el cronómetro ya estaba en marcha y no le convenía cometer ninguna imprudencia. La última jugada sería decisiva.

Aunque se encontraba a salvo dentro de los confines de su propio hogar y, según la ley, era el soberano de su propio castillo, Keith tenía otra preocupación. Por más que no acertara a imaginar qué pretexto hubiera podido utilizar Baxter para justificar ante un juez la intervención de su teléfono, pensaba que Baxter era muy capaz de haberle pinchado el teléfono de todos modos. Uno de los dispositivos más corrientes que Keith solía llevar en su maleta era una alarma contra dispositivos de escucha. No creía tener que utilizarlo nunca más, pero había recorrido varias veces la casa con él y no había descubierto nada. Había comprobado también el interior de la conexión telefónica del sótano cada vez que salía y entraba de casa. Existía también en el mercado un dispositivo para detectar pinchazos en las líneas telefónicas, pero él no lo tenía en su maleta de artilugios. Otra posibilidad era un micrófono direccional apuntado hacia su casa, pero, desde la ventana del piso de arriba, la vista alcanzaba hasta una distancia de casi dos kilómetros a la redonda y él nunca había observado un vehículo aparcado mucho rato. Y además, dudaba de que la policía de Spencerville contara con dispositivos de escucha de alta tecnología. Aunque cualquiera sabía.

Con anterioridad al sábado, Keith tenía la absoluta certeza de que Baxter no le había pinchado el teléfono ni legal ni ilegalmente, pues, en caso de haberlo hecho, el sábado se hubiera presentado en la laguna Reeves y uno de los dos hubiera estado aquel día de cuerpo presente en la Funeraria Gibbs. Sin embargo, aunque el teléfono no estuviera pinchado el sábado, lo hubiera podido estar más tarde y él tenía que actuar como si lo estuviera. De todos modos, no creía que tuviera que utilizar el teléfono para ultimar o cambiar algún plan.

Semanas antes, cuando pensaba que se iba a quedar a vivir allí, había considerado la posibilidad de comprarse un teléfono móvil y de llamar a sus antiguos compañeros de Washington para que efectuaran un exhaustivo chequeo electrónico e investigaran las fichas judiciales por si alguien hubiera solicitado una intervención telefónica. El Consejo de Seguridad Nacional estaba tan interesado como él en su seguridad telefónica, aunque por motivos distintos.

Mientras se hacía todas estas reflexiones, se preguntó por qué razón no había tenido noticias de nadie de Washington. En realidad, le daba igual, pero el silencio le estaba empezando a resultar un poco siniestro.

El miércoles por la tarde, se dio cuenta de que ya no podía aguantar el voluntario encierro. Se preguntó qué estaría haciendo Annie y se preocupó por ella, pero se tranquilizó recordando el conocido dicho, según el cual la ausencia de noticias era una buena noticia, cosa que en Washington no era cierta y estaba en absoluta contradicción con las lecciones de sus últimos veinte años de actividad de espionaje.

Aquella tarde, mientras podaba y entablillaba las ramas de los frambuesos aplastados por el automóvil, arrojó de pronto la podadera al suelo y pegó un puntapié a un cubo, enviándolo al otro lado del patio.

—¡Maldita sea! — exclamó.

No soportaba el confinamiento, por muy voluntario que fuera, y estaba muy preocupado por ella. Subió al Blazer en cuyo asiento del pasajero había dejado el rifle M-16 y, con la Glock en el cinto, salió a la carretera. Se detuvo al lado del buzón de correos y, finalmente, consiguió dominarse y regresó a la casa.

Hizo el equipaje con lo más esencial, sobre todo, documentos personales, el pasaporte y unas cuantas mudas. No podía llevar armas en el avión, pero se llevaría la cartera de los artilugios, en la cual guardaba cosas tales como una pluma de gas lacrimógeno, una cámara de microfilmar, un cuchillo de grafito y, en caso de que uno tuviera un mal día, una cápsula de cianuro y toda una serie de extraños dispositivos que jamás había utilizado, pero se sentía obligado a no dejar en casa.

Fue a la cocina y se dio cuenta de que no tenía absolutamente nada, ni siquiera cerveza. En el condado de Spencer nadie repartía comestibles a domicilio, que él supiera, y faltaba mucho para el sábado por la mañana. Hubiera podido pedirles a la señora Jenkins o a la señora Muller que le llevaran algo, pero se le acababa de ocurrir otra idea que resolvería tres problemas simultáneamente. Tomó el teléfono y marcó el número de los Porter.

Se puso Jeffrey.

—Habla el FBI —le dijo Keith—. Está usted bajo arresto por defender el derrocamiento violento del Gobierno de Estados Unidos.

—Creo que quiere usted hablar con mi mujer.

—¿Cómo estás?

—Muy bien. Quería llamarte...

—¿Estáis libres para cenar esta noche?

—Sí. ¿En tu casa?

—Sí. Sobre las siete.

—Nos encantará.

—Hazme un favor, Jeffrey.

—Dime.

—Me he quedado absolutamente sin comida y no logro poner en marcha el coche. ¿Me lo podríais traer todo vosotros?

—Pues claro.

—Y no olvidéis el vino.

—No te preocupes.

—Necesito además un poco de dinero en efectivo.

—¿Quieres que llevemos también la vajilla?

—No, de eso ya tengo. Necesito unos mil. Os daré un cheque.

—De acuerdo. Oye, alguien que te conoce pasó por aquí...

—Luego me lo cuentas.

—No, es mejor que te lo cuente ahora...

—Más tarde. Gracias.

Annie. Tenía que ser Annie por el tono de voz de Jeffrey.

—Bueno. Eso significa que está bien y que todo marcha sobre ruedas.

Lo cual había resuelto el problema de averiguar si ella estaba bien. Los Porter le llevarían comida y dinero y resolverían los otros dos problemas del momento. El hecho de derrotar a los malos en su propio juego constituía un placer muy especial, pero, si él no se hubiera metido en semejantes berenjenales, no hubiera tenido necesidad de salir de ellos y, a lo mejor, descubría que se lo pasaba igual de bien jugando al ajedrez.

Los Porter llegaron con veinte minutos de retraso, lo cual, tratándose de unos ex hippies, no estaba mal. En el porche Gail le entregó a Keith una bolsa de lona con hierbas y Jeffrey entró en la casa con una caja de cartón llena de recipientes de plástico.

—Lo he guisado todo —explicó Gail—. Dc lo contrario, hubiéramos tenido que esperar demasiado para cenar. Tú sólo tienes que calentarlo.

—Creo que tengo una cocina.

—Qué casa tan encantadora —exclamó Gail, alegremente—. ¿Tú creciste aquí?

—Nací y me crié aquí, pero aún no he crecido.

Gail se echó a reír mientras Keith los acompañaba a la cocina.

—Corre Curry.

—¿Cómo dices?

—En Antioch —explicó Jeffrey— había un pequeño establecimiento de servicio de platos indios a domicilio llamado Corre Curry y ahora, cada vez que a Gail no le apetece cocinar, me dice, «Llama al Corre Curry», pero me temo que en Spencerville no reparten comida a domicilio.

—Habría que investigarlo. Perdonad todas las molestias.

—No te preocupes —dijo Gail—. Nos debías una cena y nos encanta habértela traído a casa.

Jefrrey regresó al coche por el vino. Mientras buscaba ollas y cazuelas con Keith, Gail dijo:

—Hemos traído una caja de herramientas. Pero, ¿no es nuevo el coche?

—No le pasa nada al coche.

—Ah, yo creía que...

—Ya os lo explicaré después.

—Me parece que ya lo adivino. El poli te está hostigando.

Keith empezó a poner la mesa.

—Lo has adivinado.

—Qué asco. Tienes que defenderte, Keith.

—Es una historia muy larga. Si habéis traído suficiente vino, os la contaré.

—De acuerdo.

Jeffrey regresó con tres botellas de vino tinto y Keith abrió una, con la que llenó tres grandes vasos de agua.

—Es que me están grabando las iniciales en las copas. Salud.

Bebieron y se sentaron alrededor de la mesa de la cocina donde Gail había dispuesto unas galletas y una especie de paté multicolor para untar.

—¿Qué es eso? —preguntó Keith.

—Paté vegetal.

—Parece plastilina, pero sabe bien.

Bebieron vino, comieron y charlaron, pero se les notaba un poco cohibidos, pues no todas las preguntas habían sido debidamente contestadas. Gail le comentó a Jeffrey lo que Keith le había dicho de la policía.

—No puedes quedarte aquí atrapado como un animal —dijo Jeffrey.

—¿Cuándo has comido por última vez? —preguntó Gail.

—¿Acaso soy un cerdo?

—Keith, eso no es propio de ti —dijo Jeffrey—. No puedes permitir que la policía te intimide.

—Es una historia muy larga. Por cierto, ¿qué tal van las ventas de Confesiones Verdaderas?

—Viento en popa —contestó Jeffrey—. Ya llevamos vendidos quinientos ejemplares. Van pasando de mano en mano, lo cual significa que ya las han leído varios miles de personas. Eso es mucho en un condado tan pequeño como éste. Creo que el tío tendrá que salir por piernas. Es precisamente lo que te iba a decir por teléfono. ¿Quién crees que se presentó en nuestra puerta para comprar un ejemplar?

Keith tomó un sorbo de vino.

—¿Quién?
—Tienes que adivinarlo.
—Cliff Baxter.
—Caliente caliente —dijo Gail entre risas.
—Vamos —dijo Jeffrey—, ya te dije antes que era una vieja amistad tuya.
—Annie Baxter.
—¡Hurra! ¿Te imaginas?
—Sí.
—Hace falta mucho valor —dijo Gail, mirando con una sonrisa a Keith—. Tenía muy buen aspecto.
—Me alegro.
—Para ser una mujer cuyo marido está siendo acusado de chantajista, corrupto y adúltero, la vi muy serena y casi contenta.
—A lo mejor, tiene un novio.
—Ésa podría ser la explicación —dijo Gail.
—Le dimos una transcripción gratis, por supuesto, y la invitamos a pasar. Me sorprendió que aceptara. Tomó una taza de té y fue muy agradable volver a hablar con ella. Recordamos los viejos tiempos. Le comenté que habías regresado —añadió Jeffrey— y me dijo que se había tropezado contigo al salir de correos.
—Así es.
—¿No te dio un pequeño vuelco el corazón? —preguntó Gail.
—Pues sí.
—No me extrañaría nada que muy pronto volviera a ser libre —dijo Gail—. ¿Sabes una cosa? Me sentí un poco incómoda porque no teníamos la menor intención de causarle problemas en casa, pero me temo que no había más remedio que hacerlo para conseguir nuestro propósito.
—Claro. Cuando se juega, hay que pagar las consecuencias.
—A no ser que previamente se haya llegado a un acuerdo como el que tenemos Jeffrey y yo. Nadie podrá separarnos jamás por culpa de unas pruebas de infidelidad.
—Me parece muy bien. Pero, ¿qué pasaría si uno de vosotros se enamorara perdidamente de un amante?
—Bueno... —contestó Gail en tono levemente turbado. Estaba claro que tal cosa ya le habría ocurrido a uno de ellos o quizá a los dos en más de una ocasión—. A veces, las personas se enamoran a primera vista, pero eso no suele ocurrir con los compañeros sexuales ocasionales. El amor no es tanto el sexo cuanto echar de menos a una persona cuando no la tienes a tu lado. ¿No has dicho tú mismo que te dio un vuelco el corazón cuando viste a Annie? Eso significa que, después de veintitantos años, todavía queda algo. ¿Con cuántas mujeres has follado desde que te separaste de ella?

—¿Contando las extranjeras?
Gail se echó a reír.
—¿Cómo es posible que un hombre tan guapo como tú no se haya casado?
—Hubiera tenido que llamar al Corre Curry.
—Déjale en paz, Gail —dijo Jeffrey, sonriendo—. Está claro que el tema le molesta.
—Es cierto —convino Keith—. ¿Os ha causado algún problema la policía de Spencerville? —preguntó.
Jeffrey sacudió la cabeza.
—Todavía no. Ten en cuenta que Gail pertenece a la junta municipal. Creo que están esperando a que pasen las elecciones. Entonces veremos quién queda.
—Pero mientras, tendríais que andaros con mucho cuidado —dijo Keith—. Baxter es un tipo muy inestable.
Gail y Jeffrey se intercambiaron una mirada.
—Ya lo hacemos —contestó Jeffrey.
—¿Tenéis armas?
—No —contestó Jeffrey—, somos pacifistas. A nosotros nos disparan los demás.
—Yo tengo un rifle. Te lo voy a dar.
—No —dijo Jeffrey—. No lo usaríamos.
—Puede que lo hicierais si lo tuvierais en casa y alguien...
—No. Respeta, por favor, nuestras convicciones, Keith.
—Muy bien. Pero, si alguna vez necesitáis ayuda, dadme un grito.
—De acuerdo.
Jeffrey se levantó para remover las dos ollas.
—La sopa ya está lista.
Tomaron sopa y un curry vegetal cuando ya iban por la tercera botella de vino.
Keith preparó café y Gail sacó un pastel de zanahoria.
—Por cierto —dijo Jeffrey mientras tomaban el pastel y el café—, casi me había olvidado.
Se introdujo una mano en el bolsillo y sacó un sobre de banco.
—Gracias. —Keith sacó un cheque de su billetero y se lo entregó a Jeffrey.
—Eso son dos mil dólares —dijo Jeffrey, echándole un vistazo.
—Es mi aportación a la causa. Jamás en mi vida había entregado dinero a los rojillos.
—No podemos aceptarlo, Keith —dijo Gail con una sonrisa.
—Pues claro que podéis. No necesito el dinero y quiero hacer algo.
—Puedes ayudarnos uniéndote a nosotros.
—Podría y lo haría con mucho gusto. Pero me voy.
Jeffrey y Gail se lo quedaron mirando en silencio.

—Mirad, chicos —dijo Keith—, me fío de vosotros y os aprecio. Además, es posible que necesite vuestra ayuda. ¿Estáis dispuestos a escuchar una larga historia?

Ambos asintieron con la cabeza.

—Muy bien pues, regresé a Spencerville para volver a la línea de salida y ver si podía repetir la carrera. Sin embargo, eso no se puede hacer porque la carrera ya terminó hace tiempo, aunque se puede correr otra. Me estoy andando por las ramas. Bueno pues, estoy enamorado de Annie y...

Gail dio una palmada sobre la mesa.

—¡Lo sabía! ¿Lo ves, Jeffrey? Ya te lo dije.

—Yo te lo dije a ti.

—¿Me dejáis que siga? No es fácil. Nos hemos estado escribiendo durante veinte años...

—Me encanta. Sigue. ¿Y ella te quiere a ti?

—Cállate, Gail —dijo Jeffrey.

—Pues sí, me quiere y nos vamos a fugar. Final de la historia.

—Y un cuerno —dijo Gail—. ¿Ya lo habéis hecho?

—Eso no importa... pero no, no lo hemos hecho...

—Embustero. Lo sabía. Por eso me pareció que ella flotaba entre nubes. Nos preguntó si habíamos hablado contigo en los últimos días. Es fantástico. Este cerdo se lo merece. Oh, Keith, no sabes cuánto me alegro por ti.

Se levantó para darle un beso y Jeffrey se levantó a su vez para estrecharle la mano. Keith empezó a impacientarse.

—Bueno —dijo—, eso responde a muchas de vuestras preguntas. Pensé que os debía una explicación acerca del motivo por el cual no puedo comprometerme con...

—Tú también colaboras, robándole a la mujer —dijo Jeffrey.

—En realidad, no se la robo.

—Siempre pensé que os volveríais a reunir —dijo Jeffrey—. ¿Cuándo os vais?

—Aún no lo sé, pero pronto.

—¿Os podemos ayudar en algo?

—Pues, para empezar, no digáis nada por teléfono en caso de que nos llamemos. Temo que vuestro teléfono o el mío estén pinchados.

—Sí, podría ser. ¿Qué más?

—Bueno, ya me habéis traído el dinero, me queda comida para varios días y, a lo mejor, Gail podría mantener los ojos y los oídos atentos en el Ayuntamiento.

—Lo hago siempre. Y tengo un confidente en la policía.

—Muy bien. Pero tampoco te fíes demasiado de él.

—Cuando está en marcha una revolución, no se puede confiar en casi nadie.

—Veo que ya conocéis el juego —djo Keith, asintiendo con la cabeza.

—O sea que ahora estás esperando hasta que... ¿también se llama fuga cuando la mujer está casada?

—A falta de otra palabra mejor, sí. Os daré una llave de la casa para que me la cuidéis, si no os importa.

—No te preocupes.

—¿Dónde lo habéis hecho? ¿Y cuántas veces? —preguntó Gail—. ¿Cómo lo conseguisteis?

—Somos unos viejos profesionales desde nuestra época en el instituto —contestó Keith, apresurándose a cambiar de tema—. Su marido sospecha siempre y está especialmente molesto por mi regreso. Vino aquí la semana pasada y tuvimos un intercambio de palabras, aunque, en realidad, no sabe nada. Me dio una semana de plazo para que abandonara la ciudad y el plazo termina el viernes, pero entonces yo todavía no me habré ido. Si vuelve, le pediré unos cuantos días de prórroga, lo cual será menos complicado que matarle, cosa que prometí no hacer.

El comentario los dejó estupefactos.

—Es un asunto muy grave —añadió Keith, mirándoles con la cara muy seria—. No es un juego. El tío es casi un psicópata. Tened cuidado. La oferta del arma sigue en pie.

Ambos permanecieron en silencio un buen rato.

—Es muy fuerte lo que acabas de decir —dijo Jeffrey al final—. ¿Te importa que fume?

—Faltaría más.

Jeffrey se sacó del bolsillo una petaca y papel de fumar y lió un cigarrillo. Lo encendió con una cerilla y se lo ofreció primero a Keith, el cual declinó el ofrecimiento, y después a Gail que también lo rechazó. Entonces se encogió de hombros, se reclinó en su asiento y empezó a fumar

—¿Crees que Annie está segura? —preguntó Gail.

—Creo que sí. Pero noto unas vibraciones extrañas, si me está permitido utilizar esta vieja palabra, y las vibraciones me dicen que alguien sabe algo, como si alguien hubiera interceptado las señales que se trasmiten entre esta granja y Williams Street. —Keith esbozó una sonrisa—. Echa el humo hacia otro lado, Jeffrey. Estoy empezando a hablar como tú.

—No, yo lo comprendo —dijo Gail—. Hasta nosotros nos dimos cuenta de que ocurría algo. ¿Quién más, aparte del bastardo de Cliff Baxter?

—Personas corrientes. Algún clérigo, la hermana de alguien, unas amables ancianas. Probablemente soy un paranoico, pero me preocupa que Baxter se entere de algo en concreto. Os pido que no digáis nada que pueda levantar sospechas. Procurad no llamar la atención hasta el fin de semana. ¿De acuerdo?

—Sí.

—Si el plan se desbarata, puede que necesite vuestra ayuda.

—Aquí estaremos.

—Os lo agradezco. Oye, Jeffrey, ¿quién nos hubiera dicho que tú y yo íbamos a cenar juntos otra vez?

—El tiempo ha curado muchas heridas, Keith —dijo Jeffrey—. Me alegro de haber vivido lo bastante como para ser un poco más juicioso.

—Si eso es un preludio de confraternización masculina —dijo Gail—, me voy al porche.

—Se siente amenazada —le dijo Jeffrey a Keith—. Es por eso por lo que necesitas a una mujer, Keith, para equilibrar la dinámica de nuestras mutuas relaciones y... bueno, tú ya sabes. Por cierto, ¿adónde pensáis ir? ¿Podremos reunirnos a cenar con vosotros en algún sitio?

—Faltaría más. Os tendré informados.

—Te vamos a echar mucho de menos, Keith —dijo Gail—. Aquí no tenemos muchos amigos.

—A lo mejor, los tendréis cuando os libréis del jefe de policía.

—No creo, pero tal vez sí. ¿Regresarás algún día?

—Me gustaría. Depende de lo que ocurra con Baxter.

—Claro —convino Jeffrey—, no te aconsejaría que te buscaras una casa en Williams Street de momento. —Soltó una carcajada—. Me encantaría ver su maldita cara cuando vuelva a casa y encuentre una nota de vete al carajo en el frigorífico.

A Jeffrey le dio un ataque de risa y dio varias palmadas sobre la mesa.

—Vamos a sentarnos en el porche —dijo Keith—. La criada quitará la mesa.

Sentados en el porche, contemplaron la puesta de sol en silencio.

—Qué cosa tan curiosa, Keith —dijo Gail al cabo de un buen rato.

—¿A qué te refieres?

—Al amor. Mira que haber superado la universidad, el cataclismo de la guerra, las décadas, la distancia y todo lo que la vida te ha arrojado encima. Si fuera una sentimental, me echaría a llorar.

22

El jueves por la mañana Keith se despertó con una extraña sensación de malestar y no supo por qué. Poco a poco, recordó que los Porter habían cenado la víspera con él y que después habían tomado bebidas de alta graduación y que por eso le dolía la cabeza. También recordó lo que habían celebrado.

Se levantó de la cama y abrió la ventana para que entrara el aire fresco. Era un día soleado, muy bueno para el maíz, aunque no hubiera venido mal un poco más de lluvia antes de la cosecha.

Salió al pasillo en ropa interior para dirigirse al cuarto de baño y se tropezó con Jeffrey, también en paños menores.

—No me encuentro bien —dijo Jeffrey.

—¿Has dormido aquí?

—No, he regresado en ropa interior para recoger los recipientes de plástico.

—¿Dónde está Gail?

—Ha salido a comprar algo para el desayuno. ¿Vas al cuarto de baño?

—No, ve tú primero.

Keith fue por la bata y bajó a la cocina. Se lavó la cara en el fregadero, sacó un frasco de aspirinas del armario, tomó dos y después puso la cafetera a calentar.

Un coche se detuvo junto a la puerta de atrás y de él bajó Gail con una bolsa de compra.

—¿Qué tal te encuentras? —le preguntó.

—Bien —contestó Keith, sentándose junto a la mesa de la cocina mientras Gail sacaba una botella de zumo de naranja y tres panecillos de harina de maíz.

—Un coche de la policía me ha seguido desde aquí hasta la ciudad —dijo.

—Ahora ya saben que hay una conexión entre nosotros. —Keith asintió con la cabeza—. Ya estáis fichados.

—Lo estábamos antes de que tú vinieras.

Gail se sentó y lleno dos vasos de zumo.

—¿Se acercaron para decirte algo? —preguntó Keith, tomando un sorbo de zumo.

—No, fui yo quien me acerqué a ellos. Bajé del coche, me identifiqué como miembro de la junta municipal y les dije que se largaran con viento fresco si no querían que les pidiera las placas.

—Te has vuelto muy *establishment*, Gail. Hubieras tenido que ponerte a gritar como loca exigiendo el respeto de tus derechos civiles.

—No hubieran sabido de qué coño les estaba hablando. Lo único que los asusta es la posibilidad de perder sus armas y sus placas.

—Sí, esos chicos se han echado a perder por culpa de un mal jefe.

Gail guardó silencio un instante y después preguntó:

—¿Hablabas en serio cuando dijiste lo de matar a Baxter?

—No.

—Tuve miedo en la carretera.

—Lo sé. Me gustaría resolver el problema antes de irme, pero prometí no hacerlo.

—Lo comprendo. ¿Te puedo preguntar... si lo has hecho alguna vez...? Supongo que en Vietnam...

Keith no contestó, pero reflexionó acerca de la pregunta. Sí, había matado en Vietnam, pero en acción de combate. En sus primeros tiempos en el servicio de espionaje, tenía literalmente licencia para matar, pero, antes de entregarle el arma y el silenciador, le habían explicado las reglas..., sólo había dos momentos absolutos para matar: en combate y en defensa propia. Pero ese derecho lo tenía todo el mundo en Estados Unidos. En cambio, su licencia se extendía a zonas más confusas como, por ejemplo, una muerte preventiva en caso de que uno se sintiera amenazado. Y había cuestiones todavía menos claras, como el derecho a matar para evitar males mayores, cualesquiera que éstos fueran. Keith pensó que Cliff Baxter era un mal mayor, pero puede que los padres y los hijos del señor Baxter no estuvieran de acuerdo. La decisión se tomaba caso por caso, aunque él jamás la había tomado por su cuenta y tampoco se había visto obligado a ser el pistolero las veces en que había tenido algún problema con la decisión del comité. Sin embargo, en Spencerville estaba solo, lejos de las limitaciones y los consejos.

—¿Se te ha ocurrido pensar que nunca estarás realmente a salvo mientras él viva? —preguntó Gail.

—No creo que a las pelotas de Cliff Baxter se les den muy bien los viajes. Procuraremos no pisar su territorio.

—¿Has pensado que podría descargar su cólera... sobre la familia de Annie, por ejemplo?

—¿Qué estás insinuando, Gail? Creía que eras una pacifista.

—Jeffrey es un pacifista. Si alguien amenazara mi vida o las vidas de mi familia o de mis amigos, lo mataría.

—¿Con qué? ¿Con una zanahoria?

—No te lo tomes a broma. Verás, me siento amenazada y, como es lógico, no puedo recurrir a la policía. Acepto el rifle.

—Muy bien. Voy por él.

En el momento en que Keith iba a levantarse, entró Jeffrey.

—Lo pondremos en el maletero más tarde —le dijo Gail a Keith.

—¿Qué pondréis en el maletero? —preguntó Jeffrey.

—Los recipientes de plástico —contestó Gail.

—Ah, ya.

Jeffrey se sentó y empezaron a desayunar.

—Menuda fiesta la de anoche —dijo Jeffrey—. Me alegro de que, al final, pudiéramos celebrar el anuncio del compromiso Landry-Prentis.

—¿Te has preguntado alguna vez cómo hubieran sido nuestras vidas sin la guerra y los consiguientes conflictos?

—Sí, lo he pensado. Muy aburridas, supongo. Como ahora. Creo que vivimos una experiencia singular. Sí, muchas personas sufrieron y acabaron muy mal, pero la mayoría salimos indemnes y somos mejores precisamente por eso. Mis alumnos —añadió Jeffrey— eran absolutamente aburridos, egoístas e indecisos y carecían de carácter. Cualquiera hubiera dicho que pertenecían al Partido Republicano, pero ellos se consideraban unos rebeldes. Rebeldes sin clave.

—Ya le has dado cuerda —le dijo Gail a Keith.

—¿Recuerdas a Billy Marlon? —le preguntó Keith a Jeffrey.

—Claro. Un chico muy patoso. Siempre quería complacer a los demás y ser amigo de todo el mundo. Me he tropezado con él algunas veces y he intentado ser amable en recuerdo de los viejos tiempos, pero el tío está quemado.

—Me lo encontré en la John's Place.

—Pero, ¿qué dices, Landry? Yo allí no entraría ni para mear.

—Una noche me sentía nostálgico.

—Pues haber ido al salón de baile. ¿Por qué me lo preguntas?

—Porque a veces, cuando veo a un tío así, me digo: «Ése sería yo de no haber sido por la gracia de Dios».

—Si existiera la gracia de Dios —terció Gail—, no habría personas así y tú no podrías decir: «De no haber sido por la gracia de Dios».

—Ahora le has dado cuerda a ella, Keith —dijo Jeffrey—. Comprendo lo que quieres decir, pero creo que a todos los Billy Marlons que hay en este mundo los hubieran jodido en cualquier década. A nosotros, en cambio, no.

—Vete a saber.

—Sí, hombre, nosotros estábamos fastidiados, pero sabíamos lo que nos llevábamos entre manos. —Jeffrey reflexionó un momento antes de añadir—: Tú, yo y unos pocos más salimos de este lugar, Keith. No nacimos con dinero como los Baxter ni en una familia con tradición universitaria como los Prentis. Tu padre era un granjero y el mío un obrero del ferrocarril. Los años sesenta no nos jodieron sino que nos libraron de los convencionalismos y de las estructuras clasistas. Y follamos un montón. ¿Sabes una cosa?, una vez calculé que probablemente había follado más que todos los hombres y las mujeres de mi familia juntos desde el año 1945. Creo que la gente folló mucho durante la Segunda Guerra Mundial, ni antes ni después.

—¿Ésa era una de las clases que tú dabas?

—Pues, en realidad, sí.

—Es cierto que lo pasamos muy bien, pero, tal como tú dijiste una vez, también hicimos bastantes cochinadas. Tú me enviaste una carta indecente, por ejemplo. Pero no te preocupes. Recibí cartas similares de personas totalmente desconocidas. Tanto hablar del amor y, sin embargo, hacíamos cosas repugnantes. Yo también. Cuando recibí tu carta, sentí deseos de matarte y lo hubiera hecho si te hubiera tenido a mano.

—¿Qué quieres que te diga? Éramos jóvenes. Había tormentas solares, Júpiter y Marte estaban alineados o algo por el estilo, el precio de los porros había bajado y nos desmadramos por completo. Si todo eso no hubiera ocurrido, tú y yo hubiéramos estado anoche en la John's Place, despotricando contra los precios agrícolas y los salarios de los ferroviarios y, a lo mejor, si no hubiera ido a Vietnam, Billy Marlon hubiera sido propietario del local y concejal del Ayuntamiento. Qué sé yo lo que hubiera podido ocurrir. Una parte de lo que somos está en nuestros genes —añadió, hincando el diente en un panecillo—, otra parte se debe a nuestra cultura y a nuestro destino y una parte muy considerable es nuestra historia personal. Tú, yo, Baxter, Annie Prentis y Billy Marlon nacimos en el mismo hospital con una diferencia de un año más o menos. No tengo respuestas.

—Yo tampoco. Quisiera pedirte otro favor. Cuando yo me vaya, mira a ver si puedes hacer algo por Marlon. Vive en la granja Cowley de la carretera 8. A ver si consigues que ingrese en un hospital de veteranos del Ejército.

—No te preocupes. Eres un buen chico.

—No cuentes nada por ahí.

—En estos momentos, debes de sentir una confusa mezcla de emociones —dijo Gail—. Estás a punto de abandonar de nuevo tu hogar y de iniciar un viaje desconocido hacia una nueva vida con otra persona. ¿Estás alborozado o muerto de miedo?

—Las dos cosas a la vez.

Al terminar el desayuno, Gail le preguntó a Keith si tenía un cepillo de dientes de repuesto.

—Claro —contestó Keith—. Voy por él. Acompáñame.

Subieron a la habitación de Keith y éste abrió el armario.

Gail contempló los uniformes, el sable, el chaleco antibalas y toda la variada serie de objetos de una carrera que precisaba de muchos accesorios.

—¿Qué es lo que hacías exactamente? —preguntó.

—Varias cosas —Keith sacó el rifle M-16—. Me he pasado veinticinco años luchando esencialmente contra los comunistas. Y ellos se cansaron prácticamente al mismo tiempo que yo.

—¿Era satisfactorio?

—Hacia el final, resultaba casi tan satisfactorio como tu trabajo. Mira... eso se llama selector de control de fuego. Ahora tiene puesto el seguro. Si lo desplazas hacia aquí, está listo para disparar. Basta con que sigas apretando el gatillo. Él mismo carga un nuevo cartucho en la cámara y se amartilla automáticamente. Esto es el cargador. Contiene veinte cartuchos con bala. Cuando se vacía, tiras de esta lengüeta y sale el cargador, entonces pones otro nuevo, te aseguras de que esté bien colocado en su sitio, empujas esta pieza hacia atrás, se carga el primer cartucho en la cámara y lo demás ya es todo automático —añadió Keith, entregándole el rifle a Gail.

—Qué ligero es —dijo Gail.

—Y además, tiene muy poco retroceso.

Gail practicó la carga de un cartucho y apuntó.

—Es muy fácil —dijo.

—Exactamente. Fue diseñado para personas como Billy Marlon. Es sencillo, ligero, fácil de apuntar y tremendamente mortífero. Lo único que hace falta es voluntad para apretar el gatillo.

—Eso es lo que ya no sé.

—Pues entonces no debes llevártelo.

—Me lo llevo.

—De acuerdo. Aquí tienes la funda. Hay cuatro cargadores llenos en estas bolsitas laterales y, en esta bolsa de aquí, hay una mira telescópica, pero eso a ti no te interesa porque es para disparos de larga distancia. No creo que acabes enzarzada en un tiroteo con la policía de Spencerville, pero te sentirás más segura por la noche teniendo este trasto debajo de la cama. ¿De acuerdo?

—De acuerdo. Voy a abrir el maletero y después me llevaré a Jeffrey a dar un paseo —dijo Gail.

Gail abandonó la habitación y, a los pocos minutos, Keith se acercó a la ventana mientras se vestía y les vio a los dos junto al granero. Bajó, salió por la puerta trasera y colocó el rifle con su funda en el maletero al lado de los recipientes de plástico. Cerró el maletero, entró de nuevo en la casa y se tomó otra taza de café.

Gail y Jeffrey regresaron al poco rato.

—Es un sitio precioso —dijo Gail. Tras una breve charla intrascendente, añadió—: Bueno pues, ya es hora de irse. —Rodeó a Keith con sus brazos y lo besó—. Buena suerte, Keith. Llama o escribe.

—Escribiré. Entretanto, buscad en Toledo una empresa de seguridad que os revise los teléfonos y compraos un teléfono móvil.

—Buena idea —dijo Jeffrey, estrechando su mano—. Oye, si necesitas algo antes de irte, no llames... pásate por casa.

—Creo que ya lo tengo todo arreglado. La llave de la casa está debajo del banco de trabajo en el cobertizo de las herramientas.

—Muy bien. Te vigilaremos las cosas hasta que regreses.

—Gracias por todo. Buena suerte con la revolución.

Volvieron a abrazarse, los Porter se fueron y Keith los vio alejarse en su automóvil, razonablemente convencido de que volvería a verlos en tiempos mejores.

Hacia las diez de la mañana, Keith estaba subido a una escalera de mano, cambiando las bisagras oxidadas de la puerta del henil. El hecho de trabajar al aire libre le había despejado la cabeza y se sentía mucho mejor.

Oyó el rumor de unos neumáticos sobre la grava y, al volverse, vio subir por la calzada un Ford Taurus gris envuelto en una nube de polvo.

No acertaba a imaginar quién podía ser. Quizá fuera Annie, pero quizá no. Bajó de la escala de mano justo a tiempo para tomar la Glock de 9 mm que había dejado sobre la caja de herramientas, colocársela al cinto y cubrirla con los faldones de la camisa. Mientras se dirigía hacia la casa, se abrió la portezuela del conductor del automóvil y bajó un hombre de aproximadamente su misma edad y estatura. Tenía el cabello rubio arena y vestía traje azul de calle. Miró a su alrededor, vio a Keith y lo saludó con la mano.

—¡Hola! ¿Es ésta la granja Landry?

Keith se acercó a él.

—Menuda propiedad tienes, hijo —comentó el hombre—. Quiero comprártela o expulsarte de aquí. Todos los agricultores tendréis que dejar sitio para mi ganado.

—Esto es Ohio, Charlie —dijo Keith—. Aquí no hablamos de esta manera.

—Pues yo juraría que estábamos en Kansas. ¿Cómo demonios estás?

Ambos se estrecharon la mano, se abrazaron brevemente y se dieron unas palmadas en la espalda.

Charlie Adair, de Washington, D.C., y el Consejo Nacional de Seguridad, había sido el inmediato superior civil de Keith y un buen amigo suyo en más de una ocasión. Keith se preguntó qué estaría haciendo allí y llegó a la conclusión de que debía de tratarse de algún asunto administrativo, algún papel que se tenía que firmar o tal vez una simple comprobación física, para asegurarse de que estaba donde había dicho que estaría, cómo vivía y cosas por el estilo. Sin embargo, adivinó en su fuero interno que se trataba de algo muy distinto.

—¿Qué tal estás, Keith? —preguntó Charlie Adair.

—Muy bien hasta hace un par de minutos. ¿Qué ocurre?

—Pues nada, pasaba por aquí y he venido a saludarte.

—Qué bien.

—¿Tú naciste aquí? —preguntó Charlie, mirando a su alrededor.

—Sí.

—¿Fue un buen sitio para crecer?

—Lo fue.

—¿Tenéis ciclones por aquí?

—Por lo menos uno a la semana. Te acabas de perder el último. Más tarde podrás disfrutar de un tornado si te quedas un ratito.

—Veo que estás muy bien instalado —dijo Adair con una sonrisa.

—En efecto.

—¿Cuánto debe de valer una finca así?

—No lo sé... doscientas hectáreas, la casa, los edificios anexos, el equipo... puede que unos cuatrocientos mil dólares.

—¿En serio? No está nada mal. Pero, fuera del Distrito de Columbia, en Virginia, las fincas agrícolas de aquellos caballeros se cotizan a un millón.

Keith no creía que Charlie Adair hubiera viajado al condado de Spencer para hablar del precio de las fincas.

—¿Acabas de llegar? —le preguntó.

—Sí, tomé un vuelo a primera hora de la mañana a Columbus y allí alquilé un automóvil. Bonito paseo. Te he localizado sin demasiadas dificultades. La policía me dijo inmediatamente dónde estabas.

—Esto es un sitio muy pequeño.

—Ya lo veo. Estás muy bronceado y has adelgazado un poco —dijo Adair.

—En una granja hay que trabajar mucho al aire libre.

—Ya me lo imagino. —Adair se desperezó—. Oye, ¿podríamos dar un paseo? El vuelo ha sido muy largo y el viaje por carretera también.

Pasearon por el patio de la granja y Charlie fingió interesarse por todo mientras Keith fingía interés por mostrárselo.

—¿Todo eso es tuyo? —preguntó Charlie.

—No, es de mis padres.

—¿Lo heredarás tú?

—Tengo un hermano y una hermana y en este país no hay derecho de primogenitura, lo cual significa que algún día tendremos que tomar una decisión.

—En otras palabras, si uno de vosotros quisiera explotar la finca, tendría que comprar la parte de los otros dos.

—Eso es lo que a veces ocurre y lo que antes solía ocurrir. Ahora los herederos suelen vender las tierras a un gran consorcio, tomar el dinero y largarse.

—Lástima. Eso es lo que está destruyendo las propiedades familiares. Aparte los impuestos del estado.

—El estado no cobra impuestos cuando la granja es de tipo familiar.

—¿De veras? Pues mira, ésa es una de las pocas cosas que han hecho bien los gilipollas del Congreso.

—Y que lo digas.

Entraron en los maizales y pasearon entre las hileras de altos tallos.

—Mira, de aquí vienen mis palomitas de maíz.

—Siempre y cuando seas una vaca. Eso es lo que se llama maíz de forraje. Se lo das al ganado para que engorde, lo sacrificas y lo conviertes en hamburguesas.

—¿Quieres decir que eso no se come?

—Las personas comen el llamado maíz dulce. Los agricultores también plantan un poco de esa variedad, pero se cosecha a mano en agosto.

—Estoy empezando a aprender muchas cosas. ¿Y tú has plantado todo esto?

—No, Charlie, eso se plantó en mayo. Yo llegué aquí en agosto. No pensarás que el maíz pueda haber crecido tanto en dos meses.

—No tengo ni idea. ¿O sea que esto no es tuyo?

—La tierra es mía, pero está cedida en arrendamiento.

—Ya entiendo. ¿Y te pagan con maíz o con dinero?

—Con dinero.

Keith se encaminó hacia el montículo funerario indio y ambos subieron a la cima.

Charlie contempló los campos.

—Eso es la esencia del país, Keith. Eso es lo que hemos defendido a lo largo de todos estos años.

—De mar a mar.

—¿Echas de menos el trabajo?

—No.

Charlie se sacó una cajetilla de cigarrillos del bolsillo de la chaqueta.
—¿Puedo fumar aquí?
—¿Por qué no?
Charlie lanzó una columna de humo y señaló en la distancia.
—¿Qué tipo de planta es aquella?
—Aquello es soja.
—¿Para la salsa de soja?
—Sí. Hay una fábrica japonesa no muy lejos de aquí.
—No me digas que aquí hay japoneses.
—¿Por qué no? No pueden enviar por barco medio millón de tierra de labor americana al Japón.
—Eso es... tremendo —dijo Charlie tras una breve pausa.
—No seas racista.
—Eso me viene del trabajo. —Charlie dio unas caladas al cigarrillo—. Quieren que vuelvas, Keith.
Keith ya lo había adivinado.
—Ni hablar.
—Me han enviado para que regrese contigo.
—Me dijeron que me fuera. Vuelve y diles que me he ido.
—No me lo pongas difícil, Keith. He tenido un vuelo accidentado. Me han dicho que no regrese sin ti.
—Charlie, no te pueden decir «Estás despedido» y cambiar después de opinión.
—Pueden decir lo que les dé la gana. Pero también te quieren pedir disculpas por las molestias que te puedan haber causado. Actuaron con cierta precipitación, sin tener debidamente en cuenta el desarrollo de la situación en el Este. Tú ya recuerdas dónde está eso. ¿Quieres aceptar sus disculpas?
—Por supuesto que sí. Adiós. ¿A qué hora es tu vuelo?
—Te ofrecen un contrato civil por cinco años. Tendrás la bonificación de los treinta años de servicio y una paga de retiro completa.
—No.
—Y un ascenso. Un ascenso militar. General de una estrella. ¿Qué tal te suena eso, coronel?
—Has venido en mal momento.
—Es un trabajo en la Casa Blanca, Keith. Altísima visibilidad. Podrías ser el próximo Alexander Haig. Él se creía presidente, pero este trabajo tiene un potencial tan elevado que podrías presentarte candidato a la presidencia de la nación, tal como mucha gente quería que hiciera Haig. El país está preparado para que vuelva a ser presidente un general. Acabo de leer una encuesta secreta. Piénsalo.
—Muy bien. Lo voy a pensar un segundo. No.
—Todo el mundo quiere ser presidente.
—Pues yo quiero ser agricultor.

—Ahí está la gracia. A la gente le encantará. Un alto, apuesto y honrado hombre del campo. ¿Conoces la historia de Cincinato?

—Yo te la conté a ti.

—Muy bien pues. Tu país te vuelve a necesitar. Ya es hora de que subas a la gloria y dejes de recoger paletadas de mierda.

Keith no acabó de entender aquella extraña metáfora.

—¿Sabes una cosa? Si yo fuera presidente, lo primero que haría sería despedirte.

—Eso sería una canallada impropia de un estadista, Keith.

—Deja de acosarme, Charlie, y lárgate.

—No te estoy acosando. Olvida lo que te he dicho sobre la presidencia. Después de tu trabajo en la Casa Blanca, podrías regresar aquí, presentarte canditato al Congreso y vivir en Washington. El mejor de ambos mundos. Podrías hacer algo por el país y por tu comunidad. —Adair apagó su cigarrillo en el suelo.

—Vamos a dar un paseo.

—Mira, Keith —añadió Adair mientras ambos paseaban por los maizales—, al presidente se le ha metido en la cabeza la idea de tenerte en su equipo asesor. Le debes la cortesía de una respuesta personal. Lo tienes que hacer cara a cara. Por consiguiente, aunque no quieras aceptar el trabajo, tienes que decirle en persona que se vaya a la mierda.

—Él me dijo a mí que me fuera a la mierda por carta.

—No fue él.

—Pues el que fuera. No importa. Si alguien ha cometido un error, no es cosa mía. Tú sabes que tengo razón.

—Es muy peligroso tener razón cuando el Gobierno está equivocado.

Keith se detuvo en seco.

—¿Es una amenaza?

—No, simplemente un buen consejo, amigo mío. ¿Te gustará estar aquí el año que viene por estas fechas? —preguntó Charlie mientras ambos reanudaban el paseo.

—Si no me gusta, me iré a otro sitio.

—Mira, Keith, es posible que pudieras ser feliz llevando una vida de palurdo y guardando eternamente rencor a la gente de Washington, pero ahora que yo te he presentado sus sinceras disculpas y una oferta de trabajo, ya no podrías vivir tranquilo. Es cierto, yo te he fastidiado el día y el retiro. Ahora tú tienes que afrontar la nueva situación.

—Ésta es la nueva situación. Lo de aquí. Lo de allí es la antigua situación. Tú sabes que me llevé un buen disgusto, pero ahora ya no. Me hicisteis un favor. No podéis obligarme a regresar, por consiguiente, déjate ya de mierdas.

—Verás... tú sigues perteneciendo al Ejército. Llevas quince años sin ponerte un uniforme, pero sigues siendo un coronel de la reserva y el presidente es el jefe supremo.

—Habla con mi abogado.

—El presidente puede llamarte en cualquier momento para que cumplas los deberes inherentes a tu cargo. Y ese momento ha llegado, amiguito.

—A mí no me vengas con esas.

—Muy bien pues, te vendré con otras. Sálvame el pellejo. Acompáñame a Washington y diles que Adair hizo todo lo posible, pero que tú quieres decirles personalmente que se vayan a la puta mierda. ¿Vale? Sé que así lo querrás hacer. A ellos sólo estás obligado a decirles cara a cara que se vayan al carajo. Pero a mí me debes unos cuantos favores y lo único que te pido para saldar la deuda es que me acompañes al Distrito de Columbia. Entonces yo me veré libre de esta apurada situación y tú podrás decir lo que quieras. ¿Te parece justo? Yo creo que sí.

—Es... que no puedo ir contigo...

—Me lo debes, Keith. He venido aquí para cobrar, no para suplicar, amenazar o engatusar. Para cobrar.

—Mira, Charlie...

—Bucarest. Por no hablar del desastre de Damasco.

—Verás, Charlie... es que hay una mujer...

—Siempre hay una mujer. Por eso por poco nos decapitan a los dos en Damasco.

—Hay una mujer aquí...

—¿Aquí? Pero, hombre de Dios, si apenas llevas aquí más de dos meses.

—Es algo que viene de lejos. Del instituto y la universidad. Puede que te la haya mencionado en algún momento de debilidad.

—Ah, sí... creo que sí. —Charlie reflexionó un instante y después preguntó—: ¿Marido?

Keith asintió con la cabeza.

—En fin, en eso no podemos echarte una mano. —Charlie le guiñó el ojo a su amigo—. Pero ya se nos ocurrirá algo.

—Ya lo tengo todo arreglado, gracias.

Regresaron al patio de la granja y Charlie se sentó en un pequeño tractor.

—¿Puedo fumar en este cacharro?

—Sí. Es sólo un tractor. No vuela.

—Claro. —Charlie encendió otro cigarrillo—. No veo la complicación por ninguna parte.

—Ella está casada. ¿Qué efecto produciría el hecho de que un asesor presidencial viviera con una mujer casada?

—Le conseguiremos un divorcio.
—Eso podría llevar años.
—Ya tiraremos de los hilos que haga falta.
—No, no podréis. No podéis hacer todo lo que os venga en gana. Vosotros lo creéis, pero no es así. Hay ciertas leyes que se tienen que respetar.
—Muy cierto. Bueno, ¿cuándo pensabas irte de aquí con ella?
—Muy pronto.
—Pues le buscamos un apartamento separado en Washington. ¿Por qué pones tantos obstáculos?
—Charlie, eso no es lo que ella y yo teníamos pensado. Yo no soy tan importante para la paz mundial. El mundo se las arreglará perfectamente bien sin mis consejos. El peligro ya ha pasado. Cumplí con mi deber. Ahora mi vida es muy importante para mí.
—Me parece muy bien. Nunca lo fue, pero me alegro. No olvides que puedes vivir y desempeñar un cargo al mismo tiempo. Es una cosa que se suele hacer muy a menudo.
—Pero ese cargo no me interesa.
—Esta vez no será tan complicado. Cierto que el horario será muy largo y que, a lo mejor tendrás que hacer algún viaje de vez en cuando, pero ya no tendrás que viajar al otro lado del Telón de Acero, pues eso ya no existe.
—Sí, yo fui testigo de su desaparición.
—Justamente. —Charlie estudió los mandos del tractor y preguntó—: ¿Tú sabes manejar eso?
—Yo lo he sacado del granero.
—Creía que estos cacharros eran más grandes.
—Es que éste es un tractor de jardín. Una especie de vehículo para el patio.
—¿De veras? ¿Y dónde está el grande?
—Mi padre lo vendió. Bueno pues, gracias por haber pasado a saludarme. Saluda a todos de mi parte. ¿A qué hora es tu vuelo?
Charlie consultó su reloj.
—Regreso desde Toledo a las dos y cuarto. ¿Cuánto tardaré para ir al aeropuerto desde aquí?
—Puede que una hora o más si hay tráfico. Mejor que salgas ahora mismo para estar más seguro.
—No. Me queda tiempo para tomar una cerveza.
—Vamos dentro.
Charlie bajó del tractor y ambos entraron en la casa por la puerta de la cocina.
—Se me ha terminado la cerveza —dijo Keith.
—De todos modos, es muy temprano. Tengo sed y me conformo con lo que sea.

—No me cabe ninguna duda. Estás sudando desde hace media hora. —Keith abrió el frigorífico, sacó una jarra de agua y llenó dos vasos—. Es auténtica agua de manantial.
Charlie se bebió medio vaso.
—Es muy buena.
—Casi todo el subsuelo es de piedra caliza. Eso era un mar prehistórico. Ya sabes, mil millones de años de pequeñas criaturas marinas incrustadas en varios estratos de piedra caliza.
—¿De veras? —dijo Charlie, contemplando su vaso con cierta aprensión.
—La voy a embotellar y la venderé a los cerdos *yuppies* del Distrito de Columbia.
—Buena idea. Vamos a sentarnos un minuto. —Se sentaron junto a la gran mesa de la cocina. Keith miró a su amigo con expresión expectante—. ¿Tenías intención de quedarte a vivir aquí con ella? —preguntó Charlie al final.
—No.
—¿De veras? ¿Adonde pensabais ir?
A Keith no le gustó la utilización del tiempo pasado.
—No sé adónde iremos —contestó.
—Nos lo tendrías que comunicar. Lo ordena la ley.
—Os lo comunicaré para que me podáis enviar los cheques.
Charlie asintió con aire ausente.
—¿Sabes que me ocurrió una cosa muy rara mientras venía hacia acá? —Keith no dijo nada—. Cuando entré en la comisaría de policía... el sargento de recepción, un tal Blake, creo... le pregunté si sabía dónde vivías y empezó a comportarse de una manera muy rara. El tío me empezó a hacer preguntas, ¿comprendes? Quería saber el motivo de mi visita. ¿Te imaginas? Aquello parecía la Alemania del Este. ¿Puedo fumar aquí?
—Claro.
Charlie encendió un cigarrillo y arrojó la ceniza al interior de su vaso.
—Todo aquello me dio que pensar. Soy un espía o, por lo menos, lo era. Pensé que, a lo mejor, alguien te estaba molestando aquí y la policía quería protegerte. O que, al llegar aquí, tú te identificaste como ex agente del servicio secreto y les pediste que, si alguien preguntara por ti, te lo notificaran. Por ejemplo, alguien que hablara con acento ruso y se llamara Igor. Pero no tenía sentido. Cuando llegué aquí, vi que te sorprendías al verme y entonces comprendí que no te habían avisado.
—Charlie, llevas demasiado tiempo en este trabajo.
—Ya lo sé, es lo que yo pensé. Pero, al salir, otro policía me sigue hasta mi automóvil. Corpulento, dijo que era el jefe de la policía. Un

tal Baxter. Me pregunta qué asunto me lleva a la granja Landry. No le digo que se vaya a la mierda porque me interesa sonsacarle algo. Pienso que, a lo mejor, tienes algún problema con la ley. Saco mi impresionante documento de identidad y le digo que se trata de un asunto oficial.

—Tienes que aprender a ocuparte de tus propios asuntos, Charlie.

—No, no creo. Empiezo a preocuparme por ti porque aquellos tíos eran muy raros. Como en una película de terror de serie B en la que toda una pequeña ciudad cae en poder de unos alienígenas. El tal Baxter se modera un poco y me pregunta si puede ayudarme en algo. Le digo que quizá. El señor Landry se ha jubilado de su cargo en el Servicio Nacional de Pesca y Fauna Salvaje. —Charlie y Keith sonrieron al recordar el viejo chiste—.Y resulta que el señor Landry ha presentado una instancia para un trabajo a tiempo parcial en la delegación local del Servicio Nacional de Pesca y Fauna Salvaje y yo estoy aquí para efectuar unas comprobaciones y ver si reúne las condiciones morales exigidas y es una persona bien considerada en la comunidad. Ingenioso, ¿verdad?

—Cuán bajo pueden caer los poderosos. ¿A eso te has reducido?

—Ten paciencia conmigo, hombre. Llevo quince años sin dedicarme a las operaciones directas y me falta un poco de práctica. Y entonces el jefe de policía Baxter me informa de que el señor Landry ha tenido varios roces con la ley... justo en el parque del otro lado de la calle por embriaguez y alteración del orden público. Invasión de la propiedad privada de la escuela. Obstrucción de la labor policial en un aparcamiento. Amenazas, hostigamientos... ¿y qué más? Creo que eso es todo. Dijo que había hablado contigo sobre tus tendencias antisociales, pero que tú te habías limitado a escucharle como el que oye llover. Me recomendó que no te contratáramos y dijo también que alguien debería investigar para ver si eres digno de recibir una pensión del Gobierno. Me parece que no te tiene demasiada simpatía.

—Éramos rivales en el instituto.

—Ah, ¿sí? Y otra cosa. Dijo que había intentado hacer unas averiguaciones sobre la matrícula del Distrito de Columbia de tu coche a través del registro de Vehículos de Motor, pero que tú allí no existes. Fue entonces cuando el señor Baxter me empezó a interesar. —Charlie echó la ceniza del cigarrillo en su vaso—. ¿Qué es lo que pasa, Keith? Esa historia de los rivales del instituto ya me la sé.

—Bueno, pues, *cherchez la femme*, hombre.

—Ah, ya.

—Dame un cigarrillo.

—Toma. —Charlie le pasó la cajetilla y el encendedor—. No estarás follando con la hija del jefe de la policía, ¿verdad?

Keith encendió el cigarrillo.

—No. Con su mujer.
—Ya. La mujer. Creía que habías venido aquí para relajarte.
—Ya te lo dije, es una situación preexistente.
—Ya. Muy romántico. Pero, ¿es que has perdido el juicio o qué?
—Probablemente.
—Muy bien pues, se puede integrar la situación en la ecuación.
—Habla en cristiano.
—¿Vas a fugarte con ella?
—Ése es el plan.
—¿Cuándo?
—El sábado por la mañana.
—¿No puedes esperar un poco?
—No, la situación es cada vez más insostenible.
—No me extraña. Por eso llevas la pieza debajo de la camisa.
Keith no contestó.
—¿Lo sabe el marido?
—No. Si lo supiera, aquí hubiera habido un tiroteo cuando tú llegaste. Sabe que su mujer y yo fuimos novios años atrás. Y no le gusta. Me dio de plazo hasta mañana para que abandonara la ciudad.
—¿Lo vas a matar?
—No. Le prometí a ella que no lo haría. Tienen dos hijos. En la universidad.
—Bueno, ya lo han tenido a su lado mucho tiempo. Buenos recuerdos, seguro de vida, estudios asegurados.
—Charlie, no te tomes a broma los asesinatos. De eso ya he tenido suficiente.
—No se dice asesinato sino terminación y hay que tomárselo a broma porque, de lo contrario, resulta muy feo. ¿La vida no sería más fácil para ti si ese tipo se suicidara o sufriera un accidente? Me pareció muy antipático.
—No cumple los requisitos necesarios para una terminación.
—¿Te ha amenazado con causarte daños físicos?
—Más o menos.
—Pues ya está. Párrafo quinto de las reglas de la terminación.
—Tercer mandamiento. Antiguo Testamento.
—Me has pillado. Haz lo que tengas que hacer. Si decides vivir en el Distrito de Columbia, todo irá bien. A ella le encantará la capital.
—Pero no para vivir cinco años allí. Es una chica del campo, Charlie.
—Me gustaría conocerla.
—Ya te la presentaré —dijo Keith, apagando el cigarrillo.
—Vas a regresar conmigo en el vuelo de las dos y cuarto. Ya lo sabes, ¿verdad?
—Primera noticia.

—No puedes salir de esta, Keith, créeme, pero yo preferiría que regresaras para hacerme un favor a mí. No porque me lo debas sino para que yo esté en deuda contigo.

—Desearía no seguir hablando de estas idioteces.

—Regresas a Washington para salvarme el pellejo. No puedo volver y decirle al secretario de Defensa que no he podido conseguir que tú vayas a hablar con él y con el presidente. Me pasaría los próximos cinco años controlando radares en Islandia. Mi mujer se fugaría con alguien como tú.

—Corta el rollo. —Keith hizo una pausa y después añadió—: Confían en nuestra lealtad los unos para con los otros más que en nuestra lealtad al Gobierno, ¿verdad?

—Es lo único que funciona últimamente.

—¿Y no te sientes utilizado?

—Pues claro. Utilizado, mal pagado, poco valorado e innecesario. Tienes razón, el peligro ya ha pasado y los entuertos ya se han deshecho. El veterano es ignorado y al soldado se lo pasan por el forro.

—¿Lo ves?

—¿Y qué? Mientras paguen, nosotros jugamos. Mira, chico —añadió Charlie—, a veces tengo la sensación de pertenecer a un equipo de fútbol que acaba de ganar un gran partido. El otro equipo se ha ido a casa, las gradas están vacías y nosotros seguimos haciendo jugadas contra nadie en la oscuridad.

Charlie Adair permaneció un rato en silencio y Keith comprendió que estaba pasando por una pequeña crisis de conciencia y confianza. Aunque, con Charlie, nunca se sabía.

Charlie levantó la vista.

—La reunión es mañana por la mañana.

—En realidad —dijo Keith—, yo pensaba volar a Washington el sábado a las dos y cuarto. ¿No podríamos aplazar la reunión al lunes?

Charlie contestó, utilizando un tono de voz fingidamente obsequioso:

—Pero, hombre de Dios, tienes una cita con el secretario de Defensa mañana a las once y media de la mañana en el Salón Rosa y, a las once cincuenta y cinco en punto, pasarás al Despacho Ovalado donde estrecharás la mano y saludarás al presidente de Estados Unidos. Por mucho que esos dos caballeros quieran adaptar sus programas al tuyo, es posible que el lunes tengan otras citas.

—Quizá una notificación por adelantado no hubiera sido pedir mucho por parte de un ciudadano particular que tiene toda suerte de derechos constitucionales a que no le llamen...

—Ya basta, Keith. Tú eres tan poco ciudadano particular como yo y sabes muy bien que esas cosas ocurren. Le ocurrieron a sir Patrick Spence.

—¿A quién?

—El tipo de la balada escocesa. Mi familia es escocesa y este lugar se llama Spencerville. Por eso me acordé.

—¿De qué?

—De la balada escocesa. —Charlie la recitó—. «En Dumferling está el rey, bebiendo un vino rojo cual la sangre, ¿dónde estará el marinero que me lleve por los mares?

»Eso lo dice el presidente.

»—Allí habló el caballero sentado a los pies del rey.

»Ése es el secretario de Defensa.

»—Sir Patrick Spence, mi señor, es el mejor para vos.

»Ése eres tú.

»—El rey escribió una carta que con su mano firmó y a sir Patrick envió.

»Ése soy yo, que vengo como emisario.

»—Lo primero que sir Patrick leyó la risa le despertó; lo segundo que leyó la vista le empañó.

»Ése eres tú otra vez.

—Gracias, Charlie.

«—Ay, ¿quién me quiere tanto mal que me manda cruzar los mares con tan grande temporal? Daos prisa, mis leales, que el barco zarpa al albor...

»En realidad, saldremos a las dos y cuarto.

»—No, mi buen amo del alma, que avizoro un gran dolor.

—Es lo que suele ocurrir y lo que siempre ha ocurrido desde que el mundo es mundo. El rey está tranquilamente sentado sin hacer una mierda. De pronto, se le ocurre una idea descabellada y un gilipollas va y le dice que es estupenda. Y entonces me mandan a mí para que la transmita. —Charlie Adair consultó su reloj—. O sea que, dese prisa, señor Landry.

—¿Y qué fue de sir Patrick Spence si me está permitido preguntarlo?

—Se ahogó en la tormenta. —Charlie se levantó—. Bueno, puedes viajar tal como estás, pero sin el arma. Haz inmediatamente la maleta. Tampoco hay que exagerar el numerito de Cincinato en el Ala Oeste.

—Tengo que regresar aquí mañana por la noche lo más tarde.

—Eso está hecho. Oye, si vas al Distrito de Columbia el sábado con la señora, Katherine y yo os llevaremos a cenar. Paga el Tío Sam. Me gustaría conocerla.

—Voy a rechazar el trabajo.

—No es cierto. Les dirás que necesitas el fin de semana para pensarlo. Tienes que hablar con tu prometida. ¿Vale?

—¿Y por qué tantas historias?

—Porque quizá se lo debes a... ¿cómo se llama?

—Annie.

—A Annie. Es justo que lo consultes con ella. Os llevaremos a dar una vuelta por Washington, lo recorreremos todo en visita privada y hablaremos. A Katherine todo eso se le da muy bien.

—Annie es una sencilla chica del campo. Ya te lo he dicho, ésa no es la vida que...

—A las mujeres les encantan las ciudades. Compras, buenos restaurantes, más compras. ¿Dónde te alojas?

—No lo sé.

—Te reservaré habitación en el Four Seasons. Le entusiasmará Georgetown. Se parece un poco al centro de Spencerville. Le podrás enseñar los locales que tú solías frecuentar. Pero no vayas al Chadwick's. Linda está todavía por allí y mejor evitar una escena. Estoy deseando que llegue el fin de semana. Andando.

—Eres un mierda.

—Ya lo sé.

Keith dejó a Charlie en la cocina, subió a su habitación e hizo una pequeña maleta.

Durante el camino hacia el aeropuerto, Keith le dijo a su compañero:

—Cuando me pidieron que me marchara, tú no moviste ni un dedo para apoyarme, Charlie.

Charlie encendió un cigarrillo.

—No quise hacerlo. Estabas quemado, chico. Querías irte, no lo niegues. ¿Por qué iba yo a prolongar tu desdicha?

—¿Y qué te induce a pensar que ahora estoy menos quemado?

—No lo sé. La idea no fue mía. Creen que aún te queda cierta energía. Es como el hollín, ¿sabes? Lo echas en los quemadores, aplicas un poco más de calor y consigues que se encienda una pequeña llama.

—Interesante analogía. ¿Y qué ocurre con el hollín quemado?

—Se convierte en vapor y se disipa.

23

Keith le indicó a Charlie el camino del aeropuerto de Toledo y llegaron pocos minutos antes de la salida.

Mientras ocupaban sus asientos de primera clase, Keith preguntó:

—¿Me van a recibir con una salva de veintiún cañonazos en el Nacional?

—Por supuesto. Y con una alfombra roja.

—¿Banda de música también?

—Faltaría más. La oficina de viajes de la Casa Blanca sabe organizar muy bien estas cosas.

Keith se colocó unos auriculares y se pasó el rato leyendo durante el vuelo para no tener que escuchar a Charlie Adair.

El aparato inició las maniobras de aproximación y descenso al Aeropuerto Nacional. Keith y Charlie estaban sentados a la izquierda donde se disfrutaba de la mejor vista. Las restricciones aéreas gubernamentales y militares prohibían que los aparatos se aproximaran al Aeropuerto Nacional por el este por motivos de seguridad relacionados con la Casa Blanca, por lo que los aparatos procedentes del norte, el sur y el oeste tenían problemas en el descenso a causa de los elevados edificios que se levantaban en la orilla de Virginia del Potomac y de las normas antirruido de los barrios periféricos de Maryland.

Por este motivo, cuando los aparatos se aproximaban por el norte, tal como ellos estaban haciendo en aquellos momentos, lo hacían sobrevolando directamente el río Potomac, lo cual ofrecía a los pasajeros un panorama espectacular.

Keith, sentado junto a la ventanilla, admiró la ciudad iluminada por el sol. El aparato parecía deslizarse sobre el río y Keith vio Georgetown, el Watergate, el Mall y los monumentos a Lincoln, Washington y Jefferson con el Capitolio al fondo. Era una experiencia realmente preciosa, de la cual él nunca se cansaba, sobre todo cuando llevaba algún tiempo ausente.

Mientras el aparato tomaba tierra, Keith pensó que la ciudad ya lo estaba empezando a atraer con su fuerza de gravedad. Fue probablemente lo mismo que pensó Charlie Adair cuando reservó billetes para asientos del lado izquierdo del aparato.

Aterrizaron puntuales en el Aeropuerto Nacional. No hubo una salva de veintiún cañonazos ni alfombra roja ni banda de música, pero sí un Lincoln Town Car oficial y un chófer que los condujo al hotel Hay-Adams de la calle Dieciséis, a una manzana de la Casa Blanca.

Adair se ofreció a entrar para tomar unas copas, pero Keith le dijo:

—Por hoy ya te has tomado suficientes molestias.

—No te enfades conmigo, hombre.

—¿Mañana a qué hora?

—Pasaré a recogerte a las diez y media.

—Demasiado temprano para una cita a las once y media.

—Ya conoces las normas de la Casa Blanca. Media hora de adelanto se considera demasiado tarde. Y un minuto de retraso es un mal presagio para una carrera.

—Nos veremos a las once.

—Podría haber tráfico. El coche podría sufrir una avería...

—Podemos ir a pie. Mira, se ve desde aquí.

—A las once menos cuarto.

—De acuerdo. Tráeme el billete de vuelta, de lo contrario, no voy contigo a ninguna parte.

—No te preocupes.

—Y resérvame un coche en Toledo, Columbus o Dayton.

—Lo haré. Hasta mañana.

Keith entró en el restaurado e histórico hotel y se dirigió a recepción. Como las reservas las había hecho la oficina de viajes de la Casa Blanca, todo el mundo lo trató con una deferencia especial. En aquella ciudad se vivía y respiraba el poder, no la política como muchos pensaban. El poder.

Desde la ventana de su habitación, contempló la plaza Lafayette en la Casa Blanca y la enorme cúpula del Capitolio al fondo. Llevaba menos de dos meses ausente, pero la enloquecida energía de aquel lugar le atacaba los nervios. Demasiados coches, demasiados cláxons, demasiada gente, demasiado calor, demasiada humedad, demasiado todo.

Consideró la posibilidad de llamar a los Porter, pero temió que tuvieran el teléfono intervenido y además, no había ninguna razón para llamarles o para llamar a la hermana de Annie, pues iba a regresar a Ohio el viernes por la tarde y estaría en su casa antes de la medianoche y en casa de Terry a las diez de la mañana del sábado.

Pensó también en la posibilidad de llamar a sus amigos de Washington, pero hubiera sido absurdo. En aquella ciudad, los amigos y los compañeros de trabajo de los funcionarios del Estado eran casi siempre las mismas personas. Si uno vivía en un barrio residencial, podía ser amigo de algunos vecinos, pero, si vivía en la ciudad, tal como él había hecho siempre, la vida social era una simple extensión de la vida profesional. Había recibido algunas cartas de antiguos compañeros, pero, esencialmente, cuando uno dejaba su trabajo, se quedaba fuera del circuito, aunque permaneciera en la ciudad.

Se preparó un trago, utilizando el bar de la habitación, y contempló la ciudad que alguien había descrito recientemente como la única y última capital del poder que quedaba en el mundo. ¿Podría volver a vivir allí? ¿Por qué iba a hacerlo? Ni siquiera se le había ocurrido hacerlo como funcionario retirado del Estado.

Su caso era el típico de centenares de miles de hombres y mujeres, militares y civiles, cuyas carreras se habían visto repentinamente truncadas a causa del final de la guerra fría. Pero, en este sentido, no se distinguía de los millones de guerreros del pasado, tanto vencedores como vencidos, cuyos servicios ya no eran necesarios. Sin embargo, a diferencia de los soldados o veteranos a que se había referido Charlie Adair, a él no se lo habían pasado por el forro y le hubiera encantado que lo ignoraran.

Contempló el tráfico de la hora punta y el panorama de la ciudad. Casi todas las personas que se encontraban en su misma situación no se habían ido literalmente a casa tal como había hecho él, sino que habían preferido no alejarse demasiado del lugar en el que probablemente se había desarrollado la mitad de su carrera. Él, en cambio, había querido romper totalmente con el pasado y creía haberlo conseguido.

—Puedo decirle que no al presidente. Para eso he luchado. «Señor presidente, ¿qué parte de mi negativa no ha entendido usted?»

Sonrió para sus adentros.

Cenó temprano en su habitación y pidió una botella de Banfi Brunello di Montalcino para acompañar el Chateaubriand y las trufas. Quería convencerse de que no echaba de menos aquellas comidas, pero no tenía más remedio que reconocer que sí. Si acabara afincándose en Spencerville, se compraría un par de buenos libros de cocina. Los Porter se encargarían de las verduras, él se encargaría de la carne y Annie quizá podría aprender a cocinar algunos postres europeos, pero puede que no. ¿Qué más daba? Además, aún no había decidido dónde iba a vivir. Aquella breve estancia en Washington estaba subrayando las diferencias entre aquel lugar y Spencerville, por más que no hiciera falta subrayarlas, pues eran monumentales.

En cierta perversa y extraña manera, echaba de menos aquella ciudad. Tenía que reconocerlo. Charlie Adair lo sabía y por eso lo había llevado allí. Keith se repetía una y otra vez que no quería volver a vivir en Washington y no podía vivir en Spencerville. Por consiguiente, buscaría un rincón neutral del mundo donde él y Annie pudieran vivir felices y en paz.

Terminó de cenar y abandonó su habitación. Abajo le pidió al conserje que le avisara un taxi.

—A Georgetown —le dijo al taxista.

El taxi se abrió paso entre el tráfico de la hora punta y cruzó el Rock Creek por el puente de la M Street. En la M Street, la principal arteria comercial de Georgetown, pasaron por delante de varios locales que le hicieron recordar a los jóvenes y apuestos clientes sentados junto a las barras o en los reservados, discutiendo sobre arte, literatura y viajes y, a veces, también sobre deportes. Pero todo aquello no eran más que los entremeses que se mordisqueaban antes del plato principal que era la política y el poder.

Keith le indicó el camino al chófer y pasó por delante de su antiguo apartamento en la Wisconsin Avenue y después bajó por unas calles laterales donde vivían o habían vivido algunos amigos suyos, incluyendo las calles donde vivían sus antiguas amigas. No vio por las calles a ningún conocido, pero le dio igual.

Trató de imaginarse a Annie allí y pensó que todo aquel mundo la dejaría perpleja y tal vez desconcertada. El solo hecho de pedirle un taxi a un conserje le resultaría extraño. Claro que enseguida se acostumbraría, lo cual no significaría necesariamente que le gustara la vida urbana, ni siquiera en las deliciosas calles de Georgetown. No, se sentiría fuera de lugar y dependería demasiado de él. La situación conduciría a la larga al resentimiento y, cuando una mujer estaba resentida... cualquiera sabía lo que podía ocurrir.

Podrían vivir en un barrio residencial, por supuesto o en alguna localidad cercana donde él podría ir y venir en tren, pero ya se imaginaba, telefoneándola a Virginia o Maryland a las ocho de la tarde para comunicarle que tenía una reunión que duraría hasta la medianoche. Algunas parejas de Washington y de otros lugares llevaban aquel tipo de vida sin ninguna dificultad, pero, por regla general, ambos cónyuges ejercían una profesión y uno de ellos no se había pasado casi toda su existencia en una localidad rural de quince mil habitantes.

Se adaptaría, por supuesto, y no se quejaría porque ella era así. Pero sería una relación desigual, sería el mundo de Keith, su trabajo y sus amigos, y a él ya no le interesaba aquel mundo ni aquel trabajo ni sus amigos y compañeros y, por consiguiente, no tendría más remedio que sentirse insatisfecho.

Pero puede que no. No podía quitarse aquel pensamiento de la cabeza. Sabía que no quería impresionar a Annie con el esplendor de los cócteles de Washington, las cenas oficiales, las personas importantes y el poder. A él nada de todo aquello le impresionaba y no creía que ella se quedara boquiabierta de asombro al verlo. Por otra parte, uno o dos años allí tampoco estarían tan mal, siempre que el período tuviera una duración limitada. Puede que, entretanto, se resolviera la situación en Spencerville. Jugueteó con la idea y se preguntó:

—¿Podría dar resultado?

El taxista se volvió a mirarle.

—¿Decía usted, señor?

—Nada. Gire a la derecha. —Keith leyó el nombre de la licencia del taxista...Vu Thuy Hoang—. ¿Le gusta Washington? —le preguntó.

El hombre, con la innata cortesía de los vietnamitas, contestó:

—Sí. Muy buena ciudad.

Como muchos de sus desplazados compatriotas que vivían y trabajaban en la capital del país que había fracasado en su intento de imponerles su ley, Keith sabía que aquel hombre había sufrido. No sabía cómo ni en qué medida, pero en la historia de Vu Thuy Hoang tenía que haber un sufrimiento del que la mayoría de los norteamericanos como él hubiera tenido que avergonzarse. Keith no quería conocer aquella historia, pero, aun así, le preguntó al hombre:

—¿De qué parte de Vietnam es usted?

Acostumbrado a la pregunta que solían hacerle muchos veteranos de Vietnam, el hombre contestó sin vacilar:

—De Phu Bai. ¿Lo conoce?

—Sí. Una gran base aérea.

—Sí, sí. Muchos americanos.

—¿Viaja usted a su país alguna vez?

—No.

—¿Le gustaría volver?

El hombre tardó un poco en contestar.

—Quizá —dijo al final—. Quizá para una visita.

—¿Tiene familia en Phu Bai?

—Oh, sí. Mucha familia.

—¿Le recibirían bien? ¿Podría volver a Vietnam?

—No, ahora no. Algún día quizá.

Aparentaba unos cuarenta y tantos años y Keith pensó que, por alguna razón, debía de ser *persona non grata* en su país natal. A lo mejor, era un funcionario del Estado en el antiguo régimen o un oficial del Ejército o tal vez había colaborado demasiado con los norteamericanos o había hecho algo mucho más siniestro como, por ejemplo, ser miembro de la antigua y despreciada Policía Nacional. Cualquiera sabía. Ellos nunca lo decían. Lo importante era que en Phu Bai había un jefe de policía, el cual tenía una lista en la que figuraba el nombre del taxista. Aquel jefe de policía de Phu Bai era una especie de equivalente de Cliff Baxter, con la única diferencia de que el problema de Keith con Baxter no era de tipo político o filosófico... sino puramente personal. Pero, en el fondo, se trataba de lo mismo... unas personas no podían volver a casa porque otras personas no querían.

—Vamos otra vez al hotel —le dijo Keith al taxista.

—¿Sí? ¿No paramos?

—No. No paramos.

Al llegar al Hay-Adams, Keith le dio a Vu Thuy Hoang una propina de diez dólares y un consejo gratuito.

—Vuelva a casa en cuanto pueda. No espere.

24

A la mañana siguiente, sonó el teléfono en la habitación de Keith.

—Estoy abajo —le dijo Charlie Adair—. Cuando quieras.

Keith reprimió el impulso de decirle cuatro frescas. En mitad de la noche se había despertado y había llegado a la conclusión de que Charlie no tenía la culpa de lo ocurrido.

—Dentro de cinco minutos —dijo.

Se arregló el nudo de la corbata delante del espejo y se cepilló la chaqueta de su traje italiano de seda azul oscuro. Si no contaba la chaqueta deportiva y la corbata que se había puesto para asistir a la celebración dominical en San Jaime, aquélla era la primera vez que se ponía un traje desde su fiesta de despedida casi dos meses atrás, y la verdad era que no le gustaba la pinta que tenía.

—Pareces un farsante, Landry —le dijo a su imagen reflejada en el espejo.

Abandonó la habitación y tomó el ascensor.

Charlie lo saludó con cierta cautela, tratando de adivinar su estado de ánimo.

—Tienes razón —le dijo Keith—, tú no tienes la culpa.

—Menos mal que lo comprendes. Vamos allá.

—El billete.

—Ah, sí... —Charlie se sacó un billete de avión del bolsillo de la chaqueta y se lo entregó—. Te he reservado plaza en el vuelo sin escala a Columbus de la USAir. También hay un resguardo de reserva de coche.

Keith echó un vistazo al billete y vio que salía del Aeropuerto Nacional a las siete treinta y cinco y llegaba a las nueve y cinco.

—¿No has podido encontrar nada más pronto?

—Era el único vuelo sin escala en primera clase.

—Me importan un bledo las escalas y la primera clase. ¿No había nada más temprano para Toledo o Dayton?

—¿Dayton? ¿Y eso dónde está? Mira, la reserva la ha hecho la oficina de viajes de la Casa Blanca. No creo que haya muchos aviones que vayan allí, chico. Alégrate de que sea Columbus, Ohio, y no Columbus, Georgia. Pásate después por la oficina de viajes, si quieres.

—No importa. Vamos.

Salieron por la entrada principal, delante de la cual esperaba un Lincoln. Llovía y el chófer los acompañó hasta el automóvil, sosteniendo un paraguas sobre sus cabezas.

Una vez acomodados en el asiento de atrás, Charlie dijo:

—Anoche hablé con el ayudante del secretario de Estado Ted Stansfield, y se alegró mucho de que hubieras venido.

—¿Qué remedio me quedaba?

—Así hablan ellos. Con fingida humildad. El secretario de Defensa te dirá: «Keith, me alegro de que haya podido venir. Espero que no le hayamos causado demasiadas molestias».

—¿Eso será cuando yo le diga que se vaya al carajo?

—No creo. Está dispuesto a acogerte de nuevo en el equipo y, por consiguiente, cuando él te diga: «Me alegro de que haya vuelto», tú le dirás: «Me alegro de estar de vuelta en Washington», como si no hubieras entendido bien el significado de sus palabras. Después pasarás a saludar al presidente. Si le han comunicado que tú tienes ciertas dudas, te dirá: «Espero, coronel, que considere atentamente este ofrecimiento y lo acepte». «Así lo haré, señor», dirás tú, queriendo decir que lo considerarás atentamente, no que lo vas a aceptar. ¿Está claro?

—Charlie, yo era un maestro de las frases equívocas, un experto de los circunloquios sin sentido y un especialista de la palabra ambigua. Por eso no quiero volver. Estoy volviendo a aprender a hablar con sencillez.

—Lo cual me parece muy preocupante.

—Supongo que no le dijiste a Ted Stansfield que yo no quería el trabajo —añadió Keith.

—No se lo dije porque quería darte un poco de tiempo para pensarlo. ¿Lo has pensado?

—Sí.

—¿Y qué?

—Pues verás, anoche me di una vuelta en taxi por la ciudad y estuve pensando un poco. Me fui al monumento de Lincoln, me detuve delante de la estatua del gran hombre y le pregunté: «Abe, ¿qué tengo que hacer?» Y te aseguro que el señor Lincoln me contestó, Charlie. «Keith, Washington apesta», me dijo.

—¿Y qué esperabas que te dijera? Aquí le pegaron un tiro. Se lo tenías que haber preguntado a otro.

—¿Como a quién? ¿A los cincuenta mil tíos cuyos nombres figuran en el muro negro? Mejor no oír lo que opinan de Washington.

—No, mejor no.

El vehículo oficial rodeó la plaza Lafayette y se acercó a la entrada del Ala Oeste por la calle Diecisiete.

—Mira, Keith —dijo Charlie—, la decisión la tienes que tomar tú. Yo he hecho lo que me ordenaron que hiciera. Te he traído aquí.

—¿No te pidieron que intentaras convencerme?

—No. Pensaron que aceptarías encantado. Pero yo sabía que no.

—Y estabas en lo cierto.

—Por eso esta entrevista podría ser un poco embarazosa para mí.

—Te exoneraré de cualquier responsabilidad.

—Gracias.

Keith miró a través de la ventanilla. Directamente al otro lado del Ala Oeste, en la calle Diecisiete, estaba su antiguo lugar de trabajo, el llamado Antiguo Edificio Administrativo, una mole de granito y hierro fundido de cien años de antigüedad, construido en estilo Segundo Imperio francés. Era un edificio que la gente apreciaba o aborrecía. Keith experimentaba unos sentimientos ambivalentes. El interior recientemente restaurado era lo bastante lujoso como para resultar incómodo, sobre todo si uno ocupaba un despacho del último piso con una ventana que miraba al sur, hacia el gueto de los negros. El edificio era cuatro veces más grande que la Casa Blanca y en él habían tenido su sede en otros tiempos el departamento de Guerra, el de Estado y el de Marina, y todavía sobraba sitio. Ahora no bastaba para acoger a todas las personas que formaban el equipo de la Casa Blanca y se limitaba a albergar las oficinas de nivel medio de la Casa Blanca como, por ejemplo, las del Consejo Nacional de Seguridad. El CNS era más o menos un organismo asesor del presidente, una caja de compensación de los productos de espionaje de la CIA, la Agencia de Espionaje Militar donde antaño trabajara Keith, la Agencia Nacional de Seguridad, que se ocupaba sobre todo de criptografía, el Servicio de Espionaje del departamento de Estado y otros organismos secretos de los que tanto abundaban en todo el Distrito de Columbia.

Entre las personas que integraban el Consejo figuraban el director de la CIA, el secretario de Defensa, el secretario de Estado, el representante de los jefes de Estado mayor y cualquier otro funcionario de alto rango que el presidente deseara nombrar. Se trataba de hecho de un grupo de elite, por lo que, en la época de la guerra fría, el CNS era mucho más importante que el Gabinete, aunque eso nadie lo tenía que saber oficialmente.

Unos años atrás, Keith había sido invitado a dejar su labor en la Agencia de Espionaje de Defensa del Pentágono y a acepar un puesto en el CNS, cuya sede se encontraba en el Antiguo Edificio de Administración. El nuevo trabajo entrañaba menos peligro físico que el que había estado desempeñando en todo el mundo por cuenta de la

Agencia de Espionaje de Defensa y además su despacho en el CNS estaba más cerca de su apartamento de Georgetown, lo cual le indujo a pensar que aquel trabajo con los civiles sería más satisfactorio. Al final, resultó que echaba de menos el peligro y, aunque el hecho de trabajar tan cerca de la Casa Blanca constituyera una mejora desde el punto de vista profesional, su nueva actividad tenía otro tipo de inconvenientes.

Entre las personas que había conocido en el CNS se encontraba el coronel Oliver North. A pesar de que no le conocía muy bien, cuando el coronel North se hizo famoso, el coronel Landry empezó a preocuparse. North, según la unánime opinión, era un militar excelente, pero, por lo visto, el hecho de trabajar para los civiles había sido algo así como trabajar en una sala de infecciosos donde el joven coronel había pillado una cosa mala. Keith temía que a él le ocurriera lo mismo, por lo que siempre llevaba puesta una mascarilla y se lavaba las manos en el trabajo.

Y ahora querían que volviera a trabajar con ellos, no en el viejo edificio sino en la mismísima Casa Blanca.

Llegaron al puesto de vigilancia de la calle Diecisiete, donde, tras efectuar las debidas comprobaciones, les indicaron por señas que pasaran. El chófer se detuvo delante de la entrada y ambos bajaron.

En la entrada había otros funcionarios del servicio de seguridad, pero no hubo más controles. Alguien se limitó a abrirles la puerta. En el pequeño vestíbulo, el funcionario del mostrador comprobó sus nombres en la lista de citas. Keith firmó y bajo el encabezamiento de «Organización y cargo», escribió, «Civil, retirado». Eran las once y cinco.

Keith había estado varias veces en el Ala Oeste de la Casa Blanca, entrando normalmente a través del pasadizo secreto que conectaba la calle Diecisiete con el sótano de la Casa Blanca en el que se encontraba ubicada la llamada Sala de Situación y algunos despachos del Consejo Nacional de Seguridad. Y también había estado en la planta baja siempre que había tenido que hablar con el asesor de la seguridad nacional de la anterior Administración. En cuanto Charlie hubo firmado, el funcionario les dijo:

—Tomen el ascensor hasta el piso de abajo y esperen en el salón, señores. Alguien les avisará.

Tomaron el pequeño ascensor para bajar al sótano donde otro funcionario los recibió y los acompañó al salón.

El salón, un eufemismo para designar la sala de espera del sótano, había sido recién reformado y amueblado con piezas de estilo club. Había un televisor sintonizado con la CNN y una alargada mesa de bufé adosada a la pared donde uno se podía servir cualquier cosa que le apeteciera, desde un café a un dónut, fruta o yogur para las personas preocupadas por su salud y prácticamente cualquier tentempié que uno pudiera desear, exceptuando las bebidas alcohólicas y el cianuro.

En la estancia había unas doce personas más, hombres y mujeres que miraron furtivamente a los recién llegados, tratando de situar sus rostros en el panteón de los dioses y diosas del momento en Washington.

Charlie y Keith se acomodaron en sendos sillones junto a una mesita auxiliar.

—¿Quieres café o alguna otra cosa? —le preguntó Charlie a Keith.

—No, gracias, jefe.

Charlie acogió con una sonrisa el cambio de situación.

—Oye —dijo—, si aceptas este cargo, tu jefe no seré yo sino el asesor de seguridad nacional del presidente.

—Yo creía que el asesor de seguridad nacional iba a ser yo.

—No, tú trabajarás directamente a sus órdenes.

—¿Y cuándo podré ser presidente?

—Mira, Keith, estoy un poco nervioso, ¿no podrías dejarte de bromas, por favor?

—Por supuesto que sí. Haz unas cuantas flexiones. A mí me da resultado.

—Me apetecería fumar un cigarrillo, pero aquí no se puede. Creo que se pasan un poco.

Keith miró a su alrededor. A pesar de la agradable decoración, no dejaba de ser un cuarto de sótano sin ventanas cuya atmósfera era la propia de todas las salas de espera del mundo. Un zumbido eléctrico procedente de las entrañas del edificio enviaba aire frío o caliente según la estación. Tras permanecer dos meses alejado del zumbido de la gran ciudad y del gran edificio, Keith lo notó y no le gustó.

En la estancia se experimentaba una sensacion casi irreal de condena inminente, como si cada hombre y mujer que allí se encontraba estuviera esperando su destino en una de aquellas estancias mucho menos agradables de ciertos países donde a uno le pegaban un tiro cuando su nombre figuraba en la lista del día.

Keith había tenido ocasión de visitar el sótano de la Lubyanka, el antiguo cuartel general del KGB de Moscú que se había convertido en una especie de atracción turística para un selecto grupo de antiguos enemigos de la Unión Soviética como él. Las celdas habían desaparecido y habían sido sustituidas por un espacio de aire clerical, pero él se imaginaba las antiguas celdas, los gritos de los torturados, los carceleros llamándolos por sus nombres y el eco de los disparos al final del pasillo donde el guía explicaba que los prisioneros recibían un disparo en la nuca mientras caminaban.

La sala de espera del Ala Oeste de la Casa Blanca tenía un aire muy distinto, por supuesto —yogur y noticias mundiales en la televisión—, pero la sensación de estar aguardando a que pronunciaran tu nombre era la misma.

Keith tomó allí mismo la decisión de no volver a aguardar nunca más a que pronunciaran su nombre. Lo habían llamado veinticinco años atrás y había contestado a la llamada. Lo habían vuelto a llamar la víspera y había vuelto a contestar. Aquel día volverían a llamarle, pero sería la última vez que contestara.

Se abrió la puerta y apareció un funcionario:

—Coronel Landry, señor Adair, ¿tienen la bondad de acompañarme, por favor?

Ambos se levantaron y siguieron al joven hasta el ascensor. Subieron al vestíbulo y lo siguieron hasta la Sala del Gabinete situada en el extremo este del ala del edificio. El funcionario llamó con los nudillos a la puerta, la abrió y les hizo pasar. Dentro otro hombre en quien Keith reconoció a Ted Stansfield se adelantó para saludarles.

—Ted, ya recuerda a Keith —dijo Charlie.

—Por supuesto. — Se estrecharon la mano y Stansfield añadió—: Estoy encantado de que haya podido venir.

—Y yo de que me hayan invitado.

—Pasen y tomen asiento —dijo Stansfield, señalando dos de las sillas que rodeaban la alargada mesa de madera oscura en torno a la cual se reunía el Gabinete.

Keith sabía que la Sala del Gabinete se utilizaba para todo tipo de reuniones, grandes y pequeñas, siempre que el Gabinete no se reunía. De hecho, era una sala con un programa tremendamente apretado, pues varias personas la utilizaban para impresionar y/o intimidar. En otros tiempos, el coronel Landry hubiera podido sentirse impresionado, aunque nunca intimidado. Ahora sólo estaba ligeramente aburrido y nervioso.

Miró a Stansfield, un cortés y refinado hombre de unos cuarenta años, con aire de estar efectivamente encantado, sobre todo de sí mismo.

—El secretario se ha retrasado un poco —les informó Stansfield—. Su antigo jefe, el general Watkins —añadió, dirigiéndose a Keith—, también se reunirá con nosotros, al igual que el coronel Chandler, que es el actual ayudante del asesor de seguridad nacional.

—¿Se reunirá también con nosotros el señor Yadzinski? —preguntó Keith, llamando por su nombre al asesor de seguridad nacional, a pesar de que en el Washington oficial a las personas de alto rango se las denominaba siempre por su cargo, es decir, «el presidente», «el secretario de Defensa», etc., como si se hubieran transformado de simples mortales en divinidades. «El Dios de la Guerra se reunirá enseguida con nosotros.» En el otro extremo, a las personas de más baja categoría se las llamaba también por el oficio que desempeñaban, por ejemplo, «el portero».

—El asesor de seguridad nacional intentará reunirse con nosotros, si puede —contestó Ted Stansfield.

—¿Y todos se van a retrasar?

—Pues supongo que sí. ¿le puedo ofrecer alguna cosa?

—No, gracias.

Siguiendo la costumbre, los tres se enzarzaron en una charla intrascendente para no tener que referirse a temas que obligaran a alguno de ellos a decir algo así como «Antes de que usted llegara, señor, el señor Landry y yo lo habíamos estado comentando y él me ha dicho que...», etc., etc.

—¿Ha disfrutado usted de su breve retiro? —preguntó Stansfield.

En lugar de corregir el tiempo pasado utilizado por su interlocutor y de aclararle el enigma a Charlie, Keith se limitó a responder:

—Sí.

—¿En qué ocupó su tiempo?

—Regresé a mi ciudad natal y busqué a mi antigua novia.

—¿De veras? —Stansfield esbozó una sonrisa—. ¿Y volvió a encenderse la antigua llama?

—Pues sí.

—Me parece muy interesante, Keith. ¿Tienen ustedes algún plan?

—Pues sí. De hecho, mañana mismo pienso traerla a Washington.

—Cuánto me alegro. ¿Por qué no la ha traído hoy?

—Su marido no se ausentará de la ciudad hasta mañana.

Keith notó que Charlie le golpeaba el pie con el suyo mientras la estúpida sonrisa de Stansfield se borraba de golpe.

—Charlie me dijo que eso no sería ningún problema —añadió Keith.

—Bueno... supongo que...

—La señora en cuestión está en trance de divorciarse —explicó Charlie.

—Ah.

Keith prefirió no corregir a su amigo.

Se abrió la puerta y entró el general Watkins vestido de paisano y otro hombre vestido también de paisano a quien Keith identificó como el coronel Chandler a pesar de que raras veces había tenido ocasión de conversar con él.

Charlie y Ted Stansfield se levantaron, pese a que, en su condición de civiles, no hubieran tenido que hacerlo. Keith también lo hizo sin estar demasiado seguro.

—Tiene usted muy buena cara, Keith —dijo el general Watkins, estrechando su mano—. El descanso le ha sentado muy bien. ¿Listo para volver a montar?

—Tuve una mala caída, mi general.

—Razón de más para volver a montar el mismo caballo.

Keith sabía que ésa era la respuesta que Watkins le iba a dar, pero la culpa era suya por haberle dado ocasión para aquella insustancial contestación. No sabía cuántas respuestas evasivas e insustanciales tendría que aguantar antes de llegar al meollo de la cuestión.

—Seguramente recuerda a Dick Chandler a quien va usted a sustituir —le dijo Ted Stansfield a Keith—. El coronel Chandler pasará a ocupar un cargo de mayor responsabilidad en el Pentágono.

Los coroneles Landry y Chandler se estrecharon la mano. A Keith le pareció que Chandler se alegraba de que él fuera su sustituto, aunque puede que todo fueran figuraciones suyas.

Keith sabía que, por regla general, a los militares no les gustaba trabajar en la Casa Blanca, pero en tiempo de paz era difícil mantenerse apartado de aquel lugar sin que ello repercutiera negativamente en la propia carrera. En tiempo de guerra era más fácil; uno se ofrecía voluntario para ir al frente y ser blanco de los disparos del enemigo.

El general Watkins, los coroneles Chandler y Landry, el señor Adair y el señor Stansfield permanecieron de pie, esperando la inminente llegada del secretario de Defensa. Keith observó que la conversación entre ellos resultaba un tanto forzada. Las charlas intrascendentes no eran apropiadas en el Ala Oeste y las conversaciones serias sobre cuestiones tales como el deterioro de la situación en la antigua Unión Soviética estaban plagadas de trampas, pues cualquier cosa que uno dijera se podía considerar oficial y causarle dificultades más adelante. Ted Stansfield resolvió el dilema, hablando de una nueva normativa que acababa de leer en sustitución de otra anterior relacionada con el preocupante problema de quién tenía que informar a quién.

Keith cambió de canal, pero las interferencias provocadas por la conversación de sus acompañantes le obligaron a recordar el organigrama de los servicios de espionaje. El Consejo Nacional de Seguridad donde él había trabajado estaba dirigido por el asesor presidencial de Asuntos de Seguridad Nacional, conocido como el asesor de seguridad nacional, cargo que en aquellos momentos ocupaba Edward Yadzinski. El cargo que ofrecían al coronel Landry era el de ayudante del señor Edward Yadzinski, o tal vez el de ayudante militar o enlace con el secretario de Defensa cuya llegada también estaban esperando.

Keith recordó aquel organigrama con sus casillas y rectángulos pulcramente etiquetados —todos ellos relacionados entre sí por medio de unas tortuosas líneas que nunca se entrecruzaban—, que tanto se parecía al esquema electrónico de un submarino nuclear. Sin embargo, a diferencia del esquema electrónico cuyo funcionamiento estaba supeditado al cumplimiento de unas leyes científicas, el organigrama de los servicios de espionaje no se regía por leyes científicas, divinas o naturales sino tan sólo por las leyes del hombre, las cuales estaban sometidas a los caprichos de los que mandaban y a los debates en el Congreso.

Pero, aparte todo aquello, Keith no comprendía el motivo de la presencia allí de su antiguo jefe el general Watkins, pues Watkins ocupaba el extremo derecho del organigrama en la calle Diecisiete mientras que él se encontraba en aquellos momentos en el centro, separado del perro principal tan sólo por unas cuantos hombres. Keith sospechaba que el general Watkins se encontraba allí cumpliendo una especie de condena, pues, a pesar de haber prescindido de los servicios del coronel Landry cumpliendo órdenes superiores, él hubiera tenido que prever que, dos meses más tarde, el presidente mandaría llamar al coronel Landry. Pobre general Watkins.

Watkins no tenía que pedir disculpas por haber despedido al coronel Landry, pero tenía que estar presente en su readmisión y tenía que sonreír o, por lo menos, fingir que sonreía. El general estaba que trinaba, como era de suponer, pero no diría ni pío.

El centro del poder, pensó Keith, en cualquier tiempo o lugar, era por definición un refugio de lunáticos y de conductas lunáticas... el Kremlin, un palacio bizantino, la Ciudad Prohibida, la villa de un emperador romano, el bunker del *Führer*... no importaba el nombre ni el aspecto exterior; por dentro era siempre un lugar oscuro y sin ventilación, un terreno abonado para la locura progresiva y las huidas cada vez más peligrosas de la realidad. Keith experimentó el repentino impulso de echar a correr hacia la puerta, gritando algo sobre los dementes que dirigían el manicomio.

—Keith, está usted sonriendo de una manera que me solía molestar —dijo el general Watkins.

—No sabía que estuviera sonriendo, señor, e ignoraba que mi sonrisa le hubiera molestado alguna vez.

—Aquella sonrisa era siempre el preludio de un comentario sagaz. ¿Piensa usted hacernos alguno en este momento?

—Mi general, me gustaría aprovechar la oportunidad para...

Charlie Adair interrumpió la frase.

—Mejor guardar el comentario para otra ocasión, Keith.

Keith pensó que hubiera sido una ocasión ideal para decirle a Watkins lo que pensaba de él, pero justo en aquel momento se abrió la puerta y entró el secretario de Defensa. Era un hombre delgado, medio calvo y con gafas cuyo aspecto no hubiera permitido adivinar su condición de jefe de la máquina militar más poderosa de toda la tierra. Su débil apariencia física no ocultaba una fuerte personalidad... aquel frágil cuerpo no encerraba un Marte, dios de la guerra. Parecía un marica y era un marica.

Ted Stansfield presentó al secretario de Defensa, el cual sonrió, estrechó las manos de los presentes y le dijo a Keith:

—Me alegro de que haya venido.

—Y yo me alegro de estar aquí.

Stansfield retiró una silla al fondo de la alargada mesa y el secretario se sentó. El general Watkins y el coronel Chandler fueron colocados por Stansfield a la derecha del secretario y Keith y Charlie a su izquierda. Después, todavía de pie, Ted Stansfield dijo:

—Señor secretario, señores, si me disculpan, tengo otra cita.

Dicho lo cual, se retiró.

—Bien —dijo el secretario, mirando a Keith—, se estará usted preguntando seguramente por qué le han mandado llamar desde su retiro y yo se lo voy a decir. Usted causó una favorable y duradera impresión en el presidente en el curso de una de las sesiones informativas de los servicios secretos y, hace unos días, el presidente le mandó llamar. —El secretario soltó una risita—. Cuando alguien le dijo que estaba usted retirado, comentó que era usted demasiado joven para retirarse. Por eso está usted aquí ahora —añadió, mirando con una sonrisa a Keith.

A Keith se le ocurrieron varias respuestas, entre ellas la recitación de la balada escocesa de Charlie. En su lugar, aprovechó la ocasión para dejar las cosas bien claras.

—Me pidieron que me retirara, señor. La idea no fue mía. —No quiso mirar al general Watkins porque hubiera sido una mezquindad por su parte—. Tengo en mi haber veinticinco años de servicio y me encuentro a gusto en mi actual situación.

El secretario no pareció haber seguido todas sus explicaciones y se limitó a replicar:

—Bien, su nombre ha sido incluido en la lista de ascensos al generalato y el presidente examinará muy pronto esa lista.

—Ya no estoy en servicio activo, señor —dijo Keith, tratando todavía de resistirse—, pues me retiré del Ejército coincidiendo con mi retirada del servicio en la Administración. Por consiguiente, supongo que ese ascenso lo será como oficial de la reserva.

El secretario añadió, sin apartarse ni un ápice de su programa:

—El puesto que va usted a ocupar es el de ayudante militar y asesor del asesor de seguridad nacional del presidente. Más tarde el coronel Chandler le informará sobre su misión. Ocupará usted un despacho aquí, en el Ala Oeste.

A Keith le pareció que el secretario de Defensa pronunciaba las palabras «el Ala Oeste» como si dijera «a la derecha de Dios». Allí estaban ellos, en la sede del poder donde la proximidad al poder ya era en sí misma el poder, a dos pasos del despacho Ovalado... donde uno se podía cruzar en el pasillo con el presidente, en el epicentro mismo de la movida nacional e internacional. No era un lugar de trabajo normal y corriente, pensó Keith, en el que uno pudiera recibir la visita de los miembros de su familia o sus amigos, tomar un café con ellos o concertar una cita para almorzar.

—¿Mi despacho estará en el segundo piso o en el sótano? —preguntó.

—En el sótano —contestó el coronel Chandler.

—¿Se podrá ver el cielo? Quiero decir si habrá alguna ventanita.

—Es interior —contestó Chandler, mirándole perplejo—. Dispondrá usted de un secretario.

—¿Habrá plantas?

Charlie Adair esbozó una sonrisa forzada y explicó:

—El coronel Landry ha pasado los últimos dos meses en la granja de su familia y está muy sensibilizado por las cuestiones de la naturaleza y el medio ambiente.

—Qué interesante —dijo el secretario de Defensa, levantándose y consultando su reloj—. ¿Tiene usted alguna pregunta que hacerme, coronel? —le preguntó a Keith.

—No, señor —contestó Keith.

—Bien pues. Si ustedes me disculpan, caballeros, tengo otra cita. —Mirando a Keith, el secretario añadió—: La pérdida del general Watkins es una ganancia para la Casa Blanca. Buena suerte.

En cuanto el secretario de Defensa se hubo retirado, el general Watkins aprovechó para decirle a Keith:

—Me sorprende que haya usted decidido regresar a Washington. Tenía la sensación de que ya estaba harto.

—Y lo estaba.

El general le miró inquisitivamente.

—Puede que el nuevo trabajo le infunda renovado vigor.

—Quizá cuando luzca la misma estrella que usted ostenta, señor —dijo Keith—, podremos organizar alguna especie de competición deportiva para ver quién de nosotros tiene más vigor.

Al general Watkins no le hizo gracia el comentario, pero, intuyendo un sutil cambio en la estructura del poder, prefirió dejarlo correr.

—Bien, caballeros —dijo—, ustedes ya no me necesitan y yo también tengo una cita. Buenos días. —Dirigiéndose a Keith, añadió—: La política no es su fuerte, coronel.

—Gracias.

Watkins se retiró y Keith se quedó con Charlie Adair y el coronel Chandler en la Sala del Gabinete. Como los tres tenían más o menos el mismo rango, se sentaron sin que nadie les invitara a hacerlo, aunque Keith lo hizo varias sillas más allá.

Chandler le estaba hablando del trabajo, pero Keith volvió a desconectar. Toda aquella reunión había sido ensayada de antemano con la aparición estelar del secretario de Defensa, aparte la cuestión del protocolo, pues el secretario era el jefe supremo del coronel Landry, siempre y cuando Keith se siguiera considerando un militar. Los demás personajes tenían también su papel. Charlie Adair era Judas, el general Watkins era el chivo expiatorio, el coronel Chandler era el Pilatos que se lavaba las manos de todo aquel embrollo y Ted Stansfield era el maestro de ceremonias. Keith conocía su papel, pero no lo estaba interpretando muy bien.

Volvió a pensar en Annie y se preguntó qué hubiera pensado ella de haber estado allí. Tal como él le había dicho a Charlie, Annie era una sencilla chica del campo, pero no tenía un pelo de tonta y, de hecho, había sido una alumna mucho más aventajada que él no sólo en el instituto sino también en la universidad. Procedía de la misma tradición populista del Medio Oeste que él, por lo que todo aquel boato y protocolo y toda aquella exhibición de la ley del más fuerte le hubieran resultado ligeramente repugnantes y la hubieran inducido a pensar que no eran más que una sarta de bobadas.

En los primeros tiempos de su actividad en el servicio, el mundo era más peligroso, pero el Gobierno le había parecido mucho más sencillo y benévolo. Algunos hombres de aquella época habían contribuido eficazmente a derrotar a las potencias del Eje, pero eran unos hombres entregados de lleno a su misión y no unos cerdos que se limitaban a chupar del bote gubernamental. Ahora hasta los hombres de la generación de Vietnam como él se estaban retirando o eran invitados a hacerlo y a él no le interesaba demasiado la nueva cosecha.

El coronel Chandler describió en cinco minutos los deberes y responsabilidades del cargo, subrayando los detalles más favorables y omitiendo las jornadas de doce horas, el trabajo que habría que hacer en casa o las crisis en países cuyos husos horarios, vacaciones y días de descanso no coincidían con los de Washington.

Keith interrumpió a Chandler para preguntarle:

—¿Lo pasó usted bien?

—¿Que si lo pasé bien? —Chandler reflexionó un instante antes de contestar—: Aquí en la Casa Blanca se vive una fuerte tensión, pero hay muchas compensaciones.

—¿Cómo es posible que algo que produce tensión tenga tantas compensaciones?

—Pues... las tiene. Quizá debería decir que tenía el convencimiento de estar haciendo algo útil por mi país y no en mi propio beneficio.

—Pero, ¿estaba usted haciendo lo que era adecuado para su país?

—Yo creía que sí. Y la cosa no ha terminado, ¿sabe usted? Todavía andan sueltos por ahí muchos chicos malos.

—Ya, pero puede que los nuevos chicos buenos les sepan arreglar las cuentas a los antiguos chicos malos.

—Nosotros tenemos más experiencia en estas cosas.

—Tenemos experiencia con los antiguos chicos malos. Es posible que comprendamos las nuevas realidades, pero seguimos pensando con los esquemas de antaño. ¿Me aconseja que acepte el cargo? —preguntó Keith, mirando al coronel Chandler.

Chandler carraspeó y miró a Adair, el cual hizo un gesto con la mano como invitándole a contestar.

El coronel Chandler reflexionó un instante y contestó:

—Me alegro de tenerlos en mi expediente, pero no le desearía los dos últimos años ni a mi peor enemigo.

—Gracias.

Se abrió la puerta y entró Edward Yadzinksi, el asesor de seguridad nacional del presidente. Todos se levantaron y Yadzinski les estrechó la mano.

—Me alegro de que haya podido venir —le dijo a Keith.

—Gracias, señor. Yo también.

Tengo otra cita, pero quería charlar un momento con usted. He leído su expediente y me ha impresionado la amplitud y variedad de su experiencia desde su puesto de jefe de pelotón a su última misión. Estoy deseando tener a mi lado a alguien tan sincero y honrado como usted. El coronel Chandler me lo garantiza. Me gustan los militares porque poseen las cualidades que yo exijo.

—Sí, señor.

Y porque normalmente no tenían ambiciones políticas, pensó Keith, obedecían las órdenes y se les podía trasladar sin dificultad en lugar de despedirlos. Como los curas y los pastores protestantes, los militares tenían una vocación que teóricamente estaba por encima de sus carreras o sus existencias particulares. Los altos cargos de la Administración gustaban de contar en su equipo de colaboradores con algunos militares que, de hecho, no eran más que unos criados de paisano.

—Sus antiguos compañeros me han hablado muy bien de usted, mi coronel —añadió Yadzinski—. ¿No es cierto, Charlie?

Charlie Adair se mostró de acuerdo.

—El coronel Landry ha sido un valioso colaborador de mi departamento, altamente respetado por toda la comunidad de los servicios secretos.

—Nunca me llevé muy bien con el general Watkins —le dijo Keith a su hipotético jefe— y le causé muchos quebraderos de cabeza al señor Adair.

Charlie hizo una mueca, pero Yadzinski sólo esbozó una sonrisa.

—No es usted muy diplomático, ¿verdad? De hecho, yo estaba presente en la Sala de Situación la vez que usted le preguntó al secretario de Estado si teníamos una política exterior. Me encantó —dijo el asesor, soltando una risita—. Yo le respaldaré, coronel. Trabajo directamente a las órdenes del presidente y usted trabajará directamente a las mías.

Keith pensó que, a lo mejor, no le desagradaría trabajar cinco o seis años con Yadzinksi, pero ya era demasiado tarde.

—A pesar de mis diferencias con el señor Adair —dijo—, le consideraba un hombre extremadamente experto, competente y entregado a su misión.

Yadzinski no debió de haber escuchado sus palabras, pues le dijo:

—El coronel Chandler podrá responder a cualquiera de sus preguntas mucho mejor que yo. —Alargó la mano y Keith se la estrechó—. Bienvenido a bordo, coronel. —Sin soltar la mano de Keith, el asesor presidencial consultó su reloj—. Tengo otra cita —dijo—. ¿Cuándo puede usted empezar?

—Quisiera tomarme el fin de semana para pensar... —contestó Keith.

—Por supuesto. El lunes estaría muy bien. El coronel Chandler le mostrará su despacho.

—El coronel Landry vive en Ohio, señor —dijo Charlie.

—Gran estado. Buenos días, señores —dijo Yadzinski.

Tras lo cual, dio media vuelta y se retiró.

—Yo también tengo una cita —dijo Keith, consultando su reloj—. Buenos días, señores.

Charlie esbozó una sonrisa forzada.

—Tienes una cita con el presidente.

—Deberá usted aguardar en la sala de espera hasta que lo llamen —le explicó el coronel Chandler—. Yo no tengo ninguna otra cita —añadió con una sonrisa—. Ya estoy fuera de aquí. —Se encaminó hacia la puerta y, antes de salir, se volvió diciendo—: En el piso de abajo encontrará mi despacho. He dejado mi número por si tiene usted alguna pregunta. Es todo suyo.

Dicho lo cual, Chandler se retiró.

Aunque Keith no oyó la palabra «incauto», ésta pareció flotar en el aire.

—Charlie, me parece que ya no estamos en Spencerville —dijo Keith.

—¿Qué te induce a pensarlo?

Mientras se encaminaban hacia la puerta, Keith añadió:

—Es posible que el lunes se lleven una sorpresa al descubrir que el despacho del coronel Chandler está vacío.

—Tómate el fin de semana para pensarlo. Yadzinski es uno de los mejores hombres de la Administración. Pruébalo. ¿Qué pierdes con ello?

—Mi alma.

Salieron al pasillo y tomaron el pequeño ascensor para bajar nuevamente al sótano.

—¿Quieres ver tu despacho? —preguntó Charlie.

—No.

Se dirigieron a la sala de espera. Una vez allí, Charlie dijo como hablando para sus adentros:

—Creo que me he librado del apuro. Gracias por echarme una mano.

Keith no contestó y se puso a hojear un periódico.

—Bueno pues —dijo Charlie, soltando una repentina carcajada—, ¿crees que podrás volver a Ohio, hacer el equipaje, regresar a Washington, buscarte un apartamento, amueblarlo y estar en tu puesto de trabajo el lunes por la mañana?

Keith lo miró por encima del periódico sin decir nada.

—Creo que él no sabía que habías abandonado el Distrito de Columbia —dijo Charlie—. De todos modos, yo se lo dije, pero puede que estuviera distraído.

Keith pasó la página del periódico.

—Yo lo podría arreglar para que pudieras tomarte unas cuantas semanas.

Keith consultó su reloj.

—Comprendo tu punto de vista —añadió Charlie—. Este lugar es una olla a presión.

Keith volvió a doblar el periódico y leyó en la sección local un reportaje sobre los embotellamientos de tráfico en las horas punta. Los minutos iban pasando lentamente.

—Decir que trabajas en la Casa Blanca... —dijo Charlie—, ¿no crees que tu novia estaría orgullosa?

—No —contestó Keith sin levantar la vista del periódico.

—No me digas que no es tentador.

Keith dejó el periódico.

—Charlie, las Administraciones van y vienen, los cargos en la Casa Blanca son tan seguros y duraderos como un paseo a lomos de un potro salvaje. Mira, no quiero ser crítico ni aguafiestas, pero me han colocado en una situación que no me gusta ni un pelo. Debería ser suficiente con decir que rechazo el ofrecimiento por motivos personales. ¿De acuerdo?

—De acuerdo.

Poco después se presentó un secretario de citas, diciendo:

—Coronel Landry, el presidente le va a recibir ahora mismo.

—Buena suerte —dijo Charlie.

Keith se levantó y todos los presentes en la sala de espera le miraron mientras salía con el secretario.

Utilizaron el ascensor para volver a subir y echaron a andar por el pasillo que conducía al Despacho Ovalado. Un funcionario del servicio secreto que había a la entrada le dijo a Keith:

—Unos minutos.

Después el secretario de citas le recordó el protocolo y le dijo que no pisara el Gran Sello tejido en la alfombra.

—¿Tengo que saltar por encima de él? —preguntó Keith.

—No, señor, rodéelo por la izquierda. La ayudante del presidente lo rodeará por la derecha y entonces usted avanzará hacia el escritorio. El presidente está un poco retrasado y no le pedirá que se siente sino que rodeará el escritorio y lo saludará a escasa distancia del mismo. Por favor, sea breve.

—¿Tengo que decirle que voté por él?

El secretario de citas le miró un momento y después echó un vistazo al programa de citas que sostenía en la mano como si quisiera asegurarse de que aquel hombre figuraba en la lista.

Se abrió la puerta y una joven ayudante lo hizo pasar. Ambos pisaron la alfombra azul del Despacho Ovalado, rodearon el Gran Sello y volvieron a reunirse para avanzar juntos hacia el escritorio del presidente situado delante de los ventanales que miraban al sur. Keith observó que seguía lloviendo.

El presidente rodeó el escritorio para saludarle, le miró con una sonrisa y alargó la mano. Keith se la estrechó.

—Me alegro de volver a verle, coronel —dijo el presidente.

—Gracias, señor presidente.

—Le hemos echado mucho de menos por aquí.

—Sí, señor.

—¿Ya está usted instalado?

—Todavía no, señor.

—El señor Yadzinski se encargará de todo, es un jefe duro, pero razonable.

—Sí, señor.

—Corren tiempos difíciles, coronel, y valoramos mucho a un hombre tan experto y honrado como usted.

—Gracias, señor presidente.

—¿Hay algo que desee usted preguntarme?

Era la pregunta tradicional que solían hacer los presidentes, generales y otros altos cargos. Tiempo atrás, probablemente antes de que naciera Keith, la pregunta era auténtica. Ahora en que todo el mundo iba con retraso, la pregunta era puramente retórica y la respuesta era siempre «No, señor». Sin embargo, Keith preguntó:

—¿Por qué yo?
El presidente le miró momentáneamente desconcertado mientras la ayudante carraspeaba.
—¿Cómo dice?
—¿Por qué me mandó llamar concretamente a mí?
—Ah, comprendo. Pues verá, recuerdo lo mucho que me impresionaron sus conocimientos y su perspicacia. Me alegro de tenerle aquí con nosotros. Bienvenido a la Casa Blanca, coronel —añadió el presidente, tendiéndole la mano.
Keith se la estrechó diciendo:
—Gracias por invitarme, señor.
La ayudante le dio a Keith una palmada en el hombro, ambos se volvieron y recorrieron toda la longitud del Despacho Ovalado, evitando pisar el Gran Sello del suelo. Un hombre abrió la puerta en cuanto la alcanzaron.
Keith salió al pasillo sin la ayudante. El secretario de citas le dijo:
—Gracias por venir, mi coronel. Por favor, reúnase con el señor Adair en el vestíbulo.
Keith se dirigió al vestíbulo donde Adair lo estaba esperando sin apenas poder ocultar su inquietud.
—¿Qué tal ha ido? —preguntó Adair.
—Sesenta y siete segundos sin contar los desvíos alrededor del Gran Sello.
Los acompañaron hasta la salida del Ala Oeste y el chófer se les acercó corriendo con el paraguas. Mientras se dirigían al automóvil, Adair preguntó:
—¿Qué ha dicho?
—Nada.
—¿Cree que has aceptado el cargo?
—Sí.
—¿Y qué vas a hacer?
—Lo pensaré.
—Muy bien. He reservado mesa para el almuerzo. —Subieron al automóvil y Adair le dijo al chófer—: Al Ritz-Carlton.
El vehículo abandonó el recinto de la Casa Blanca y se abrió paso bajo la lluvia entre el denso tráfico de las calles.
—Has mostrado la dosis justa de comedimiento y reticencia. No les agrada la gente que presume demasiado o que parece excesivamente ávida de ocupar un cargo.
—Charlie, eso no ha sido una entrevista para un trabajo. Ha sido una llamada a filas.
—Llámalo como quieras.
—¿Tú aceptarías este cargo?
—En un santiamén.

—Hay que dedicar algún tiempo a examinar la propia vida, amigo.
—Yo no tengo vida. Soy un funcionario del Estado.
—Me preocupas.
—Tú eres el que me preocupa a mí. ¿Estás enamorado?
—Eso no tiene nada que ver. No quiero regresar a Washington.
—¿Aunque no existiera Annie Baxter?
—El tema está cerrado.

Keith contempló la ciudad a través de la ventanilla mientras recorrían las calles en silencio. Tenía que reconocer que algunas veces lo había pasado muy bien allí, pero la extrema rigidez de las estructuras y la ley del ordeno y mando del Washington oficial chocaba con su instinto democrático, lo cual era una de las mayores paradojas de aquel lugar.

Cada una de las Administraciones en las que había servido había comenzado con su propio estilo, su propia visión y energía y sus propios optimismo e idealismo. Pero, en cuestión de un año, la atrincherada burocracia volvía a ejercer su asfixiante influencia y, al cabo de otro año, la nueva Administración empezaba a volverse pesimista y se aislaba y se dividía por culpa de los conflictos y las disputas internas. El hombre del Despacho Ovalado envejecía a ojos vista y el Barco del Estado seguía navegando sin que nadie pudiera hundirlo ni timonearlo, pero sin ningún destino conocido.

Keith Landry había saltado de aquel barco o, mejor dicho, lo habían arrojado por la borda y él había quedado varado en Spencerville. Una dama lo había acogido amablemente en la playa, pero ahora sus compañeros de tripulación lo llamaban para que regresara. La señora podría acompañarle si quisiera, pero él no quería mostrarle la verdadera naturaleza de aquel resplandeciente barco blanco ni presentarle a sus compañeros de tripulación por temor a que ella se preguntara qué clase de hombre era él realmente. El barco no esperaría mucho tiempo y el jefe nativo de la isla, que era el marido de la dama, acababa de ordenarle que se largara de la isla.

—A veces —le dijo a Charlie—, te encuentras en una situación en la que no puedes encontrar la salida más fácil porque no existe ninguna.

—Exacto. Pero tú, Keith, siempre has tenido una habilidad especial para tropezarte con esas situaciones.

—¿Quieres decir que hago estas cosas a propósito? —preguntó Keith con una sonrisa.

—Las pruebas parecen apuntar en este sentido. Y normalmente lo sueles hacer todo por tu cuenta. Incluso cuando los demás te colocan en situaciones difíciles, tú haces todo lo posible por agravarlas. Y, cuando alguien quiere ayudarte a salir de un apuro, rechazas la ayuda.

—¿De veras?

—Sí.

—A lo mejor, la culpa la tienen mis antecedentes de agricultor que sólo confía en sí mismo.

—Quizá. Pero, a lo mejor, eres simplemente un cerdo intratable y obstinado que siempre quiere llevar la contraria.

—Cabe esta posibilidad. ¿Te puedo telefonear alguna vez cuando necesite un análisis más en profundidad?

—Tú nunca llamas a nadie. Ya te llamaré yo.

—¿Era difícil trabajar conmigo?

—No me provoques —dijo Charlie, apresurándose a añadir—: Pero te volvería a aceptar enseguida.

—¿Por qué?

—Nunca dejas a nadie en la estacada. Jamás en la vida. Creo que precisamente ahora te encuentras en esa situación. Sin embargo, tus lealtades han cambiado.

—Muy cierto... en algún momento del camino entre Washington y Spencerville experimenté una conversión.

—Procura no hacer recorridos tan largos. Y, hablando de recorridos, ya hemos llegado.

25

Entraron en el hotel Ritz-Carlton y pasaron al Jockey Club donde el *maître* los recibió, saludando al señor Adair por su nombre. Mientras los acompañaba a una mesa para dos pegada a la pared del fondo, todos los presentes los siguieron con la mirada.

Keith sabía que aquél era uno de los restaurantes del poder de Washington desde su inauguración más de treinta años atrás. Jackie Kennedy había sido uno de sus primeros clientes.

Era un lugar con aire de club masculino, pero Keith recordaba que a las mujeres les gustaba por la comida y por el interés que allí despertaban. De hecho, Washington era la ciudad masculina por excelencia, a pesar de ser el máximo centro de la igualdad de oportunidades y el hogar espiritual del lenguaje y las leyes no sexistas y políticamente correctas. Había, por supuesto, mujeres que ejercían un considerable poder, pero era una ciudad cuyas actitudes fundamentales hacia las mujeres estaban muy por detrás de lo que públicamente se proclamaba. En primer lugar, Keith sabía que el número de mujeres jóvenes y bien parecidas era muy superior al de sus equivalentes masculinos y, en segundo, el poder era un afrodisíaco y lo ejercían los hombres. Las mujeres que acudían a Washington desde el interior del país para trabajar en puestos de secretarias y ayudantes en la Administración solían pertenecer al tipo que se conformaba con disfrutar de los reflejos del poder. En otras palabras, las mujeres en el Washington oficial eran unos muebles muy bonitos que se alegraban de que les sacaran brillo y de que alguien se sentara en ellos de vez en cuando. Todo el mundo se empeñaba en negarlo, naturalmente, pero eso en Washington significaba que era la pura verdad.

Todo el mundo tenía que reconocer que se habían producido algunos cambios, pero, aparte un puñado de viejas y acaudaladas viudas que ejercían mucho poder en Washington, en el Jockey Club no solía haber muchas mujeres comiendo con otras mujeres.

Keith no tenía por costumbre ir allí muy a menudo, pero, cuando lo hacía, había observado que el lugar era políticamente bastante imparcial. La mesa del rincón, por ejemplo, la podían ocupar tanto Barbara Bush y Nancy Reagan como los dirigentes de los derechos civiles de los negros Vernon Jordan y Jessie Jackson. El local solía ser frecuentado también por los astros de los medios de difusión. Aquel día Keith vio a Mike Wallace y George Will en mesas separadas. Los clientes parecía estar tomando mentalmente nota de quién cenaba con quién.

—¿Se va a reunir con nosotros alguien importante? —le preguntó Keith a Charlie—. Estamos decepcionando a toda esta gente.

Charlie encendió un cigarrillo.

—Dentro de unas semanas, podrías venir aquí vestido con uniforme de general.

—Generales hay por docenas en esta ciudad, los coroneles son unos simples meritorios y, además, yo no suelo ponerme el uniforme a diario.

—Me parece muy bien, pero podrías decirle a tu secretaria que llamara diciendo: «Aquí la Casa Blanca. Quisiera hacer una reserva para el general Landry».

—Eso es casi tan importante como ocupar el cargo.

—Pues piénsalo bien... con el ascenso y treinta años de servicio, la paga de tu retiro sería casi el doble y podrías vivir como un rey. Serás un hombre muy joven cuando te retires.

—¿Y a ti qué te va en ello, Charlie?

—Me gustaría volver a tenerte a mi alrededor.

—No estaré a tu alrededor sino al otro lado de la calle.

—Me gustaría tener un amigo en la Casa Blanca.

—Ah, ya comprendo el motivo.

—Pienso también en tu interés.

—Pues ya somos dos. Te lo agradezco —dijo Keith.

Se acercó el camarero y Keith pidió un whisky doble con hielo. Charlie se tomó su habitual vodka con una espiral de corteza de limón.

—Te he reservado habitación en el Four Roses para mañana. He pensado que te gustaría estar en Georgetown.

—¿Y quién paga todo esto?

—La Casa Blanca.

—¿Incluyendo la noche de mañana con mi novia casada?

—Si mañana salís de Toledo a las dos y cuarto, podréis estar en vuestra habitación de hotel a las cinco. Te llamaré y cenaremos todos juntos en Georgetown.

—Muy bien.

—El lunes haremos un buen recorrido por la ciudad y el martes tú ya habrás hablado con ella y habrás tomado una decisión.

—¿O sea que no será necesario que empiece a trabajar el mismo lunes?

—De eso me encargo yo. Os buscaremos un aparthotel hasta que encontréis algo. Conseguiré la debida autorización.

—Gracias —dijo Keith, estudiando a Charlie.

—Con el ascenso, te podrás permitir el lujo de vivir en una casa de Georgetown.

—Lo dudo.

—¿Qué gana hoy un general de brigada? ¿Unos ochenta y cinco mil?

—Supongo. Lo pensaré detenidamente.

—Pero, ¿hacia dónde te inclinas?

—Hacia adelante. Estoy intentando leer el menú. Tema cerrado.

Les sirvieron las bebidas y Charlie propuso un brindis.

—Para todos los que hemos servido en el pasado, el presente y el futuro.

—Salud.

El camarero anotó los platos.

—¿Hablaste anoche con la señora? —le preguntó Charlie a Keith.

—Vive con su marido.

—Ah, claro. —Charlie se rió diciendo—: A Ted por poco se le cae la dentadura postiza cuando lo dijiste. Fue muy gracioso. No sabía que ibas a decir eso. ¿Por qué lo hiciste?

—Porque me apeteció.

Se pasaron un rato recordando los viejos tiempos, hablando del mundo de la posguerra fría y tratando de adivinar el futuro. Les sirvieron los platos y empezaron a comer. Keith se lo estaba pasando bien. Le gustaba Charlie Adair, le encantaba hablar de cuestiones candentes, le gustaba el whisky y el bistec estaba riquísimo. No podía imaginarse viviendo nuevamente allí, pero sí trabajando de nuevo en el servicio secreto fuera del país, quizá en algún lugar donde pudiera hacer un poco de bien, aunque no se le ocurría ninguno. Lo malo, sin embargo, era que estaba situado demasiado arriba como para poder llevar a cabo un trabajo directo y, si le decías que no al presidente, ya no podías aspirar a ningún otro puesto. Y, aunque consiguiera un destino en el extranjero, no hubiera sido justo para con Annie, la cual tenía a sus dos hijos en la universidad en Ohio y a su familia en Spencerville. Tenía que acostumbrarse a pensar como un ciudadano particular con responsabilidades y compromisos particulares.

—¿Por qué seguimos creyendo que tenemos que ser los gendarmes del mundo? —le preguntó a Charlie.

—Porque todavía tenemos millones de personas en nómina y millones de metros cuadrados de superficie de oficinas y miles de millones de dólares asignados por el Congreso —contestó Charlie sin vacilar—. No tiene nada que ver con el idealismo sino con la superficie de oficinas. Si nos retiráramos del escenario mundial, ésta sería una ciudad fantasma y el Jockey Club tendría que cerrar.

—Todo eso me parece un poco cínico. La gente podría trabajar en programas nacionales. Las zonas interiores del país se están muriendo de asco.

—Pero eso no es para personas como nosotros. ¿Tú crees que nos gustaría trabajar en los departamentos de Interior o de Sanidad y Servicios Sociales?

—No.

—Pues ya está. Aunque me ofrecieran más dinero y un puesto de mayor responsabilidad en Sanidad y Servicios Sociales, diría que no. Los trabajos más atractivos consisten en ayudar a los extranjeros o en joder a los extranjeros. —Charlie encendió otro cigarrillo y expulsó lentamente el humo—. ¿Recuerdas el dividendo de paz? A ti te echaron para poder tener más dividendo de paz. Queríamos reconstruir Norteamérica con ese dinero. Pero no lo hemos hecho. Seguimos empeñados en dirigir el mundo. Queremos dirigir el mundo.

—El mundo se las puede arreglar muy bien sin nosotros.

—Tal vez. —Charlie miró a Keith y le preguntó—: Si la Unión Soviética fuera todavía una amenaza, ¿regresarías?

—Si fuera una amenaza, no me hubieran despedido.

—Contesta a la pregunta.

—Sí, regresaría.

Charlie asintió con la cabeza.

—¿Lo ves, Keith?, en el fondo lamentas que la guerra fría haya terminado...

—No.

—Escúchame. Has dedicado tu vida a luchar contra los comunistas ateos y muchas personas compartían el espíritu de tu misión. Eras un producto de los tiempos en que te tocó crecer y un producto de una pequeña localidad de Estados Unidos. Todo eso era para ti como una guerra santa en la que tú estabas del lado de Dios y de los ángeles. Tú eras un ángel. Ahora Satanás y sus legiones han sido derrotados, hemos invadido el mismísimo infierno y hemos liberado a las almas cautivas. ¿Y qué ha ocurrido? Pues nada. Tu país ya no te necesita para que lo protejas de las fuerzas del mal. Tú eras más feliz cuando vivía el demonio y la Casa Blanca era el principal objetivo de un mapa de misiles soviético. Cada día te despertabas en Washington, sabiendo que estabas en el frente y protegías a los débiles y a los atemorizados. Hubieras tenido que verte cuando entrabas cada mañana en el despacho, hubieras tenido que ver el fuego que ardía en tus ojos cuando yo te decía que tenías que cumplir determinada misión en el extranjero. —Charlie hizo una pausa para apagar la colilla del cigarrillo en el cenicero—. En los últimos tiempos, parecías un caballero que hubiera matado el último dragón y se negara a matar las ratas del sótano por considerarlo una labor impropia de tu categoría y dignidad. Naciste y te educaste para la batalla del Juicio Final. Pero ahora todo ha terminado. Fue una buena guerra y una cochina victoria, pero ya a nadie le importa una mierda. Búscate otra cosa para cargarte las pilas.

Keith guardó silencio un instante y después replicó:

—Todo lo que dices es cierto aunque yo no quiera escucharlo.

—No te he dicho nada que tú no sepas. Tendríamos que crear un grupo de apoyo subvencionado por el Gobierno llamado Hombres Sin Misión.

Keith esbozó una sonrisa.

—Los hombres de verdad no se incorporan a grupos de apoyo. Se guardan sus problemas sin decir nada.

—Mi mujer no estaría de acuerdo. —Charlie añadió tras una pausa—: A veces creo que necesitaríamos asesoramiento como los chicos de Vietnam. ¿Quién nos organiza a nosotros un desfile?

—Te recuerdo el monumento al Guerrero Frío del Mall.

—No hay ningún monumento al Guerrero Frío en el Mall.

—Por eso te lo recuerdo.

—Muy bien. Nos han dejado tirados, pero tenemos que afrontar la situación. ¿Tú sabes lo que hacían los caballeros entre batalla y batalla? Perfeccionaban el concepto del idealizado amor cortés. No es indigno del hombre estar enamorado, ser caballeroso y cortejar a una dama.

—Ya lo sé.

—¿Te exalta ella los sentidos?

—Sí.

—Pues entonces, adelante.

Keith miró a Charlie en silencio.

—¿Y el puesto?

—Olvídalo. Tienes dragones pintados en el escudo. No te dediques a matar ratas en el sótano. Es por eso por lo que vas a ser recordado.

—Gracias, Charlie.

Pidieron otra ronda.

—¿Cuánto tarda una persona importante como tú en conseguir un pasaporte para un amigo?

Charlie agitó su cuarto o quinto vaso de vodka antes de contestar.

—Pues unas cuantas horas si todo va bien. Llamaré a un amigo del departamento de Estado y lo arreglaré. ¿Es para la señora?

—Sí.

—¿Adónde pensáis ir?

—No lo sé. Probablemente a Europa.

—Si vais a ir a algún lugar extraño donde se necesite visado,ház-

melo saber. Os lo puedo conseguir en un día. Cuenta con ello.
—Gracias.
Pidieron café, brandy y postre. Ya eran casi las tres de la tarde, pero la mitad de las mesas estaba todavía ocupada. Era curioso, pensó Keith, la cantidad de asuntos nacionales que se resolvían durante los almuerzos, los cócteles y las cenas. Confiaba en que las cabezas de toda aquella gente estuvieran más despejadas que la suya y la de Charlie.
Charlie agitó el brandy de su copa diciendo:
—Yo hubiera dimitido por las mismas razones, pero tengo esposa, hijos universitarios, una hipoteca que pagar y una desmedida afición a los restaurantes caros. Sin embargo, todos acabaremos desapareciendo, todos los que ahora poseemos esos amplios conocimientos mundiales que tanto trabajo nos costó adquirir no tendremos más remedio que desaparecer y entonces los funcionarios de poca monta ocuparán los despachos del Consejo Nacional de Seguridad y dirigirán programas de atención prenatal para los inmigrantes drogodependientes de la Europa del Este.
—Mejor eso que unos espacios de oficinas vacíos.
—Tienes razón.
Charlie apuró su brandy y pidió otro.
—Tomaré un taxi para regresar al Hay-Adams —dijo Keith.
—No, usa el coche y dile al chófer que pase a recogerme aquí a las cinco. Me apetece beber un poco más. ¿Podrás tomar un taxi para ir al aeropuerto?
—Pues claro. —Keith se levantó—. Os veré a ti y a Katherine mañana. Me encanta su compañía. Y la tuya también algunas veces.
Charlie se levantó en inestable equilibrio.
—Estoy deseando conocer a Annie. El Four Seasons corre de nuestra cuenta. Haz lo que tengas que hacer, no te sientas obligado a nada y, a mediados de semana, escríbele al señor Yadzinksi una amable carta, rechazando el puesto y diciéndole que te vas a Europa.
—Ésos son los planes.
Keith estrechó la mano de Charlie y se retiró. Estaba cayendo un chaparrón, por lo que el portero lo acompañó con un paraguas hasta el coche que aguardaba a la vuelta de la esquina. El chófer abrió la portezuela y preguntó, levantando la voz para que el portero lo oyera:
—¿Volvemos a la Casa Blanca, señor?
—No, el presidente se reunirá conmigo en el Hay-Adams.
—Sí, señor.
Keith subió al vehículo y éste se apartó del bordillo.
«Esta ciudad está chiflada», pensó.
—Chiflada.

—¿Decía, señor?
—El señor Adair desea que regrese usted a recogerle a las cinco.
—Sí, señor.
Keith se reclinó en su asiento, contemplando las manecillas del limpiaparabrisas. Charlie estaba empleando con él un sistema psicológico inverso, pensó. Lo malo era que había estado tan persuasivo con la analogía del dragón y las ratas que había logrado convencerle de haber tomado la decisión más acertada y por las razones más acertadas.

Aquella ciudad lo había seducido como la mayor ramera del mundo y, cada vez que la veía, la tocaba y aspiraba su perfume, se excitaba sin poderlo remediar. Le había obligado a quitarse el uniforme y lo había jodido hasta dejarlo hecho polvo, pero a él le había encantado a pesar de todo. El hecho de que también hubiera jodido a otros hombres contribuía a intensificar su excitación. Sabía que era fría, despiadada y corrupta hasta la médula. Pero era al mismo tiempo tan guapa e iba tan elegantemente vestida y bien maquillada, era tan extremadamente inteligente y le sonreía con tanto donaire que él la amaba sin remisión, aunque en el fondo la odiara con toda su alma.

26

A las seis de la tarde, Keith bajó al vestíbulo del Hay-Adams y se encaminó hacia la puerta con la maleta.

—¿Taxi, señor?

—Sí, por favor.

Keith esperó con el portero bajo la marquesina.

—Los taxis escasean con esta lluvia.

—Ya lo veo.

—¿Al aeropuerto?

—Pues sí.

—Los vuelos van con retraso. Jack viene por Virginia Beach.

—¿Cómo dice?

—El huracán Jack. Sube por la costa. A nosotros no nos va a alcanzar, pero tendremos vientos huracanados y fuertes lluvias durante toda la noche. ¿Ha comprobado su vuelo, señor?

—No.

—¿Nacional o Dulles?

—Nacional.

El portero sacudió la cabeza.

—Largas esperas. Quizá le convendría probar en el Dulles, si fuera posible.

Se acercó un taxi y el portero abrió la portezuela. Keith subió y le preguntó al taxista:

—¿Cómo está el Nacional?

—Cerrado.

—¿Y el Dulles?

—Todavía abierto,

El trayecto hasta el Dulles, que normalmente duraba cuarenta y cinco minutos por la autovía de acceso Dulles, duró más de una hora y el tiempo no parecía mucho mejor tierra adentro. Mientras se acercaban al aeropuerto, Keith no vio aterrizar ni despegar ningún avión.

—La cosa no tiene muy buen aspecto, jefe —dijo el taxista—. ¿Quiere regresar?

—No.

El taxista se encogió de hombros y siguió adelante, sin decir nada más.

—USAir.

Llegaron a la zona de salidas de USAir y Keith vio colas de personas esperando taxis. Entró en la terminal y echó un vistazo a los monitores. Casi todas las salidas habían sido anuladas o llevaban retraso.

Probó en los mostradores de varias compañías, buscando un vuelo a cualquier ciudad situada a pocos centenares de kilómetros de Spencerville, pero nadie le dio demasiadas esperanzas.

A las siete y media el Aeropuerto Dulles fue cerrado oficialmente hasta nuevo aviso.

Keith observó que la gente empezaba a abandonar la terminal, aunque varias personas se sentaron a esperar.

Se dirigió al bar de la terminal. Estaba lleno de viajeros atrapados, pero consiguió que le sirvieran una cerveza mientras contemplaba el televisor instalado por encima de la barra. Jack se había detenido en Ocean City, Maryland, y sus efectos se dejaban sentir hasta más de ciento cincuenta kilómetros a la redonda. La opinión más generalizada era la de que ningún aparato podría despegar antes del amanecer. Pero nunca se sabía.

No era la primera vez en su vida que no podía tomar un vuelo y sabía que de nada le serviría preocuparse o enojarse. En otras ocasiones y lugares la situación había sido crítica e incluso había peligrado su vida. Pero esta vez era muy importante.

Eran las ocho y cuarto de la tarde y él tenía una cita a las diez de la mañana en Ohio Occidental. Estudió las posibilidades. Era una distancia de unas trescientas millas aéreas, es decir, unos seiscientos kilómetros; el vuelo a Columbus duraba menos de dos horas, el de Toledo algo más y el de Dayton o Fort Wayne, Indiana, ligeramente más. En cualquier caso, si consiguiera tomar algún vuelo a las cinco de la madrugada, podría alquilar un vehículo y plantarse en Spencerville sobre las diez de la mañana, pero no llegaría a su cita hasta unas horas más tarde. Sin embargo, hubiera podido llamar a casa de Terry desde un teléfono público y decirle que llegaría con retraso. Pero también cabía la posibilidad de que el tráfico aéreo no se normalizara hasta media mañana y él no pudiera salir del Dulles hasta mucho más tarde. Además, no tenía billete de salida desde Dulles.

Salió del bar y se encaminó hacia los mostradores de alquiler de automóviles, frente a los cuales se habían formado largas colas de personas. Se colocó en la cola de Avis y al final, llegó al mostrador. El joven del mostrador le preguntó:

—¿Tiene reserva, señor?

—No, pero necesito un coche. Cualquiera me vale.

—Lo siento, pero aquí no tenemos absolutamente nada ni lo vamos a tener esta noche.

Keith ya lo suponía.

—¿Y qué me dice de su propio coche? Voy a Ohio. Es un viaje de unas diez horas. Le pago mil dólares y usted podrá dormir en el asiento de atrás.

El joven esbozó una sonrisa.

—Es tentador, pero...

—Piénselo. Pregunte por ahí. Yo estaré en el bar de la terminal.

Keith regresó al bar y se tomó otra cerveza. El local se encontraba semivacío, pues la gente ya había abandonado la esperanza de que se abriera el aeropuerto y los autocares de las compañías estaban llevando a los pasajeros a los moteles cercanos.

A las diez de la noche, el joven de Avis entró en el bar y le vio.

—He preguntado por ahí, pero no hay nada. He llamado a otras sucursales nuestras de la zona, pero tampoco tienen nada. Seguramente ocurre lo mismo en todas partes. Podría probar con la Amtrak.

—Gracias. —Keith le ofreció un billete de veinte dólares que él no quiso aceptar y volvió a su cerveza. En otros lugares del mundo, con billetes verdes uno podía comprar al primer ministro junto con su coche. En Estados Unidos, el dinero también servía, pero no tanto. Casi todas las personas hacían su trabajo sin que nadie las comprara ni sobornara y muchas ni siquiera aceptaban una propina. No obstante, tenía que haber alguna solución ingeniosa para resolver el problema del desplazamiento desde el punto A al punto B.

Pensó un ratito. Había muchas maneras de salir de una ciudad, tal como él había tenido ocasión de aprender a lo largo de los años. Sin embargo, cuando un aeropuerto se cerraba a causa del mal tiempo, el fuego de artillería o la presencia de unos rebeldes en las pistas, el transporte por tierra y mar sufría graves alteraciones.

Consideró la posibilidad de llamar a Terry y explicarle la situación, pero hubiera sido una prematura confesión de derrota... o, peor todavía, un fallo de la imaginación.

—Piensa —se dijo en voz baja—. Ya lo tengo.

Salió del bar y se dirigió a las cabinas telefónicas. También había colas, pero esperó.

A las diez y media entró en la cabina y marcó el número del domicilio particular de Charlie Adair, pero le contestó la máquina,.

—Charlie —dijo—, estoy atrapado en el aeropuerto. Hay un huracán aquí afuera, por si no te hubieras dado cuenta. Envíame un coche para que me lleve de nuevo al hotel. Que me avisen por el sistema de megafonía. Estoy en el Dulles, no en el Nacional.

Después se fue a leer el periódico a la sala de espera para poder oír su nombre cuando lo llamaran. Sabía que Adair recibiría el mensaje, pues, en aquel trabajo, uno controlaba su contestador automático desde dondequiera que estuviera por lo menos una vez cada hora. El mundo libre dependía de ello. O, por lo menos, antes dependía.

A las diez cincuenta y cinco, el sistema de megafonía pidió al señor Landry que contestara a través de uno de los teléfonos de cortesía. Keith ya había localizado el más cercano y lo tomó.

—Señor Landry —dijo una voz masculina—, aquí Stewart, su chófer de esta mañana. He recibido una llamada del señor Adair...

—¿Dónde está usted ahora?

—Aquí, en el Dulles. Puedo reunirme con usted delante mismo de la zona de salidas de la USAir.

—Dentro de cinco minutos.

Keith se dirigió rápidamente a las puertas de salidas de la USAir, vio a Stewart, un hombre de cincuenta y tantos años y cabello entrecano, de pie junto al Lincoln, y se acercó a él. Stewart colocó la maleta en el portaequipajes y Keith se acomodó en el asiento delantero.

—¿No estaría usted más cómodo detrás, señor? —le preguntó Stewart.

—No.

Stewart subió y el vehículo se apartó del bordillo y bajó por la rampa.

—Gracias —dijo Keith.

—Es mi trabajo, señor.

—¿Está usted casado, Stewart?

—Sí, señor.

—¿Y su esposa es una mujer comprensiva?

—No, señor —contestó Stewart, riéndose.

El vehículo avanzó lentamente bajo la lluvia, siguiendo las indicaciones de salida del aeropuerto.

—¿Qué instrucciones le han dado? —le preguntó Keith al chófer.

—Que lo conduzca al Four Seasons, señor. Le han hecho una reserva. Estaba todo lleno a causa del mal tiempo, pero el señor Adair le ha conseguido una habitación.

—Es un tipo estupendo.

—Después recibí una llamada en casa y el señor Adair me dijo que estaba usted en el Dulles y me vine para acá.

—Las comunicaciones modernas son un prodigio. Podemos estar en contacto con todo el mundo.

—Sí, señor. Yo tengo un buscapersonas, un teléfono en el coche y una radio.

—¿Le dijo el señor Adair desde dónde le llamaba?

—No, señor. Pero yo tengo que llamar a su contestador automático para decirle que ya le he encontrado a usted.

—Lo haré yo. —Keith tomó el teléfono, marcó el número de Adair y le dijo al contestador—: Estoy en el coche, Charlie. Gracias por todo. Intentaré estar ahí mañana por la noche, pero primero tengo que regresar a Ohio. Llámame a este teléfono. —Se lo indicó y añadió—: Hablaré contigo más tarde. —Colgó y le preguntó a Stewart—: ¿Ha visitado usted alguna vez Ohio?

—No, señor.

—El «estado de los castaños de Indias» lo llaman.

—Sí, señor.

Stewart le miró sin decir nada.

Mientras se acercaban a la entrada de la autovía de acceso Dulles, Keith le dijo al chófer:

—Tome la 28 norte. Tenemos que hacer una parada antes de regresar al Distrito de Columbia.

—Sí, señor.

Stewart tomó la 28.

Keith estudió el reloj del tablero de instrumentos. Eran las once y cuarto de la noche.

—Mal tiempo —dijo, mirando a través del parabrisas.

—Sí, señor.

—Creo que ya se esperaba el huracán.

—Lo han estado anunciando toda la semana y esta mañana han dicho que rozaría Virginia Beach y después se desviaría hacia la Costa Oriental y que, por la noche, habría rachas atemporaladas y lluvia. Y han acertado.

—Desde luego. Oiga, cuando llegue a la carretera 7, diríjase hacia el oeste.

—Muy bien. —Unos kilómetros más allá, Stewart preguntó—: ¿Hasta qué distancia vamos hacia el oeste, señor Landry?

—Pues... vamos a ver... unos ochocientos kilómetros.

—¿Cómo ha dicho, señor?

—Mire, Stewart, finalmente va usted a tener la oportunidad de conocer el gran estado de Ohio.

—No le entiendo.

—Es muy sencillo. Tengo que estar en Ohio y no sale ningún vuelo de Washington. Vamos a Ohio.

Stewart miró a Keith y después dirigió la vista hacia la radio y el teléfono.

—El señor Adair no me... dijo que...

—El señor Adair no está al corriente de la situación, pero lo estará cuando yo hable con él.

Stewart guardó silencio. Keith sabía que, a lo largo de sus muchos años de servicio como chófer oficial, el hombre había aprendido a hacer lo que le mandaban por muy molesto o estrambótico que pudiera parecer. Aun así, Keith se sintió obligado a darle una explicación.

—Puede llamar a su esposa para avisarla —le dijo.

—Sí, señor. Pero quizá tendría que hablar primero con el señor Adair. No sé si estoy autorizado a...

—Stewart, acabo de conversar esta mañana con el secretario de Defensa y con el presidente de Estados Unidos. ¿Quiere que llame a uno de ellos y le pida autorización?

—No, señor.

—Yo hablaré con el señor Adair a su debido tiempo. Usted preste atención a la carretera. Yo llamaré a su casa. ¿Cuál es su número?

Stewart se lo dijo y Keith marcó. Tuvo que intentarlo varias veces a causa del mal tiempo, pero, al final, una voz femenina se puso al aparato y Keith le dijo:

—Buenas noches, señora...

Keith miró a Stewart y éste dijo:

—Arkell.

—Señora Arkell, aquí el general Landry del Consejo Nacional de Seguridad. Me temo que esta noche su marido tendrá que hacer unas cuantas horas extra. Sí, señora, ahora se lo paso.

Keith le pasó el teléfono a Stewart, el cual lo tomó sin demasiado entusiasmo.

Stewart escuchó en silencio un minuto largo y, finalmente, consiguió decir algo.

—No, no sé a qué hora será...

—Calcule mañana a esta hora para estar más seguro —dijo Keith.

—Sí, cariño, ya...

Keith contempló la lluvia a través de la ventanilla.

—Te llamaré más tarde —le dijo Stewart a su mujer, mascullando algo por lo bajo.

—¿Todo bien? —le preguntó Keith.

—Sí, señor.

—Ésta es la carretera 7. Ahora seguiremos hasta la I-81 en dirección norte.

—Sí, señor.

—Vaya despacio. Ya lo compensaremos más tarde cuando salgamos de este mal tiempo.

—Sí, señor. No puedo superar el límite de velocidad. Son las normas, señor.

—Unas normas muy buenas. ¿Ha tenido una jornada muy larga?

—Sí, señor.

—Yo conduciré más tarde.

—No está permitido, mi general.

—Coronel. A veces les digo general a las señoras.

Stewart sonrió por primera vez.

Mientras circulaban lentamente por la 7 en dirección oeste, sonó el teléfono y Keith lo tomó.

—Hola, Charlie.

—¿Aún estás en el coche?

—No, voy corriendo a su lado.

—Stewart no tuvo dificultades en encontrarte, ¿verdad?

—No, ahora estoy en el coche. Aquí es donde me llamas.

—Tendrías que estar en el Four Roses a esta hora. ¿Dónde estás en este momento?

—Todavía en el coche.

—¿Y dónde está el maldito coche?

—En la carretera 7.

—¿Por qué? ¿Qué le pasa a la Dulles?

—Nada, que yo sepa.

Hubo una pausa en cuyo transcurso Keith oyó música y rumor de conversaciones en segundo plano.

—¿Adónde te diriges, Keith? —preguntó Charlie.

—Lo sabes muy bien.

—Por Dios bendito, no puedes secuestrar un vehículo oficial con su chófer...

—¿Por qué no? Muchas veces he secuestrado vehículos oficiales con sus chóferes en otros países. ¿Por qué no en el mío?

Charlie lanzó un suspiro y preguntó:

—¿Stewart va contigo?

—Sí. Nosotros ya hemos resuelto lo de su mujer, tú resuelve ahora la cuestión de la autorización. Procuraré estar de regreso mañana por la noche. Que lo pases muy bien en esa cena o lo que sea. Gracias por todo y adiós...

—Un momento. ¿No podrías llamarla y decirle que saldrás mañana del Distrito de Columbia?

—No, tengo una cita por la mañana.

—Dile que tome ella un vuelo hacia acá por la mañana.

—Nos vamos a fugar juntos.

—Te estás poniendo muy pesado, Keith.

—¿Que yo me estoy poniendo pesado? Tú me has llevado a Washington, engañado. Sabías lo del huracán.

—No, no es cierto. Decían que soplaría hacia el mar. Pero, ¿por qué no puede ella tomar un avión y...?

—Charlie, ya tuviste ocasión de conocer a su marido. Es una mala bestia. Ella quiere que yo esté allí cuando se vaya. Además, tengo que recoger unas cuantas cosas en casa. ¿De acuerdo?

—De acuerdo. Es inútil discutir con un hombre que sigue los dictados de su polla. ¿Llegarás a tiempo?

Keith consultó el reloj del tablero de instrumentos. Eran las doce y diez minutos de la noche.

—Por los pelos —contestó.

—Buena suerte, muchacho. Dile a Stewart que estoy en deuda con él. Llama mañana.

—Lo haré. —Keith colgó y le dijo a Stewart—: El señor Adair le debe a usted un gran favor.

—Me debe muchos.

—Yo también.

Al cabo de media hora, tomaron la I-81 norte.

—Preste atención al camino —le dijo Keith al chófer—. Tendrá que regresar solo.

—Sí, señor.

Keith se reclinó contra el respaldo de su asiento.

—¿Qué le ha parecido el equipo de los Orioles este año?

—No gran cosa. No habrá forma de que puedan entrar en la Serie como no cambien de táctica.

—¿Sigue usted el fútbol universitario?

—Por supuesto.

—Los de Ohio vuelven a estar muy bien.

—Vaya si lo están.

Se entretuvieron hablando de deportes mientras la lluvia iba amainando a medida que se alejaban de la influencia del huracán. Una vez en Maryland, Stewart accedió a superar en veinte kilómetros por hora el máximo límite de velocidad permitido.

Al llegar a Hagerstown, Keith le dijo a Stewart que tomara la I-70 en dirección oeste. La carretera era buena y casi no había tráfico a aquella hora, pero Stewart, que era un agresivo conductor urbano, se acobardó de repente al ver que el camino empezaba a subir serpeando por los montes Apalaches.

Keith le dijo que se detuviera en una zona de descanso. Cuando Stewart regresó de su rápida visita al lavabo, encontró a Keith sentado al volante.

—Señor, no está usted autorizado a conducir este vehículo.

—Excepto en caso de emergencia, como, por ejemplo, si usted empezara a dormirse al volante. Tiéndase en el asiento de atrás, Stewart, y descanse un poco si no quiere que lo deje aquí.

—Sí, señor.

Stewart abrió la portezuela posterior y se tendió en el amplio asiento.

Keith se puso al volante y, a los quince minutos, oyó unos ronquidos procedentes de la parte de atrás. Puso la radio a muy bajo volumen y escuchó la música *country* que trasmitía una emisora de Wheeling, Virginia Occidental. En la divertida canción, un divorciado se quejaba diciendo: «Ella se quedó con todo y a mí me dejó en la ruina». Le pareció agradable para variar un poco de tantas canciones en las que sólo se hablaba de dolores y desgracias.

Al sur de Pittsburgh, en la I-7, Keith se detuvo para poner gasolina. Eran las cuatro y veinte de la madrugada y faltaban todavía unas cinco horas paran llegar a Columbus, otras dos horas por carreteras secundarias y rurales para llegar a Spencerville y aproximadamente una hora más hasta Chatham. No podría llegar a su cita de las diez de la mañana en el condado de Chatham ni tomar el vuelo de las dos y cuarto desde Toledo. Pero el plan no sufriría graves alteraciones.

A las siete de la mañana, cuando faltaban todavía unas horas para llegar a Columbus, Keith trató de marcar el número de Información del condado de Chatham para que le dieran el número de Terry, pero no pudo establecer comunicación a través del teléfono del coche. Se detuvo en una zona de descanso y entró en una cabina. Stewart se despertó, bajó y se desperezó.

Keith pidió a Información el número de Terry o de Lawrence Ingram en el condado de Chatham. Una grabación le facilitó el número y él utilizó su tarjeta de crédito para efectuar la llamada.

—¿Diga? —contestó una voz femenina.

—¿Terry?

—¿Sí?

—Soy Keith Landry.

—¡Oh, Dios mío! ¡Oh...!

—¿Todo bien aquí?

—Sí. ¿Dónde estás? ¿Vas a venir? ¿Qué hora es?

—Terry, escúchame. Estoy en la carretera, al este de Columbus y llegaré con retraso. No podré estar ahí hasta... primera hora de la tarde. ¿De acuerdo? Tengo que pasar primero por mi casa. ¿Lo has entendido?

—Sí, Annie vendrá aquí a las diez. ¿Qué le digo?

Estaba claro que en la familia Prentis no todos destacaban por su agudeza mental.

—Dile exactamente lo que yo te acabo de decir.

—Ah, ya. Keith, estoy muy emocionada por vosotros dos. No sabes lo desgraciada que ha sido mi hermana. Eso es un sueño maravilloso y casi no puedo creerlo.

Keith la dejó hablar un ratito y después la interrumpió.

—Terry, no se te ocurra llamarla. Creo que su teléfomo podría estar pinchado. Tu llamada podría acabar en la jefatura central de policía. ¿Lo has entendido?

—Sí, pero ella vendrá aquí a las diez...

—Se lo dices personalmente. Almorzad con toda tranquilidad. Estaré ahí en cuanto pueda. Tomaremos otro vuelo. ¿De acuerdo?

—Sí, se lo diré. ¿A qué hora?

—Sobre la una. Ya no volveré a llamar. Dile simplemente que espere.

—Estoy deseando verte.

—Yo a ti también. Gracias, Terry. Gracias por haber sido nuestra intermediaria durante todos esos años. Ésta va a ser la última vez. ¿De acuerdo?

—¿Dónde estás ahora?

—Cerca de Columbus, Ohio. Vengo por carretera desde Washington. Había mal tiempo y no pude tomar un vuelo. Cuando llegue Annie, dile que ya estoy en camino y pídele disculpas de mi parte. Y dile, sobre todo, que no me llame a mi casa. Mi teléfono también podría estar pinchado.

—¿Tu teléfono?

—Sí, mi teléfono. Puede que su marido me lo haya pinchado.

—Es un malnacido. Le odio.

—Bueno pues. —Keith repitió una vez más las instrucciones—. Hasta luego.

Colgó y regresó al coche donde Stewart se había acomodado en el asiento del pasajero.

—¿Quiere llamar a su casa? Le doy mi tarjeta de crédito.

—No, gracias. Ya llamaré desde Ohio.

—Ya está usted en Ohio.

—Ah, pues ya llamaré después. Es pronto todavía.

Keith puso nuevamente en marcha el coche y salió a la carretera, tomando la autopista circular que rodeaba Columbus en dirección norte para seguir a continuación por la carreterra 23 en dirección oeste.

Era un día fresco y soleado con algunas nubes dispersas. Había un poco de tráfico por ser sábado, sobre todo vehículos que se dirigían a los lagos o a Michigan.

Stewart contemplaba fascinado la campiña.

—Todo son granjas. ¿Qué es eso? ¿Maíz?

—Sí, maíz.

—¿Y quién se come todo este maíz? Yo lo como una vez al mes todo lo más. ¿Se come mucho maíz por aquí?

En lugar de explicarle la diferencia entre el maíz de forraje y el maíz dulce, los alimentos para el ganado y los destinados al consumo humano, Keith contestó:

—Lo comemos tres veces al día.

Stewart estaba completamente despierto y disfrutaba con la contemplación del paisaje, señalándole a Keith los graneros, el ganado y los cerdos.

Estaban circulando a una buena velocidad, pero ya eran casi las once cuando entraron en el condado de Spencer.

Keith aminoró la marcha y decidió ser prudente durante las últimos veinticinco kilómetros. No vio ningún agente de la policía municipal o del condado en las carreteras y además, éstos no lo hubieran reconocido en aquel automóvil, pero, aun así, no quería que surgieran problemas estando ya tan cerca del final.

Se aproximó a la calzada particular de su granja, sacó unas cuantas cartas del buzón y les echó un vistazo mientras subía hacia la casa. Casi todo eran tonterías, pero había unas cuantas citaciones del tribunal de tráfico de Spencerville a propósito de toda una serie de aparcamientos indebidos por los que él no recordaba haber sido multado. Una vulgar labor de hostigamiento. Sin embargo, la policía lo hubiera podido detener en cualquier momento en caso de no presentarse en la fecha prevista, que era el lunes. Para entonces, ya estaría muy lejos.

—¿Vive usted aquí? —preguntó Stewart.

—Sí. —Keith se detuvo delante del porche y bajó. Stewart hizo lo propio mientras Keith sacaba la maleta del portaequipajes, diciendo—: Entre a refrescarse un poco.

Entraron en la casa por la puerta principal y Keith acompañó a Stewart al piso de arriba.

—El cuarto de baño está allí. Me reuniré con usted abajo. Tome lo que quiera del frigorífico.

Keith se dirigió a su dormitorio, dejó la pequeña maleta sobre la cama y sacó del armario la maleta más grande que ya había hecho antes de marcharse. La maleta de fin de semana estaba permanentemente equipada con artículos de aseo y ropa interior, una costumbre adquirida a lo largo de dos décadas de viajes improvisados. En su cartera de mano guardaba todos sus documentos más importantes, pero el pasaporte decidió guardarlo en el bolsillo de la chaqueta.

Keith se refrescó en el cuarto de baño y bajó con el equipaje.

Stewart se estaba tomando un zumo de naranja en la cocina. Keith se llenó un vaso, diciendo:

—Siento no poder ofrecerle nada para desayunar, Stewart.

—No se preocupe. —El chófer miró a su alrededor—. Es una casa muy antigua.

—Tendrá unos cien años. ¿Podrá usted encontrar el camino de regreso a Washington?

—Creo que sí.

Keith se sacó cuatrocientos dólares del billetero y le dijo a Stewart:

—Eso es para la gasolina, la comida y los peajes. Deténgase en alguna granja y compre productos frescos. A la señora Arkell le encantarán.

—Gracias, mi coronel. Me lo he pasado muy bien.

—Ya lo sabía yo. Volveremos a hacerlo en otra ocasión.

—¿Puedo utilizar su teléfono, señor?

—No, está pinchado. Nadie sabe que estoy aquí. Llame desde la carretera.

Stewart tenía la suficiente experiencia como para no sorprenderse ni hacer preguntas. Keith lo acompañó hasta la puerta y Stewart sacó la maleta grande al porche. Keith le facilitó instrucciones para llegar a la carretera 23 y le dijo:

—Los agentes de policía de este condado son muy duros. Tómeselo con calma.

—Sí, señor. Espero volver a verle en Washington.

—Nunca se sabe.

Se estrecharon la mano y Stewart se fue.

Keith repasó mentalmente su lista, cerró con llave la puerta principal y llevó el equipaje a la parte de atrás donde estaba el Blazer.

En el asiento delantero, vio una nota impresa: *Tenías que irte el viernes y veo que tu coche todavía está aquí. Volveré a pasar el lunes para ver si ya te has ido.*

La nota no estaba firmada y ningún tribunal de justicia la hubiera podido considerar amenazadora. Pero Keith no tenía la menor intención de presentar una denuncia. Mataría a Baxter o lo dejaría vivir. La elección dependería de Baxter.

Keith se preguntó por qué razón quería Baxter esperar hasta el lunes, pero entonces recordó que estaban a sábado y el jefe de policía se había ido de caza y de pesca y seguramente el domingo lo querría dedicar al descanso. No importaba. Él se iría antes del lunes. Aquella noche, cuando regresara a casa y no encontrara a su mujer, Cliff Baxter comprendería que Keith Landry se había ido efectivamente, llevándose a su esposa. Keith se preguntó si ella le dejaría una nota.

Subió al Blazer y giró la llave de encendido. No ocurrió nada. El vehículo estaba completamente muerto. Bajó y levantó la cubierta del motor. La batería había desaparecido y, en su lugar, una nota decía escuetamente: «Jódete».

Keith respiró hondo. Aquel hombre le estaba poniendo muy difícil el cumplimiento de la promesa que él le había hecho a Annie. En conjunto, los últimos días no habían sido muy satisfactorios, empezando con la llegada de Charlie Adair a su casa. Lo de la Casa Blanca tampoco había sido una tontería. Y del huracán Jack mejor no hablar. Y ahora, lo que faltaba.

—Muy bien, Landry. Otro problema de transporte.

Pensó un instante y después se dirigió al granero. El tractor de jardín tenía una batería de 12 voltios y seguramente tendría suficientes amperios como para poner en marcha el Blazer.

Abrió la puerta y se sentó en el tractor. Lo pondría en marcha, lo conduciría hasta el Blazer, dejaría que se cargara un rato y después colocaría la batería del tractor en su automóvil. Pulsó el botón de arranque. Nada. Sin embargo, oyó un clic y echó un vistazo al tablero de instrumentos. Alguien había encendido el faro delantero y la batería se había agotado.

—Cliff, me estás acabando la paciencia.

Bajó del tractor y miró al otro lado de la calle hacia la granja de los Jenkins. Les hubiera podido pedir prestada una batería, pero no vio ni el coche ni la furgoneta. También les hubiera podido pedir prestada la batería del tractor con o sin su conocimiento, pero no le pareció muy correcto.

Entró y probó a llamar a los Jenkins, pero, tal como ya esperaba, no había nadie en casa. La granja de los Muller se encontraba a un kilómetro de distancia.

—Maldita sea.

Buscó en la guía telefónica, llamó a una gasolinera de la autopista y le dijeron que tardarían una media hora en llevarle una nueva batería.

—La habrán robado unos condenados chiquillos —añadió el hombre—. Tendría usted que llamar a la policía.

—Lo haré. —Keith le indicó al hombre el camino de la granja y colgó.

«A lo mejor, hubiera tenido que llamar a Baxter Motors porque es allí donde está mi batería.»

Consideró la posibilidad de llamar a Terry. Annie ya estaría allí esperando y Cliff Baxter aún no habría regresado a la ciudad. Pero, ¿y si sus llamadas quedaran registradas en la jefatura central de policía? Por mucho cuidado que tuviera al hablar con Terry o con cualquier otra persona que contestara, la llamada sonaría como una alarma urgente en la jefatura central de policía. Su instinto y su experiencia le decían, «No utilices el teléfono».

Aprovechó el rato para afeitarse, ducharse y ponerse ropa más cómoda mientras trataba de verlo todo bajo un prisma más favorable. *El verdadero amor siempre ha tenido que vencer obstáculos.*

—Esta noche en Washington, cena con los Adair, el domingo quizá vayamos a la Catedral Nacional, el lunes haremos un recorrido por Washington con Charlie, después entregaré una amable carta rechazando la oferta de trabajo, conseguiré el pasaporte y volaremos a Roma no más tarde del miércoles. —Sonaba muy bien—. Pero, ¿dónde estará la maldita batería? «El rey estaba esperando un clavo en Dumferling». Algo así.

Unos cuarenta y cinco minutos después de su llamada, subió una furgoneta por la calzada y, en menos de diez minutos, la batería ya estuvo instalada. Puso en marcha el motor en presencia del empleado de la gasolinera y le pareció que todo iba bien.

Salió de su calzada particular y, a los pocos minutos, ya estaba circulando hacia el sur por una carretera rural en dirección al condado de Chatham. Era la una y treinta y cinco y se plantaría allí en menos de una hora.

Un vehículo azul y blanco del *sheriff* del condado de Spencer se situó a su espalda. Ya todo le daba igual. El coche sólo lo ocupaba el conductor. Si el *sheriff* quisiera detenerle, él lo ataría y lo dejaría encerrado en el maletero de su propio automóvil.

Al llegar al extremo sur del condado de Spencer, tomó una autovía en dirección este para dar la impresión de que se dirigía a Columbus en caso de que el hombre del coche se preguntara por qué razón había tomado aquella carretera rural hacia el condado de Chatham.

Cuando ya se estaba acercando al límite del condado de Dawson por el este, vio que el vehículo del *sheriff* daba media vuelta. Siguió adelante unos diez minutos más hasta perderlo de vista y después giró al sur y de nuevo al oeste en dirección a Chatham. Temía que el *sheriff* de Spencer le hubiera transmitido por radio a su colega de Dawson la petición de que siguiera al Blazer, pero no vio ningún vehículo a su espalda. Los departamentos de los *sheriffs* rurales eran muy pequeños y, en cambio, los condados eran muy grandes. En comparación con los recorridos que él solía hacer desde la frontera de la Alemania Federal, cruzando la Alemania del Este hasta Berlín, aquello era pan comido. Sin embargo, cuando uno quería esquivar a la policía, tanto si se trataba de *sheriffs* rurales del interior de Estados Unidos como si se trataba de la Stasi de la Alemania del Este, la suerte desempeñaba siempre un importante papel en todo aquel juego.

En cuestión de un cuarto de hora, llegó al condado de Chatham. No sabía exactamente dónde estaba, pero era fácil circular por aquella parrilla de carreteras que discurrían siguiendo casi en línea recta los puntos cardinales de la brújula.

Al final, encontró la carretera 6 del condado y siguió hacia el oeste, leyendo las señalizaciones en los cruces de las calles numeradas en orden decreciente hasta llegar a la T-3, que era la calle donde Terry vivía y donde Annie le esperaba. No sabía si girar a la derecha o si hacerlo a la izquierda, pero lanzó mentalmente una moneda al aire y giró a la izquierda.

Circuló despacio, buscando la casa victoriana de ladrillo rojo hasta que la vio al fondo a la derecha. Un sexto sentido lo había guiado certeramente, pensó mientras esbozaba una sonrisa y recordaba el comentario de Charlie sobre la polla, sabiendo que su verdadero guía había sido el corazón que en aquellos momentos latía apresuradamente en su pecho.

Aminoró la marcha y giró para entrar en la calzada particular de grava. Lo primero que vio fue una furgoneta de reparto en la calzada. Lo segundo fue una mujer que se parecía a Annie, pero no era Annie, saliendo de la puerta lateral de la casa para recibirle.

27

Terry permaneció un instante inmóvil en la puerta y después se acercó a Keith que ya había bajado del Blazer.

Por la cara de Terry, Keith ya había adivinado que Annie no estaba allí, aunque ignoraba el por qué.

—Hola, Keith.

—¿Cómo estás?

—Muy bien... Annie no está.

—Ya lo sé.

—Ha estado, pero se ha ido.

—Muy bien —dijo Keith, asintiendo con la cabeza.

—Se ha... tenido que ir. —Ambos permanecieron un rato en silencio—. ¿Quieres un café? —dijo Terry al final.

—Sí, gracias.

Keith la siguió a la cocina.

—Siéntate —dijo Terry. Keith se sentó junto a la mesa. Mientras llenaba dos tazas de café, Terry añadió—: Te ha dejado una nota.

—¿Está bien?

—Sí. —Terry depositó las tazas sobre la mesa junto con una jarrita de crema de leche y un azucarero—. Estaba muy disgustada.

—No se lo reprocho.

Terry se sentó también y removió el contenido de su taza con aire ausente.

—No estaba enfadada. Pero, cuando llegó, estaba, ¿cómo te diría...? tremendamente emocionada... cuando le dije que te ibas a retrasar, sufrió una decepción. Después volvió a animarse y pasamos un rato muy agradable.

—Me alegro.

Keith miró a Terry. Tenía unos tres años más que Annie y era tan guapa como ésta, pero le faltaba la chispa y el donaire de su hermana. Había terminado el bachillerato dos años antes que él y Annie empezaran a salir juntos en penúltimo curso. Se había ido a estudiar a la universidad del Estado de Kentucky, por lo que él sólo la veía en verano y durante las vacaciones, aunque en más de una ocasión les había servido de coartada a él y Annie cuando estaba en casa. Era una romántica incurable. Había conocido a Larry, su futuro esposo, en la universidad y ambos habían decidido casarse antes de terminar los estudios. Keith y Annie, alumnos de primero en Bowling Green, habían asistido a la boda juntos. Ahora recordaba que Terry había dado a luz siete meses después de la boda y que Annie le había dicho, «Terminaremos los estudios, nos casaremos y tendremos hijos por este orden».

—Hemos almorzado juntas y te aseguro que no la había visto tan feliz en muchos años. Vino un repartidor de unas puertas más abajo a entregarnos un encargo y, cuando ella oyó su furgoneta en la calzada, se levantó de un salto y echó a correr hacia la puerta. Creo que no tendría que revelarte estos secretos de familia —añadió Terry sonriendo.

—Te agradezco la sinceridad. Puedes decirle a Annie que yo parecía un triste cachorro enamorado.

—Te veo cansado —dijo Terry, mirándole con simpatía—. ¿Has conducido toda la noche? —Keith asintió con la cabeza—. Conozco la expresión. Cuando Larry viene de la carretera, tiene una cara espantosa y no está hambriento de comida sino de amor. —Terry se ruborizó levemente—. Cómo sois los hombres.

Keith la miró con una sonrisa. Larry era propietario de una especie de empresa de transportes según le había comentado Annie en una de sus cartas años atrás y Terry llevaba la contabilidad del negocio.

Les debían de ir bien las cosas, pues la casa era muy bonita y la furgoneta de reparto era nueva. Tenían tres hijos que estaban estudiando en la universidad o ya habían terminado. Keith había visto a Larry algunas veces cuando regresaba a casa con Annie de la universidad, y recordaba que era un tipo corpulento y muy pausado. Aquella mañana debía de estar trabajando, jugando a *sheriffs*, tal como solían hacer algunos los fines de semana, o bien oculto en alguna parte tal como tenían por costumbre hacer los hombres cuando se discutían asuntos del corazón.

—Esperó hasta la una —añadió Terry— y, de repente, dijo: «Me voy», y te dejó una nota.

Terry se sacó un sobre del bolsillo de los vaqueros y lo depositó encima de la mesa.

Keith lo miró, vio su nombre escrito con la conocida caligrafía de Annie y sintió la necesidad de tomar un buen sorbo de café.

—Intenté retenerla por todos los medios —dijo Terry—, pero dijo que no importaba, que ya te vería en otra ocasión. Siempre da la impresión de estar contenta, ¿comprendes?, y nunca sabes si sufre por dentro. No me refiero a lo de esta mañana sino a ese hijo de puta con quien está casada. No sabes cuánto deseo que sea feliz, pero feliz de verdad.

—Yo también. Bueno, ¿y tú cómo estás? Te veo muy guapa.

—Gracias. —Terry sonrió, complacida—. Tú estás estupendo, Keith. Te reconocí en cuanto bajaste del coche.

—Cuántos años han transcurrido, ¿verdad?

—Pues sí. Qué bien lo pasamos entonces.

—Y que lo digas.

—Larry ha tenido que ir al trabajo —explicó Terry—. Esperó un rato para verte. Me dijo que te saludara de su parte.

—Le veré la próxima vez.

—Así lo espero. O sea que te han ido bien las cosas. Yo siempre supe que triunfarías.

—Gracias. Tienes una casa muy bonita.

—Estos edificios viejos son una lata, pero a Larry le encanta arreglar cosas. ¿Has vuelto a la granja?

—Sí. Hay mucho trabajo que hacer. ¿Qué tal están tus padres?

—Muy bien. Gozan de buena salud, a Dios gracias. ¿Y los tuyos?

—Disfrutando del sol de Florida. Les parece imposible tener un hijo que ya se ha retirado.

—Es que eres demasiado joven para retirarte —dijo Terry, sonriendo.

—Eso dicen todos.

—O sea que has estado en Washington.

—Tenía que resolver unos asuntos y pensé que llegaría a tiempo.

Ambos se pasaron un rato hablando mientras la carta descansaba sobre la mesa. Keith quería reanudar la relación con la hermana de Annie y, además, le gustaba Terry y deseaba que ésta lo apreciara como persona, no como el amante o el caballero azul de su hermana. Era más perspicaz de lo que parecía a las siete de la mañana y Keith tuvo la impresión de que se moría de ganas de contarle muchas cosas, pero, de momento, prefería mantener el tono intrascendente de la conversación. Al final, no pudo más y le dijo:

—Yo sólo quiero lo mejor para tu hermana. Tú sabes que nunca hemos dejado de querernos.

Terry asintió en silencio mientras una lágrima le bajaba por la mejilla.

—¿Te importa que la lea aquí? —preguntó Keith, tomando la carta.

—No, faltaría más... Tengo unas cosas en la secadora —dijo Terry, levantándose para bajar al sótano.

Keith abrió el sobre y leyó:

«Querido Keith,

»No estoy enfadada, pero sí decepcionada. Sé que no habrás tenido más remedio que regresar a Washington, pero ello me ha dado ocasión de pensar un buen rato esta mañana. ¡Oh, no, Prentis! ¡No me digas que has vuelto a pensar!

Keith esbozó una sonrisa, recordando que eso era lo que él solía decirle en la universidad cada vez que ella iniciaba una frase, diciendo: «He estado pensando...»

Sin embargo, sabía que la carta no iba a ser divertida y, por consiguiente, siguió adelante con la lectura.

«He estado pensando que eso es un gran paso para ti. Para mí, significa salir de una situación que ya no puedo soportar por más tiempo. Pero, para ti, significa asumir la enorme responsabilidad de hacerte cargo de mi persona. Podría ser una carga excesiva para ti. Sé que mi marido te ha hecho la vida imposible y sé que tú le puedes plantar cara perfectamente. Lo que quiero decir, Keith, es que no creo que tú estuvieras aquí o en esta situación si no fuera por mí, y créeme que te lo agradezco. Pero, sin mí, podrías hacer lo que quisieras, lo cual, después de todo lo ocurrido, probablemente debe de ser regresar a Washington o irte a Europa o adonde sea sin necesidad de incluirme en tus planes. No, no estoy resentida, estoy pensando finalmente en lo que es mejor para ti.»

Keith ya sabía cuál iba a ser el contenido del siguiente párrafo, pero lo leyó de todos modos.

«A lo mejor, los dos necesitamos algún tiempo para pensar y dejar que las cosas se enfríen un poco. Hemos esperado tanto tiempo que podremos esperar unas cuantas semanas más. No sería mala idea que te fueras... y no es que yo quiera que te vayas, pero, dada la situación con Cliff, quizá sería lo mejor. Tal como hemos venido haciendo durante veinte años, podrás mantener el contacto conmigo a través de Terry. Ya buscaremos un lugar y un momento para reunirnos y hablar de todo eso... pero conviene que esperemos un poco. Seguramente te molestará que no te haya esperado, pero no he podido resistirlo... te pido perdón. No se me dan muy bien las cartas y no sé expresar por escrito lo que siento, pero usted ya conoce mis sentimientos, señor Landry, y se los volveré a manifestar cuando nos veamos. Con cariño, Annie.»

Keith dobló la carta y se la guardó en el bolsillo.

Terry subió del sótano a la cocina y retiró la cafetera.

—¿Otra taza?

—No, gracias. —Keith se levantó—. Bueno pues, gracias de nuevo por todo. Cuando veas a Annie, dile que me voy el lunes.

—¿Te vas? ¿Adónde?

—Aún no estoy seguro, pero me pondré en contacto con ella a través tuyo, si no te importa.

—De acuerdo... mira, la voy a llamar ahora mismo. Tiene teléfono en el coche y, a lo mejor, está en la carretera. Le diré que estás aquí.

—Me parece muy bien. Se me está haciendo tarde —dijo Keith, encaminándose hacia la puerta.

—¿No quieres dejarle una nota?

—No, le escribiré una carta aquí.

Terry lo acompañó diciendo:

—No sé qué te ha escrito, pero sé lo que siente. Quizá sería mejor que no prestaras demasiada atención a esta carta.

—La carta está muy bien.

—No creo. Pero, ¿qué demonios os pasa a los dos?

Keith esbozó una sonrisa.

—No ha habido suerte. No hemos sabido elegir el momento. —Subió al Blazer y bajó la luna de la ventanilla—. Ya lo arreglaremos.

—Esta vez habéis estado a punto de conseguirlo. —Terry apoyó la mano en la portezuela del vehículo—. Keith, tú conoces a mi hermana y lo que voy a decirte no se lo diría a nadie más que a ti... Tiene miedo. Él le ha dado una mala semana.

—¿Crees que corre peligro?

—Annie cree que no, pero... lo de esta mañana ha sido demasiado para ella. Empezó a preocuparse por ti... llamó al pabellón de caza que tienen en Michigan y, al oír la voz de Cliff, colgó el aparato. Se sintió mejor sabiendo que él estaba allí y no aquí. Aun así, al cabo de aproximadamente una hora, dijo que se iba a casa. Fue unas dos horas antes de que tú llegaras. Me sorprende que no os hayáis cruzado por la carretera.

—Seguí otro camino.

—Y ella seguramente pasó por delante de tu casa.

—Quizá.

—Intenta hablar con ella antes de irte. Necesita saber de ti.

—No será fácil.

—Yo iré mañana a verla. Sé que no puedo hablar con ella por teléfono. Pero pasaré por allí al salir de la iglesia e intentaré hablar a solas con ella. Y os concertaré un encuentro.

—Terry, te agradezco mucho todo lo que estás haciendo, pero tanto ella como yo necesitamos tiempo para pensar.

—Ya habéis tenido veinte años para eso.

—Unas cuantas semanas más no tienen importancia.

—Podrían tenerla.

—No, no pueden. Dejémoslo correr por ahora. Me pondré en contacto contigo dentro de unas semanas. Para entonces, todos podremos pensar con más claridad y sabremos mejor lo que tenemos que hacer.

Terry se apartó del Blazer.

—De acuerdo pues. No quiero inmiscuirme en vuestros asuntos.

—Has sido muy amable —dijo Keith, poniendo en marcha el vehículo.

—Estás enfadado.

—No, no es cierto. —Keith miró a Terry sonriendo—. Si te digo que eres tan guapa y atractiva como tu hermana, ¿te comportarás como una verdadera dama del Medio Oeste y me soltarás una bofetada?

—No, te daré un beso. —Terry se inclinó a través de la ventanilla abierta y le dio un beso en la mejilla—. Cuídate mucho. Hasta pronto.

—Así lo espero.

Keith hizo marcha atrás en la calzada y regresó al condado de Spencer.

El hecho de haber sido un agente del servicio secreto durante veinte años tenía sus ventajas. Ante todo, uno aprendía a pensar de una manera distinta a la de la mayoría de las personas, vivía la vida como una partida de ajedrez, pensaba seis jugadas por adelantado, jamás revelaba su estrategia y nunca facilitaba más información de la necesaria. Confiaba en Terry, por supuesto, pero no en su criterio. Prefería que ella pensara que estaba enfadado o cualquier otra cosa por el estilo. No estaba tratando de manipularla ni de manipular a Annie a través suyo. Pero había que contar con la presencia de Cliff Baxter y, por consiguiente, cuantas menos cosas supiera Terry, tanto mejor.

La carta de Annie. No era necesario leer entre líneas... las palabras estaban clarísimas. Había sufrido una decepción y puede que estuviera dolida. Temía por su seguridad y no quería ser una carga para él. Necesitaba que él le asegurara que todo iba bien, que el viaje a Washington no significaba nada, que Cliff Baxter no le quitaba el sueño y que ella no era una carga para él sino que, por el contrario, le elevaba el espíritu.

Aun así, ella le pedía que esperara y no cabía duda de que lo decía en serio. Sin embargo, aunque él estuviera dispuesto a esperar, cosa que no estaba, las reacciones de Cliff Baxter eran imprevisibles. Le había dado a Annie una mala semana.

Recordó lo que Gail le había dicho sobre el incidente del arma de fuego en casa de los Baxter y se le ocurrió pensar, no por primera vez, que Annie acabaría matando a su marido. Pero él no podía permitir que tal cosa sucediera. No había ninguna razón para que sucediera. Sin embargo, en caso de que se viera obligada a hacerlo, ella esperaría a que él se hubiera ido, lo cual significaba que todavía quedaba tiempo para impedir una desgracia. Si hubiera jugado bien sus cartas con Terry, ésta le diría a Annie que él se iría para no volver. Reconocía en su fuero interno que había manipulado un poco las cosas, pero no había tenido más remedio que hacerlo. «En la guerra y el amor, todo estaba permitido.» Bueno, puede que no todo, pero sí muchas cosas.

Entró en el condado de Spencer y, en veinte minutos, llegó a Spencerville. Pasó por delante de la casa de Annie en Williams Street, pero no vio ningún automóvil en la calzada. Bajó al centro, pasó por el banco y sacó a través del cajero automático la máxima cantidad permitida, que allí eran cuatrocientos dólares. Paseó un rato por la ciudad, pero no vio el Lincoln blanco de Annie.

Salió de la ciudad, enfiló la autopista 22 y se detuvo en la gasolinera de autoservicio de Arles.

Bajó y empezó a llenarse el depósito.

Bob Arles salió del despacho y lo saludó con la mano.

—¿Qué tal le va?

—Muy bien —contestó Keith—. ¿Y a usted?

—Bien. Veo que se ha comprado un Blazer nuevo.

—Pues sí.

—¿Le gusta?

—Bastante.

—¿Vendió el otro cacharro?

—Hice con él un corral de gallinas.

Arles soltó una carcajada y después le preguntó:

—Oiga, ¿ha hablado con usted el jefe Baxter?

—Estuvo en mi casa la semana pasada —contestó Keith.

—Sí, dijo que pensaba hacerlo. Le dije que usted había pasado un día por aquí.

—Gracias. —Keith terminó de llenar el depósito y dejó la boquilla en su sitio, entró con Arles en el despacho y le pagó la gasolina.

—¿Viene por aquí muy a menudo? —le preguntó.

La expresión de Bob Arles cambió de repente.

—Venía... Aquí abastecemos a muchos representantes municipales y del condado, pero... hubo... ciertos problemas.

—Algo de eso me han dicho.

—Sí..., mucha gente se enteró.

Keith entró en la tienda y Bob Arles le siguió. No había nadie detrás del mostrador.

—¿Dónde está su esposa?

—Se ha tenido que ir una temporada —contestó Bob—. Creo que usted comprenderá el por qué si sabe lo que ocurrió durante la reunión en la iglesia de Overton.

—Pero, ¿por que se ha tenido que ir su esposa?

—Pues porque... creo que se sentía... quizá un poco nerviosa... después de haberse ido de la lengua.

—¿Dijo la verdad?

—No. Lo que ocurre es que, en este mundo, hay que dar algo para conseguir algo. Las mujeres no comprenden lo que son los negocios. —Arles sacudió la cabeza—. El jefe y su primo el *sheriff* Don Finney vinieron para informarme de que el municipio y el condado se iban a buscar otro proveedor. ¿Y sabe usted lo que eso representa? Pues yo se lo voy a decir. Casi un maldito cincuenta por ciento de beneficio. ¿Y sabe lo que va a pasar ahora? Pues que estoy acabado. Y todo porque ella abrió la bocaza.

—¿O sea que usted ya no ve por aquí al jefe Baxter?

—Viene más o menos como antes porque el municipio se tiene que servir aquí hasta que la junta municipal apruebe el cambio. Pero apenas habla conmigo y lo que me dice no es muy agradable. Dice que tiene una cuenta pendiente con Mary. Le he dicho que tardará una buena temporada en volverla a ver.

—¿Sigue tomando de la tienda todo lo que le apetece?

—Oiga, que él nunca hizo eso. Siempre pagaba. Y, si yo quería darle alguna cosita para mascar, ¿qué?

Keith depositó encima del mostrador unas cuantas cosas para el fin de semana.

Arles se situó detrás del mostrador y marcó su importe en la caja registradora.

—Me voy del condado de Spencer. El lunes —dijo Keith.

—Ah, ¿sí? ¿Para siempre?

—Sí. Aquí no hay trabajo.

—Ya se lo dije. Pero es una lástima porque necesitamos más gente. Serán veintiún dólares con setenta y dos centavos.

Keith pagó y Arles añadió mientras colocaba las compras en una bolsa:

—La próxima vez que pase por aquí, eso estará cerrado.

—Su esposa hizo bien y usted lo sabe —le dijo Keith a Bob Arles.

—Sí, es posible. Pero no quiero tener por enemigo al jefe Baxter y no me conviene volver a empezar a mi edad.

—Yo no creo que Baxter dure mucho como jefe.

—Ah, ¿no? ¿Lo dice en serio?

—¿No leyó usted la transcripción de la reunión de San Jaime?

Arles asintió con la cabeza.

—¿Y qué piensa?

—Pues que ese hombre tendría que dominar un poco más su polla. —Arles esbozó una sonrisa—. Oiga, ¿sabe usted por qué algunos hombres les ponen un nombre a sus pichulas? Pues porque no quieren que un perfecto desconocido tome el noventa por ciento de sus decisiones. —Arles soltó una risotada, golpeando el mostrador con la palma de la mano—. ¿Lo ha entendido?

—Pues claro.

Arles volvió a ponerse serio.

—Pero esto otro que dicen que hacía... llenarse de balde el depósito de su coche particular... qué quiere que le diga... aunque fuera verdad, que no lo es, con eso no perjudicaba a nadie. En cambio, lo que hacía con las mujeres... mi mujer dice que eso lo incapacita para ser jefe de policía. Pero yo no sé porque, a lo mejor, aquellas mujeres mintieron. Yo lo único que sé es que todas esas acusaciones han repercutido gravemente en su vida familiar. ¿Usted conoce a la señora Baxter?

—Fuimos compañeros de escuela.

—Ah, ¿sí? Pues es una mujer estupenda. Y no me parece justo que haya tenido que enterarse de toda la basura que soltaron aquellas putas descaradas en la iglesia.

—Procure asistir a la siguiente reunión. Y salude de mi parte a su esposa. Tendría que estar usted con ella.

Keith tomó las bolsa de las compras y se fue. Desde una cabina telefónica que había a la vuelta de la tienda, llamó al domicilio particular de Charlie Adair y le contestó la máquina.

—Charlie, he aplazado mis planes —dijo—. Me pondré en contacto contigo dentro de uno o dos días. Siento no poder estar ahí esta noche. Saludos a Katherine. Entretanto, si llamas a mi teléfono particular, ten en cuenta que está pinchado por el jefe de policía Baxter, al cual se le ha metido en la cabeza la estúpida idea de que yo estoy interesado en su mujer. Stewart se ha portado muy bien. Creo que ya estará de regreso antes de la medianoche. Sigo pensando en la oferta de trabajo. ¿Podré tener una plantita en mi despacho? Saluda al presidente de mi parte. Ya hablaremos.

Hacia las nueve de la noche, Keith calculó que ya llevaba unas treinta y seis horas despierto y decidió irse a la cama. Abrió el cajón de la mesita de noche y vio que la Glock había desaparecido.

Pensó un instante. Los Porter sabían dónde estaba la llave, pero jamás se hubieran llevado su pistola. Rebuscó en los armarios y lo vio todo revuelto.

Estaba claro que Baxter había entrado en la casa, lo cual, para un policía con por lo menos uno o dos cerrajeros en plantilla, no era nada difícil.

Al parecer, sólo faltaba la pistola. En la casa no había nada que pudiera comprometerle y, por consiguiente, no tenía por qué preocuparse.

Había quemado las últimas cartas que Annie le había escrito. Las que le había escrito a lo largo de las últimas dos décadas habían desaparecido en alguna trituradora de papel oficial. No era aficionado a guardar cosas y ahora se alegraba de haberse deshecho de todas aquellas cosas.

Dejando aparte las cartas, la Glock había desaparecido y Baxter había revuelto sus cosas. Hubiera sido motivo más que suficiente para matarlo y de buena gana lo hubiera hecho de no haber sido por su promesa y de no haber sido porque Baxter estaba a punto de perder a su mujer, junto con su empleo, sus amigos y su ciudad. Matarlo hubiera sido una obra de misericordia.

Buscó su vieja navaja de combate y la depositó encima de la mesita de noche. Apagó las luces y se acostó.

Se despertó de madrugada, se duchó y vistió y bajó a la planta baja. El domingo había amanecido tan frío que, cuando salió al patio, pudo ver el vapor de su aliento. Se acercó al maizal y peló una mazorca. El color estaba bien y también lo estaba la fina farfolla tan delgada como el papel. Ya había madurado, aunque no del todo. Una o dos semanas más y listo.

Recorrió la granja y examinó los edificios, las vallas y el terreno. En conjunto, había realizado un buen trabajo. Le había bastado con un poco de dinero, mucho tiempo y un enorme esfuerzo. En realidad, no sabía muy bien por qué razón lo había hecho, pero se alegraba de su labor. Había tocado y arreglado cosas que su padre, su tío y su abuelo habían tocado y arreglado. No quedaban muchos recuerdos físicos de los tiempos de su bisabuelo ni de los de su tatarabuelo, el primer colono, pero estaba pisando la misma tierra que habían pisado ellos y, tanto al amanecer como al anochecer, en la semipenumbra de la silenciosa campiña, podía sentir su presencia.

Fue a la iglesia. No a la de San Jaime sino a la de San Juan, en la ciudad. Los feligreses de allí eran muy distintos... mejor vestidos y con mejores coches. La gran iglesia de piedra y ladrillo era el mejor edificio de Spencerville, aparte el Palacio de Justicia. Si el condado tenía una iglesia oficial, ésta era la luterana de San Juan, estrechamente relacionada con los primeros colonizadores y con la actual estructura del poder. Incluso los episcopalianos se dejaban caer por allí esporádicamente, sobre todo cuando se presentaban candidatos a algún cargo o tenían algún asunto que resolver en la ciudad.

Buscó a los Baxter al entrar, pero no los vio. Aunque se hubiera tropezado literalmente con el corpachón del señor Baxter, no hubiera ocurrido nada. Estaban a domingo, aquello era una iglesia y las buenas gentes temerosas de Dios de Spencerville no hubieran tolerado discordias ni disputas en la casa del Señor ni en el día del Señor.

La iglesia era muy espaciosa y tenía cabida para unas ochocientas personas. Estudió las espaldas de los fieles de los bancos, pero no vio a los señores Baxter. De todos modos, en caso de que estuvieran allí, los podría ver al salir, una vez finalizado el servicio.

Se sentó en un banco del fondo a la izquierda y empezó el servicio, presidido por el pastor Wilbur Schenk, el confesor de la señora Baxter.

A media ceremonia, Keith se dio cuenta de que Annie formaba parte del coro y estaba sentada a la derecha del altar, claramente visible desde el lugar donde él se encontraba.

El coro se levantó para cantar y Annie le miró como si ya le hubiera visto desde hacía un buen rato y estuviera molesta por el hecho de que él aún no la hubiera visto a ella. Establecieron un momentáneo contacto visual y él le guiñó el ojo. Annie sonrió mientras cantaba *La roca de los siglos* y después bajó la mirada sobre el himnario. Parecía un ángel, pensó Keith, con su túnica roja y los ojos brillantes bajo la luz de los cirios. Cuando terminó el himno, Annie cerró el libro y volvió a mirarle en el momento de sentarse.

Antes de que finalizara el servicio, Keith abandonó la iglesia y salió de Spencerville.

Pasó por la granja Cowley, llamó a la puerta, pero no contestó nadie. Como la puerta estaba abierta, entró y llamó a Billy Marlon, pero no parecía que hubiera nadie en la casa. Entró en la cocina, sacó un bolígrafo y, tomando un sobre de correspondencia publicitaria, escribió: «Billy, me voy de la ciudad durante algún tiempo. Nos veremos la próxima vez. A ver si dejas de beber un poco. Vete al hospital de Veteranos del Ejército de Toledo a que te hagan un chequeo. Es una orden, soldado». Después firmó: «Landry, coronel de Infantería del Ejército de Estados Unidos». No sabía si la nota serviría de mucho, pero experimentaba la necesidad de escribirla o quizá se sentía obligado a hacerlo. Dejó un billete de cien dólares sobre la mesa de la cocina y se fue.

Pensó en la posibilidad de ir a ver a los Porter, pero ya se había despedido de ellos y no quería alarmarlos con un cambio de planes. Cuanto menos supieran, tanto mejor para ellos. Tenían que contar con la presencia de Cliff Baxter y sus cohortes y organizar sus acciones.

La siguiente visita fue a tía Betty. Por el camino, pasó por una granja y compró mermeladas, dulces caseros, jarabe de arce y otros productos azucarados capaces de provocarle un coma diabético a la mayoría de la gente, pero que a tía Betty le sentaban de maravilla.

La encontró en casa, preparándose para ir a comer a casa de Fred y Lilly, según ella misma le dijo. Lo invitó a pasar, pero, como la mayoría de ancianos que él había conocido, especialmente sus parientes alemanes, se aturrullaba ante el más mínimo cambio en su programa.

—Tengo que estar allí dentro de una hora —dijo.

Lilly y Fred vivían a unos veinte minutos de camino. Keith recordó con una sonrisa la teoría de la relatividad del tiempo de tía Betty, según se la aplicara a sí misma o a las demás personas.

—Sólo un minuto —le dijo Keith. Si te das prisa, llegarás puntual. Mira, te he traído unas cositas.

Depositó la bolsa encima de la mesa del comedor y ella la empezó a vaciar, sacando las cosa una a una.

—Oh, Keith, no tenías que haberlo hecho. Eres un cielo.

—Tía Betty —le dijo Keith—, me voy durante algún tiempo y quisiera preguntarte si tendrías la bondad de echar de vez en cuando un vistazo a la granja.

—¿Te vas otra vez?

—Sí. No suelo hacerlo muy a menudo. Una vez cada veinticinco años más o menos.

—¿Y adónde vas esta vez?

—A Washington para resolver unos asuntos pendientes. Les he pedido a unos amigos que vigilen también un poco la granja. Son Jeffrey y Gail Porter. Jeffrey es un antiguo compañero mío de escuela.

—¿A qué Porter te refieres? ¿Al que tenía tres hijos?

—No, el que tenía tres hijos es su padre. Jeffrey es uno de ellos. Tiene mi edad. Te lo digo para que lo sepas.

—Espera un momento. Tengo algo para ti. —Tía Betty se fue a la cocina y regresó con la botella de tinto de Borgoña que él le había regalado, recién sacada del frigorífico—. Eso se va a echar a perder y prefiero que te lo lleves.

—Gracias.

—¿Por qué no me acompañas a casa de Fred y Lilly? Les llamaré para que pongan otro plato. Lilly siempre prepara demasiada comida. Esa chica malgasta la comida. Se lo dije a Harriet, esa hija tuya malgasta...

—Tengo otro compromiso. Escúchame bien, tía Betty. Ya sé que tú no prestas atención a los chismes ni los divulgas ni crees en ellos. Pero, dentro de unos días, vas a escuchar algunos sobre tu sobrino preferido y sobre Annie Baxter. Lo más probable es que casi todo lo que oigas sea verdad.

Tía Betty le miró un instante y después volvió a centrarse en los productos que había sobre la mesa.

Keith la besó en la mejilla.

—Cuídate. Ya te escribiré —le dijo.

La dejó en el comedor, probablemente preocupada por el hecho de tener que guardar todos aquellos regalos y llegar a tiempo a casa de Lilly en menos de una hora. Keith esbozó una sonrisa. Bueno, había recuperado el vino, lo cual no era mal negocio.

Regresó a casa. El sol de octubre ya andaba por el oeste, el viento del norte había llevado consigo unas nubes y la campiña estaba fría, oscura y solitaria aquel domingo a media tarde.

Él también experimentaba una sensación de soledad y de conclusión, pero, a pesar de todo, tenía la seguridad de haber hecho bien las cosas. Saldría a la mañana siguiente con ella o sin ella, pero la llevaría en su corazón y la sentiría a su lado. Una semana después o puede que un mes después o incluso un año después, volverían a estar juntos.

28

Aproximadamente a las seis de la tarde, Keith se encontraba en la sala de estar, leyendo en la grata compañía de una copa de borgoña que ya había alcanzado la temperatura ambiente. En la buhardilla había encontrado una caja de sus viejos libros de la universidad y había elegido *Etan Frome* de Edith Wharton. En la universidad le gustaban mucho Wharton y otros autores norteamericanos de la misma época, entre ellos, Henry James, Theodore Dreiser y el escritor de Ohio Sherwood Anderson. Sin embargo, sospechaba que ya nadie leía a aquella gente. Tomó nota mental de preguntarles a los Porter si Anderson era todavía de lectura obligada en Antioch.

Sus lecturas desde que terminara los estudios universitarios se habían centrado, sobre todo, en cuestiones de actualidad y narrativa de carácter político, el tipo de obras que salían en las listas de superventas del *Washington Post* y probablemente en ningún otro lugar. Estaba deseando pasar los siguientes veinticinco años de su vida leyendo cosas que no tuvieran la menor importancia inmediata.

Tenía la radio sintonizada con una emisora de Toledo que estaba transmitiendo antiguos éxitos musicales. Van Morrison acababa de terminar *Brown Eyed Girl*, una canción que a él le gustaba mucho, y Percy Sledge estaba interpretando en aquel momento *When A Man Loves A Woman*, una de sus melodías preferidas para hacer el amor.

En el crepúsculo oscurecido por las densas nubes que cubrían el cielo, vio las luces de los faros delanteros de un vehículo en su calzada antes de ver el automóvil. Segundos después, oyó el rumor de unos neumáticos sobre la grava.

Dejó el libro, apagó la radio y miró por la ventana. Un Lincoln blanco pasó por delante de la casa y la rodeó para situarse en la parte de atrás.

Se dirigió a la cocina y salió por la puerta posterior en el momento en que el Lincoln se detenía. Se abrió la portezuela del piloto y bajó Annie, vestida con un jersey blanco de cuello cisne y una falda de *tweed* marrón con chaqueta a juego. La acompañaba una alegre mestiza gris que inmediatamente saltó del coche y empezó a corretear por el patio.

Ambos se miraron en silencio.

Al final, Annie esbozó una sonrisa.

—Me has hecho perder el sitio en el himnario.

—Parecías un ángel y cantabas como si lo fueras.

—Menudo ángel. Hubieras tenido que saber lo que yo estaba pensando allí arriba. Debí de ponerme tan colorada como mi túnica.

Keith se acercó a ella y la besó no con pasión sino más bien con cautela, como si ninguno de los dos supiera en qué iba a parar todo aquello.

—Mi tía Harriet me ha dado recuerdos de tu parte.

—Es muy simpática. Quiero que le envíes una postal desde Roma.

Annie no contestó directamente al comentario.

—Me dijo que el domingo habías almorzado con ella y tu tía y después se deshizo en elogios sobre lo guapo y culto que eras. Incluso utilizó la palabra «sexy».

—No me digas. Entonces seré yo quien tenga que enviarle una postal desde Roma.

Keith observó que Annie no sonreía y comprendió que estaba preocupada. Su automóvil llevaba una pegatina blanca y azul que decía, «Colabore con su policía local». Al ver la dirección de su mirada, Annie le dijo:

—¿Quieres una? Tèngo muchas.

—Déjame que lo piense.

Annie frunció el ceño sonriendo.

—No me queda más remedio que llevarla.

—Lo sé.

Tras una breve pausa, Keith hizo la acostumbrada pregunta.

—¿Dónde está tu marido?

—Todavía en el pabellón de caza del lago Grey. Llamó ayer por la tarde y me dijo que se quedaría a pasar la noche allí. Regresará sobre la medianoche, me dijo. No suele avisarme normalmente. Probablemente ya sabía que se iba a quedar.

Keith asintió con la cabeza, recordando la nota en la cual Baxter le decía que regresaría el lunes.

—¿Estás segura de que no te han seguido? —preguntó.

—No he visto ningún vehículo de la policía ni municipal ni del condado y conozco los automóviles sin identificación. De todos modos, me iré enseguida y, entretanto, nos quedaremos aquí detrás.

—De acuerdo. ¿Quieres que te explique lo de Washington? —preguntó Keith.

—No, no es necesario —contestó Annie—. Me enteré de lo del huracán a través de la radio del coche cuando salí de casa de Terry. Me llevé un disgusto y estuve a punto de volver, pero pensé que Cliff regresaría a casa y llegué a la conclusión de que tú y yo necesitábamos un poco más de tiempo para fugarnos. Entonces va él y me llama diciendo que se queda. Lo hubiera matado. Me pasé toda la noche llorando hasta que finalmente me quedé dormida, pensando en ti y en lo que hubiera podido ocurrir ayer.

—Todavía no es demasiado tarde.

—Mi hermana me dijo que te ibas mañana.

—Tú me pediste que me fuera.

—Ya, ¿y tú haces siempre lo que yo te pido? ¿Desde cuándo?

Keith la miró sonriendo.

—Solía hacer la mitad de las cosas que me pedías. No es un mal porcentaje.

—Depende de la mitad que sea.

—Eres muy dura.

—Al contrario, me dejo dominar fácilmente. Eso es lo malo que tengo.

—En Washington conozco un estupendo cursillo de adiestramiento en autoafirmación para mujeres. Todas las mujeres del Distrito de Columbia que yo conocía lo siguieron. Te conseguiré un folleto.

—Pobre Keith. ¿Te lo hicieron pasar muy mal?

—¿Acaso estás buscando pelea?

—Todavía no. —Annie hizo una pausa antes de añadir—: De acuerdo, quiero que me cuentes lo de Washington.

—Muy bien. El jueves, mi antiguo jefe Charlie Adair vino a verme... aquí mismo en la granja, y me informó de que mis antiguos patronos querían que regresara. Le contesté:

«—No porque estoy locamente enamorado de la chica de la casa de al lado.»

»—Estupendo, llévala contigo —me dijo.

—¿O sea que fue un asunto de trabajo? —preguntó Annie, tratando de disimular una sonrisa.

—Sí. ¿Qué otra cosa habías imaginado? ¿Unas vacaciones en Washington antes de mi fuga a Washington?

—Pues la verdad es que..., no sabía..., bueno... empecé a... ¿No fue nada relacionado con una mujer?

—Ah, ya comprendo... no, no fue nada de todo eso. ¿Acaso eres celosa?

—Sabes que sí. Pero sólo contigo.

—En tal caso, razón de más para que yo rechace el trabajo que me ofrecen. Querían que me recorriera el mundo, seduciendo a jefas de Estado.

—No te lo tomes a broma. Estaba hecha polvo. No sé qué me ocurre. Nunca había sentido nada parecido... bueno, una vez, sí. Estuve locamente enamorada de un hombre hace años.

—¿Era fiel?

—Fiel como un cachorro.

—¿Y era bueno en la cama?

—El mejor de Ohio.

—¿Quién abandonó a quién?

—En realidad, nunca se sabrá.

—Es una historia muy triste.

Annie asintió con la cabeza y después preguntó:

—¿O sea que el Gobierno quiere que regreses?

—Sí, y tuve que ir personalmente allí para decir que no...

—Keith, si tú quieres regresar a Washington, no permitas que yo sea un obstáculo...

—No quiero...

—Mira, puedes regresar y, si decidimos vivir juntos, si tú me quieres tener a tu lado y a mí me apetece ir, iré a Washington.

—Estoy seguro de que no te gustaría.

—Puede que sí.

—Annie, si te pido que dejes tu mundo, yo tendré que abandonar el mío. No me arrepentiré y espero que tú tampoco te arrepientas.

—No, Keith, escúchame atentamente... este mundo de aquí era el tuyo y lo hubiera podido volver a ser. Pero no puedes quedarte aquí por mi causa y yo no quiero ser la culpable de que tú no regreses a Washington.

—¿Ya hemos terminado de ser nobles y generosos? Muy bien pues. Ahora vamos a ser egoístas porque creo que los dos queremos lo mismo.

—Quizá. Tengo que irme.

—¿Donde tendrías que estar ahora?

—En ningún sitio. Él puede regresar a casa de un momento a otro. Las veces que se toma la molestia de decirme cuándo volverá a casa, siempre regresa unas cuantas horas antes, como si esperara sorprenderme en la cama con el lechero o algo por el estilo.

—¿Qué tal un agricultor? Vamos a tu casa y así le daremos un motivo de preocupación.

Annie volvió a reprimir una sonrisa.

—Sólo he venido un momento para verte antes de que te vayas y porque quería presentarte a *Denise*.

—¿A quién?

Annie llamó a la perra, la cual se acercó corriendo, lamió su mano y después se dirigió a Keith, lo husmeó y empezó a brincar, apoyando las patas delanteras sobre sus rodillas. Keith se agachó y jugueteó con la perra, muy parecida a un fox terrier de pelo duro.

Annie lo estudió un rato en silencio y después le preguntó:

—¿Te acuerdas? —Keith la miró inquisitivamente—.En realidad, ésta es la *Denise* número cuatro —explicó Annie.

Entonces Keith lo recordó. En el verano del 63 él le había regalado una cachorra mestiza a la que habían decidido llamar *Denise* como el éxito musical del verano de Randy and the Rainbow.

—¿Y ésta es...? —preguntó, levantándose.

—La bisnieta de *Denise*. *Denise* murió hacia 1973, pero yo me había quedado con una de sus cachorras a la que llamé *Denise* Segunda, la cual tuvo una camada y así sucesivamente... era una especie de conexión con el pasado... una tontería sentimental..., tú ya sabes cómo somos las chicas del campo... —Annie miró a la perra que estaba tirando de los cordones de los zapatos de Keith—. La vida de un perro suele ser breve, pero... ellos no se plantean muchos problemas por eso.

Keith contempló un rato a la perra y se dio cuenta de que era una manifestación asombrosa de amor, lealtad y fidelidad al recuerdo a lo largo de los años.

—Me parece increíble que hayas podido hacer eso.

—No me quedaba ninguna otra cosa. Si Cliff lo supiera... —Annie esbozó una sonrisa—. Él tiene sus perros, pero ésta es mía y la odia. En realidad, todas lo han odiado. Una vez, la primera *Denise* le pegó un mordisco —añadió riéndose.

—Los perros nunca se equivocan.

—Una vez me preguntó de dónde había sacado a *Denise* y yo le dije que me la había regalado mi ángel de la guarda.

Keith asintió con la cabeza en silencio. La perra salió disparada en persecución de algo que había olfateado u oído en el granero y, mientras la miraba, Keith se sintió repentinamente invadido por una oleada tan impetuosa de recuerdos que se emocionó hasta el extremo de no poder articular ni una sola palabra.

Recordó el día en que se había fijado por primera vez en Annie Prentis en la escuela, el verano en que empezó a salir con ella, los largos paseos, las tardes sentado con ella en el porche de la casa de sus padres, los cucuruchos de helado que se tomaban en la ciudad, las películas que veían en el cine, tomados de la mano, la sensación de su piel y su cabello, su perfume y su primer beso. La tensión sexual lo volvía loco, pues por aquel entonces las posibilidades de hacerlo eran prácticamente nulas. Sin embargo, una noche en que la familia de Annie no estaba en casa y él había ido a verla, ambos se sentaron en el porche y ella se pasó media hora sin apenas decir nada. Al principio, él se sintió molesto hasta que Annie, de una manera incomprensible, sin una palabra ni un roce ni una mirada significativa, le dio a entender claramemte que deseaba acostarse con él. Se pegó un susto tan grande que estuvo casi a punto de regresar a casa. Pero no lo hizo. En su lugar, le dijo:

—Vamos a tu habitación.

A partir de aquella noche, su mundo y su vida ya no fueron los mismos.

Recordó que, pocos días después, decidió quedarse con una hembra de la camada de un amigo suyo y se la regaló. Entonces él no sabía que era costumbre enviar flores tras haberse acostado con una mujer y, desde entonces, sus regalos a las mujeres siempre habían sido más sustanciosos y lo mismo había ocurrido con los regalos que éstas le habían hecho a él. La cachorra fue el primer regalo que él le hizo a una chica, pero lo que ella le había dado —su propia persona— fue el mejor regalo que él jamás hubiera recibido en su vida.

—Nunca me hablaste de *Denise* en tus cartas —le dijo.

—Es que... no se me ocurría ninguna manera de mencionarte a *Denise* sin parecer tonta y empalagosa... —Annie lanzó un suspiro y le miró bajo las crecientes sombras del crepúsculo—. O sea que... estas perras fueron un recordatorio cotidiano. ¿Te sientes ofendido? —preguntó con una sonrisa.

—No, me he quedado sin habla.

—Soy demasiado sentimental, por desgracia... te voy a contar otro secreto...: en casa de mi hermana tengo todo un baúl lleno de cosas de Keith Landry... cartas de amor, fotografías de bailes, nuestros anuarios del instituto y la universidad... regalos de San Valentín, postales de cumpleaños, un oso de peluche... tenía otras cosas, pero fui lo bastante estúpida como para guardarlas en casa cuando me casé... Él encontró la caja... no había fotos ni cartas ni nada de todo eso sino pequeños obsequios y recuerdos que tú me habías comprado. Debió de comprender que no me los habían regalado mis amigas y los tiró. No le dije nada porque quería ser una esposa fiel, pero, si todavía no lo había comprendido, entonces comprendí que no me había casado con el hombre adecuado. —Annie hizo una pausa antes de añadir—: Ahora tengo que irme.

—¿Dejaste las cosas en casa de tu hermana?

—Sí... tuve miedo de que él estuviera en casa a la vuelta.

—Muy bien, pues. Vamos.

—¿Adónde?

—A casa de tu hermana. Salimos ahora mismo.

—No, Keith...

—Ahora, Annie. No mañana ni la semana que viene ni el año que viene. Ahora. ¿Le gustan los perros a tu hermana? Ahora mismo va a tener que guardarte la tuya —dijo Keith, abrazándola y besándola.

Annie se apartó.

—No, Keith... quiero decir, ¿de verdad nos vamos ahora?

—En cuestión de un minuto. Deja el coche aquí. Yo tengo todavía el equipaje en el mío. Llama a la perra y siéntate en mi coche.

Keith entró en la casa, recogió las llaves y apagó las luces. Tomó una hoja de papel de un cuaderno de apuntes que había en la cocina y escribió, «Jódete, Cliff». Firmó, salió, se acercó al Blazer, le pidió a Annie sus llaves y ella se las entregó.

—¿Quieres dejarle una nota en tu coche? —le preguntó.

Annie contempló la hoja de papel que él sostenía en su mano y contestó:

—No, él nunca me deja notas.

—Muy bien pues.

Keith subió al automóvil de Annie y lo condujo hasta el granero, bajó, abrió las puertas y volvió a subir al Lincoln para colocarlo dentro. Después dejó la breve nota aclaratoria en el asiento del piloto, cerró las puertas del granero y regresó al Blazer.

Mientras bajaba por la calzada, Annie le preguntó:

—¿Le has dejado una nota en mi coche?

—Sí. Ha sido un poco mezquino e infantil.

—¿Qué le decías?

—Dos palabras que no eran precisamente «feliz cumpleaños».

Annie sonrió sin decir nada.

Keith abandonó la calzada de su casa con Annie sentada a su lado, *Denise* en el asiento de atrás y el equipaje en el maletero.

Giró al sur en dirección al condado de Chatham y ambos permanecieron un rato en silencio.

—No puedo creer lo que está ocurriendo —dijo Annie al final.

Keith se volvió hacia ella y observó que estaba mirando a través de la ventanilla con expresión aturdida o tal vez un poco asustada.

—¿Estás bien? —le preguntó.

Annie asintió y le miró con asombro.

—Está ocurriendo de verdad —dijo.

—Sí, y volver atrás ya no es posible.

Annie se quitó las sortijas de compromiso y de boda y las arrojó a través de la ventanilla.

—No es posible volver atrás. —Se inclinó hacia él y lo besó en la mejilla—. Te quiero.

Keith sintió sus lágrimas en su rostro.

—Te he echado mucho de menos.

29

Un poco pasadas las siete y media de la tarde, Annie y Keith llegaron a la casa victoriana de ladrillo rojo. Mientras Terry salía por la puerta lateral, Annie bajó apresuradamente del Blazer. Sin decir ni una sola palabra, ambas hermanas se besaron y abrazaron y empezaron a brincar como unas colegialas. A pesar de que Keith era el objeto de su alegría, se pasaron un buen rato sin prestarle la menor atención. Después, Terry corrió hacia él y lo abrazó.

—Pero bueno —dijo—, mira quién ha vuelto.

—Sí, esta vez nos hemos puesto de acuerdo.

—Oh, Keith, yo estaba segura de que así sería.

Annie se situó a su lado y lo rodeó con su brazo como si estuviera posando para una foto de un trofeo de caza.

—Nos vamos a... —le dijo Annie a Terry—. ¿Adónde vamos, cariño? —le preguntó a Keith.

—A Nueva York —contestó él.

No era cierto, pero Keith sabía que aquello no era el final de una operación secreta sino el principio de una fuga y evasión de territorio enemigo.

—Y después nos iremos a Roma, ¿verdad?

—Sí.

Denise, todavía en el interior del automóvil, empezó a ladrar.

—Todo ha sido tan precipitado... —le dijo Annie a Terry—. ¿Te importará guardarme a *Denise* durante algún tiempo?

—Me encantará. No tenemos perro desde que se marcharon los chicos.

Annie abrió la portezuela posterior del vehículo y la perra saltó y empezó a corretear por el jardín como si ya lo conociera, pensó Keith. Después se volvió a abrir la puerta lateral de la casa y salió Larry, el marido de Terry. Era más alto de lo que Keith recordaba, más de metro ochenta, había engordado unos cuantos kilos y había perdido un poco de pelo, pero seguía conservando una figura impresionante. Saludó a su cuñada y después estrechó la mano de Keith, diciendo:

—Me alegro de volver a verte.
—Lo mismo te digo.
Keith recordó que Larry era un tipo fuerte y taciturno que, como muchos hombres de aquella región, no gastaba el tiempo en palabras. Recordó que una vez hacía millones de cervezas había estado bebiendo cerveza con Larry Ingram en casa de alguien en Spencerville y que lo único que éste había dicho prácticamente en toda la velada había sido, «Tomaré otra». Larry era también de los que nunca hacían preguntas, por lo que Keith se sintió en la obligación de explicarle:
—Annie y yo nos vamos juntos.
Larry asintió con la cabeza en silencio.
—No creo que eso os cause problemas con Cliff Baxter, a no ser que él se entere de que Annie y yo hemos estado aquí.
Larry se encogió de hombros.
—Presiento que lo podrás arreglar.
—Sí.
—Ya lo sabía.
—¿Os podéis quedar un ratito? —le preguntó Terry a Annie.
Annie miró a Keith, el cual contestó:
—En realidad, ya nos tendríamos que ir...
—Muy bien... —dijo Annie, mirándole como si estuviera esperando que la tranquilizara.
—Todo irá bien —les dijo Keith a Annie y Terry—. No tenemos que atravesar el condado de Spencer.
—Mejor —dijo Terry.
Keith observó que Larry había desaparecido. Poco después le vio salir de nuevo por la puerta lateral con una maleta y una bolsa de mano que colocó en el portaequipajes del Blazer sin decir nada.
Annie le dio las gracias y le dijo a Keith:
—He traído mi equipaje aquí en bolsas de compra, pero Terry me presta sus maletas.
—¿Eso es todo? —preguntó Keith.
—Pues sí. Yo viajo muy ligera.
—Creo que me encantará viajar contigo.
—Puedo comprar lo que necesite por el camino —dijo Annie sonriendo.
—Por supuesto.
—Tengo las dos cartas para los chicos —le dijo Terry a Annie— y mañana por la mañana iré a ver a papá y mamá. También pasaré por casa de tía Louise.
A pesar de que estaba deseando ponerse en camino, Keith le dijo a Annie:
—¿Por qué no te llevas algo de tu baúl de recuerdos?

—Pero qué romántico eres —le dijo Annie—. ¿No te parece un encanto? —preguntó, mirando a su hermana—. ¿Puedo ver el baúl?

—Pues claro. Pasa.

Mientras ambas mujeres entraban en la casa, Keith se volvió hacia Larry.

—Tú eres delegado del *sheriff* del condado de Chatham.

—Honorario.

—¿Tienes una radio de la policía en casa o en el coche?

—En los dos sitios.

—¿Puedes seguir los movimientos de la policía de Spencerville desde aquí?

—A veces. La señal es muy débil.

—¿Y en la oficina del *sheriff* del condado de Spencer?

—Sí, allí se recibe mejor la señal.

—¿Lo podrías hacer esta noche?

—Pues claro.

—¿Podrías llamar más tarde al *sheriff* del condado de Chatham para ver si se ha dictado una orden de búsqueda urgente de mi Blazer o del Lincoln de Annie?

—Lo haré.

—Te llamaré desde la carretera.

—Muy bien. Pero vamos a hacer otra cosa —dijo Larry—. Llévate mi coche.

—No, no puedo.

—Pues claro que puedes.

—Mira, Larry, yo sé que tú tienes agallas para enfrentarte con ese tío, pero no quiero que él sepa que existe una relación entre lo de esta tarde y tú y tu mujer.

—No importa.

—Si me localizan al volante de tu coche, podrías tener problemas. El muy hijo de puta te lo querrá hacer pagar aunque para ello tenga que esperar veinte años.

—No te preocupes.

—Pues claro que me preocupo. Tanto si te gusta como si no, Cliff es pariente tuyo. Sus hijos son tus sobrinos y tus hijos son los primos de sus hijos y, de momento, los dos tenéis los mismos suegros. No quiero que se creen rencores en la familia. Iré bien con mi coche.

Larry no dijo nada.

—Y además —añadió Keith—, no quiero alarmar a las mujeres.

Larry asintió con la cabeza.

—De todos modos, creo que aún tendrán que pasar unas cuantas horas antes de que se dicte una orden de búsqueda y, en primer lugar, buscarán el coche de Annie y después el mío. Tengo tiempo suficiente —dijo Keith.

—Utiliza todo lo que puedas las carreteras interestatales —le aconsejó Larry tras reflexionar un instante—. No es probable que haya policías del condado en esas carreteras. Y no creo que la patrulla de carreteras del estado reciba una orden urgente de búsqueda, a no ser que Baxter pueda formular una acusación en toda regla.

—No puede presentar ninguna denuncia legal contra mí —dijo Keith.

—Bueno, pero nunca se sabe lo que se puede inventar. Cualquier excusa es válida para que te ordenen detenerte. En cuanto te tengan, lo llaman a él y ya está.

—Comprendo.

—¿Dónde está el coche de Annie?

—¿Por qué lo preguntas?

—Pues porque, si está estacionado junto a un bordillo o en un aparcamiento y ella no aparece, ten por seguro que Baxter llamará a la policía del estado y dirá que su mujer ha sido secuestrada.

Keith asintió con la cabeza.

—Si su coche está en casa y ella no está o si nadie puede encontrar su coche, muchos policías pensarán que se trata de un problema doméstico o que no existe ningún problema hasta que no se les facilite más información.

—El coche está escondido —dijo Keith.

—Muy bien.

«No demasiado —pensó Keith— en caso de que encuentren el coche escondido en mi granero.»

—Todo irá bien en el condado de Chatham —dijo Larry—. Yo me encargaré de ello.

—Gracias.

Annie y Terry salieron de nuevo al jardín, Annie sosteniendo en sus brazos un oso de peluche.

—¿Todo bien? —preguntó Annie.

O era muy perspicaz, pensó Keith, o estaba muy nerviosa o él y Larry no ponían suficiente cara de póquer.

—Todo bien —contestó Keith—. ¿Qué has encontrado?

Annie le arrojó el oso de peluche y él lo examinó.

—Eso no te lo he regalado yo. Eso es del baúl de otro novio.

Annie miró a Terry sonriendo.

—Ya te lo he dicho. Es sarcástico y se cree gracioso.

—Bueno, será mejor que nos pongamos en marcha —dijo Keith—. Gracias de nuevo —añadió, estrechando la mano de Larry.

Annie abrazó a su hermana.

—Has sido un cielo. Gracias por todo. Te llamaremos desde Nueva York. Creo que me voy a echar a llorar.

—Cuídate mucho —le dijo Larry, abrazándola—. No te preocupes por nada de lo de aquí.

Keith estaba a punto de estrechar la mano de Terry cuando sonó el teléfono de la cocina. Todos se quedaron petrificados, pensando lo mismo. Después Terry corrió al interior de la casa, seguida de Keith, Annie y Larry.

Terry descolgó el teléfono de pared.

—¿Diga?

Keith adivinó por la expresión de su rostro que no eran sus hijos, llamando para saludarla.

Terry escuchó y después contestó:

—Pues no, Cliff, no la he visto.

Annie tomó la mano de Keith como si, pensó éste, la sola presencia de su marido por teléfono le causara desazón.

—No —añadió Terry—, estuvo aquí ayer por la mañana y se quedó a almorzar. Hoy he pasado por tu casa al salir de la iglesia y la he visto... no, no me dijo que tuviera intención de ir a ningún sitio... me dijo que tenía que hacer la compra. Sí. No, no sé por qué no la hizo ayer...

Terry le sacó la lengua al teléfono y, a pesar de la apurada situación, los demás la miraron sonriendo.

—¿Y cómo puedo saber yo si funciona el teléfono de su coche? —Terry escuchó en silencio y después, para asombro de todos, añadió—: Oye, Cliff, ¿por qué no dejas de controlar tanto a mi hermana? Ya estoy harta de... Cliff, vete a la mierda. —Dicho lo cual, colgó el teléfono—. Me he dado el gustazo de mandarlo al carajo. —Mirando a Keith, Annie y Larry, añadió—: Bueno, ya sabéis quién era.

—¿Se ha insolentado contigo?

—Más bien sí.

Larry frunció el ceño.

—Ya no tienes por qué seguir considerándole tu cuñado —le dijo Annie.

Larry asintió con la cabeza y Keith adivinó lo que significaban para él aquellas dulces palabras.

—¿Desde dónde llamaba? —le preguntó Keith a Terry.

—Dijo que estaba en casa. Ha regresado antes de lo previsto.

—¿Cómo hablaba?

Terry se encogió de hombros.

—Como siempre. Parecía molesto.

—Ahora va a tener finalmente algo por lo que estar molesto —terció Annie.

Keith miró el reloj de la cocina y vio que eran las ocho menos cuarto de la tarde. Cliff Baxter estaba en Spencerville y echaba en falta a su mujer. Disponían de muy poco tiempo.

—Bueno, tenemos que irnos enseguida.

Los cuatro salieron fuera y volvieron a despedirse, aunque esta vez con cierta sensación de apremio.

En cuestión de un minuto, Keith y Annie se acomodaron en el Blazer con el oso de peluche sentado entre ambos e hicieron marcha atrás en la calzada, saludando con la mano.

Cinco minutos antes, Keith hubiera pensado que él y Annie tenían muchas probabilidades de huir sin contratiempos. Ahora las probabilidades habían bajado a un cincuenta por ciento y, en tales condiciones, él no tenía por costumbre participar en ningún juego.

30

La carretera 6 del condado era recta y llana y, siendo un domingo por la noche, apenas había tráfico, por lo que Keith mantuvo las luces largas encendidas y aumentó la velocidad del Blazer a ciento veinte kilómetros por hora.

—¿Todo va bien? —le preguntó Annie, ansiosa—. Puedes decirme la verdad.

—No he querido preocupar a tu hermana —contestó Keith.

—Lo cual significa que no todo va bien.

—Bueno, lo importante sería saber... cuánto tiempo tardará Cliff en comprenderlo. Quizá tú podrías responder mejor a la pregunta.

Annie reflexionó un instante y después dijo:

—Son casi las ocho y yo nunca he regresado a casa tan tarde sin que él supiera dónde estoy.

Keith no dijo nada.

—Creo que necesitábamos un poco más de ventaja —dijo Annie.

—Le hubiera quitado toda la gracia.

Al ver que Keith sonreía, Annie también sonrió, a pesar de que ninguno de los dos estaba de humor para ello.

—Bromas aparte —dijo Keith al final—, tú has corrido un riesgo superior al necesario y yo me siento responsable. Si pudiera llevarte a mi granja sin que me vieran, lo haría y te diría que regresaras a casa esta noche.

—No. Aunque pudiera, no querría hacerlo. Ya estoy contigo y por nada del mundo quisiera regresar allí. Y además, tú no eres culpable de que yo haya dicho que sí esta tarde. ¿De acuerdo?

—De acuerdo.

Siguieron hacia el este y abandonaron el condado de Chatham, entrando en el de Dawson.

—¿Qué va a hacer ahora tu fiel esposo?

—¿Te refieres a Pedro el calabacero? Bueno pues, llamará al teléfono de mi coche cada dos minutos... por eso tuvo la generosidad de permitir que Baxter Motors me lo instalara. Entre llamada y llamada, telefoneará a mis padres, parientes y amigos, incluidos el pastor

Schek y su mujer, por ejemplo. Pierde totalmente la vergüenza cuando se trata de controlarme y no se molesta demasiado en disimular cuando habla con la gente por teléfono.

—Todos deben de pensar que andas tonteando por ahí.

—No, piensan que él está chiflado. Y él, por su parte, cree que me pone en evidencia y me castiga por no establecer contacto con él cada vez que voy a algún sitio. Pero, en realidad, hace el ridículo.

—Por suerte, efectuar todas esas llamadas le llevará tiempo... ¿qué orden ocupa Terry en la lista?

—Por regla general, ocupa el segundo lugar, después de mis padres. Aún le quedan unas doce llamadas por hacer.

Keith asintió con la cabeza.

—Al final, Terry lo ha hecho. —Annie imitó la voz de su hermana—. Cliff, vete a la mierda. —Soltó una carcajada—. Eso le provocará un acceso de furia de una media hora de duración. No le gusta que las mujeres le repliquen.

—Eso no le gusta a nadie.

—A ti sí. Y te encanta contraatacar. Pero no lo haces con mezquindad sino con gracia. Me sigues provocando la risa —dijo Annie, alargando la mano para pellizcarle la mejilla.

Keith la miró sonriendo.

Estaban circulando a una buena velocidad y les debían de faltar unos dieciocho kilómetros para la Interestatal 75.

Annie tomó el oso de peluche y lo sentó sobre sus rodillas.

—¿Lo recuerdas?

Keith contempló el animal marrón y blanco.

—Feria del estado —aventuró.

—Feria del condado.

—Ah, sí.

—En una barraca de tiro al blanco. Lo hacías muy bien. ¿Te sigue gustando disparar?

—No. Creo que he perdido la afición.

—Ya me lo suponía. ¿Vas armado?

—No.

—¿Por qué no?

—Pues porque no tengo la menor intención de liarme a tiros con la policía.

—Pero, ¿y si fuera él?

—Ya no estamos en su pequeño reino.

—Él es capaz de ir a buscarnos adonde sea.

—Muy bien. ¿Tú vas armada?

Annie hizo una pausa antes de contestar.

—Ayer por la mañana, sí. Hoy me has pillado un poco por sorpresa.

—¿La hubieras utilizado?
—Si él hubiera intentado frustrar nuestros planes, sí.
—Yo también lo hubiera hecho. Si quieres que te diga la verdad, me hubiera llevado la pistola, pero no la he encontrado. Creo que tu marido ha allanado mi casa.
—¿Cómo? ¿Quieres decir que entró en tu casa...?
—No puedo estar seguro de que fuera él, pero la lista de sospechosos es muy corta. No nos hace ir armados. Todo irá bien.
—Ojalá...
—Hace un par de meses, cuando yo llegué —dijo Keith—, hubo un incidente con un arma de fuego en tu casa a primera hora de la mañana. ¿Me quieres contar qué pasó?
Annie inclinó la cabeza y se pasó un buen rato mirando al suelo antes de contestar.
—No, no quiero.
—Muy bien.
—Lo haré... pero no ahora.
—Como gustes.
—¿Cómo te enteraste?
—La ciudad es muy pequeña.
—La gente habla de los Baxter, ¿verdad?
—Sabes muy bien que sí. Tú eres siempre una santa y él es Satanás.
—Y tú mi ángel de la guarda.
—Gracias. Por lo menos, lo intento. —Keith necesitaba más información sobre su actuación—. ¿Qué hará tras haber hostigado a todo el mundo con sus llamadas telefónicas? ¿Llamará a sus propias fuerzas policiales?
—Podría hacerlo..., como último recurso. Lo ha hecho alguna vez. Seguramente, ahora estará recorriendo la ciudad en su automóvil, buscando el mío.... primero irá a los moteles, como si yo fuera tan tonta como para acudir a un motel local para tener una aventura amorosa. Simultáneamente, llamará a todos los conocidos. Cuando ya se le empiece a acabar la paciencia, llamará a la jefatura central... No irá personalmente porque no querrá decirles cara a cara a sus hombres que esta preocupado por mí y teme que me haya ocurrido un accidente o algo por el estilo. Porque sabe que tanto el hospital como la oficina del *sheriff* como su propia policía se pondría inmediatamente en contacto con él en caso de que yo hubiera sufrido un accidente. Es un idiota y sus hombres lo saben.
—Veo que conoces muy bien su *modus operandi* —observó Keith.
—Después de tantos años, creo que sí. Antes había un sargento que era un buen amigo mío y me comentaba las locuras de Cliff. En cuanto pudo, Cliff se libró de él y de todos los demás hombres que

merecían la pena. ¿Te has fijado en que casi todos sus chicos son muy jóvenes? Cliff los ha elegido uno a uno personalmente. Una vez me dijo que eso era como adiestrar a los perros... buscarlos jóvenes, darles de comer en la mano, hacer que te tengan miedo y que sólo te obedezcan a ti. Dijo que lo mismo ocurría con las esposas. —Keith no contestó—. Además, se ha encargado de que todos sean tan malvados como él —añadió Annie—. Aunque yo no creo que nadie pueda convertir en malvados a los demás a menos que éstos no lo lleven en la sangre. Casi todos esos chicos son buena gente y me aprecian... pero tienen que interpretar el papel que les dicta el jefe.

Keith no estaba demasiado seguro, pero, como no pensaba atravesar el condado de Spencer, no tendría ocasión de comprobarlo. A no ser que otras fuerzas policiales los identificaran y los entregaran al Departamento de Policía de Spencerville.

—Bueno pues —le dijo a Annie—, después de todas esas llamadas telefónicas, llama finalmente al Departamento de Policía de Spencerville y supongo que también al *sheriff* del condado.

—Sí, el cual es primo de su madre, por cierto.

—Y, a partir de ese momento, todo el condado se pone en pie de guerra para buscar tu Lincoln blanco.

—Sí. Antes de que tuviera teléfono en el coche, me obligaban a detenerme y me pedían amablemente que llamara a mi marido a su despacho o que regresara a casa porque él me tenía que decir una cosa. Y muchos de ellos esbozaban una sonrisa al decirlo... no burlándose de mí sino de él.

—Debía de ser divertido estar casada con el jefe de policía local.

—Pues, a veces, lo era. Que Dios me perdone, pero te juro que me encantaba verle hacer el ridículo. Lo siento, eso no es propio de mí —dijo Annie.

—No te preocupes. Seré sincero contigo —dijo Keith—. Todo dependerá de lo que él tarde en tomar la decisión de ir a mi casa, entrar en mi propiedad y abrir la puerta del granero.

—Lo sé.

Keith trató de ponerse en el lugar de Cliff Baxter. Pensó en lo que Annie le había dicho sobre sus habituales operaciones de búsqueda de su esposa y tuvo también en cuenta el hecho de que Baxter ignoraba la existencia de una relación reciente entre su mujer y su antiguo novio. Y, sin embargo, Cliff Baxter acabaría acudiendo a la granja Landry. ¿Qué ocurriría entonces? Vería que la casa estaba a oscuras y que el Blazer había desaparecido. Pensaría que Keith Landry se había tomado su amenaza en serio y había huido, lo cual sería la conclusión más lógica para él, habida cuenta de su inmenso orgullo. O Baxter podía pensar otra cosa, basándose en sus celos y su paranoia, en aquel caso plenamente justificados. Si se le ocurriera entrar en el granero, hallaría de inmediato la respuesta a todas sus preguntas. La nota del «Jódete» no contribuiría precisamente a mejorar su estado de ánimo. Keith procesó todas aquellas posibilidades en su cerebro y calculó que les quedaba una hora o tal vez menos antes de que las radios de la policía empezaran a ponerse en marcha en todos los condados de la zona.

Media hora después de haberse despedido de Terry y Larry, ya se estaban acercando al cruce de la Interestatal 75. Hacia el sur, la carretera conducía directamente a Dayton o a la carretera 23 que los llevaría a Columbus. Y hacia el norte los conduciría directamente a Toledo. Keith estudió las alternativas. Si se dirigiera al sur, tardaría dos horas en llegar a Columbus y casi tres en llegar a Dayton. Los aeropuertos de ambas ciudades eran más grandes que el de Toledo y en ellos tendrían más posibilidades de conseguir plaza en un vuelo a Washington o, en su defecto, a Baltimore o Richmond. Pero tendrían que viajar demasiado rato por carretera.

En cambio, el aeropuerto de Toledo estaba sólo a una media hora de camino, pero no era seguro que pudieran conseguir plaza en algún vuelo hacia el Este o hacia cualquier otro sitio. Sin embargo, algo tendría que haber en Toledo. Lo importante era abandonar cuanto antes la carretera.

—Creo que deberíamos ir a Toledo porque el camino es más corto.

Annie asintió.

—Pero no sé qué vuelos habrá allí ni hacia dónde ni cuándo.

—No me importa el dónde o el cuándo.

—Muy bien. —Keith tomó la Interestatal 75 en dirección norte. Era una excelente carretera con dos carriles en ambas direcciones y un tráfico muy fluido. Mantuvo la velocidad de ciento veinte kilómetros por hora. Estaban regresando de nuevo al condado de Spencer, pero la Interestatal 75 no atravesaba el condado. Trató de calcular cuánto territorio podía abarcar una búsqueda de la policía y le preguntó a Annie:

—¿Cuándo viste o hablaste con alguien por última vez antes de ir a mi casa a las seis?

Annie reflexionó un momento antes de contestar:

—Llamé a mis dos hijos sobre las cinco... sólo para oír sus voces... Tom no estaba, pero hablé con Wendy.

—¿Llama el señor Baxter a su hija?

—No suele hacerlo, pero lo podría hacer. Sí, creo que podría hacerlo, pensando que, a lo mejor, yo he ido a verla. Le dije que quería ir, pero no le gustó la idea.

—O sea que tú estabas en casa sobre las cinco y media cuando hablaste con Wendy.

—Sí y dejé un mensaje en el contestador de Tom aproximadamente a la misma hora.

Keith consultó el reloj del tablero de instrumentos. Eran las ocho y media de la tarde. Si Baxter cumpliera bien su tarea de investigación, descubriría que su mujer había desaparecido sobre las cinco y media, es decir, unas tres horas antes, lo cual significaba un radio de unos trescientos kilómetros en coche desde Spencerville. Dentro de aquel radio estaba Toledo y también Fort Wayne, Indiana, con un aeropuerto aproximadamente del mismo tamaño que el de Toledo. Cada media hora que pasara, el radio aumentaría automáticamente. Suponiendo que se hubiera iniciado la búsqueda o que estuviera a punto de empezar.

Annie le estudió un rato en silencio y, al final, le dijo:

—Keith, tú no tienes por qué complicarte la vida.

—No, pero es lo que yo quiero.

—Sin embargo, no tendrías que huir si yo no estuviera contigo. Déjame en la próxima zona de descanso y yo llamaré a la jefatura central de policía de Spencerville y diré...

—¿Qué dirás? ¿Que has perdido el coche en mi granero y necesitas que te lleven a casa?

—No me importa lo que tenga que decir o lo que él haga o lo que ocurra. No quiero colocarte en esta...

—Annie, yo tengo mis propios motivos de agravio contra Cliff Baxter desde hace muchos años. No lo hago por ti.

—Ah...

—Quiero robarle la mujer para fastidiarle. Yo iré a Washington y tú irás a Roma. Envíame una postal cuando llegues. ¿De acuerdo?

—Eso será una broma, supongo.

—Soy sarcástico y no me creo gracioso. Y tú eres demasiado honrada, pero te agradezco tu preocupación. Has arrojado tu sortija de matrimonio, Annie. Llegamos a la conclusión de que ya no era posible volver atrás. Asunto cerrado. Para siempre.

—De acuerdo. Lo has resuelto todo en un santiamén. Debías de estar acostumbrado a hacer cosas de este tipo en tu trabajo —observó Annie.

—Pues sí. Solía secuestrar una esposa cada semana.

—Me refiero a cosas peligrosas. ¿Era peligroso?

—No, siempre y cuando lo hicieras bien. Los últimos cinco o seis años me los he pasado en buena parte sentado junto a un escritorio. Estoy un poco oxidado.

—Me muero de miedo.

—Tienes perfecto derecho. Pero te estás portando maravillosamente —añadió Keith, tomando y comprimiendo su mano.

—Me siento segura a tu lado.

—Me alegro. Por cierto, tu hermana estaba guapísima. Por lo visto, la familia Prentis tiene unos genes estupendos.

—Mi madre apenas ha envejecido. Ha hecho usted una buena adquisición, señor Landry.

—Lo sé. Me ha parecido que le dabas luz verde a Larry para que le propinara una buena paliza al señor Baxter.

—Ahora Cliff no se atreverá a acercarse a más de cien kilómetros de él y Larry es incapaz de buscar pelea —dijo Annie—. Larry y Terry son un matrimonio estupendo. Y las mujeres de la familia Prentis son unas esposas excelentes. Bueno —añadió como si hubiera leído el pensamiento de Keith—, una de ellas se equivocó en la elección de marido.

—¿Le amaste alguna vez? —preguntó imprudentemente Keith.

—No. Nunca.

—Pero él te quiere a ti.

—Sí, pero no es la clase de amor que yo quiero o necesito, sino la que él quiere y necesita y por eso me sentía en deuda y he permanecido atada a él todo este tiempo. Ahora que Wendy ya está en la universidad, hubiera tomado una determinación, contigo o sin ti. ¿Me crees?

—Sí. Ya me lo insinuabas en tus cartas. Puede que eso me indujera a regresar —dijo Keith.

—Dejémonos de conjeturas, Keith. Era nuestra última oportunidad y tú lo sabías.

—Sí, es cierto.

—Pero esta vez lo vamos a conseguir, ¿verdad?

—Sí.

—Si no estuviera tan asustada, pegaría brincos en mi asiento.

—Podrás brincar en el asiento del avión. —Keith puso una cinta en la casete—. Música de los sesenta —dijo—. Álbum mixto. ¿Vale?

—Vale muchísimo.

Los Lovin' Spoonful cantaron *Do You Believe In Magic.*

—Mil novecientos sesenta y cinco —dijo Annie—. Primer curso, ¿verdad?

—Verdad.

—A mis hijos les encanta todo eso —dijo Annie.

A continuación, The Casinos cantaron *Then You Can Tell Me Good-Bye.*

—Eso debió de ser... quizá en el sesenta y siete. Penúltimo curso.

—Todo fue muy rápido.

Escucharon la cinta y, al cabo de unos diez minutos, Annie tocó el brazo de Keith y le indicó una señalización de salida. *Bowling Green.*

Keith asintió en silencio. Le parecía extraño que ciertos nombres de lugares poseyeran un poder de evocación tan grande en la historia individual de una persona. Sintió que el corazón le daba un leve vuelco en el pecho, se volvió para decirle algo a Annie y vio una lágrima rodando por su mejilla. Entonces alargó la mano y empezó a aplicarle masaje en la nuca.

—Mira —dijo Annie—, si mi hija es aquí la mitad de feliz de lo que yo fui contigo, los buenos recuerdos le durarán toda la vida...

—Si es como tú, estoy seguro de que será feliz.

—Así lo espero... este país ha cambiado mucho... no sé si es mejor o peor que cuando nosotros estudiábamos.

—Yo tampoco lo sé, pero, si quieres que te diga la verdad, ya no me importa. Estoy preparado para vivir una existencia privada y espero que el mundo nos deje en paz.

—Debes de haber visto demasiadas cosas malas en el mundo, Keith.

—Pues sí. Y, a fuer de sincero, yo he tenido mi parte en los problemas del mundo.

—¿De veras?

—Puede que no de una forma deliberada...

—Dime una buena obra que hayas hecho de una forma deliberada.

—Pues, así de repente, no sé... He visto buenas obras... el mundo no es malo, Annie, no es eso lo que yo quiero decir. A pesar de todas las cosas malas que he visto, también he sido testigo de muchos actos de valor, bondad, honradez y amor. Y también de milagros... —añadió— como el de volver a encontrarte a ti, por ejemplo.

—Gracias... hacía mucho tiempo que no oía unas palabras así... —dijo Annie—. Keith, sé que tu vida no ha sido toda brillo y emoción y que tiene que haber algunas cicatrices, penas del alma, decepciones y cosas que preferirías olvidar o de las que tal vez necesitas hablar. Cuéntame todo lo mucho o lo poco que quieras contarme. Yo te escucharé.

—Gracias. Lo mismo te digo.

Una gran señalización verde y blanca apareció ante sus ojos. *Aeropuerto de Toledo — Salida.*

—Ya estamos llegando —dijo Annie.

—Sí.

Sólo les faltaban uno o dos milagros más.

31

Keith se dirigió al pequeño aeropuerto situado al suroeste de Toledo. No había visto llegar ni despegar ningún aparato mientras se aproximaba, pero no se preocupó demasiado, pues no era un aeropuerto de mucho tráfico y le parecía recordar que sólo tenía seis puertas.

Se acercaron a la entrada de la terminal que servía tanto para las salidas como para las llegadas.

No había ningún mozo a la vista y tampoco se veían coches, taxis ni personas.

—Espera un momento aquí —le dijo Keith a Annie.

Entró en la pequeña y moderna terminal y vio que estaba casi vacía y que la mayoría de las tiendas estaban cerradas, a excepción de la cafetería. Aquello no prometía nada bueno.

Vio el monitor de salidas. Siete compañías servían el aeropuerto, sobre todo con vuelos de enlace. Contempló fijamente el horario de salidas, negándose a aceptar la información según la cual el último vuelo, un American Eagle con destino a Dayton, había salido más de una hora antes.

—Maldita sea.

Se acercó al mostrador más próximo, que era el de la USAir. Una solitaria mujer estaba consultando unos papeles.

—¿Sale algún vuelo hacia alguna parte? —le preguntó Keith.

—No, señor.

Keith miró hacia los seis mostradores restantes, todos ellos vacíos.

—¿No sale ningún vuelo de aquí esta noche?

La mujer le miró inquisitivamente y le contestó:

—No, señor. ¿Adónde quería usted ir?

Keith no quería que la mujer sospechara y avisara a los servicios de seguridad.

—Pensé que había un vuelo a Washington —dijo.

—No, señor. Los últimos vuelos suelen salir sobre las siete cuarenta y cinco. ¿Quiere que le reserve plaza para Washington en el vuelo de mañana?

—Quizá. —Keith reflexionó un instante—. ¿Las compañías de alquiler de automóviles están abiertas?

—No, señor. El último vuelo llegó hace cuarenta y cinco minutos.

El Blazer lo tenía atrapado, pensó Keith, y no podría llegar muy lejos con él.

—Tengo un vuelo a las siete quince al Aeropuerto Nacional. La llegada es a las ocho cincuenta y cinco. Hay plazas disponibles. ¿Quiere que le haga una reserva?

Keith se guardaría muy bien de dejar un rastro documental y, en cualquier caso, a la mañana siguiente la fotografía de Annie Baxter, y puede que también la suya, ya estarían en las manos de todos los empleados de los mostradores.

—¿Señor?

—No, gracias. ¿Hay algún servicio de vuelos charter desde aquí?

—Sí, señor. Allí lo tiene usted. El mostrador está cerrado, pero hay un teléfono.

—Gracias.

Keith se dirigió al mostrador del servicio de vuelos charter, tomó el teléfono y marcó el número indicado. Una grabación le dijo que dejara su nombre, su número y su mensaje. Colgó, pensando que la salida de Saigón mientras los tanques comunistas se acercaban a la embajada norteamericana había sido mucho más fácil que salir de Toledo un domingo por la noche.

Entró en una cabina y llamó a los Ingram. Se puso Terry.

—Hola, Terry —le dijo jovialmente.

—¡Keith! ¿Dónde estáis? ¿Todo bien...?

—Todo va estupendamente. Estamos a punto de salir. Annie ya está junto a la puerta. Sólo llamaba para daros de nuevo las gracias y saludaros.

—Oh, es muy amable de tu parte. No sabes cuánto me alegro de haberos podido echar una mano y...

—Espera... están anunciando nuestro vuelo. Sólo quería despedirme rápidamente de Larry.

—Claro. Está aquí, a mi lado.

Larry se puso al aparato y Keith le dijo:

—Larry, sin alarmar a tu mujer, ¿podrías decirme si te has enterado de algo?

—Pues sí. Aguarda un momento.

Keith oyó a Larry diciéndole algo a Terry. Después Larry le dijo:

—Bueno, ahora ya puedo hablar. Me he enterado hace unos diez minutos... han transmitido un mensaje urgente y me han llamado para ver si podría salir a patrullar esta noche.

—Muy bien... ¿qué y a quién están buscando?

—Un Chevrolet Blazer de color verde, modelo de este año y con tu número de matrícula. Buscan a Annie Baxter y a Keith Landry.

Keith asintió con la cabeza. Habrían encontrado el coche de Annie en su granero.

—¿Sabes algo sobre las posibles localizaciones? —le preguntó a Larry.

—Las de siempre... compañías de alquiler de automóviles, aeropuertos dentro de un radio de cuatrocientos kilómetros de Spencerville, el cual irá aumentando cada media hora, terminales de autobuses, estaciones ferroviarias, todas las carreteras y autopistas... cosas de este tipo.

—¿Por qué motivo nos buscan?

—Secuestro. La cosa está muy liada. Al parecer, han encontrado el coche de Annie en el granero de tu granja.

—¿Me aconsejas que acuda a la policía para dar explicaciones?

—No. No lo hagas. Te retendrían hasta que él llegara y contara su versión de la historia. Es un policía y ellos son policías.

—Pero, si ella firmara una declaración, diciendo...

—He hablado con Baxter. Dice que ha mandado llamar a sus chicos desde la universidad. No sé si será verdad, pero, si todos acabaran reunidos en una comisaría con vosotros dos, no te digo lo que podría ocurrir. Si podéis escapar, mejor que lo hagáis.

Keith estudió la situación. Annie jamás regresaría junto a Baxter..., pero, ¿por qué mezclar a los hijos en todo aquello? Había otras alternativas más limpias. O, por lo menos, eso pensaba él.

—De acuerdo. Gracias de nuevo —le dijo a Larry.

—¿Estáis bien?

—Sí. Estamos a punto de tomar un vuelo.

—Hacedlo. Buena suerte.

Keith colgó. *Hacía diez minutos*. Apenas le quedaba tiempo para abandonar el aeropuerto.

Cruzó rápidamente la terminal vacía, preguntándose si no hubiera sido mejor dirigirse al aeropuerto de Dayton o Columbus. Pero, de haberlo hecho, todavía estaría en la carretera y, aunque hubiera conseguido llegar a uno de aquellos aeropuertos, nada más llegar los hubieran identificado. De un momento a otro podían buscarles allí.

Por consiguiente, de nada servían las conjeturas sobre lo que hubiera podido ocurrir. Las decisiones se tomaban sobre la base de la experiencia y la intuición. El Plan A no había dado resultado; el Plan B era muy sencillo. Esconderse.

Salió y vio a un guardia de los servicios de seguridad del aeropuerto de pie en el bordillo junto al Blazer. El hombre le miró y se acercó.

—¿Es suyo el coche?

—Sí.

—La señora dice que tomarán ustedes un vuelo a Nueva York. No creo que sea posible.

Keith vio a Annie bajar del Blazer y acercarse a ellos.

—Creo que no —le dijo Keith al guardia.

—No. Ya le he dicho que el último vuelo había salido hace más de una hora.

—Exacto. Me acabo de enterar.

—Este señor dice que hemos perdido el último vuelo —le dijo Annie a Keith.

—Sí, vamos a casa.

Keith la tomó del brazo y regresó con ella al Blazer.

El guardia los siguió y señaló con el dedo la matrícula del vehículo.

—Veo que lo compró usted en Toledo —dijo.

Keith observó que la matrícula llevaba adherida en el borde una pegatina con el nombre del concesionario.

—Pues sí.

—La señora dice que vienen ustedes del condado de Chatham.

—En efecto. Compré el coche en Toledo — dijo Keith, abriendo la portezuela del copiloto para que Annie subiera al vehículo.

Aquel hombre llevaba una radio al cinto y él no quería estar allí cuando el aparato divulgara el boletín de búsqueda urgente. Rodeó el automóvil y abrió la portezuela del piloto.

—Hubieran tenido que llamar para hacer las reservas antes de hacer el viaje —dijo el guardia.

Keith había escuchado demasiadas preguntas de aquella clase en todo el mundo y conocía la mentalidad de las personas que las hacían. No tenía idea de lo que Annie le habría dicho a aquel hombre, aparte el hecho de que iban a Nueva York y eran del condado de Chatham. Pero, entretanto, él ya había preguntado si había alguna posibilidad de volar a Washington.

Keith miró a Annie y le dijo con su mejor acento del Medio Oeste:

—Ya te dije que hubieramos tenido que llamar antes para hacer las reservas.

Annie asintió con la cabeza y se inclinó hacia la ventanilla abierta para hablar con el guardia:

—Tal como ya le he dicho, la idea de ir a Nueva York fue una decisión improvisada. Eso que se ve en las películas. Es la primera vez que viajamos en avión —explicó.

El guardia les dijo:

—Podrían ustedes pasar la noche en un motel. Mañana por la mañana hay un vuelo de la USAir a Nueva York.

—Que se vaya todo a la mierda. Nos vamos a casa —replicó Keith.

Abrió la portezuela, subió al Blazer y se alejó. Vio al guardia de seguridad todavía de pie en el bordillo.

—Estaba empezando a husmear demasiado —le dijo a Annie.

—Has vivido demasiado tiempo en Washington. El pobre hombre sólo quería ser servicial. Parecía muy preocupado cuando hablé con él.

—Ya me lo imagino.

Sea como fuere, llegado el momento, el hombre los recordaría tanto a ellos como el coche.

—¿Qué vamos a hacer ahora? —preguntó Annie.

—Irnos a un motel.

—¿No podríamos ir por carretera a Nueva York?

—No creo. He hablado con Larry —dijo Keith, volviéndose a mirarla—. Se ha transmitido un boletín urgente de búsqueda de este coche y de nuestras personas.

Annie no hizo ningún comentario.

Keith abandonó el aeropuerto y giró al este para dirigirse a Toledo.

—¿No podríamos alquilar un automóvil? —preguntó Annie.

—Lo había pensado antes de saber que se había transmitido el boletín de búsqueda. Ahora tenemos que vigilar mucho adónde vamos y qué hacemos.

Annie asintió en silencio.

Más adelante había un Sheraton del Aereopuerto. Keith se acercó y aparcó lejos de la entrada para que no pudieran verle desde el vestíbulo.

—Espera aquí.

—Como en los viejos tiempos —dijo Annie, tratando de esbozar una sonrisa.

—Más o menos.

Keith entró en el vestíbulo En un estante cerca del mostrador de recepción, encontró el teléfono de reservas con el prefijo 800. Lo tomó, marcó el número de la telefonista de reservas, reservó habitación en el Sheraton del Aeropuerto de Cleveland para muy tarde y la confirmó con su tarjeta American Express. Después entró en una cabina pública y llamó el número con el prefijo 800 de la USAir para reservar dos plazas en el vuelo de las ocho y cuarto de la mañana desde Cleveland a Nueva York y facilitó el número de su tarjeta de crédito. No estaba acostumbrado a escaparse y evadirse en su propio país, pero tenía la casi absoluta certeza de que la policía no podría localizar aquellas llamadas gratuitas en la zona de Toledo. Y, en caso de que las localizara, centraría la búsqueda en la interestatal de Cleveland o, más probablemente, le esperaría en el Sheraton del Aeropuerto de Cleveland. Las pistas falsas eran tan estúpidamente sencillas que, a veces, daban resultado y sólo dos elementos eran necesarios para el éxito: unas fuerzas policiales lo bastante eficientes como para detectarlas, pero lo suficientemente crédulas como para tragarse el engaño. En cuanto a esto último, suponía que la policía estaría buscando a un ciudadano corriente, no a alguien que se había ganado la vida urdiendo pistas falsas.

Abandonó el vestíbulo, regresó al Blazer, abrió el portamaletas para sacar su cartera de documentos y se sentó al volante.

—¿Puedes sostenerme esto un momento? —le dijo a Annie.

Annie tomó la cartera y Keith salió del aparcamiento del motel para tomar la autovía en dirección este.

—¿No nos quedamos aquí? —preguntó Annie.

—No —contestó Keith, explicándole lo que había hecho.

—¿Eso era tu vocación o tu pasatiempo?

—Mi vocación —contestó Keith—. Nunca pensé que tuviera ninguna aplicación en la vida civil. Para que veas.

Siguió por la autovía hacia el este en dirección a Toledo cuyos rascacielos ya se divisaban en la lejanía. El tráfico ya era un poco más intenso y la franja comercial estaba todavía más congestionada.

Consideró la posibilidad de cambiar la matrícula del coche. Hubiera tenido que encontrar un vehículo que, a su juicio, tuviera pinta de que nadie lo iba a utilizar en toda la noche y/o cuyo propietario no se diera cuenta de que le habían cambiado la matrícula y lo denunciara a la policía. Entretanto, ellos podrían circular por la carretera con la matrícula cambiada y llegar a Washington antes del amanecer. Sin saber si el propietario había denunciado el robo. Además, aunque nadie lo denunciara, la policía buscaría un Blazer verde y, en cuanto viera uno cuyo número de matrícula no coincidiera con el del boletín de la búsqueda, introduciría el número en el ordenador para averiguar su procedencia. El cambio de matrícula era un juego demasiado arriesgado.

—¿En qué estás pensando? —le preguntó Annie.

—En las alternativas. ¿Huir o escondernos?

—¿Por qué no nos presentamos en una comisaría de policía y lo explicamos todo?

—Eso no es una alternativa.

—¿Por qué no?

Keith le dijo por qué y le preguntó:

—¿Estás preparada para la escena doméstica?

Annie contestó tras una pausa:

—Si fuera sólo con él, podría. Pero, estando presentes mis hijos... no sé...

—¿Por qué no pasamos la noche escondidos y mañana por la mañana lo decidimos? Los mensajes de búsqueda urgente tienden a enfriarse al cabo de un rato. Puede que por la mañana la policía del estado ya haya mantenido unas cuantas conversaciones con el jefe de policía de Spencerville y quizá con el guardia de seguridad del aeropuerto, y haya llegado a la conclusión de que el señor Baxter no cuenta las cosas tal como son.

—Es posible... —dijo Annie.

—Si quieres que te diga la verdad, no es muy buena idea encomendarse a la policía a esta hora de la noche sin tener a mano ningún juez o abogado.

—Piensas como un criminal —dijo Annie, riéndose.

—He sido un criminal en muchos países, pero nunca en el mío. Pero las normas son las mismas. Creo que el tiempo juega a nuestro favor si permanecemos escondidos. Pero no haré nada con lo que tú no te sientas a gusto.

—Hace mucho tiempo que no oía estas palabras. Podríamos detenernos a pasar la noche en algún sitio... —dijo Annie—. Si tengo que ver a Cliff y dar explicaciones a la policía, prefiero hacerlo por la mañana.

—Con un poco de suerte, no será necesario que le veas mañana ni en ninguna otra ocasión.

—Muy bien.

—Bueno pues, ahora tenemos que buscar un motel de citas. ¿Conoces alguno?

—Conozco seis o siete —contestó Annie, sonriendo.

—Con uno será suficiente. Abre la cartera de documentos —le dijo Keith, indicándole la combinación. Mientras Annie la abría, añadió—: Te vas a reír. Tiene un doble fondo. —Le explicó cómo abrirlo—. Necesito las gafas y el sobrecito marrón.

Annie sacó ambas cosas sin decir nada.

Keith se puso las gafas.

—Abre el sobre y no te rías.

Annie abrió el sobre y sacó un bigote del mismo color castaño claro que el cabello de Keith.

—Quítale el celofán y pégamelo.

Annie hizo lo que él le decía y Keith se miró en el espejo retrovisor.

—¿Qué tal?

—Me dejas de una pieza.

—Me alegro. Ahora vamos a buscar un motel.

Keith se sacó un peine de la chaqueta acolchada y se modificó el estilo del peinado.

—¿Qué te parece éste? —dijo Annie—. Allí abajo, a la derecha.

Keith vio el pequeño rótulo del motel que, en realidad, era una placa portátil iluminada que decía *Motel Westway — 29 $*, con una flecha que señalaba hacia la izquierda. Recordó que en otros tiempos la autovía del aeropuerto no era más que una tortuosa carretera de dos carriles, la cual había sido ensanchada y enderezada, dejando a algunos de los antiguos moteles a cientos de metros de la nueva carretera. Se detuvo a un lado de la entrada para que no pudieran verle desde el vestíbulo.

—Bueno. Eso es como en los viejos tiempos. Dos minutos justos.

—Tú solías tener la llave a punto en cuarenta y cinco segundos.

Keith esbozó una sonrisa y bajó del Blazer, vio un Ford Escort en el aparcamiento y entró en el pequeño vestíbulo.

El joven recepcionista apartó la mirada del televisor desde el otro lado del mostrador.

Keith le habló en tono de apremiante necesidad sexual.

—Necesito una habitación.

El recepcionista depositó un impreso de registro encima del mostrador.

—¿Cuánto por unas horas? —preguntó Keith.

—La misma tarifa.

—Es que acabo de invitarla a comer un bistec, hombre. ¿No me podría hacer una rebajita?

¿Cuánto rato se van ustedes a quedar?

—Puede que hasta la medianoche. ¿Se va usted a las doce de la noche? Lo podrá comprobar.

—Sí, en efecto, termino mi turno a medianoche, pero no quiero apremiarles.

—Mire... puede que tardemos un poco más. Le daré veinticinco por toda la noche.

—De acuerdo.

Keith rellenó el impreso del registro con gran creatividad, anotando un Ford Escort en la casilla correspondiente al coche. Por de pronto, ya había descubierto que el recepcionista, que, a lo mejor, podría identificarle a pesar del disfraz, se iría a medianoche. De momento, todo bien. Le dio al chico veinticinco dólares en efectivo, tomó la llave de la habitación siete y se retiró.

Subió al Blazer y lo condujo a un espacio del aparcamiento bastante alejado de la habitación siete. Siendo un domingo por la noche, no había demasiados coches y ninguno de ellos se podía ver desde la autopista. Además, él no tenía la menor intención de dejar el Blazer allí.

Sacaron el equipaje y Keith sacó también todos sus efectos personales, incluidas las cintas, la copia del impreso de registro y otros varios objetos.

Keith abrió la puerta de la habitación y Annie encendió una lámpara.

—Qué bonito es.
En realidad, era bastante vulgar. Keith encontró la guía telefónica debajo de la mesita de noche y hojeó las páginas amarillas.
—¿Qué buscas?
—Necesito... ah, ya lo tengo. Vuelvo dentro de unos quince o veinte minutos —dijo Keith.
—¿Adónde vas?
—A sacar el coche de aquí.
Annie apoyó la mano en su brazo.
—Voy contigo. Si vienen, no quiero estar aquí sin ti.
—Muy bien.
Salieron y subieron al Blazer. Keith enfiló la calzada y se detuvo junto al letrero iluminado que había cerca del borde de la autovía. Bajó, sacó el fusible del enchufe de la batería y dejó el letrero a oscuras.
—Ya tienen suficientes clientes para esta noche —dijo, subiendo nuevamente al automóvil.
Annie le miró sin decir nada.
Keith salió a la autovía y giró a la derecha hacia Toledo.
—Tendremos que regresar a pie —dijo.
—No importa.
Un coche patrulla de la policía se acercó a ellos en dirección contraria y pasó por su lado sin detenerse. Keith miró por el espejo retrovisor y vio que el coche patrulla seguía adelante.
—En esta carretera hay un concesionario de Chevrolet, según la guía telefónica. Un número impar, lo cual quiere decir que estará a la izquierda.
—Buen sitio para dejar un Chevrolet —dijo Annie—. Eres mucho más listo de lo que pareces, Landry.
—Gracias.
—¿Necesitas todavía el bigote y las gafas?
—Más tarde para tus fantasías.
Annie sonrió y le pellizcó el brazo.
—Mi fantasía eres tú.
El concesionario de Chevrolet apareció ante su vista a la izquierda de la carretera. Keith aminoró la marcha y se situó a la izquierda. El establecimiento estaba cerrado tal como él ya suponía. Buscó un espacio en la zona destinada a vehículos de segunda mano.
Bajaron y Keith rodeó el edificio para dirigirse a la parte de atrás, sacó dos destornilladores de la caja de herramientas y ambos retiraron las placas de la matrícula.
—Ya está. Mañana se preguntarán quién ha sido el hada madrina que les ha regalado este coche. Vamos. Son exactamente dos kilómetros y medio, si te interesa saberlo.

Echaron a andar por la zona comercial de la autovía. Keith se introdujo las placas de la matrícula en el cinto y se subió la cremallera de la chaqueta acolchada.

—¿Regresaremos mañana por el coche?

—Es una posibilidad.

Llegaron a un Burger King.

—¿Tienes apetito? —le preguntó Keith a Annie.

—No, me noto el estómago encogido.

—Pues entonces necesitas algo que te lo ensanche. Vamos.

Entraron en el Burger King; pidieron hamburguesas, cokes y patatas fritas y se sentaron a una mesa.

—¿Es tan romántico como te imaginabas? —preguntó Keith.

—Cuando estoy contigo —contestó Annie sonriendo—, la autovía del aeropuerto me parece la Via Veneto.

—Me entran ganas de vomitar.

Annie se echó a reír y él apoyó la mano en la suya.

—Ya estoy mejor.

Annie asintió en silencio.

Ambos comieron con buen apetito. Keith consultó su reloj. Nunca estaba de más permanecer un buen rato fuera de una habitación recién reservada. A veces la policía cometía errores en su labor de vigilancia mientras esperaba el regreso de alguien.

—No te tragues el bigote —dijo Annie.

Keith la miró sonriendo.

—Me gustas. —A las diez en punto, dijo—: Dejemos las patatas fritas y vámonos.

Salieron y cruzaron al otro lado de la autovía al llegar a un semáforo. No había otros peatones en aquella autovía y, en ciertas zonas de los Estados Unidos, los peatones eran algo tan insólito que incluso llamaban la atención. Keith apuró el paso y Annie imitó su ejemplo.

Se acercaron al rótulo a oscuras del motel y Keith aminoró el paso y tomó a Annie del brazo. Junto a la calzada que conducía al motel había una de aquellas tiendas de artículos diversos que permanecían abiertas toda la noche. Keith se dirigió con Annie al aparcamiento. Allí permanecieron un rato en la oscuridad, vigilando el motel.

—¿Quieres entrar ahí a comprar unos bocadillos para más tarde?

—No. No quiero apartarme de tu lado.

—De acuerdo. Esperaremos aquí unos minutos.

Esperaron cinco minutos más y después se encaminaron hacia el edificio del motel cruzando el aparcamiento y se dirigieron a la puerta de la habitación siete. En caso de que la policía estuviera dentro o por los alrededores, ya era demasiado tarde. Por consiguiente, Keith entró sin más, observando que las luces aún estaban encendidas y que todo parecía intacto.

Annie cerró la puerta por dentro con la llave.

Keith dejó la llave encima de la mesita de noche y las placas de la matrícula sobre el escritorio.

—Eres un auténtico soldado —le dijo a Annie.

—Y tú me sorprendes a cada paso.

Annie le quitó las gafas y el bigote y le dio un beso.

En el fondo, Keith se enorgullecía de aquel oficio que, durante un dilatado período de su vida, había sido para él algo así como una segunda personalidad. Ahora tendría que pensarlo, pero, por lo menos, sabía lo que tenía que pensar.

Mientras Annie sacaba las cosas de su maleta de fin de semana en el cuarto de baño, Keith apartó las cortinas y miró hacia el aparcamiento. Todo parecía tranquilo, pero él experimentaba una sensación de *déjà vu*, como si se encontrara de nuevo en Berlín Este, vigilando la calle desde la ventana de un piso franco no demasiado seguro.

De momento, pensó, había hecho lo mejor que había podido. Incluso la decisión de ir a Toledo por su mayor cercanía había sido acertada, a pesar de no haber llegado a tiempo para el último vuelo. Lo único que había hecho mal, su verdadero error, había sido la precipitada decisión de fugarse y el hecho de haberse dejado guiar por sus emociones y no ya por su inteligencia. Pero, a lo mejor, ése había sido el objetivo de los últimos dos meses. Soltarse, perder el control, querer a alguien hasta el extremo de que un cuarto de siglo dedicado a hacer las cosas correctamente y cumpliendo todas las reglas, eso que algunos llamaban la acertada combinación de la D con la A —disciplina y audacia— se hubiera tranformado de pronto en deseo y amor, así por las buenas. La sensación era muy placentera, pero tendría que pagar un precio. Después de su primer acto impulsivo, todo su ingenio —todo el Plan B— se tendría que reducir a controlar los daños. Contempló de nuevo el aparcamiento.

—Parece que todo va bien. Mejor dicho, todo va bien...

Como en la habitación no había sillas, se sentó en la cama para quitarse los calcetines. Pensó en lo que iban a hacer por la mañana. No podrían regresar al aeropuerto de Toledo, por supuesto, ni dirigirse a ningún otro aeropuerto. Una orden de busca a causa del secuestro de la esposa de un jefe de policía, madre de dos hijos, etcétera, etcétera, era algo lo suficientemente grave como para poner en estado de máxima alerta a la policía del estado y a las policías de los estados circundantes, a no ser, tal como él le había señalado a Annie, que la policía del estado hubiera empezado a sospechar de Baxter. Pero eso él no podría saberlo de inmediato.

La mejor alternativa era abandonar el estado. Y la mejor manera de hacerlo sería esperar a las siete o las ocho de la mañana de un día laborable normal y tomar un taxi hasta Toledo, que era una ciudad lo bastante grande como para poder pasar inadvertidos No podía alquilar un coche y no quería agravar sus problemas robando un automóvil.

Los trenes y autocares no eran una buena elección, pero había otras... alquilar una limusina, fletar un avión o fletar un barco para que los trasladara a algún puerto de los Grandes Lagos situado fuera del estado. Los puntos de flete y alquiler cobraban en efectivo, no exigían documentos de identidad, no solían estar vigilados por la policía y la única pregunta que le hacían a uno en un servicio de flete o alquiler era normalmente, «¿Adónde quiere ir?».

Tenía otras tres alternativas... llamar a la policía, tal como Annie había sugerido, llamar a los Porter o llamar a Charlie Adair. Pero ninguna de ellas le atraía en aquel momento. Quizá llamara a la policía por la mañana, pero a los Porter no quería llamarles, pues ya tenían suficientes problemas y, finalmente, Charlie Adair lo tenía todo atado con cordeles. No obstante, las alternativas eran reales y él prefería tomar una decisión por la mañana.

Al ver salir a Annie del cuarto de baño, Keith se levantó y le preguntó:

—¿Es tu cumpleaños?

—No. ¿Por qué?

—Llevas el vestido de tu cumpleaños.

—¡Oh! Olvidé ponerme el pijama. Qué vergüenza. No mires.

Keith esbozó una sonrisa mientras se acercaba a ella para besarla y abrazarla.

—Keith —dijo Annie—, cualquier cosa que ocurra esta noche o mañana por la mañana, este tiempo de ahora nos pertenece.

—Tendremos todo el tiempo del mundo.

32

Cliff Baxter se encontraba solo en su despacho de la jefatura central de policía de Spencerville. Los quince hombres que integraban sus fuerzas estaban de guardia, algunos en jefatura y el resto por las carreteras.

Tomó un sorbo de coke y clavó la mirada en la pared que tenía delante. Experimentaba la perversa satisfacción de haber comprobado que él tenía razón. Su mujer era una embustera y una puta de mierda y Keith Landry era un cerdo malnacido que se dedicaba a follar con las esposas de los demás.

—Lo sabía.

Lo que más le molestaba era el hecho de que ambos se hubieran estado viendo a lo largo de las últimas semanas delante de las narices de sus estúpidos hombres y de que hubieran conseguido elaborar unos planes y largarse. Él no tenía nada que reprocharse, pues ya lo sabía desde el primer día.

Encontrar el coche de Annie había sido relativamente fácil... uno de los aparatos instalados en su automóvil y cuya existencia ella ignoraba era un radiotransmisor, un dispositivo adquirido por la policía de Spencerville para su lucha de alta tecnología contra el crimen. En su propio coche, Baxter había instalado un receptor.

Recordó el momento en que entró en el granero de Landry, vio el reluciente Lincoln blanco al lado del tractor y abrió la portezuela del vehículo. «Jódete, Cliff.» La escritura no era la de Annie, lo cual significaba que había sido Landry.

—No, el que se va a joder serás tú, hijo de la gran puta.

Se guardó la nota en el bolsillo antes de que sus hombres la vieran... no porque le diera vergüenza, se dijo en su fuero interno, sino porque era una nota puramente personal y no constituía la clave del secuestro.

Sonó el aparato de comunicación interna y el sargento Blake le dijo:

—Jefe, es el capitán Delson, de la policía del estado.

—Pásemelo.

Cliff Baxter tomó el teléfono y el capitán Delson, de la policía del estado de Ohio, le dijo:

—Jefe, ya hemos averiguado algo.

Baxter se incorporó en su asiento.

—Ah, ¿sí?

—Hace cosa de una media hora, cuando los agentes de la policía del estado efectuaban un control en el aeropuerto de Toledo, un guardia de seguridad les dijo que había visto a los sujetos. El mismo coche y la misma descripción e incluso recordaba en parte el número de la matrícula.

—¿Tomaron un vuelo?

—No, perdieron el último y le dijeron al guardia que regresaban a casa.

—Muy bien pues. O sea que los tienen ustedes localizados en la zona de Toledo, lo cual quiere decir...

—Sí... lo que ocurre es que el guardia dijo que la mujer, a la que pudo identificar a través de la foto de la señora Baxter que usted nos envió, no se comportaba como si la estuvieran forzando a hacer algo contra su voluntad...

—Eso son tonterías. El muy hijo de puta la debía de estar encañonando con una pistola...

—Bueno, el sospechoso, Landry, se pasó un buen rato fuera del coche y la mujer permaneció sentada sola en el interior del vehículo.

—¿Quién es ese tío del aeropuerto? —preguntó Baxter, carraspeando—. ¿Un guardia de seguridad? ¿Y cómo demonios puede saber un tipo así lo que...?

—Jefe, al guardia le dio la impresión de que los sujetos deseaban tomar un vuelo juntos. Eso no parece un secuestro desde el punto de vista estrictamente legal.

Baxter tardó unos segundos en replicar.

—¿Quiere usted correr este riesgo? Si ella aparece muerta, ¿le gustará haber sido el responsable de la interrupción de la búsqueda?

—Jefe, hemos revuelto el estado de arriba abajo por usted y yo no reacciono demasiado bien a las amenazas. Mire, hablando de policía a policía, no tengo más remedio que decirle que lo más probable es que su mujer se haya fugado con ese hombre.

Baxter no dijo nada.

—Utilizando el número de la Seguridad Social de Keith Landry que usted nos facilitó —prosiguió diciendo el capitán Delson—, hemos enviado un fax al FBI, pero allí no nos han facilitado mucha información sobre él. Por los datos que obran en nuestro poder, creemos que puede ser un coronel de la reserva del Ejército de Estados Unidos, suponiendo que sea el mismo hombre. No hay antecedentes penales ni nada. Seguimos con los controles.

—Ya... ¿un coronel dice usted?

—Exacto.

—¿Y qué pretende insinuar con eso?

—Pues... no sé. ¿Quiere enviarnos una declaración por fax con los por qués y los dóndes y su firma?

—¿Por qué no se presenta una denuncia en nombre del estado de Ohio?

—El estado de Ohio no tiene ninguna queja contra ese hombre ni contra la señora Baxter.

—Ah, ¿no? ¿Quiere decir que ustedes no están en contra de los secuestros?

—Lo estaríamos si lo fuera, pero parece que usted ha cometido un error. Mire, jefe, yo sé que eso es muy duro, pero me he pasado veinte minutos hablando personalmente por teléfono con el guardia de seguridad y creo que las dos personas que él vio son las que estamos buscando urgentemente y creo también que la señora Baxter, cuya fotografía él identificó, acompañaba voluntariamente al hombre que estaba con ella. Los podemos seguir buscando por cortesía profesional —la cosa quedará entre nosotros y los contribuyentes no se van a enterar—, pero tengo que transmitir un nuevo boletín que diga, localizar y mantener la vigilancia, esperar nuevas instrucciones, no interrogar a menos que los sujetos estén a punto de abandonar la jurisdicción y no practicar ninguna detención a menos que exista una causa justificada. No queremos que nadie presente una querella contra nosotros y no creo que a usted le interese pasar por esta embarazosa situación. ¿De acuerdo?

Baxter reflexionó un instante y respiró hondo antes de contestar:

—Landry está reclamado aquí por varias infracciones de tráfico, por obstrucción a la justicia, hostigamiento y allanamiento de propiedad privada.

—Muy bien. Envíenos los detalles por fax, pero procure que no sean acusaciones sin fundamento.

—Mire, le voy a enviar una orden firmada por el juez de aquí y pediremos la entrega. Lo único que tienen ustedes que hacer es retenerlos. Ya vendrá Spencerville a buscarlos.

—Yo no los pienso retener, pero, si los localizamos, se lo comunicaremos. Otra cosa... un tal Keith Landry reservó habitación en el Sheraton del aeropuerto de Cleveland y reservó pasaje en un vuelo de la USAir desde allí. —Delson le facilitó a Baxter los detalles y añadió—: Estamos vigilando las carreteras entre Toledo y Cleveland y en el Sheraton estará la policía de Cleveland. Además, teniendo en cuenta que fueron vistos en el aeropuerto de Toledo, las policías local y del estado están investigando en todos los moteles y casas de huéspedes de la zona. Si los sujetos sospechan que se ha montado una operación de busca, es posible que no vayan hasta Cleveland.

Baxter asintió con la cabeza.

—Sí... de acuerdo. Díganme algo cuando tengan alguna pista.

—Lo haremos. —El capitán Delson hizo una pausa antes de añadir—: Quizá lo querrá usted resolver personalmente, de hombre a hombre.

—Sí..., cuando consigan localizarlos, tengan la bondad de comunicármelo. Quiero hablar con ella..., quiero ver si sabe lo que hace, antes de abandonar a su marido y a sus dos hijos. Y, si resulta que está usted en lo cierto y ella se ha fugado voluntariamente con este tipo, entonces que se vaya al carajo. Pero quiero oírlo de sus propios labios. Usted ya me entiende.

—Perfectamente.

—Qué desgracia... casada desde hace veinte años... con un hijo y una hija universitarios... que, por cierto, están en casa en este momento —mintió Baxter— y están destrozados... La madre de mi mujer ha estado a punto de sufrir un ataque al corazón. La hermana no para de llorar y el padre está furioso. ¿Qué coño les ocurre a las mujeres de hoy en día?

—Pues no lo sé.

—Bueno, les agradezco todo lo que están haciendo. Yo sólo quiero hablar con ella.

—Le mantendremos informado.

—Estaré toda la noche aquí. —Baxter se sonó ruidosamente la nariz contra el teléfono y dijo con voz entrecortada—: Sólo quiero volver a verla. Te lo suplico, Dios mío...

—Bueno, procure tranquilizarse un poco.

Baxter colgó el teléfono y descargó un puñetazo sobre el escritorio.

—¡Maldita sea su puta madre! ¡La voy a matar! Y a ese gilipollas lo pienso crucificar...

Se entreabrió la puerta y el sargento Blake asomó la cabeza.

—¿Todo bien, jefe?

—Sí. Lárguese de aquí... no, espere. —Baxter reflexionó un momento—. Quiero que Schenley prepare una orden de detención contra Landry... por obstrucción de la justicia, allanamiento y alguna otra mierda parecida. Dígale que vaya a despertar al juez Thornsby para que la firme y que la envíe enseguida.

—Sí, señor.

—¡Espere! Después prepare tres vehículos con tres hombres, uno de los cuales será usted, con un dispositivo de localización. Nos vamos a Toledo.

33

Mientras él se quitaba la ropa, Annie se sentó en la cama con las piernas cruzadas y el oso de peluche sobre su regazo.

—No tomo la píldora —anunció Annie—. ¿Te lo dije?

—No. No hubo preliminares la última vez. Hubiera tenido que decirte que, antes de abandonar el Distrito de Columbia, me sometieron a un chequeo médico y estoy bien.

—Pensé que..., pero creo que hubiera tenido que preguntarlo primero... no estoy acostumbrada a... quiero decir, que yo eso no lo hago.

—No, tú no lo haces.

—Cuando descubrí que él... tenía otras mujeres, me hice hacer unos análisis y después le pedí a mi ginecólogo que le dijera que yo no podía tomar la píldora ni utilizar un diafragma... por lo que él tendría que utilizar preservativo... fue humillante... se sintió muy molesto, pero comprendió lo que ocurría... ¿Hace falta que hablemos de eso?

—Creo que ya has dicho suficiente. —Keith esbozó una sonrisa—. ¿Te he dejado embarazada?

—Ojalá. ¿Quieres volver a intentarlo?

Keith se metió en la cama, apartó el oso de peluche a un lado y ambos se sentaron el uno de cara al otro, rodeándose mutuamente el cuerpo con las piernas. Después se besaron y acariciaron, alargando los juegos preliminares como si no hubiera ninguna posibilidad de que alguien llamara a la puerta.

Annie se acercó un poco más a él, se incorporó y se le echó encima sin separar la boca de la suya.

Durante media hora y sin ser conscientes de ello, volvieron a ser unos adolescentes sin experiencia previa... palpando, explorando, tocando, probando el sexo oral, la masturbación recíproca y el descubrimiento de nuevas posiciones para el acto sexual.

—Llevaba sin que me follaran así desde que perdí a aquel hombre de quien te hablé. ¿Dónde aprendiste tú todas estas cosas?

—De una chica de dieciséis años. Yo tenía diecisiete.

—Me alegro de que no hayas olvidado nada.
—No, y a ella jamás la olvidé.

Permanecieron tendidos sobre las sábanas, tomados de la mano. En el techo había un espejo que les había inspirado varios comentarios jocosos, a pesar de que Keith había pensado que ella se iba a sentir un poco turbada. Levantó la vista hacia el espejo y la vio tendida a su lado con el pelo derramándose en abanico alrededor de su cabeza sobre la almohada, los ojos cerrados y una sonrisa de satisfacción en el rostro. La imagen de Annie en el espejo era como un apacible sueño, con los pechos subiendo y bajando lentamente, el tupido vello del pubis, las piernas ligeramente separadas y los dedos de los pies en constante movimiento, lo mismo que antaño. Así estaba ella la mañana en que él se fue, diciéndole «Hasta luego».

Keith se incorporó lentamente y miró a su alrededor. La habitación tenía muy pocos muebles y los que tenía estaban clavados, incluso el televisor y los apliques de las mesitas de noche. Hubiera querido poner algún mueble contra la puerta, pero allí no había tan siquiera una silla. Se le ocurrió pensar que, si los clientes del Westway eran capaces de arramblar con el vulgar mobiliario del motel y llevárselo en sus furgonetas, debía de tratarse de unos tipos contra los que convenía protegerse con algo más que los veintinueve dólares que se anunciaban a la entrada. También se le ocurrió pensar que el recepcionista debía de salir al aparcamiento para anotar los números de las matrículas, los cuales raras veces o nunca coincidían con los que ellos habían anotado en el impreso de registro. Él no había aparcado el Blazer delante de la entrada, pero fuera no había muchos vehículos aparcados. Por otra parte, el Blazer sólo había estado allí unos diez minutos antes de que ellos se deshicieran de él. No tenía por qué preocuparse. Le habían enseñado dos cosas contradictorias: a no infravalorar nunca a la policía y a no valorar nunca en exceso a la policía. El desenlace de aquella situación no sería una cuestión de vida o muerte y no significaría el fin del Mundo Libre... sino un viaje a la comisaría de policía de la zona, unas cuantas molestias y algunos sofocos y, finalmente, una solución razonable y, a ser posible, satisfactoria. Keith no quería que una visita a la policía entrara a formar parte de sus recuerdos, pero, en caso de que no hubiera más remedio, tampoco sería una tragedia. Consultó el reloj que había dejado sobre la mesita de noche. Eran las once y treinta y cinco. De momento, todo bien.

—Nunca había sido tan feliz desde nuestro último verano juntos en Columbus —dijo Annie.
—Ni yo tampoco.

—¿Lo dices en serio?
—Sí. Completamente en serio.
—¿Seremos felices a partir de ahora?
—Tenlo por seguro.
—Pero aún tenemos que superar la prueba de esta noche y mañana, ¿verdad? —preguntó Annie.
—Cualquier cosa que ocurra esta noche o mañana —dijo Keith—, aunque nos separen durante un breve período, recuerda que yo te quiero y no dudes ni por un instante que volveremos a reunirnos. Te lo prometo.
Annie se incorporó para darle un beso.
—Y tú recuerda lo mismo.
—Pierde cuidado.
—Me siento como una niña —dijo Annie, apoyando la cabeza contra su pecho—, como si no hubieran pasado veinticinco años sino veinticinco horas y como si todo lo que ha ocurrido entre la mañana en que te fuiste de Columbus y este día, jamás hubiera existido.
—Es un pensamiento muy hermoso.
—Bueno pues, vamos a imaginar que no existe ningún mundo al otro lado de esta puerta y que nosotros estamos juntos como antes.
—¿Cómo pude dejarte escapar?
—Ssss. Tú no me dejaste escapar. Yo siempre he estado aquí —dijo Annie, dándole unas palmadas en el pecho a la altura del corazón—. Y eso es lo único que importa. Yo nunca abandoné tu corazón y tú nunca abandonaste el mío.
Keith hubiera querido decir algo, pero se había quedado sin habla. De pronto, por primera vez en más de dos décadas, una lágrima asomó a uno de sus ojos y empezó a rodar lentamente por su mejilla.

Cliff Baxter viajaba sentado en el asiento del copiloto del convoy de dos vehículos y el sargento Blake iba al volante. En el segundo automóvil viajaban el oficial Ward y el oficial Krug.
Sobre el tablero de instrumentos delante de Cliff Baxter estaba el aparato de búsqueda de localizaciones. No era un instrumento demasiado sofisticado, pues la junta municipal no había autorizado la compra de un modelo de gran tamaño montado en una furgoneta con un enorme dispositivo giratorio en la parte superior y toda suerte de pantallas y artilugios. Aquello no era más que un sencillo radiotransmisor de alta frecuencia que sólo se disparaba dentro de un radio de algo menos de dos kilómetros del transmisor instalado clandestinamente en otro lugar y cuyo silbido aumentaba de intensidad a medida que uno se iba acercando. La unidad constaba de dos pequeños transmisores y Cliff había utilizado unas cuantas veces el

segundo de ellos para divertirse siguiendo la pista de otras personas. El de repuesto lo tenía muerto de aburrimiento en su escritorio hasta que el viernes se le había ocurrido la idea de instalarlo en el automóvil de Landry.

Previamemte había pasado por delante de la granja Landry al principio de la operación de búsqueda del Lincoln y, como cada transmisor tenía un canal distinto, antes de subir por la calzada de la casa, él ya sabía que el Lincoln estaría allí y el Blazer no. Entonces comprendió exactamente lo que había ocurrido.

Habían llegado al aeropuerto de Toledo. Era el lugar más lógico para empezar, pensó Cliff mientras recorrían los distintos aparcamientos—. No necesitaban el aparato de localización porque todo estaba prácticamente desierto. Se dirigieron al aparcamiento de vehículos alquilados y recorrieron arriba y abajo las hileras de automóviles.

—No veo su coche —le dijo Blake.

—Pues no. Bueno, ahora saldremos a la autovía y giraremos a la derecha en dirección a Toledo.

Los dos automóviles de la policía de Spencerville se dirigieron al este, utilizando la autovía del aeropuerto.

Cliff Baxter tomó su teléfono móvil y llamó a jefatura.

El oficial Schenley estaba sustituyendo al sargento del mostrador.

—¿Se ha sabido algo? —le preguntó Baxter.

—No, señor. Ya le hubiera llamado...

—Ya. Usted hubiera llamado. Estoy comprobando las malditas comunicaciones.

—Sí, señor.

—Y, tal como ya le he dicho, si llama alguien de la policía del estado, no diga dónde estoy.

—Muy bien, señor.

—Limítese a llamarme y yo me pondré en contacto con ellos. No haga comentarios.

—No, señor.

—Espabile. —Baxter colgó y le dijo a Blake—: Mire, aquí tenemos un Sheraton.

Blake entró en el aparcamiento del Sheraton y comentó:

—Aquí no se oye nada, jefe.

—Mierda, no me fío de este trasto. Confío más en mis ojos y en mis oídos. Acérquese al vestíbulo, déjeme bajar y después empiece a recorrer el aparcamiento.

—Sí, señor.

Baxter descendió del automóvil y entró en el vestíbulo. Se acercó a la atractiva recepcionista y le dijo:

—¿Qué tal le va esta noche, cariño?

—Bastante bien —contestó la recepcionista sonriendo—. ¿Y a usted?

—Podría irme algo mejor. Estoy buscando a un chico malo que se ha fugado con una mujer. ¿Ya se ha enterado?

—Pues claro. Lo he visto en la televisión.

—Estupendo. Supongo que también lo habrá visto en el fax.

—Sí. —La joven buscó un poco y encontró un trozo de papel detrás del mostrador—. Aquí tengo las descripciones, los nombres, la marca y el modelo del coche...

—Y dice usted que no los ha visto.

—No y lo mismo le he dicho al agente de la policía estatal hace aproximadamente una hora. Pero vigilaré.

—Hágalo, cielo.

La recepcionista echó un vistazo a su uniforme y le preguntó:

—¿De Spencerville? ¿No es el lugar donde...?

—Pues claro. El secuestro se llevó a cabo allí. Si alguna vez baja a nuestra ciudad, vaya a verme.

—¿Usted es... usted es el jefe Baxter cuya esposa...?

—Ni más ni menos.

—Pues no sabe cuánto lo siento. Espero que esté bien... seguro que no le va a pasar nada.

—Estará bien en cuanto yo la encuentre. Le aseguro que va a estar pero que muy bien.

Baxter salió fuera y se acercó a los vehículos. Subió al suyo y Blake le dijo:

—Aquí todo negativo.

—Allí también. En marcha.

Mientras bajaban por la autopista pasaron por delante de varios moteles.

—¿Quiere que me detenga? —preguntó Blake.

—No, vamos directamente a Toledo a ver si este maldito trasto se dispara. En caso contrario, regresaremos y empezaremos a hacer averiguaciones en los moteles. Qué barbaridad, en mi vida había visto tantos moteles.

—¿Cree usted que están aquí?

—No lo sé, pero yo en su lugar, si acabara de perder un vuelo, probablemente me quedaría en la zona, sobre todo, si me hubiera enterado a través de la radio de que habían organizado una operación de búsqueda de mi persona. Y, si no lo sabe, ya se enterará cuando le ordenen detenerse. En cualquiera de los dos casos, no llegará muy lejos.

—Claro —dijo Blake. Tras una pausa, añadió—: Lo que no comprendo es cómo se imaginaba él que podría subir a un avión con ella sin que nadie se diera cuenta de que la estaba reteniendo contra su voluntad.

—¿Por qué no se limita usted a conducir?

—Sí, señor.

—Porque la apuntaba con una pistola. Y probablemente la hubiera drogado.

—Claro.

Pero no era verdad y, a aquellas alturas, casi todos los agentes de la policía del estado debían de saberlo, pensó Baxter. Y él estaba convencido de que no tenía un futuro demasiado halagüeño en su carrera. De momento, sin embargo, ostentaba el poder y la ley y tenía cojones suficientes como para hacer cualquier cosa que tuviera que hacer como hombre. Por la mañana, todo empezaría a desmoronarse y, por consiguiente, tenía que encontrarles antes de que amaneciera. Sabía que ya estaba acabado y por tanto, podría hacer con ellos lo que le viniera en gana cuando los encontrara.

Recorrieron unos cuantos kilómetros más hasta que vieron los rascacielos del centro de Toledo en la distancia.

Se oyó un leve silbido del receptor, seguido del silencio.

Blake y Baxter se miraron el uno al otro sin decir nada. Las falsas lecturas, sobre todo en zonas edificadas, eran muy comunes. Pasado un minuto, el receptor empezó a emitir silbidos cada vez más fuertes y prolongados hasta que, al final, éstos formaron un solo silbido electrónico ininterrumpido.

—Acérquese al borde.

Blake se acercó y el otro vehículo también lo hizo.

Blake y Baxter permanecieron sentados, escuchando el pitido electrónico.

Baxter miró a través de la ventanilla y le dijo a Blake:

—Avance despacio por el borde.

Blake avanzó lentamente por la parte interior del borde. Los intervalos entre los silbidos aumentaron y el sonido del aparato empezó a debilitarse.

—Dé media vuelta y regrese.

—Muy bien.

Salieron a la autovía y dieron la vuelta al llegar a una abertura de la mediana. El pitido se intensificó y se prolongó.

Baxter miró hacia adelante y lo vio.

—Bueno, creo que..., Blake, ¿dónde oculta usted una aguja?

—En un pajar.

—No, hombre, en una caja de agujas. Entre por aquí.

Tardaron unos minutos en localizar el Blazer azul oscuro, pero ni siquiera entonces pudieron estar seguros de que era el que buscaban porque le habían quitado las placas de la matrícula. Baxter se agachó e introdujo la mano bajo el guardabarros posterior derecho y arrancó el transmisor magnético. Contempló sonriendo el dispositivo rectangular, parecido a una cajetilla de cigarrillos provista de una corta antena.

—Vaya, vaya, vaya... —Lo apagó y los silbidos del receptor del otro automóvil cesaron de golpe—. ¿Qué le parece?

Blake sonrió satisfecho y Krug y Ward contemplaron a su jefe admirados. Como es natural, todos hubieran estado mucho más contentos si hubieran encontrado el Blazer en un motel, una casa de huéspedes o un restaurante. Estaba claro que Keith Landry y Annie Baxter no estaban en aquel establecimiento. Blake fue el primero en comentarlo.

—¿Adónde cree usted que fueron? —le preguntó a su jefe.

Baxter miró a su alrededor y en ambas direcciones de la autovía.

—No muy lejos —contestó.

—Pueden haber robado un coche de aquí, jefe.

—Podrían haberlo hecho... pero a éste le sacaron las placas de la matrícula. ¿Por qué razón lo hubieran hecho si hubieran tenido a su disposición otro vehículo para dirigirse a Cleveland o cualquier otro sitio? No... creo que están por aquí, en algún lugar accesible a pie, y no querían que nadie relacionara este coche con ellos... —Baxter miró a sus tres hombres—. ¿A alguien se le ocurre alguna idea?

—Podrían haber tomado un taxi o un autobús desde aquí, jefe. Podrían estar en Toledo.

Baxter asintió con la cabeza.

—Es posible. —Miró de nuevo a su alrededor—. Un taxi o un autobús. Podría ser, pero no lo creo. Creo que se han ido a un motel, a uno de estos malditos lugares que sólo sirven para follar, se deshicieron de todas las cosas que pudieran comprometerlos y después salieron para deshacerse del coche. Al tío se le debió de ocurrir una idea luminosa al ver este concesionario de Chevrolet. Sí, tienen que estar por aquí. A lo mejor, han acampado al aire libre, pero lo más seguro es que se hayan ido a uno de esos moteles o a una casa de huéspedes donde no es necesario utilizar la tarjeta de crédito. Bueno, Krug, usted y Ward vayan por este lado de la autovía y hagan comprobaciones en los moteles que encuentren en dirección al aeropuerto. Blake y yo empezaremos más cerca del aeropuerto y lo haremos en dirección este por el otro lado de la autovía. Si descubren algo, me llaman a mí. Utilicen el teléfono móvil. En marcha.

Blake y Baxter empezaron en el aeropuerto, pasaron por delante del Sheraton y se acercaron a un Holiday Inn.

—Siga adelante —dijo Baxter—. Sólo nos detendremos en los establecimientos sencillos.

—Muy bien.

Siguieron adelante y Baxter se puso a pensar. Keith Landry era un gilipollas, pero un gilipollas mucho más listo de lo que él se había imaginado. Aunque puede que no lo suficiente. Baxter se dio cuenta de pronto de que había permanecido demasiado tiempo alejado de la verdadera labor policial, pero llevaba casi tres décadas en el cuerpo, había aprendido muchas cosas, recordaba algunas y no tenía más remedio que reconocer a regañadientes que se estaba enfrentando con un profesional. Se preguntó qué tipo de trabajo habría realizado Landry para el Gobierno y llegó a la conclusión de que no debía de ser nada relacionado con el Servicio Nacional de Pesca y Fauna Salvaje de Estados Unidos. Sin embargo, Landry no había contado con los innatos instintos depredadores del jefe Baxter, el cual compensaba su escasa preparación con la intuición. En los bosques de Michigan, Cliff Baxter era el mejor cazador de su grupo de amigos. Tenía un sexto sentido para localizar a un animal, percibir el olor de su sangre y leer sus pensamientos y adivinar si echaría a correr, si se agacharía, si se revolvería para luchar o si simplemente se quedaría paralizado, esperando su destino. Los seres humanos, pensó, no eran muy distintos de los animales.

Después pensó en su mujer y trató de adivinar cómo se las habría arreglado para cumplir su propósito sin que él se enterara. Él siempre había sospechado de sus intenciones, pero ella había sido más lista. En su fuero interno, Cliff sabía que su mujer le comprendía muy bien tras haberse pasado veinte años aguzando el ingenio para poder sobrevivir. Cuando se quejaba de ella, hablando con otras mujeres, jamás decía, «Mi mujer no me comprende».

No quería imaginarse a su mujer con Keith Landry, pero no podía evitarlo. A veces se imaginaba a Annie —la Señorita Perfecta, la Señorita Cantora del Coro, la Señorita Santurrona— en la cama con otro hombre. Ésa había sido siempre su peor pesadilla y ahora se había hecho realidad... Landry y su mujer estaban muy cerca de allí, desnudos en la cama, riéndose y follando... Landry encima de ella y ella rodeándole con sus piernas..., se volvía loco de solo pensarlo. Y, al mismo tiempo, se excitaba sexualmente. Pasaron por delante del letrero a oscuras del motel Westway en su camino hacia el este.

—¡Espere! —dijo Baxter de pronto—. Aminore la marcha y acérquese al borde.

Blake se acercó.

Baxter permaneció sentado un momento sin decir nada. Su mente había captado algo, pero no sabía lo que era.

—Haga marcha atrás —dijo. Blake hizo marcha atrás y, cuando llegaron a la altura del rótulo a oscuras, Baxter dijo—: Pare.

Cliff Baxter descendió del vehículo y se acercó a pie al letrero de plástico en el que figuraban unas letras rojas también de plástico que decían, *Motel Westway — 29 $*. Se aproximó un poco más y vio que el enchufe de la batería estaba desconectado. Lo volvió a conectar y las luces se encendieron. Lo desconectó y el letrero se volvió a quedar a oscuras. Regresó al vehículo y le dijo a Blake:

—Retroceda hasta el camino y entre.

—Muy bien.

Blake enfiló el angosto camino y el coche patrulla de la policía de Spencerville se detuvo delante del motel Westway a las doce de la noche y cinco minutos.

—Espere aquí —dijo Baxter.

Tomó una carpeta de cartón y entró en el pequeño vestíbulo del establecimiento.

El joven recepcionista se levantó de su asiento detrás del mostrador.

—Dígame, señor.

—Estoy buscando a una persona, muchacho —contestó Baxter, colocando la carpeta encima del mostrador—. ¿Te has enterado del boletín de búsqueda urgente de esta noche?

—No, señor.

—¿Qué demonios estabas mirando en el televisor?

—Una videocasete.

—Ah, ¿sí? Bueno, ¿cuánto rato llevas aquí?

—Desde las cuatro. Estoy esperando a mi compañero...

—Estupendo, eres mi hombre. Escúchame bien. Estoy buscando a un tipo que lleva un Blazer de color verde oscuro. Le acompañaba una mujer, pero no creo que ella haya entrado aquí. Tienen que haber llegado sobre las nueve o nueve y media o quizá un poco más tarde. El hombre tiene unos cuarenta y tantos años, alto, complexión media, cabello castaño claro, ojos verdes tirando a grises... y bastante bien parecido. Le has visto, ¿verdad?

—Bueno...

—Vamos, muchacho. A ese hombre se le busca por secuestro y yo no puedo esperar aquí toda la noche. Te daré cincuenta dólares por la molestia.

—Bueno, vino un tipo, solo, ¿el que usted busca lleva gafas y bigote?

—La última vez que yo le vi, no. Dame la tarjeta de registro.

El recepcionista rebuscó entre un montón de tarjetas y encontró la que él suponía que le interesaba al oficial de policía.

—Aquí tiene. Este tipo llegó sobre...

—Deja que yo lo lea, muchacho. —Baxter leyó los datos que figuraban en la tarjeta—. John Westermann de Cincinnati, con un Ford Escort. ¿Viste el coche?

—Bueno, cuando él hubo rellenado el impreso, asomé la cabeza por la puerta y vi un Ford Escort que ya estaba allí desde hacía unas cuantas horas. Yo estoy obligado a comprobar los números de las matrículas...

—Sé perfectamente cómo se regenta una casa de follar. ¿Viste un Blazer de color verde?

—No sé... fuera había un coche de color oscuro, pero no se veía muy bien y no estaba aparcado delante de la habitación que le di a este Westermann. No lo había visto nunca y pensaba salir más tarde para anotar el número de la matrícula, pero, cuando salí unos diez minutos después, ya no estaba.

—Muy bien —dijo Baxter, asintiendo con la cabeza—. ¿Qué habitación le diste a este tipo?

—La habitación siete.

—¿Aún está allí?

—Creo que sí. La alquiló para toda la noche. He echado un vistazo a la cerradura y la llave no está puesta.

—Muy bien... —Baxter se frotó la barbilla—. Muy bien... ¿y no viste a la mujer?

—No. Nunca las veo.

Baxter abrió la carpeta y sacó un libro. Era el anuario escolar de su mujer, una de las pocas cosas que le había permitido conservar, sobre todo porque contenía una fotografía suya en un baile estudiantil en penúltimo curso. Pasó a las fotografías de la graduación diciendo:

—Echa un vistazo a todo eso y ten en cuenta que han pasado más de veinte años. Imagínate a esos chicos con bigote y, a los que no las llevan, con gafas. Tómate todo el tiempo que haga falta, pero date prisa.

El joven hojeó las páginas del pequeño anuario escolar y, en determinado momento, se detuvo.

—¿Lo has visto?

—Me...

Baxter se sacó un lápiz del bolsillo y se lo entregó.

—Dibújame las gafas y el bigote que viste.

—El joven tomó la pluma y dibujó unas gafas y un bigote en la fotografía de Keith Landry.

—Sí... es él... —dijo— me parece que es el tipo de antes.

—Creo que tienes razón, muchacho. Dame la llave.

El recepcionista vaciló levemente.

Baxter se inclinó sobre el mostrador.

—Dame la maldita llave.

El recepcionista le entregó la llave de la habitación siete.

—Tú quédate aquí y todo irá bien —le dijo Baxter—. Saldré enseguida.

—Sí, señor... me dijo usted que...

—Encontrarás el cheque en el buzón.

Baxter salió, se acercó al coche patrulla y se inclinó hacia la ventanilla.

—Llame a los otros chicos. Ya lo tenemos.

—Dios mío...

34

Keith Landry y Annie Baxter se encontraban tendidos el uno en brazos del otro. Estaban medio dormidos, pero, de vez en cuando, ella murmuraba algo y él le contestaba.

Keith no quería dormirse y sospechaba que ella tampoco. Al final, Annie encendió la lámpara de la mesita y se colocó encima de él, apoyando la cabeza en el hueco de su cuello mientras le mordía la oreja.

—¿Te molesta? —le preguntó.

—No. Me gusta.

Keith le acarició las nalgas.

—Me encanta —dijo Annie. Al cabo de un minuto, añadió—: No puedo dormir, Keith.

—Inténtalo.

—No puedo. —Annie bajó la mano, lo acarició hasta provocarle una erección y se introdujo ella misma el miembro—. Eso es lo que más me tranquiliza. ¿Lo podrás mantener duro hasta que yo me duerma?

—Creo que sí —contestó Keith, sonriendo—. Nunca lo he probado.

—Te quiero.

—Y yo a ti.

—Te adoro.

—Pero yo ronco.

—Y yo también.

—Se me cae la baba. Se me cae la baba por todo. Se me cae la baba por ti.

—Qué tonto eres.

—Como pollo asado y patatas fritas en la cama y me seco la boca con las sábanas y suelto eructos.

—Ya basta —dijo ella, echándose a reír.

—Tengo poluciones nocturnas y experimento orgasmos toda la noche y grito como un loco.

—Muy bien.

Annie movió lentamente las caderas hacia arriba y hacia abajo.

—Ahora mismo estoy a punto de experimentar uno.

—Qué bien...

Keith oyó un ruido en la puerta y, antes de que pudiera reaccionar, se oyó un repentino estrépito y el pestillo astilló la madera.

Un segundo después, Cliff Baxter irrumpió en la habitación empuñando una escopeta de caza.

Annie lanzó un grito mientras Keith la apartaba a un lado y se levantaba de un salto de la cama, tomando al mismo tiempo la navaja de combate que previamente había dejado en la mesita de noche debajo de la guía telefónica.

Baxter trató de descargar la culata revestida de goma de la escopeta contra el rostro de Keith, pero éste la desvió con el antebrazo, aunque no pudo evitar que le arañara la frente y lo dejara momentáneamente aturdido. Baxter volvió a levantar la culata de la escopeta y la descargó violentamente sobre su hombro, paralizándole el brazo y obligándole a soltar la navaja. Baxter estaba a punto de descargar un nuevo golpe cuando Annie se levantó de un salto de la cama y se le echó encima, rodeándole con sus brazos y sus piernas. Baxter retrocedió, tambaleándose.

Keith, todavía aturdido y con el brazo derecho colgando inerte a lo largo del cuerpo, recuperó la navaja con la mano izquierda. Tenía la visión borrosa a causa del golpe en la cabeza, pero podía ver a Annie agarrando a Baxter mientras éste trataba de librarse de ella. Se arrastró por el suelo y clavó la navaja en sentido ascendente en la arteria femoral de Baxter, pero éste se apartó tambaleándose sin conseguir quitarse de encima a Annie mientras la sangre arterial se le escapaba de la herida.

Baxter lanzó un aullido de dolor y Annie se puso a gritar. Antes de que Keith pudiera volver a clavar la navaja, dos hombres armados entraron en la habitación.

Keith les miró con la navaja en la mano. Uno de los agentes —a Keith le pareció que era Ward— blandió la porra y la descargó sobre su muñeca, obligándole a soltar la navaja.

Baxter había conseguido librarse de la presa de su mujer y Annie yacía en el suelo, llorando. Los dos agentes apuntaban con sus armas a Keith, pero sus ojos no se apartaban del cuerpo desnudo de la mujer de su jefe.

En el momento en que Keith intentaba acercarse a Annie, Baxter blandió de nuevo la culata de la escopeta de caza y se la hundió en el plexo solar. Keith dobló la cintura y se desplomó al suelo mientras Baxter les gritaba a sus hombres:

—¡Largo de aquí! ¡Largo inmediatamente de aquí!

Keith oyó retirarse a ambos agentes mientras el impacto de la culata de la escopeta sobre su espalda lo derribaba boca abajo en el suelo.

—Conque me joda, ¿eh? —oyó que le decía la voz de Baxter—. ¡Pues no! ¡El que se va a joder eres tú! ¡Jódete! ¡Jódete de una maldita vez!

Keith percibió los puntapies de Baxter contra sus costillas y oyó los gritos de Annie. Después sintió que ésta se le echaba encima para protegerle con su cuerpo y le rodeaba fuertemente el tronco con sus brazos.

—¡Déjale! —gritó Baxter—. ¡Déjale! ¡Apártate de él!

De pronto, se hizo el silencio en la estancia y Keith hizo un esfuerzo para no perder el conocimiento. Veía las piernas de Baxter y la sangre que bajaba por una de las perneras de su pantalón y le penetraba en el zapato.

—¡Apártate de él! —gritó Baxter—. Apártate si no quieres que te mate.

—¡No!

Al oír que Baxter amartillaba el arma, Keith sacó fuerzas de flaqueza y le dijo a Annie:

—Apártate, Annie..., apártate...

—¡No!

Una voz desde el exterior gritó:

—¡Jefe! ¡Tenemos que irnos! Hay gente aquí afuera. ¡La policía viene para acá!

Baxter apoyó el cañón de la escopeta bajo la nariz de Keith.

—Contaré hasta tres y, si esta puta no se levanta y se viste, el maldito cerebro se te caerá sobre el trasero. Uno...

—Annie... apártate...

—Dos...

—No importa... recuerda lo que te dije...

—Tres...

Keith sintió que Annie apartaba los brazos y se levantaba.

Baxter le propinó un empujón y retrocedió sin dejar de apuntarle al rostro con la escopeta de caza.

—¡Cuando yo haya terminado de follarla, no le quedarán ganas de volver a follar nunca más!

Keith trató de levantarse, pero Baxter le propinó un puntapie en la cabeza y lo obligó a caer de nuevo boca abajo. Alguien gritó desde la puerta:

—¡Jefe! ¡La policía del estado viene para acá!

Keith perdía el conocimiento y lo volvía a recuperar. Tenía la vista empañada y los sonidos le llegaban como desde muy lejos. Vio las piernas desnudas de Annie y las volvió a ver con pantalones vaqueros y zapatillas deportivas. Después vio las piernas de unos hombres uniformados alejándose con ella y oyó la voz de Annie llamándole, pero no pudo entender lo que decía, sólo su nombre.

La voz de Baxter sonaba con más claridad:

—Fíjate qué pinta tienes, tendido aquí desnudo en el suelo como un cabrón desollado.

Abrió los ojos y vio a Baxter arrodillado delante suyo con su navaja de combate en la mano.

—Ahora eres mío. Enteramente mío —dijo Baxter.

—Jódete.

Baxter le escupió en la cara y descargó el pesado mango de la navaja sobre su cabeza.

Keith percibió vagamente el contacto de sus manos, sintió que éstas daban la vuelta a su cuerpo y, cuando volvió a abrir los ojos, vio el techo de la habitación. Después vio a Baxter agachado a su lado con la navaja en la mano y le oyó decir en un susurro:

—Te voy a librar de estas cositas que tantos quebraderos de cabeza te causan.

Keith notó un tirón en el escroto y le pareció que la mano de Baxter le acariciaba los testículos, pero pensó que, a lo mejor, eran figuraciones suyas, aunque enseguida comprendió que no. Oyó el monótono tono de voz de Baxter.

—O sea que nos llevaremos estas cositas a casa y tú te pasarás el resto de la vida, pensando en quién es el que las tiene y en quién es el que folla a mi mujer y quién es el que ya nunca más podrá volverla a follar...

Keith clavó dos dedos en el ojo derecho de Baxter y éste soltó un aullido y cayó hacia atrás, cubriéndose el rostro con las manos.

Se oyeron unas apresuradas pisadas en la estancia y el rumor de unas voces apremiantes mientras Ward y otro agente se llevaban a Baxter medio a rastras.

Keith no sentía dolor, sólo un violento martilleo en la cabeza y una extraña sensación en los ojos, como si éstos estuvieran a punto de estallarle en las órbitas. Experimentó una oleada de náuseas y le pareció que estaba a punto de perder el conocimiento, pero sabía que tenía que hacer un esfuerzo y colocarse boca abajo para no asfixiarse con su propio vómito. Consiguió tenderse de lado, sintió un fuerte mareo y perdió el conocimiento.

35

—¿A qué día estamos?
—Primero dígame su nombre y entonces yo le diré a qué día estamos —contestó la enfermera.
A Keith le pareció un trato justo.
—Keith Landry.
—Hoy estamos a jueves —dijo la enfermera, sonriendo—. Usted ingresó aquí el domingo por la noche... más bien el lunes por la mañana.
Keith contempló el sol a través de la ventana.
—¿Estamos por la mañana o por la tarde?
—Ahora me toca a mí. ¿Quién es el presidente de Estados Unidos?
Keith se lo dijo, añadiendo:
—Es un hombre encantador. Estuve charlando con él la semana pasada.
La enfermera frunció el ceño.
Keith comprendió que no era ésa la respuesta que la enfermera deseaba oír de un paciente que había sufrido una lesión en la cabeza.
—Era una broma —dijo.
La enfermera asintió sin decir nada.
Keith trató de incorporarse en la cama, pero ella apoyó la mano en su hombro.
—No se mueva, señor Landry.
La miró un momento mientras se inclinaba sobre él. Treinta y tantos años, regordeta y rostro jovial, pero probablemente con la suficiente experiencia como para ponerse seria en caso de que él planteara dificultades.
—¿Qué hora es? —le preguntó.
—Las ocho y cuarto de la mañana. Ha estado usted inconsciente unas treinta y seis horas.
—Ah....
Se sentía un poco aturdido y le dolían ligeramente la cabeza y el cuerpo, pero, por lo demás, le parecía que estaba bien. Trató de re-

cordar exactamente lo que había ocurrido y le vinieron a la memoria algunos detalles, pero era como un jarrón de porcelana roto cuyos fragmentos hubiera que volver a juntar.

—¿Donde vive? —le preguntó la enfermera.

Se lo dijo y ella le siguió haciendo preguntas mientras tomaba notas en una hoja de papel. Hubiera querido concentrarse en lo ocurrido, pero ella seguía con las preguntas. Al final, recordó el último minuto antes de perder el conocimiento y su mano se deslizó bajo los cobertores hacia la entrepierna.

—Estoy bien —dijo.

—Está usted estupendamente bien. Constantes vitales normales, buenas reacciones, buena...

—Pues muy bien. Me largo de aquí.

Keith intentó incorporarse de nuevo y ella volvió a apoyar la mano en su hombro.

—Estese quieto, señor Landry, si no quiere que llame a un auxiliar.

—De acuerdo, pero, ¿cuándo podré salir?

—Cuando los médicos le den el alta. Ahora el neurólogo está pasando visita.

—Bien. ¿Dónde están mis efectos personales?

—En aquel armario.

—¿Funciona este teléfono?

—No. ¿Quiere que se lo conecte?

—Sí, por favor. ¿Sabe usted qué me ocurrió? —preguntó Keith. La enfermera lo pensó un poco antes de contestar.

—Tengo entendido que sufrió usted un ataque.

—Lo sé. Estaba con mi novia. ¿Sabe usted algo de ella?

—No, pero he visto algunas prendas femeninas en su armario. Una ambulancia de la policía lo trasladó aquí. La policía hizo un inventario de todos los objetos personales que encontró y lo llevó todo aquí. Puedo repasarlo con usted más tarde, si está preocupado.

—No, quiero simplememnte mi billetero. ¿Me lo puede traer?

—Más tarde.

Keith reflexionó un instante y después preguntó:

—¿Sabe usted si la policía quiere interrogarme?

—Sí, nos han rogado que, cuando esté usted en condiciones, se lo notifiquemos.

—De acuerdo, pero hoy no.

—Ya veremos.

—¿Cuál es mi pronósico?

—Pues... favorable.

—¿Me han hecho una tomografía?

—Sí. Tiene usted una finísima fractura, un poco de edema interno... el médico se lo explicará.

Keith hizo otras preguntas, pero la enfermera no quiso entrar en detalles médicos concretos y se limitó a describirle las lesiones en términos generales... trauma en la región abdominal, el hombro derecho, el antebrazo izquierdo y la cabeza, ausencia de hemorragia interna, algunas contusiones y laceraciones, etc. Keith llegó a la conclusión de que, si pudiera levantarse y vestirse, estaría en condiciones de marcharse.

—¿Dónde estoy exactamente? —preguntó.

—En el Hospital del condado de Lucas, en las afueras de Toledo.

Keith asintió con la cabeza. Estaba en las manos de la administración local a la que pertenecía la policía local, la cual le consideraba una víctima o un fugitivo o ambas cosas a la vez.

—Le preguntaré al doctor si puede usted tomar alimentación sólida —dijo la enfermera—. ¿Le apetece desayunar?

Le apetecía, pero le convenía simular debilidad. Se sentía efectivamente débil, pero no demasiado, aparte el dolor de cabeza.

—Quiero dormir.

—Muy bien. Regresaré más tarde con el neurólogo.

—De acuerdo, pero ahora necesito dormir un poco.

La enfermera se retiró y Keith se incorporó. En determinado momento, la policía pediría al hospital la autorización para su confinamiento y entonces lo trasladarían a la enfermería de alguna prisión o algo por el estilo. No conocía su situación legal y no tenía muy claro su estado físico, pero no podía perder el tiempo averiguándolo o explicándoselo a otras personas. A pesar del dolor de cabeza y del aturdimiento, tenía que salir de allí, regresar a Spencerville y buscar a Annie.

Se arrancó los dos tubos del suero y le sangraron las venas. En la mesita había gasa y esparadrapo que utilizó para vendarse rápidamente los pinchazos. Sacó las piernas de la cama y se levantó poco a poco. Se le doblaron las rodillas, pero hizo un esfuerzo y dio unos cuantos pasos por la habitación.

En la otra cama había un anciano durmiendo. Keith corrió las cortinas de ambas camas para que quedaran parcialmente ocultas desde la puerta. Vio el mostrador de las enfermeras a la izquierda.

Abrió el armario empotrado y vio su maleta y su bolsa de fin de semana junto con su cartera de documentos y una bolsa de plástico llena de prendas masculinas y femeninas y diversos artículos de tocador. Sacó sus trajes, se quitó la camisa de hospital y se vistió rápidamente con un traje italiano de seda azul.

En el interior de la bolsa de plástico encontró los vaqueros, la camisa y la chaqueta acolchada que llevaba el domingo, pero no el billetero ni las placas de la matrícula de su automóvil. Tales objetos debían de estar en manos de la policía local. Al fondo de la bolsa encontró el oso de peluche blanco y marrón. Lo sostuvo un momento en sus manos y lo volvió a dejar en la bolsa.

Abrió la cartera de documentos que no había vuelto a cerrar con llave después de que Annie la abriera. La policía habría examinado sin duda su contenido, pero todo lo que había a la vista parecía inofensivo. Presionó hacia abajo y se abrió el doble fondo. El pasaporte estaba en su sitio y también varios cientos de dólares en billetes de distintas denominaciones. Se guardó el dinero en el bolsillo de la chaqueta, lo volvió a guardar todo menos la cartera de documentos en el armario y lo cerró. Con la cartera de documentos bajo el brazo, salió al pasillo, miró a derecha e izquierda y localizó los ascensores a su derecha. Se dirigió a un ascensor abierto, entró junto con varios miembros del personal y bajó al vestíbulo.

En el vestíbulo vio a un policía uniformado sentado en una butaca leyendo una revista y, frente a él, a un hombre de paisano que debía de ser un investigador.

Salió y vio un taxi que dejaba a un cliente. Subió y le dijo al taxista:

—Al aeropuerto, por favor.

El taxista enfiló la autovía del aeropuerto. Era todavía la hora punta en ambas direcciones, pero se estaban alejando de Toledo a una velocidad aceptable. La franja comercial le pareció distinta a la luz del día. Vio el concesionario de Chevrolet a la derecha, pero no su Blazer. Más adelante, al otro lado de la autovía, vio el rótulo del motel Westway.

No sabía muy bien cómo los habría localizado Baxter, pero suponía que la persecución habría sido lo bastante intensa como para llegar finalmente a las dos únicas pistas que él había dejado: la conversación con el guardia de seguridad del aeropuerto que había permitido centrar el área de la búsqueda y el motel Westway, a pesar del rótulo a oscuras. Los Estados Unidos no eran en modo alguno un estado policial, pero disponían de más agentes de policía con más aparatos de tecnología avanzada, movilidad y recursos que cualquier estado policial que él hubiera conocido. Pese a todo, el desdichado incidente en el aeropuerto había cambiado por completo el curso de los acontecimientos.

Keith sabía que, si se entretuviera demasiado en pensar y en dar rienda suelta a su cólera, no podría hacer lo que tenía que hacer. Apartó a un lado las conjeturas y se concentró en la actuación inmediata. No iba a tener muchas más oportunidades, si es que tenía alguna. Pero le bastaba con una más.

El taxi llegó al aeropuerto.

—¿Dónde quiere usted que pare? —le preguntó el taxista.

—Pare allí, cerca del letrero de la USAir.

El taxista se detuvo delante de la terminal.

—Serán doce con setenta y cinco, por favor.

Keith le entregó un billete de veinte dólares, tomó el cambio y le dio una propina.

Entró en la terminal, dio media vuelta y salió por otra puerta situada unos seis metros más abajo. Permaneció de pie junto al bordillo, consultando su reloj como si fuera un hombre de negocios que acabara de llegar en uno de los vuelos matinales. Había estado numerosas veces en aquel aeropuerto a lo largo de los años y conocía muy bien los métodos. Hizo caso omiso de la fila de taxis y le preguntó a un mozo:

—¿Hay alguien por ahí que quiera hacer un viaje largo?

—Claro. ¿Adónde va usted?

—A Lima.

—Muy bien. —El mozo llamó por señas al conductor de una furgoneta estacionada en el aparcamiento del otro lado de la rampa—. ¿Lleva equipaje? —le preguntó.

—No.

Keith le entregó dos dólares al mozo mientras la furgoneta se acercaba.

Un delgado joven de unos veinte años bajó y le preguntó:

—¿Adónde va?

—A Lima. ¿Cuánto?

—Pues... vamos a ver... serán aproximadamente dos horas, o sea que hay que calcular la gasolina y la vuelta..., ¿cincuenta le parece demasiado?

—Me parece bien.

Keith abrió la portezuela del asiento del copiloto, el conductor se sentó al volante y la furgoneta se puso en marcha. Mientras se alejaban del aeropuerto, el joven le tendió la mano a Keith.

—Me llamo Chuck.

Keith le estrechó la mano.

—Y yo John —dijo.

—Encantado de conocerle.

—Bonita furgoneta.

—¿Le gusta? La he hecho yo.

Chuck le facilitó a Keith una detallada descripción de las modificaciones que había introducido en la furgoneta, una Dodge último modelo. Chuck estaba en el paro y se costeaba sus caras aficiones de mecánico rebajando las tarifas fijas de los taxis del aeropuerto. Cuando Chuck terminó su monólogo, ya se encontraban en la Interestatal 75, circulando en dirección sur.

Keith estaba a punto de decirle a Chuck que forzara un poco la máquina porque tenía prisa, pero Chuck ya circulaba a más de ciento veinte. El joven le vio mirar el cuentakilómetros y le dijo:

—La carretera 75 la hago a ciento veinte. Por suerte, no estamos en la 106. Si le parece demasiado rápido, dígamelo.

—No, está muy bien.

—Ah, ¿sí? Me he instalado el mejor detector de radares que existe —dijo, dando una palmada al aparato del tablero de instrumentos—. Que se jodan.

—Bien dicho.

El joven aumentó a ciento treinta y preguntó:

—¿De dónde es usted?

—De Nueva York.

—Ah, ¿sí? ¿Y le gusta?

—No está mal.

—Yo nunca he estado allí.

Keith estaba empezando a marearse y notaba los primeros síntomas de un dolor de cabeza. No sabía si la culpa la tenía el viaje o la paliza que le habían dado. A lo mejor, el culpable era Chuck.

—No quisiera ser indiscreto —dijo Chuck, volviéndose a mirarle—, pero parece que alguien le ha dado un buen estacazo en la cabeza.

Keith no se había mirado al espejo porque le daba igual, pero ahora bajó el visor y vio que en él había un espejo rodeado por bombillas de color de rosa. Tenía la sien izquierda amoratada y ligeramente hinchada y un corte bajo el ojo derecho desinfectado con yodo, pero no suturado. Además, estaba intensamente pálido y tenía los ojos rodeados por unas profundas ojeras oscuras.

—¿Lo han atracado?

—No, he sufrido un accidente de automóvil.

—Qué barbaridad. Oiga, ¿ha venido aquí en viaje de negocios?

—Sí.

—¿Y no lleva equipaje?

—No. Regreso esta noche.

—Ya lo suponía. ¿Quiere que le espere? La espera son cinco dólares la hora.

—Ya veremos.

—¿Quiere que ponga la radio? ¿O alguna cinta?

—La radio.

Chuck sintonizó con una emisora de rock duro. Keith pulsó el botón de selección y aparecieron toda una serie de emisoras durante unos diez segundos cada una. Eligió una emisora de noticias de Toledo y escuchó las noticias mundiales que le interesaban tan poco como a Chuck hasta que, al final, empezó el noticiario local.

«La policía ha anunciado esta mañana su intención de interrogar a Keith Landry, el sospechoso del caso de secuestro de Spencerville —dijo el locutor—. Landry, de Spencerville, se encuentra en estos momentos en el hospital del condado de Lucas como consecuencia de las lesiones que le produjo en la cabeza un agresor o unos agresores desconocidos en un motel de la autovía del aeropuerto. Landry fue objeto de una búsqueda a nivel estatal el domingo por la noche y el lunes por la mañana tras ser acusado por la policía de Spencerville de ser el autor del secuestro de Annie Baxter, la esposa del jefe de policía local. La señora Baxter no fue hallada en el motel, pero la policía del estado ha sido informada por la policía de Spencerville de que la señora Baxter se encuentra a salvo y en compañía de su familia. Prosiguen las investigaciones según las autoridades, las cuales esperan descubrir la identidad del agresor o los agresores y establecer qué denuncias se formularán contra Landry.»

Keith pulsó el botón y salió una emisora de música *country*.

—Qué extraño, ¿verdad? —dijo Chuck.

—¿Qué?

—Ese secuestro. Encontraron al hombre cerca del aeropuerto. —Chuck dio su opinión sobre el incidente—. Con todo este jaleo que han armado en la radio y la televisión, pienso que, si hubiera sido mi novia, no se hubieran molestado tanto en buscarla. Pero era la mujer de un jefe de policía, tenía hijos y era un miembro destacado de la comunidad. Sea como fuere, los encontraron... bueno, a ella no la encontraron, lo cual es muy extraño. La policía del estado encuentra en un motel al tipo que la secuestró, víctima de una soberana paliza, pero nadie sabe dónde estaba la mujer..., cuando la policía llegó al motel, todos los que estaban allí ya se habían ido porque eran gente de paso y el único testigo era el gerente del motel o lo que sea, pero la policía no dice lo que éste dijo. Yo supongo que debía de haber dos tipos, Landry y otro, y que los dos empezaron a discutir sobre quién la follaría primero hasta que uno de ellos le pega una paliza al otro y se larga con la mujer. Y eso que eran todos de raza blanca. ¿Se imagina?

—Una historia increíble.

—Usted lo ha dicho. Y ahora dicen que la mujer se encuentra de nuevo con su familia, Y la policía del estado dice que el marido, el jefe, se encuentra... una palabra un poco rara...

—¿En estado de choc?

—Sí, esto también, pero han dicho... *aislamiento*. Aislado. Como si estuviera escondido, ¿comprende?

—Sí.

—¿Usted qué piensa? Que debían de ser dos tíos, ¿verdad? Eso lo explicaría todo. La policía dice que no sabe lo que pasó. Gran misterio. Y eso que tiene al tipo del motel, al tipo que recibió la paliza. Claro que lo sabe, lo que ocurre es que no lo quiere decir. Lo suelen hacer a menudo. Aquí hay algo muy raro. ¿Cómo se escapó la mujer?

¿Sabe lo que pienso? Que el marido pagó un rescate. Y la policía no quiere decir que un miembro del cuerpo pagó un rescate. Debe de ser eso.

—Quizá.

—Me gustaría ser policía. Oiga, ¿le apetece un café? Hay un área de servicio más adelante.

Sí, le apetecía un café, le apetecía comer, le apetecía afeitarse la barba de tres días y cepillarse los dientes y quitarse de encima la mugre. Pero contestó:

—No, tengo mucha prisa.

—Muy bien.

Media hora más tarde, Keith vio la indicación de salida a la carretera 15 en dirección oeste.

—Salgamos por aquí —dijo.

—¿Por aquí?

—Tengo que recoger unos documentos en casa de un abogado.

—Muy bien... ¿y eso dónde está?

—No estoy muy seguro. Me han facilitado algunas indicaciones. Si tardamos mucho rato, te pagaré unos cuantos dólares más.

—Por eso no se preocupe.

Una vez en la carretera 15, Keith le indicó a Chuck toda una serie de carreteras que no creía que el chico pudiera recordar más tarde en caso de que lo interrogaran.

—Todo eso se lo ha aprendido usted de memoria, ¿verdad? —dijo Chuck.

—Por supuesto.

—¿Que ciudad es?

—Es una granja. El abogado vive en una granja.

—Ah, ya.

Llegaron a la carretera 22 del condado y, al acercarse a su granja, Keith observó un detalle muy raro. La casa ya no existía.

Keith permaneció de pie delante de las ruinas calcinadas de lo que antaño fuera su casa, la casa de su padre y la de su abuelo.

—Qué barbaridad... —exclamó Chuck—. ¿Cree usted que se debieron salvar?

Keith no contestó. Contempló los restantes edificios que todavía permanecían en pie y después su mirada se perdió en los interminables maizales, el cielo profundamente azul y los árboles de la lejanía.

—¿Qué quiere usted hacer ahora? —le preguntó Chuck.

Lo que Keith hubiera querido hacer hubiera sido sentarse en el suelo y contemplar la casa hasta que el sol se pusiera. Pero lo que tenía que hacer era otra cosa.

Había transcurrido más de una hora desde su salida del hospital. El personal no habría descubierto su fuga de inmediato y primero lo habrían buscado en el edificio. Al final, habrían comunicado su desaparición a la policía del área de Toledo. Seguramente tardarían un poco en avisar a la policía del estado y pasaría un buen rato antes de que a alguien se le ocurriera la idea de llamar a la policía de Spencerville, la cual no era famosa por su rapidez de reflejos. No obstante, el primer lugar donde le buscarían sería su casa. Subió rápidamente a la furgoneta.

Chuck se sentó al volante.

—¿Adónde?

—A Spencerville.

36

Al llegar a Spencerville, Chuck exclamó:

—Mire, allí está la comisaría de policía. Qué casualidad, ¿verdad? Quiero decir, eso de que venga usted de Nueva York y acabe aquí, en el lugar donde ocurrió el secuestro. Es una ciudad muy bonita. ¿Dónde tiene el despacho este abogado?

—En otra casa. Gira aquí.

Keith dirigió a Chuck hacia el norte de la ciudad y, en pocos minutos, llegaron a Williams Street. Keith no esperaba que Annie y Cliff Baxter estuvieran allí, tratando de limar sus diferencias. Estaban en situación de aislamiento y Williams Street no era un lugar muy aislado. La furgoneta pasó por delante de la casa y Keith vio el Lincoln blanco en la calzada particular, pero no observó ninguna otra señal de que hubiera alguien en casa ni de que el edificio estuviera vigilado.

—Acércate al bordillo —le dijo Keith a Chuck.

Chuck se acercó.

Tal vez a aquellas horas la policía de Spencerville ya sabía que Keith Landry se había fugado del hospital, en cuyo caso lo más probable era que pensara que su propósito era huir del estado. Pero también podía pensar que regresaría a Spencerville, aunque él no lo creía. De todos modos, habría montado un dispositivo de alerta y probablemente vigilaría la granja. Sin embargo, Keith sabía que había dos lugares donde nadie esperaría verle: la comisaría de policía y la casa de Baxter.

Bajó de la furgoneta y le dijo a Chuck:

—Tardaré unos diez minutos.

Tomó la cartera de documentos y se acercó a la casa de Baxter. La mañana era un poco fresca y no había nadie en los porches ni en la calle. Subió por la calzada particular y se dirigió a la parte de atrás. Si alguien le estuviera observando desde una ventana, el traje azul de calle y la cartera transmitirían un mensaje de confianza y honradez.

Había una perrera al fondo del patio, pero Keith no vio ni oyó a ningún perro.

Subió al porche de la parte de atrás, abrió la cancela y trató de abrir la puerta, pero estaba cerrada. Contempló los dos patios colindantes y las ventanas de las casas de los alrededores, pero no vio a nadie a través de los altos setos. Sosteniendo abierta la cancela con la pierna, utilizó una esquina de la cartera de documentos para separar el entrepaño, pasó la mano y abrió la puerta por dentro. Entró sigilosamente y cerró la puerta a su espalda.

Miró a su alrededor y admiró el orden y la pulcritud de la cocina. Abrió el frigorífico y observó que estaba casi vacío, cosa que normalmente no debía de suceder. Estaba claro que los Baxter se habían ido y tardarían algún tiempo en regresar.

Abrió la puerta del sótano y bajó. Encontró el estudio y encendió la luz. En las paredes había unas cuantas docenas de cabezas de animales disecados. Vio un armero con capacidad para doce rifles o escopetas de caza. Estaba completamente vacío.

Volvió a subir y se dirigió al comedor y la sala de estar, observando una vez más la limpieza y el orden que imperaban por doquier. Abrió el armario del vestíbulo y vio que sólo había una trinchera de hombre, un abrigo de uniforme de la policía y dos abrigos de señora. No había ninguna prenda informal ni de abrigo.

Subió al piso de arriba, echó un vistazo al dormitorio de un chico y al de una chica y vio un cuarto que era una especie de despacho doméstico. Entró y rebuscó un poco, arrancó unas cuantas tarjetas telefónicas de un cuadernillo y salió. Se dirigió al dormitorio principal y abrió los dos armarios. Sólo contenían prendas de vestir. Todas las prendas informales y de abrigo y todos los zapatos que pudiera haber habían desaparecido. En el armario de Cliff Baxter había cuatro impecables uniformes de la policía, dos de verano y dos de invierno, junto con todos sus accesorios, zapatos, gorras y cinturones. Abrió dos cajones de la cómoda y vio que apenas contenían ropa interior. Keith ya se imaginaba adónde habrían ido a parar las prendas. A juzgar por todo lo que se había llevado, Baxter tenía intención de permanecer ausente una buena temporada, tal vez para siempre. Pero lo más importante, siempre y cuando la desaparición de su ropa se pudiera considerar un indicio, era que Annie estaba viva y Baxter quería que viviera.

Se dirigió al cuarto de baño principal y observó que el botiquín de los medicamentos estaba abierto. En una palangana había una toalla ensangrentada, en el lavabo había manchas de sangre y, en el mostrador, una caja de gasas, un rollo de venda y un frasco de yodo. El uniforme beige de Baxter estaba en el suelo con los pantalones manchados de sangre reseca.

Unos tres centímetros más a la derecha o a la izquierda y aproximadamente un centímetro más de profundidad, y le hubiera seccionado la arteria femoral. Mejor todavía, si hubieran llegado al aeropuerto de Toledo una hora antes, a aquellas horas estarían en Washington. Y, si él no se hubiera ido con Adair a Washington el jueves, él y Annie estarían en Roma en aquellos momentos. Y así sucesivamente. Pero de nada servía pensar en su mala suerte. Lo importante era que él y Annie estaban vivos y que el destino les había dado una nueva oportunidad de reunirse.

Recogió los ensangrentados pantalones de Baxter y regresó al dormitorio principal. Como todo el resto de la casa, la estancia tenía un aire ligeramente rústico... muebles de roble, alfombras anudadas a mano, cortinas de cretona y flores secas. Observó que Annie, a pesar de su desgraciado matrimonio, o tal vez precisamente por eso, se había tomado muchas molestias en cuidar todos los más mínimos detalles de la casa, procurando crear en ella una cálida atmósfera hogareña. Lo debía de haber hecho por orgullo o para crear un ambiente de normalidad para sus hijos, sus amigos y su familia, pero también por añoranza de una vida y un matrimonio que, en cierto modo, coincidieran con el calor de hogar y el apacible ambiente que ella había conseguido forjar en la casa. Sin saber por qué, la idea se le antojó profundamente triste e inquietante.

No tenía ninguna necesidad de acudir allí y no merecía la pena correr aquel riesgo a cambio de la información que pudiera obtener, pero quería echar un vistazo de *voyeur* a las vidas de Cliff y Annie Baxter, las dos personas que, más que ninguna otra, tan profundamente habían cambiado e influido en su vida.

Cliff Baxter, que cuando era compañero suyo de clase nunca había sido invitado a la casa de los Landry, la había allanado recientemente y, a su juicio, semejante allanamiento era mucho más grave que el incendio de la casa o que los acontecimientos del motel. Él no tenía ninguna intención de incendiar la casa de Baxter, entre otras razones porque contenía muchas cosas de Annie y de sus hijos. Pero tenía que dejar alguna prueba de su presencia, alguna señal de desprecio, aunque no para que Cliff Baxter la viera, pues él estaba firmemente decidido a impedir que Cliff Baxter regresara a aquella casa. Quería hacer algo para su propia satisfacción y para que constara en acta.

Keith examinó su obra de arte en la sala de estar. Contempló, sentado en el sillón de orejas, el ensangrentado uniforme de Baxter, rellenado con toallas y sábanas, y con una cabeza de lobo disecada asomando por el cuello de la camisa.

Keith pensó en su fuero interno que no estaba loco y que el golpe en la cabeza no había influido en su capacidad de raciocinio. Pero tampoco era el mismo hombre que era antes de que Cliff Baxter irrumpiera en la habitación del motel. Contempló la cabeza de lobo sobresaliendo del uniforme. Los blancos dientes y los vidriosos ojos lo hipnotizaron por un instante y comprendió que, para matar una cosa, tendría que convertirse en aquella cosa. Estaba claro que sus ángeles buenos lo habían abandonado y que un negro lobo estaba surgiendo de nuevo en su corazón.

—¿Ya ha conseguido lo que quería?

—Sí.

—¿Vamos a Lima?

—Primero haremos unas cuantas paradas.

Keith guió a Chuck hacia la franja comercial y el aparcamiento de un 7-Eleven. Se sacó sesenta dólares del bolsillo y se los dio.

—Toma eso de momento.

—Tranquilo, John. Sé que me puedo fiar de usted.

Keith depositó el dinero sobre el tablero de instrumentos.

—Nunca se sabe, Chuck. Cómprate algo para comer. ¿Tienes cambio?

—Sí, hombre.

Chuck sacó unas cuantas monedas y Keith bajó del vehículo y entró en la cabina telefónica mientras Chuck se dirigía a la tienda. Keith se sacó del bolsillo una tarjeta telefónica y marcó. No se encontraba muy bien desde el punto de vista físico, pero mentalmente ya estaba mucho mejor y sabía que ella vivía aunque no quería ni pensar en el suplicio que estaría pasando.

—¿Diga?

—Terry, soy yo.

—¡Oh, Dios mío! Keith, Keith, ¿dónde estás?

—En la carretera. ¿Dónde está Annie?

—No lo sé. Regresaron a Spencerville, ella me llamó y dijo que se iban juntos a Florida para hablar con calma.

Keith sabía que no se habían llevado ropa adecuada para Florida.

—¿Cómo estaba...?

—Era todo mentira. El muy sinvergüenza la debía de estar apuntando en la cabeza con una pistola. Qué hijo de puta. Llamé a la policía de Chatham, pero me dijeron que no podían actuar sin que haya pruebas y que yo tenía que llamar a Spencerville...

—Lo sé. Mira, Terry, yo la iré a buscar y la traeré. Dime dónde crees tú que han ido.

—Al lago Grey.

—Yo también lo creo. ¿Te dio ella alguna pista por teléfono?

Tras una pausa, Terry contestó:

—Sí, me dijo algo... que pasarían por Atlanta por el camino. Después recordé que Atlanta es también el nombre de la capital del condado de Montmorency, en Michigan, por donde se pasa para ir al lago Grey. Creo que tienen que estar allí, pero he llamado unas cuantas veces y está puesto el contestador. Por consiguiente, no sé...

—Muy bien, creo que ya lo tenemos.

—Larry quería subir...

—No. Baxter va armado y es peligroso. Yo me encargaré de todo a través de la policía local de allí arriba.

—La policía no hará nada, Keith. Annie es su mujer. Eso es lo que me repiten constantemente.

—Yo lo arreglaré.

—¿Qué ocurrió? Pensaba que estabais a punto de subir al avión.

—Es una historia muy larga, pero lo que ocurrió esencialmente es que la policía nos detuvo.

—Oh, qué pena.

—Pues sí. Pero ella estaba bien cuando se la llevaron.

—Pues ahora no creo que lo esté. Mi padre no ha parado de darle la lata a la policía del estado y ha contratado a un abogado, pero... no puedo creer que ese malnacido la tenga secuestrada...

—¿Cuándo te llamó Annie?

—El lunes sobre las seis. Dijo que había cambiado de idea con respecto a ti y que ella y Cliff estaban en casa y se habían pasado todo el día juntos, habían hecho las maletas y estaban a punto de irse por carretera a Florida. Dijo que había llamado a los chicos a la universidad y les había dicho que todo iba bien y que ella y su padre se iban de vacaciones. Pero yo llamé a los chicos después y me dijeron que su madre no los había llamado... lo había hecho su padre a primera hora de la mañana. Entonces llamé a Annie, pero la maldita llamada se recibió en la jefatura central de policía y yo les pregunté qué demonios pasaba y me dijeron que las llamadas a Baxter se desviaban automáticamente. Entonces mi padre fue a la comisaría y le dijeron que Cliff y Annie se habían ido a Florida. Pero todo es un cuento.

—Bueno pues, hazme un favor... no intentes hacer más averiguaciones... dile a todo el mundo lo mismo. No quiero ponerle sobreaviso si está allí arriba. ¿De acuerdo?

—De acuerdo...

—¿Qué aspecto tiene la casa, Terry?

—Pues, la verdad es que he estado allí muy pocas veces... es una casa de madera oscura, un poco apartada del lago...

—¿En qué lado del lago se encuentra?

—Vamos a ver... en el lado norte. Sí, en el lado norte del lago y se accede a ella por un camino sin asfaltar de un solo carril a través del bosque.

—Muy bien. Saluda a Larry de mi parte. Ya os llamaré esta noche desde Michigan.

—¿Me lo prometes?

—Sabes que sí, Terry. Oye, siento todo...

—No, no te disculpes. Hiciste todo lo que pudiste. Ese hijo de puta es un demonio... te juro que lo es.

—Te traeré el rabo y los cuernos.

Terry se rió sin ganas.

—Oh, Dios mío... sería capaz de matarlo yo misma si pudiera... Oye, Keith.

—¿Sí?

—Si ella no puede estar contigo, mejor muerta que con él. Tengo miedo por ella.

—Le dije que volveríamos a reunirnos. Y ella lo sabe.

—Dios te oiga.

—Hablaré contigo esta noche —dijo Keith.

Se sacó otra tarjeta telefónica del bolsillo y volvió a marcar.

La telefonista le indicó el importe y él introdujo las monedas en la ranura y oyó el sonido del timbre. La voz de Cliff Baxter dijo a través del contestador: «Pabellón del Gran Jefe Cliff. Aquí no hay nadie. Si sabes dónde pica el pez el anzuelo o dónde se esconde el venado, deja un mensaje».

El aparato emitió una señal. Keith estuvo tentado de decir algo, pero colgó.

Se sacó otra tarjeta del bolsillo en la cual figuraban los números de los teléfonos móviles de los diez vehículos de la policía de Spencerville y los números de los buscapersonas de los quince oficiales. Marcó un número, colgó y esperó.

Sonó el teléfomo y él lo tomó.

—¿Oficial Schenley?

—¿Quién es?

Keith adivinó que Schenley llamaba desde su teléfono móvil.

—Keith Landry —contestó.

Hubo una pausa y después Schenley preguntó:

—¿Cómo ha averiguado usted el número de mi buscapersonas?

—Eso no importa. ¿Está usted solo?

—Sí. Haciendo la patrulla. Buscándole a usted, en realidad.

—Pues aquí estoy.

—¿Dónde?

—Las preguntas las hago yo. ¿Tiene alguna amiga en la junta municipal?

Otra pausa. Después Schenley contestó:

—Quizá.

—También es amiga mía.

—Lo sé.
—Necesito ayuda.
—Ya me lo imagino. Me sorprende que esté vivo.
—¿Me quiere usted ayudar?
—Un momento. Deje que me acerque al bordillo. —Un minuto después, Schenley añadió—: Mire, Landry, se ha dictado una orden de detención contra usted.
—¿Por qué razón?
—Por toda una serie de tonterías sin importancia. Firmada por el juez Thornsby, ese que firma todo lo que Baxter le pone delante de las narices. Pero no se ha dictado ninguna orden de detención del estado por secuestro. Por otra parte, acabamos de recibir un mensaje en el que se nos dice que la policía del estado le está buscando como testigo.
—¿Testigo de qué?
—Usted ya lo sabe. De lo que ocurrió en el motel.
—¿Estaba usted allí?
—No. A mí Baxter jamás me hubiera llevado consigo en semejante misión ni yo hubiera ido. Aquella noche estaba de guardia en el mostrador de recepción y no me gustó lo que vi.
—¿Qué vio?
—Coño, Landry, yo soy un policía y usted es un fugitivo...
—¿Duerme usted bien?
—No mucho.
—Schenley, usted sabe perfectamente que Baxter ha quebrantado la ley y que, cuando la mierda llegue hasta el techo, arrastrará a todo el mundo en su caída. Usted y los demás le importan un bledo.
—No hace falta que me lo diga.
—¿Cómo están los hombres?
—Asustados. Pero se alegran de que él no esté aquí.
—¿Les llama?
—Quizá. Pero, si lo hace, sólo habla con Blake. —Tras una breve pausa, Schenley añadió—: Bueno pues, el lunes sobre las dos de la madrugada yo estaba en el mostrador de recepción y Baxter regresa de Toledo con los tres tipos que lo habían acompañado... no diré nombres, ¿vale? Y con ellos estaba ella. Iba esposada y él la encerró en una celda. El jefe tenía los pantalones ensangrentados, la sangre le bajaba por la pernera izquierda, cojeaba visiblemente y se notaba que le dolía la pierna. El ojo derecho también lo tenía ensangrentado, como si alguien le hubiera arreado un puñetazo o se lo hubiera hurgado con algo. Soltando maldiciones como un carretero, se largó con uno de los hombres y los otros dos se quedaron. Uno de ellos me dijo que usted había tratado de cortarle los huevos al jefe. Aproximadamente una hora más tarde, regresa Baxter con su Bronco. Ahora

viste de paisano y saca a su mujer esposada. Vi que en el Bronco había ropa, maletas y otras cosas. Los tres perros de Baxter ocupaban la parte de atrás.

—¿Adónde fueron? —preguntó Keith.

—No lo sé. Oí decir algo de Florida. Pero yo le vi girar al sur por Chestnut Street y me extrañó que no se dirigiera al este para tomar la autopista.

—Porque primero pasó por mi casa.

—Sí... ya lo sé. Lo lamento.

—¿Alguien me ha buscado en casa de los Porter?

—Sí. Ward está por allí. Los Porter no están en casa, pero Ward pasa por allí de vez en cuando.

—¿Cuántos hombres van en cada vehículo?

—Uno. Tenemos que cubrir un territorio muy extenso. Creen que usted regresará por este camino. Todos los *sheriffs* honorarios han salido y han llamado también a los del cuerpo de vigilancia montada. Llevaban cinco años sin llamarlos, desde que se perdió un niño. Han salido unos veinte delegados del *sheriff* en sus coches particulares y unos veinte miembros de la vigilancia montada. Si no está usted en el condado de Spencer, le aconsejo que no venga.

—Gracias. No lo haré. ¿Ella estaba bien? —preguntó Keith con evidente preocupación.

Schenley tardó un poco en responder.

—Todo lo bien que cabía esperar. Tenía una magulladura en la cara... Cuando estaba en la celda quise hablar con ella, pero los otros dos estaban allí y... sentí mucho verla allí de aquella manera... estaba sentada sin llorar ni gritar... como si estuviera por encima de todo aquello... una señora con mucha clase..., cuando nos miró a mí y a los otros dos, no vi odio en su rostro..., más bien parecía... que se compadeciera de nosotros...

—Muy bien. Gracias por todo. Recordaré el favor en caso de que el asunto acabe en los tribunales.

—Gracias, Landry. Todo eso es un desastre. No puedo comprender cómo esos tres tíos a quienes yo creía conocer fueron capaces de hacer lo que hicieron.

—Cuando lo sepamos, habremos resuelto buena parte de los problemas del mundo. Le hablaré bien de usted al pastor Wilkes.

Schenley se rió antes de añadir:

—Para su información le diré que Baxter había instalado un transmisor en su Blazer.

Maldita sea.

—¿De qué color es el Bronco de Baxter? —le preguntó Keith a Schenley.

—Negro. —Schenley le facilitó el número de la matrícula—. Déjelo correr, Landry. No se acerque por aquí. Le están buscando y Baxter ya se ha ido.

—A lo mejor, yo me voy también a Florida.

—La próxima vez lo matará. Los tipos que iban con él dicen que tuvieron que sujetarlo para impedir que lo matara.

—Gracias de nuevo.

Keith colgó y regresó a la furgoneta donde Chuck se estaba comiendo un dónut y bebiendo un Big Gulp.

—Tengo más dónuts aquí, si quiere.

—Gracias. Gira a la izquierda.

—Volando. —Chuck salió del 7-Eleven y giró a la izquierda hacia la franja comercial—. Por aquí no vamos a Lima.

—No. Gira otra vez a la izquierda cuando llegues a aquel semáforo.

—Muy bien. No quisiera ser indiscreto, John, pero me da la impresión de que le ocurre algo.

—No, estoy bien, Chuck. En realidad, esta llamada telefónica me ha devuelto la confianza en la humanidad.

—Ah, ¿sí? Se me ha pasado por alto el detalle.

—Pues que no se te pase por alto la indicación que te he dado. Gira aquí a la izquierda.

Se dirigieron al sur, hacia la campiña.

Keith pensó en lo que le habían dicho Schenley y Terry. La llamada que le había hecho Annie a Terry el domingo por la tarde no la había efectuado desde Spencerville sino desde el lago Grey si la cronología de Schenley era correcta. Si Baxter había salido de Spencerville sobre las tres de la madrugada, habría llegado al lago Grey sobre las nueve, pasando primero por la granja Landry para incendiarla. Baxter había llamado a sus hijos desde el lago Grey por la mañana y más tarde le habría dicho a Annie que llamara a su hermana para que le confirmara por lo menos a un familiar suyo las noticias sobre la reunión y el aislamiento de los Baxter. Además, le interesaba que se divulgara la historia de Florida. Baxter no sólo era un malvado, pensó Keith, sino un tipo tremendamente astuto. Lo cual era una malísima combinación.

Keith no tenía ni idea de lo que estaría ocurriendo en el lago Grey, pero estaba seguro de que no era una reconciliación. Trató de consolarse, recordando los comentarios de Annie sobre su capacidad de manejar a Cliff Baxter. Sin embargo, después de lo que Baxter había visto —su mujer y su amante desnudos en la cama—, estaba seguro de que el tipo habría estallado. Si hubiera sido un ser medianamente racional, no hubiera secuestrado a su propia esposa, dejando todo aquel desastre a su espalda.

Se hubiera quedado para proteger su cargo, su poder y su reputación. Pero seguramente ya sabía que estaba acabado y, sabiéndolo, ya no tenía por qué controlarse.

No mataría a su mujer, pero le haría desear la muerte.

Keith guió a Chuck hasta un cruce y allí le dio otras indicaciones.

—¿Cómo es que conoce tan bien esta zona? —le preguntó Chuck.

—Nací aquí.

—¿En serio? ¡Es usted un Castaño de Indias! ¡Choque estos cinco, John!

Keith se sintió obligado a consolidar la camaradería y ambos se pasaron un rato pegando la hebra.

Minutos más tarde se acercaron a la casa de los Porter. Keith miró desde lejos en todas direcciones y no vio ningún vehículo de la policía ni ningún otro vehículo, ni siquiera el de los Porter en su calzada particular.

—Entra aquí, Chuck.

Chuck entró en la calzada y Keith le dijo:

—Gracias, amigo. Ya hemos llegado.

—Pero eso no es Lima.

—Creo que no. Te he dado sesenta y aquí tienes otros veinte. Nos veremos la próxima vez que vaya a Toledo.

—Gracias, hombre...

Keith abrió la portezuela y bajó.

—Me encanta la furgoneta.

—¿A que es chula?

Keith se dirigió rápidamente a la parte posterior de la casa. No había nadie en los huertos, pero la puerta de atrás estaba abierta. Entró y llamó, pero nadie contestó. Dejó la cartera de documentos sobre la mesa, cerró la puerta de atrás, se dirigió a la puerta principal y corrió el pestillo.

Regresó a la cocina, abrió el frigorífico y sacó una botella de zumo de naranja y un panecillo de harina integral que se comió mientras bebía el zumo directamente de la botella. Se terminó ambas cosas, experimentó unas náuseas, pero consiguió evitar el vómito. No se encontraba muy bien y actuaba impulsado únicamente por la adrenalina y el odio.

No tenía ni idea de dónde estaban los Porter ni de cuándo volverían, pero se alegraba de que no estuvieran en casa.

De un momento a otro, la policía de Spencerville, el *sheriff*, la vigilancia montada, los delegados del *sheriff* o cualquier otro representante de la autoridad volverían a la casa y él tenía que largarse cuanto antes. El norte de Michigan estaba a casi quinientos kilómetros de distancia y él necesitaba un rifle, un automóvil, ropa adecuada y todos los accesorios necesarios para una mortal batida de caza. Salió al vestíbulo principal y, estaba a punto de subir al piso de arriba cuando oyó llamar a la puerta. Se dirigió rápidamente a la sala de estar y miró con disimulo por la ventana. Delante de la casa había un vehículo de la policía de Spencerville.

No vio a nadie dentro y lo importante era saber cuántos hombres habría alrededor de la casa. Schenley le había dicho que cada coche llevaba un solo hombre. Oyó otra llamada más insistente a la puerta.

No tenía por qué contestar, por supuesto, pero, si fuera uno de los hombres que había acompañado a Baxter al motel, le apetecía saludarlo y quizá pedirle prestado el coche y la escopeta de caza.

Atisbó desde la ventana y vio a Kevin Ward con una expresión un poco adormilada y los pulgares metidos en el cinto de la pistola.

Se dirigió a la puerta y la abrió.

—Hola.

Antes de que Ward pudiera reaccionar, Keith le propinó un puñetazo en la ingle y, mientras el tipo se doblaba, lo arrastró al interior de la casa, cerró la puerta de un puntapie y le golpeó el cuello con un violento golpe lateral de la mano, derribándolo al suelo semiinconsciente.

Tomó las esposas que Ward llevaba en el bolsillo, le esposó la mano derecha y cerró la otra esposa alrededor del tubo del radiador. Después, desabrochó el cinto de la pistola de Ward y se lo quitó.

Ward estaba recuperando el conocimiento.

—¿Me estaba buscando? —le preguntó Keith.

Tendido de lado en el suelo, Ward tardó unos segundos en darse cuenta de que estaba atado al tubo de la calefacción. Miró a Keith y musitó por lo bajo:

—Maldito hijo...

Keith extrajo el revólver de reglamento de Ward, le apuntó a la cabeza y amartilló el arma.

—¿Dónde está su jefe?

—Váyase a la mierda.

Keith disparó contra el entarimado a escasos centímetros del rostro de Ward cuyo cuerpo se levantó de las tablas por efecto del impacto.

—¡En Florida! —gritó Ward—. ¡Está en Florida!

—¿En qué lugar de Florida?

—No sé...

Keith volvió a disparar a escasos centímetros de la cabeza de Ward y una vez más el cuerpo de éste brincó en el suelo.

—¡Basta! —gritó Ward—. Fue... creo que fue a Daytona. Sí, a Daytona.

—¿A qué lugar de Daytona?

—Eso... no nos lo dijo.

—Bueno. ¿Y ella está con él?

—Sí.
—¿Se lo pasó usted bien en el motel?
—No.
—Pues a mí me pareció que sí.
—Me estaba cagando de miedo.
—Pero no tanto como ahora.
—No. Mire, Landry, yo me limito a cumplir órdenes.
—Cada vez que oigo esta frase, me entran ganas de matar al tío que la pronuncia.
—Deme una oportunidad. Ya me ha vencido. Le he dicho lo que sé. Por mí, puede usted bajar a Daytona y liquidar al muy hijo de puta. Le odio con toda mi alma.
—Él tampoco está muy satisfecho de usted. Vio a su mujer desnuda. A usted le conviene que yo mate a su jefe, de lo contrario, tendrá un problema en su carrera.
—Lo sé muy bien...
Keith guardó el revólver en la funda y subió al piso de arriba antes de que Ward empezara a pensar en su situación. Con un poco de suerte, Ward sabría que Baxter estaba en el lago Grey y le llamaría para decirle que había sido buen chico y había enviado a Landry a Florida. Y no porque con ello pudiera recuperar el favor de su jefe, pero uno nunca perdía la oportunidad de engañar a un pobre imbécil.
Keith buscó el dormitorio principal, el cual presentaba un aspecto muy desordenado, con prendas de vestir esparcidas por doquier, la cama deshecha y todos los objetos fuera de su sitio. Se agachó y estiró el brazo por debajo de la cama, confiando en que Gail se hubiera tomado su recomendación al pie de la letra y hubiera guardado el rifle allí debajo, pero no encontró el estuche. Miró a su alrededor. En realidad, el rifle hubiera podido estar en el suelo sin que él lo viera en medio de tanto desorden. Pasó al otro lado y miró debajo de la cama, pero no vio nada que pareciera un estuche de lona.
—¿Buscas esto? —preguntó una voz.
Keith se incorporó y vio el cañón del M-16 apoyado en el borde del colchón.
—Hola, Charlie —dijo, levantándose.
Charlie Adair dejó el rifle sobre la cama.
—Tienes una pinta espantosa —le dijo.
—Gracias. Tú también.
—¿Te he oído atacando y maltratando a un representante de la ley en la planta baja?
—Eso era cuando yo lo encontré.
—Muy hábil... arrancándole la historia de Florida cuando tú sabes muy bien que no es allí adonde han ido. En la acción directa eres

insuperable. Siempre he pensado que tus cualidades se desaprovechaban detrás de un escritorio.

—Es lo que yo siempre decía.

Keith no tenía ni idea de cómo se habría enterado Charlie Adair de que Baxter y Annie no se habían ido a Florida. Y tampoco sabía cómo había acabado en casa de los Porter.

Adair miró a su alrededor.

—Con unos amigos así, no hace falta criar cerdos.

—Son buena gente.

—Unos izquierdistas radicales.

—No investigues a mis amigos, Charlie. No me gusta.

—Ésos son precisamente los amigos a los que yo tengo que investigar.

—No, no tienes que hacerlo.

—En realidad, son muy simpáticos.

—¿Cómo los has localizado? ¿O no tengo que preguntarlo?

—No. Más bien me lo tienes que decir.

Keith reflexionó un instante.

—Escuchas telefónicas.

—Ni más ni menos. No has hecho muchas llamadas desde que estás aquí y, por consiguiente, ha sido muy fácil. No te extrañe.

—No me extraña. ¿Dónde están los Porter?

—Haciendo unos recados. Oye, nunca había visto a un tipo vestido con un traje de Armani, bajando de una furgoneta iridescente. ¿Quién era ese tío?

—Chuck. Del Aeropuerto de Toledo.

—Ah, muy bien. ¿Va a volver?

—No.

—Entonces no dispones de medio de transporte.

—Tengo un vehículo de la policía. ¿Dónde tienes el tuyo?

—He chasqueado los dedos y aquí estoy.

—Mira, Charlie... me duele mucho la cabeza. ¿Qué puedo hacer por ti?

—Ésa no es la pregunta, Keith. No preguntes qué puedes hacer por tu país sino qué puede hacer tu país por ti.

—La cosa no va por ahí.

—Por desgracia, Keith, es justo por ahí por donde va en Washington, la gran teta del mundo. Tu país está aquí para ayudarte.

—¿Sin ninguna contrapartida?

—Yo no he dicho tal cosa.

—No tengo tiempo para eso.

—Un poco de tiempo conmigo te ahorrará mucho tiempo más tarde. Oye, ¿no podríamos salir de esta pocilga? Creo que he visto un rincón un poco más limpio abajo.

Keith tomó el rifle que Adair había dejado sobre la cama y, sosteniendo en la otra mano el cinto y la funda del revólver de Ward, salió con Charlie al pasillo donde éste recogió la funda con la mira telescópica y las municiones. Era muy propio de Adair, pensó Keith, presentarse como llovido del cielo, blandiendo un rifle que mejor hubiera estado en su funda... Charlie Adair era puro espectáculo, drama y comedia generalmente, pero algun día sería tragedia.

Bajaron al vestíbulo. Charlie se acercó a Kevin Ward, inmovilizado en el suelo, y le tendió la mano.

—Hola, soy Barry Brown, de Amway.

Keith apenas pudo reprimir la risa cuando Ward levantó la mano izquierda y estrechó la derecha de Charlie.

—Tengo un producto que le dejará este uniforme como nuevo —dijo Charlie—. Vuelvo enseguida. Quédese aquí.

Keith y Charlie se dirigieron a la cocina. Charlie lavó dos vasos en el fregadero y le dijo a Keith:

—Hay zumo de tomate fresco en el frigorífico.

Keith sacó la jarra y llenó los dos vasos. Charlie entrechocó su vaso con el de Keith, diciendo:

—Me alegro de verte vivo.

—Pues yo me alegro de estar vivo, pero no de verte.

—¿Cómo no te vas a alegrar?

Tomaron un sorbo y Charlie chasqueó la lengua.

—No está mal. Le hace falta un poco de vodka. Pero, a lo mejor, a ti no te conviene beber. Menuda pintas tienes. El jefe Baxter te debió de dar una buena zurra.

Keith no contestó.

—Salgamos fuera donde podamos hablar.

Salieron a la parte de atrás y Charlie Adair se acomodó en una tumbona, de cara a los huertos.

—Precioso.

Keith permaneció de pie.

—Charlie —dijo—, tengo cosas que hacer.

—Me parece muy bien. No me andaré por las ramas. Eso es lo que yo sé... regresaste aquí de Washington el sábado, llegaste tarde a tu cita con la señora Baxter, pero el domingo por la noche te fuiste con ella, según mis datos. Hacia las nueve de la noche del domingo, todo el maldito estado de Ohio te estaba buscando como sospechoso de un secuestro, pero, por una extraña razón, el FBI no fue informado de un posible secuestro con probable huida a otro estado. A continuación, la policía de Ohio informa de que te han encontrado desnudo y apaleado en un folladero de las inmediaciones del aeropuerto de Toledo, sin la señora Baxter. Estás en el hospital del condado de Lucas con una leve conmoción cerebral, etc., etc. El señor y la señora Baxter vuelven a estar juntos y ahora disfrutan de una segunda luna de miel en Florida. Vuelo a Toledo el lunes por la mañana y te busco, pero aún estás inconsciente. Le digo a un agente local del FBI que te vigile, no sea que el señor Baxter regrese para cortarte los huevos que, según me dicen, están todavía intactos, vengo a Spencerville y me dedico a fisgonear un poco por ahí. El lunes por la noche, trabo amistad con los Porter a pesar de nuestras diferencias políticas. Estuve en tu casa, por supuesto —añadió Charlie—. Siento mucho lo ocurrido.

—No importa.

—Pues yo creo que sí. Tú quieres encontrarlo, matarlo y recuperarla a ella. —Keith no dijo nada—. Bueno pues —prosiguió diciendo Charlie—, yo me alojo en el motel Mom and Pop y esta mañana recibo una llamada del tipo del FBI desde el hospital, lamentando tener que informarme de que te has largado. Me quedo de piedra. No por el tipo del FBI sino porque la última vez que te vi el lunes por la mañana no daba la impresión de que pudieras llegar muy lejos. Me encargo de que un agente federal vaya a la casa de la hermana y monte guardia allí, consigo que se intervengan todos los teléfonos por cortesía de un juez federal de Toledo y vengo aquí a casa de los Porter, por si tú decides aparecer. Entretanto, guardo en el bolsillo una orden federal de hábeas corpus por si los de aquí te detienen. Lo único que tengo que hacer es rellenar los espacios en blanco. ¿No te parece maravilloso? Puedo hacer lo que me dé la gana. Pero en este caso estoy del lado de los ángeles, amigo y, por consiguiente, cualquier abuso de poder federal se puede perdonar. Cuidamos de los nuestros, Keith —añadió Charlie—. Siempre lo hemos hecho.

—Lo sé.

—Estoy aquí para ayudarte.

—Lo sé, Charlie, pero no creo que necesite tu ayuda.

—Pues claro que la necesitas. Necesitas un coche, ropa y equipo de caza.

—¿Y eso para qué lo necesito?

—Para subir a Michigan. Es lo que le dijiste a Terry por teléfono.

Keith sacudió la cabeza.

—Eres el colmo. Mira, no pienso vender mi alma por un par de botas. Ya me las arreglaré yo solo.

—Permíteme informarte de tu situación. Has dejado a un agente de policía fuera de combate en el vestíbulo, no tienes coche ni casa, apenas tienes amigos, te queda muy poco dinero, todos los policías del condado te están buscando, vistes traje de seda y calzas zapatos caros, cojeas ligeramente y tu única arma como Dios manda, sin contar el revólver del agente, es el M-16 que, en realidad, no es de tu propiedad sino del Tío Sam y que yo podría quitarte si quisiera.

—Yo de ti no lo intentaría.

Charlie se sacó una cajetilla de cigarrillos del bolsillo.

—Los Porter me dieron permiso para fumar aquí. Ellos fuman hierba. ¿No te produce una sensación agradable formar parte de una organización tan grande, poderosa y omnipotente? —preguntó, encendiendo un cigarillo.

—Contesta tú a la pregunta. ¿Es eso lo que tú necesitas para sentirte a gusto?

—Pues, en realidad, sí. Y tú también.

—Te equivocas. Oye, creía que estabas de mi parte. ¿No te acuerdas? ¿Dragones en mi escudo y ratas en el sótano?

—Eso fue el viernes. Hoy estamos a martes y tú vuelves a ser vulnerable.

—Te equivocas de nuevo. Estoy empeñado en una lucha singular. Vuelvo a ser un caballero y voy a librar a la doncella del monstruo que la tiene presa. Es un buen combate y eso los caballeros siempre lo hacen solos. Que se vayan al carajo el rey y todos los hombres del rey. Tú incluido.

Charlie reflexionó un instante y después contestó:

—De acuerdo. Lo he comprendido. No habrá contrapartidas, pero no consentiré que sir Keith suba allá arriba sin las cosas que necesita. Te proporcionaré todo lo que te haga falta para la misión y tú subirás a Michigan, te cargarás a ese tío y te irás... a Detroit, por ejemplo. El Marriott del centro de la ciudad. Te reservare habitación. Si no apareces mañana a esta hora, pensaré que las cosas no te han ido bien. Si apareces, tú, la señora Baxter y yo lo celebraremos. Sin ninguna contrapartida. —Keith no dijo nada—. Les he dicho a los de Washington que tenías que resolver unos asuntos personales —añadió Charlie—. Lo único que quieren de ti es un sí o un no el viernes. Tendrás tiempo para pensarlo si mañana estás vivo. Si estás muerto, les diré que te es materialmente imposible. En cualquier caso, cuando salgas de aquí, tendrás que arreglártelas tú solo. Como en los viejos tiempos, cuando me despedí de ti con un beso en no sé qué maldita frontera o aeropuerto. Pero tengo que estar seguro de que te he proporcionado toda suerte de ventajas antes de que te vayas. Como en los viejos tiempos, Keith Landry. Deja que lo haga.

—¿Por qué?

—Me gustas. No me gustó el jefe Baxter. No me gusta lo que hizo. Quiero que seas feliz. Un hombre feliz toma decisiones acertadas. —Keith tampoco dijo nada—. Piensa, por lo menos, en los Porter. Tienen un policía en el vestíbulo. Yo lo arreglaré por ti y por ellos.

—Ya lo arreglaré yo —dijo Keith—. ¿Dónde están los Porter?

—Haciendo unos recados.
—¿Y dónde los están haciendo?
—En Antioch. Los he enviado para allá. Me comentaron las normas de conducta sexual de Antioch. Me partí de risa. Pero no tiene gracia. La verdad es que me son muy simpáticos. Prometieron votar republicano la próxima vez. ¿Quieres otro zumo? Ahora mismo te lo sirvo.
—No. Tienes que irte.
—Como quieras. —Charlie dejó el vaso de zumo en el suelo y se levantó. Después, se sacó un sobre del bolsillo diciendo—: Tengo mil dólares para ti.
—No quiero el dinero del Tío Sam.
—Es dinero de mi propio bolsillo.
—No, no te creo.
—Bueno pues, es un anticipo del cheque de tu retiro.
—Guárdatelo.
Charlie se encogió de hombros y se volvió a guardar el sobre en el bolsillo.
—La confianza en uno mismo, la hidalguía y el espíritu caballeresco ya han muerto, Keith.
—Perdóname la presunción, pero no morirán mientras yo viva.
—Pues entoces habrán muerto mañana. Muy bien, he hecho todo lo que he podido. Buena suerte, amigo mío.
Se estrecharon la mano y Charlie Adair se alejó, cruzando el patio y los huertos para perderse en el maizal como una especie de espíritu etéreo, precisamente el efecto que buscaba Charlie, como Keith sabía muy bien. A Keith le gustaban los hombres con estilo, pero a veces Charlie se pasaba un poco.
Keith clavó los ojos en la muralla de maíz y, al poco rato, vio moverse y a continuación aplanarse los altos tallos mientras Charlie Adair abandonaba el maizal en un Ford Taurus de color gris.
Charlie atravesó un parterre de flores y el césped y se detuvo cerca de Keith.
—Estoy en el motel Maple.
—Buena elección.
—No ha sido una elección. Debe de ser una mujer extraordinaria.
—Lo es.
—¿Es tan buena como esa que no sé cómo se llama de Georgetown?
—No recuerdo a esa que no sabes cómo se llama de Georgetown.
—Bueno pues, si es tan buena como ella, se merece una oportunidad mejor que la que tú le ofreces.
—Tengo que prescindir de tu ayuda y de la del Tío. Keith ya aprenderá a resolver él solito sus problemas.

—Como gustes. El maldito problema lo has creado tú. —Keith no contestó—. Hablo en serio, Keith —añadió Charlie—, un tío que ha entrado y salido en secreto una docena de veces de la Alemania del Este, ¿ni siquiera es capaz de fugarse del maldito Ohio? Vamos, hombre.

—No me pinches que no estoy de humor.

—No tienes por qué demostrar nada. Estás jodido y necesitas ayuda. No tiene nada de malo. Tu mayor problema es que tienes demasiado orgullo. Nunca fuiste un buen jugador de equipo, Keith. Me sorprende que no te mataran o te pegaran un tiro hace tiempo. Bueno, te has pasado demasiados años engañando a la muerte por todo el mundo... no vayas ahora a convertirte en fiambre en tu propia casa.

—Te agradezco el interés.

—Vete al carajo, Keith.

Charlie pisó el acelerador y se alejó cruzando el patio para salir a la calle.

Keith tenía la sospecha de que no sería la última vez que viera a Charlie Adair.

37

Al volante del vehículo azul y blanco de la policía, Keith circulaba en dirección oeste a través de una recta y llana carretera rural con anchura apenas suficiente para el paso de dos automóviles. Las altas paredes del maizal le producían la impresión de estar conduciendo en el interior de una profunda trinchera.

Keith se había puesto la gorra y la camisa de Ward, pero, de momento, no se había cruzado con ningún otro vehículo de la policía o del *sheriff* desde que saliera de la casa de los Porter. No olvidaba, sin embargo, la posible presencia de los delegados del *sheriff* con sus automóviles particulares, pero tampoco había visto a ningún miembro de la vigilancia montada. Sabía que el condado de Spencer era muy extenso, aproximadamente mil kilómetros cuadrados, y que la distancia entre la casa de los Porter y la granja Cowley era sólo de unos quince kilómetros. Con un poco de suerte, podría llegar allí, aunque no sabía lo que iba a encontrar cuando llegara.

Keith había invitado al oficial Ward a establecer comunicación radiofónica con la jefatura central y facilitar un informe de situación y el sargento Blake le había echado una bronca por permanecer tanto tiempo fuera del coche. El pobre Ward, apuntado en la cabeza con su propio revólver y con las manos esposadas a la espalda, la ingle ligeramente dolorida y su sargento dándole caña, era un hombre realmente desgraciado. Ahora, pegando brincos en el interior del portamaletas, debía de sentirse todavía más desgraciado, pensó Keith. Pero de eso tenía la culpa el propio oficial Ward y allá él con su problema, que, por cierto, no era el más grave que tenía en aquellos momentos, como tampoco lo era para Keith.

La carretera rural terminaba en el cruce T de la carretera 8 y Keith siguió por esta última.

Mientras se acercaba a la granja Cowley, Keith vio a cinco hombres a caballo, armados con rifles y acompañados de unos perros, saliendo a la carretera de entre unos arboles. Aminoró la velocidad para dejarles cruzar y todos se saludaron con la mano. Uno de los vigilantes montados refrenó su caballo y se acercó a él. Keith no sabía si el jinete conocía de vista a todos los agentes del cuerpo, pero sí sabía que los pantalones azules de Armani no iban a superar la inspección, por no hablar del problema del oficial Ward que, de vez en cuando, soltaba puntapies y pegaba gritos.

Mientras el jinete se acercaba, Keith volvió a saludarle con la mano y aceleró al pasar por su lado como si no se hubiera dado cuenta de que el hombre deseaba hablar con él. Miró por el espejo retrovisor y vio que el jinete se lo había quedado mirando.

Pasó por delante de la granja Cowley y vio la camioneta azul de Billy Marlon cerca de la casa. Recorrió un par de kilómetros más y dio media vuelta para regresar.

Los de la vigilancia montada ya estaban muy lejos. Keith enfiló la calzada de la granja y después rodeó la camioneta y se dirigió en línea recta hacia un viejo establo de vacas. Golpeó la puerta de doble hoja y ésta se abrió hacia adentro. Pisó el freno, pero no a tiempo para evitar el choque con un montón de bidones de leche, los cuales cayeron en medio de un ruido ensordecedor.

Ward gritó algo desde el interior del portamaletas.

Keith apagó el encendido, se quitó la gorra y la camisa de Ward y se ajustó el cinto del revólver del agente. Tomó su rifle M-16 y la escopeta de caza de la policía, rodeó el automóvil y dio unas palmadas al portamaletas.

—¿Está usted bien?

—Sí. Déjeme salir.

—Más tarde.

Keith salió del establo y vio a Billy Marlon, acercándose a él.

Marlon echó un vistazo al vehículo de la policía en el establo y miró a Keith, diciendo:

—Jesús.

—No te hagas ilusiones que no lo soy. ¿Estás solo?

—Sí...

—Entremos en la casa.

Keith le dio a Marlon la escopeta para que le ayudara a llevar la carga.

Billy Marlon estaba comprensiblemente alterado y confuso, pero siguió a Keith a la casa.

—Oye, ¿sabes que te están buscando? —le dijo.

—¿Quién vino?

—Ese hijo de puta de Krug. Me preguntó si te había visto y yo le contesté que ni siquiera sabía quién coño eras.

—¿Y se lo creyó?

—Más o menos. Me recordó que tú me habías ayudado en aquel roce que tuve con la ley... ah, por cierto, gracias por el dinero. Lo encontré. Pensaba que ya te habías ido.

—He vuelto. ¿Estás sereno?

—Por supuesto que sí. Cuando estoy sin blanca, no puedo beber. —Billy miró a Keith—. ¿Qué te ha pasado?

—Me emborraché y me caí por la escalera.

—¿En serio? Otra cosa, ayer vino un tío, no recuerdo su nombre, dijo que era amigo tuyo y que los Porter le habían dicho que, a lo mejor, estabas aquí...

—¿Charlie?

—Sí... muy elegante, cabello rubio, presumido...

—Charlie.

—Sí. Te buscaba. Le mostré la nota que me habías dejado y le dije que te habías ido, pero él insistió en que tenías que estar por aquí. ¿Qué es lo que ocurre? ¿Y para qué es toda esta quincalla?

—No dispongo de mucho tiempo, Billy. Necesito tu ayuda.

—Todo lo que yo tengo es tuyo.

—Muy bien. Necesito la camioneta y unas botas. ¿Tienes un uniforme de camuflaje?

—Sí.

—¿Prismáticos y brújula?

—También. ¿Vas de caza?

—Sí. Tengo que irme enseguida.

—Sube arriba.

Entraron en la casa y subieron a un pequeño dormitorio.

Billy sacó del armario su equipo de caza y Keith se quitó el traje y los zapatos.

—Quémalos —le dijo a Marlon.

—¿Que los queme...?

—Quema todo lo que yo deje aquí.

Keith se probó los pantalones del uniforme de camuflaje cuya limpieza dejaba mucho que desear, pero, para un hombre que llevaba sin bañarse desde el domingo por la mañana, era más que suficiente, pensó. Las botas le iban bien, al igual que la camisa. Billy le dio un llamativo chaleco de visibilidad de color anaranjado, que él aceptó a pesar de no tener la menor intención de utilizarlo. Mientras Keith se vestía, Billy le dijo:

—Voy contigo.

—Gracias, pero quiero cazar solo.

—¿Qué vas a cazar?

—Zorros. —Keith se ató los cordones de las botas y se levantó. Recordó los tres perros de Baxter. En el patio de Williams Street había una perrera y él no había visto en la casa ningún indicio de que los perros vivieran dentro. Llegó a la conclusión de que, si los perros vivían fuera en Williams Street, también pasarían toda la noche fuera en el pabellón—. ¿Sabes cazar con arco o ballesta?

—No. Yo prefiero el rifle. ¿Y tú?

—También.

A pesar de su exótico adiestramiento, Keith no sabía nada de arcos y flechas, cerbatanas, hondas, lanzas o boomerangs. El único sistema silencioso de matar que le habían enseñado era el cuchillo y la estrangulación, la cual no hubiera dado resultado en un perro. No tenía silenciador para el M-16 y Billy no tenía una ballesta. Pero ya se preocuparía por eso más tarde.

—Es muy difícil cazar zorros con arco —dijo Billy—. Lo he visto hacer con ballesta.

—Sí, claro. Bueno pues, gracias por todo. Mañana o pasado te devuelvo la camioneta.

—Oye, Keith, puede que yo sea un cabeza de chorlito, pero en estos momentos estoy completamente sereno.

Keith y Billy Marlon se miraron fijamente a los ojos.

—Cuanto menos sepas, mejor —dijo Keith, encaminándose hacia la puerta.

Marlon lo sujetó por el brazo.

—Recuerdo algo de lo que ocurrió aquella noche en John's Place y en el parque y después cuando me acompañaste a casa en tu coche —le dijo.

—Tengo que irme, Billy.

—Él se tiró a mi mujer... mi segunda mujer. Yo la quería... y ella me quería a mí y éramos muy felices, pero el muy hijo de puta se interpuso entre nosotros. Después de lo ocurrido, tratamos de hacer las paces..., ¿comprendes? Pero yo no podía soportar lo que había pasado y me di a la bebida y la empecé a maltratar. Ella se fue... me dijo que todavía me quería, pero que lo que había hecho estaba mal y comprendía que yo no la pudiera perdonar... —Billy dio repentinamente media vuelta y soltó un puntapie contra la puerta del armario, astillando la madera—. ¡Mierda!

—Cálmate —dijo Keith, respirando hondo mientras pensaba en los graves daños que habían causado las aficiones carnales y la corrupción moral de Cliff Baxter—. ¿Cómo se llamaba tu mujer? —le preguntó a Billy.

Todavía de espaldas, Billy contestó:

—Beth.

—¿Y dónde está Beth ahora?

Billy se encogió de hombros.

—No lo sé... en Columbus, creo. —Volviéndose a mirar a Keith, añadió—: Sé adónde vas. Voy contigo. Tengo que ir contigo.

—No. No necesito ayuda.

—No lo hago por ti sino por mí. Por favor.

—Es peligroso.

—Yo ya estoy muerto. Ni siquiera notaré la diferencia.
Keith miró a Billy Marlon y asintió con la cabeza.

Keith entró en el establo y, con un hacha que Marlon le había facilitado, abrió unos respiraderos en la cubierta del portamaletas del vehículo de la policía. A través de ellos le dijo a Ward:
—Dé gracias de que es un Fairlane y no un Escort.
—Váyase a la mierda, Landry.
Keith sacó el vehículo de la policía del establo y regresó a la carretera 8, volviendo por el camino por el que había llegado hasta allí. No quería dejar ninguna prueba de su relación con Billy Marlon y con la camioneta de Marlon.
Se apartó de la carretera, cruzó por encima de una zanja de desagüe y se adentró por un camino de tractores entre dos maizales. Unos cincuenta metros más allá, ya invisible desde la carretera, se detuvo y apagó el encendido.
Descendió del vehículo y le dijo a Ward:
—Llamaré desde Daytona y les diré dónde está usted. Pero tardaré un buen rato, por consiguiente, tómeselo con calma. Vaya pensando en un retiro anticipado.
—¡Oiga! ¡Espere! ¿Dónde estoy?
—En el portamaletas.
Keith regresó a pie a la carretera y allí se reunió con Billy Marlon, el cual le estaba esperando en la camioneta.

Billy iba al volante de la camioneta, una Ford Ranger azul de diez años, y Keith ocupaba el asiento del copiloto, con un sucio sombrero de ala ancha bien encasquetado en la cabeza.
En el espacio de almacenamiento detrás de los asientos estaba todo el equipo de caza, los ponchos de lana para resguardarse del frío de Michigan, el rifle M-16 y la mira telescópica, la escopeta de caza de la policía de Spencerville, el revólver de reglamento del oficial Ward y el rifle de caza de Billy Marlon, un M-14 de cuatro aumentos, procedente de los excedentes del Ejército. Keith llevaba también la cartera con su pasaporte, los documentos más importantes, un poco de dinero y algunas otras cosas. Se le ocurrió pensar que eso era prácticamente todo lo que poseía en el mundo, más o menos lo mismo que tenía cuando se fue de Spencerville para incorporarse al Ejército media vida atrás.
Mientras circulaban por la carretera, Keith le dijo a Billy:
—Baxter tiene consigo tres perros de caza.
—Mierda.

—Piénsalo.
—Lo pensaré —dijo Billy—. ¿Adónde vamos?
—A Michigan. La zona norte.
—Ah, ¿sí? Yo suelo cazar por allí. Hay unos mapas muy buenos en la guantera.
Keith sacó los mapas y localizó el lago Grey en el extremo norte de la península. Ya era casi la una, llegarían a Atlanta sobre las siete y, con un poco de suerte, encontrarían el pabellón de caza de Baxter en el lago Grey en cuestión de una hora.
Por la carretera Keith vio dos vehículos de la policía de Spencerville, otro grupo de vigilantes montados y un automóvil del *sheriff* del condado de Spencer. En cada una de las ocasiones se agachó en el asiento y nadie pareció prestar la menor atención a la vieja camioneta. Billy llevaba una gorra John Deere inclinada sobre los ojos y Keith le había dicho que no mirara a los agentes a la cara, pues todos le conocían de sus noches de borrachera en la taberna.
—¿Conocen esta camioneta? —preguntó Keith.
—No... nunca me han puesto una multa ni nada. Cuando bebo, voy a pie. Casi nunca utilizo la camioneta para bajar a la ciudad.
—Bueno..., si nos ordenan detenernos, obedece. No podemos escapar de la policía en este cacharro.
—Que se vayan al carajo —replicó Billy—. Yo no pienso aguantarles más mierdas a esos hijos de la gran puta.
—Abrirán fuego. Los conozco muy bien.
—Que se jodan. Abrirán fuego de todos modos. Además, ellos llevan unos Fairlanes y, cuando yo me meta entre los maizales con este trasto, ya nadie nos podrá seguir.
—De acuerdo. Tú entiendes de eso más que yo.
Keith miró a Billy un instante. El tío valía mucho más de lo que a él le había parecido cuando estaba borracho. Además, Billy tenía ahora una misión que cumplir y, aunque ambos hubieran seguido caminos distintos desde sus tiempos en el instituto y en Vietnam, ahora se encontraban de nuevo en el mismo camino y con el mismo objetivo.
—Llegaremos al norte de Michigan, mi teniente —dijo Billy—. Por cierto, firmaste «coronel» en la nota. ¿Ahora eres coronel?
—A ratos.
Marlon soltó una carcajada.
—¿De veras? Yo soy sargento. Gané tres galones antes de irme. No está mal, ¿verdad?
—Debías de ser un buen soldado.
—Lo era... vaya si lo era.
Al cabo de un rato, Keith le dijo a Marlon:
—Habían bloqueado la carretera en el límite del condado.

—Sí, lo sé. Pero tiene que haber unos cincuenta o sesenta caminos vecinales que salen de este condado. No los pueden bloquear todos.

—No. Vamos a tomar uno.

—Ya sé cuál. La calle 18... casi siempre llena de tierra y barro por culpa de los malos desagües. Muchos coches suelen quedarse atascados y los chicos de Baxter tienen que mantener impecables los coches adquiridos en Baxter Motors. —Billy soltó una carcajada—. Son unos gilipollas.

Marlon giró al este y entró en una carretera rural asfaltada. Al cabo de un minuto, giró a la derecha y se dirigió al norte por un camino de grava lleno de surcos, la calle 18.

Diez minutos más tarde terminaron los maizales y se encontraron en una herbosa zona llana, vestigio del antiguo Pantano Negro. El camino estaba embarrado y la camioneta avanzó en medio del negro y resbaladizo cieno.

Cinco minutos más tarde, Billy dijo:

—Ya hemos salido del condado de Spencer.

Keith no había visto ninguna indicación, pero suponía que Billy estaba familiarizado con la zona. Sacó un mapa de Ohio de la guantera diciendo:

—Vamos a tomar carreteras secundarias hasta el Maumee y después quizá tomaremos la carretera 127 hasta Michigan.

—Sí, es el mejor camino.

Siguieron adelante en dirección oeste y norte, utilizando toda una serie de carreteras que cruzaban un fértil territorio de interminables maizales, pastizales y prados. Ahora que se iba quizá para jamás volver, Keith quería grabárselo todo en la mente: las señalizaciones de los caminos, los nombres de las familias en los graneros y los buzones del correo, las cosechas y los animales, la gente, los vehículos, las casas y toda la sensación de aquella tierra cuyo conjunto era en realidad mucho más grande que la suma de sus partes... *Y el final de todas nuestras exploraciones será llegar al lugar donde empezamos y conocerlo por primera vez.*

Circularon media hora más sin apenas decir nada que no guardara relación con el tema de las carreteras y la policía.

Keith estudió el mapa y vio que casi todos los puentes que cruzaban el río Maumee estaban localizados en las ciudades más grandes, pero él no quería atravesar ninguna ciudad. Vio un puente cerca de una pequeña aldea llamada The Bend y le pidió información a Billy.

—Sí, el puente sigue allí. Tiene un límite de peso, pero, si acelero, lo podremos cruzar antes de que se derrumbe.

Keith no estaba muy convencido de que los conocimientos de física de Billy fueran correctos, pero merecía la pena echar un vistazo al puente.

Se acercaron al pequeño puente de caballetes y, antes de que Keith pudiera ver una indicación de límite de peso o estudiar la solidez de la estructura, Billy aceleró y, en menos de diez segundos, cruzaron el Maumee.

—Creo que este puente estaba cerrado al tráfico de vehículos de motor —dijo Keith.

—Ah, ¿sí? Pues no lo parecía.

Keith se encogió de hombros.

Atravesaron The Bend en menos tiempo que el utilizado para cruzar el puente y tomaron la carretera nacional 127 en un pueblo llamado Sherwood. Eran las dos de la tarde y faltaban unos cincuenta kilómetros para llegar al estado de Michigan y unos cuatrocientos kilómetros o más para llegar al lago Grey.

La carretera 127 pasaba por Bryan, Ohio, pero ellos se desviaron de la pequeña localidad y regresaron a la autopista unos cuantos kilómetros más al norte. Era la última ciudad importante de Ohio y, de hecho, después de Lansing, en el sur de Michigan, la carretera 127 ya no pasaba por ninguna ciudad importante hasta llegar al extremo de la península. Veinte minutos después, un letrero les dio la bienvenida a Michigan, «la Tierra de los Lagos». Pero a Keith sólo le interesaba uno.

Keith observó que no había grandes diferencias territoriales o topográficas entre el norte de Ohio y el sur de Michigan, pero sí diferencias en las señalizaciones y el asfaltado de las carreteras, tan sutiles que, si uno no hubiera reparado en el letrero de Michigan, le hubieran podido pasar inadvertidas. Y sobre todo, pensó Keith, cualquier interés residual que pudiera tener para él el estado de Ohio, probablemente no se extendía más allá de aquel letrero. El cruce de aquella frontera no era el equivalente emocional de los antiguos cruces de la frontera entre el este y el oeste en Europa, pero, aun así, Keith experimentó una sensación de alivio y empezó a relajarse un poco. Al cabo de media hora, el territorio empezó a cambiar. Las tierras de labor empezaron a ceder el lugar a las verdes colinas, los pequeños valles y las arboledas, sobre todo, robles, nogales americanos, hayas y arces. Los colores del otoño eran allí más intensos que en Ohio. Keith no había estado en Michigan desde los tiempos en que él y Annie iban a ver el partido entre el equipo de la universidad del Estado de Ohio y Michigan en Ann Arbor o entre Bowling Green y Michigan Oriental en Ypsilanti. Recordó aquellos mágicos fines de semana que constituían no sólo una pausa en las clases sino también en las guerras y los disturbios del campus, unos fines de semana sin discusiones ni manifestaciones, como si todo el mundo se hubiera puesto de acuerdo en vestir y comportarse con normalidad para asistir a un tradicional partido de fútbol americano el sábado por la tarde.

Dejó que sus pensamientos volaran hacia Annie, pero enseguida se dio cuenta de que no sería bueno ni provechoso. El objetivo era el lago Grey, la misión era arreglarle las cuentas a Cliff Baxter no sólo por él mismo sino también por Annie y el hecho de pensar en ella significaba que no se estaba concentrando lo suficiente en el problema.

—¿A qué parte del norte de Michigan vamos exactamente?

—No lo sé muy bien.

—¿Pues cómo vamos a llegar?

—Ya nos las arreglaremos. ¿Recuerdas aquella frase del Ejército? No sé dónde estamos...

—Sí. —Billy sonrió al recordarla—. No sé dónde estamos ni qué estamos haciendo, pero esta vez lo estamos haciendo muy bien —dijo, soltando una carcajada.

Keith creyó que Billy ya se había dado por satisfecho con su respuesta, pero, al poco rato, Billy preguntó:

—¿Está solo Baxter?

Keith reflexionó un instante antes de contestar:

—No creo que haya otros hombres con él.

—¿Dónde está la señora Baxter? —preguntó Billy, tras pensarlo un minuto.

—¿Por qué lo preguntas?

—Pues... porque me enteré de lo del secuestro a través de la radio. La radio dijo que tú la habías secuestrado —añadió Billy, mirando a Keith.

—¿Y tú qué crees?

—Bueno, está más claro que el agua que los dos os fugasteis. Lo sabe toda la ciudad. —Keith no dijo nada—. Lo que ya no acierto a comprender es lo que ocurrió después.

—¿Tú qué crees que ocurrió?

—Pues... supongo que él os pilló... eso explicaría los cortes y las magulladuras que tienes en la cara. Pero no explica por qué uno de vosotros no está muerto.

—Lo intentamos —dijo Keith.

—Ya me lo imagino. Supongo que eso debe de ser el segundo asalto.

—El segundo o el tercero o el cuarto o el quinto. Nadie los ha contado.

—Y supongo que será el último.

—Estoy seguro de que sí.

—¿Lo vas a matar?

—Preferiría no hacerlo —contestó Keith tras dudar un poco.
—¿Por qué no?
—Sería hacerle un favor.
Billy asintió en silencio.
—Si te llevo conmigo hasta el final —dijo Keith—, tendrás que cumplir mis órdenes. ¿De acuerdo?
Billy asintió con la cabeza.
—No le oigo, soldado.
—Sí, señor. —Tras una prolongada pausa, Billy preguntó—: Ella está con él, ¿verdad?
—Sí.
—Ya. O sea que nos lo tenemos que cargar sin hacerle ningún daño a ella.
—Exacto.
—No va a ser fácil.
—Más bien no.
—¿Tres perros?
—Creo que sí.
—¿Qué clase de material se habrá llevado?
—Todo lo que tú quieras. Es cazador y policía.
—Ya. ¿Tendrá instrumentos de visión nocturna?
—Probablemente sí. Por cortesía del Departamento de Policía de Spencerville.
—Muy bien..., supongo que estará escondido en una especie de cabaña o algo por el estilo en un lugar que conoce muy bien.
—Exacto. —Keith miró a Marlon. Utilizando la terminología médica, un médico hubiera dicho que el cerebro de Billy Marlon había sufrido los efectos de un prolongado consumo de alcohol, pero, en términos humanos, cualquiera que le conociera hubiera dicho que su espíritu había sufrido los efectos de los prolongados insultos de la vida. Y, sin embargo, no cabía la menor duda de que aquel día Billy Marlon había hurgado con gran lucidez en lo más hondo de su ser.
—Háblame de Beth —le dijo Keith.
—No puedo...
—Pues claro que puedes.
Billy permaneció en silencio unos minutos y después se sacó el billetero del bolsillo y buscó hasta encontrar una mugrienta foto que entregó a Keith.
Keith la estudió. La fotografía en color mostraba la imagen de la cabeza y los hombros de una agraciada mujer de treinta y tantos años con una corta melena rubia, ojos grandes y radiante sonrisa. Se sorprendió de que fuera tan guapa y no le extrañó lo más mínimo que el jefe Baxter se hubiera fijado en ella. En el condado de Spencer

abundaban las mujeres bonitas, pero él sabía muy bien por qué razón aquélla en concreto se había convertido en víctima de Baxter, y la razón estaba en el asiento de al lado. Dejando aparte la civilización y la educación, un hombre débil con una esposa excepcionalmente guapa no tenía más remedio que perderla —aunque sólo fuera transitoriamente— a manos de alguien como Cliff Baxter. Keith le devolvió la fotografía a Billy diciendo:

—Es muy guapa.

—Sí...

—¿Cuándo ocurrió?

—Hace un par de años.

—¿Ella se ha vuelto a casar?

—No creo. Figura en la guía telefónica de Columbus como Beth Marlon.

—Quizá vayas a verla cuando todo esto termine.

—Sí, quizá...

Al cabo de unos minutos, Billy pareció animarse un poco.

—Oye, vamos a contar alguna anécdota de la guerra.

Pero a Keith no le apetecía.

—¿Conoces esta carretera? —preguntó.

—Sí, la utilizo de vez en cuando. Hay muy buena caza en el Parque Estatal de Hartwick Pines. ¿Has estado alguna vez allá arriba?

—No, nunca había viajado tan al norte. ¿Recuerdas si hay alguna gasolinera por aquí?

—Vamos a ver... —Billy asomó la cabeza por la ventanilla—. A cosa de unos dos kilómetros de aquí. Oye, ¿vamos a subir muy arriba?

—Cerca de la punta de la península. Un par de horas más, calculo. No hace falta que me acompañes hasta el final —añadió Keith—. Te puedo dejar en un motel y regresar después por ti.

—Ah, ¿sí? ¿Y si no regresas?

—Regresaré.

Billy esbozó una súbita sonrisa.

—Estás muy seguro. Oye, ¿sabes lo que podemos hacer? Nos cargamos a ese malnacido, lo destripamos y regresamos a Spencerville con él atado en la baca de la camioneta como si fuera un venado. ¿Qué te parece?

—No me tientes.

Billy soltó un aullido de entusiasmo y se dio unas palmadas en el muslo.

—¡Sí! ¡Sí! Lo paseamos por la calle Mayor haciendo sonar el cláxon, Baxter desnudo y con el trasero al aire mientras los malditos lobos se comen sus entrañas en Michigan.

Keith no quiso prestar atención a aquel sanguinario estallido, no porque le pareciera repugante sino porque no se lo parecía en absoluto.

Vio la gasolinera un poco más adelante y se la indicó a Billy. Le dio dinero para unos bocadillos y, mientras Billy bajaba para entrar en el edificio, él se sentó al volante.

El empleado llenó el depósito y Keith le pagó mientras Billy iba al lavabo.

Keith estuvo tentado de dejar a Billy Marlon allí y no porque estuviera quemado... Él sabía muy bien lo que era estar quemado y valoraba muchísimo el hecho de que Marlon hubiera sabido estar a la altura de las circunstancias a pesar de todo. Lo malo era que, en aquellas circunstancias se incluían los asuntos personales de Billy y su presencia añadía otra dimensión al problema.

Sin embargo, en un momento de debilidad, él había confesado el objeto de su expedición de caza y ahora Billy sabía demasiado y no se le podía dejar suelto por allí.

Billy regresó a la camioneta y se acomodó en el asiento del copiloto. Miró a Keith y le dio a entender que estaba acostumbrado a que lo engañaran y lo dejaran en la estacada.

—Gracias —le dijo.

Keith regresó a la carretera 127.

Las granjas eran cada vez más escasas y las colinas cada vez más altas y boscosas. Los robles y los arces habían perdido casi todas las hojas y los álamos y los abedules estaban casi pelados. Keith observó que abundaban los árboles de hoja perenne, los pinos blancos y rojos y los abetos, algunos de ellos gigantescos. La señalización del límite de condado había indicado una población de 6.200 habitantes, aproximadamente una décima parte del condado de Spencer, considerado una región rural.

Verdaderamente, aquél era un lugar remoto y deshabitado, por el que no había pasado la gran oleada de los pioneros en su camino hacia el oeste.

El día estaba empezando a declinar y los árboles arrojaban alargadas sombras sobre las colinas. Fuera reinaba el silencio y, exceptuando algún pequeño rebaño en la ladera de una colina, todo parecía inmóvil.

—¿Crees que ella está bien? —preguntó Billy. Keith no contestó—. Él no le habrá hecho daño, ¿verdad?

—No. La quiere.

Billy permaneció un minuto en silencio y después comentó:

—Me parece imposible que un ser tan egoísta pueda querer a alguien.

—Bueno, quizá «querer» no sea la palabra más adecuada. Por el motivo que sea, la necesita.

—Sí, creo que ya sé lo que quieres decir. Ella es una buena chica.

En Gaylord, en el condado de Ostego, Keith giró al oeste por la carretera 32 y, veinte minutos después, a las siete y cuarto de la tarde, llegaron a Atlanta, la principal localidad de la zona, con una población de unas seiscientas personas.

—Pararemos para poner gasolina —le dijo Keith a Billy—. No hagas ningún comentario sobre el lago Grey.

Keith se acercó a la gasolinera y llenó el depósito, pensando que dejaría el lago Grey a una hora muy tardía y con destino desconocido.

El empleado les dio conversación y Billy le explicó que iban a cazar patos a Presque Isle.

Keith entró en la cabina telefónica y marcó el número de Baxter en Spencerville. Tal como Terry le había dicho, la llamada fue desviada automáticamente y una voz contestó:

—Departamento de Policía de Spencerville, sargento Blake al habla.

—Blake —dijo Keith—, aquí su viejo amigo Keith Landry. El coche y el hombre que les faltan están en un maizal cerca de la carretera 8, lado norte, a cosa de unos dos kilómetros al oeste del límite de demarcación de la ciudad.

—¿Cómo...?

Keith colgó el aparato. Se sentía obligado a hacer la llamada para que sacaran a Ward del portamaletas antes de que los campesinos lo encontraran muerto. Dudaba de que su llamada a casa de Baxter desde Michigan, desviada a la jefatura central de policía, quedara registrada en algúna pantalla de localización de llamadas del Departamento de Policía de Spencerville. Por regla general, no hubiera sido tan caritativo ni siquiera en el caso de que él no hubiera corrido el menor riesgo, pero no quería que Ward muriera. Cuando la policía lo encontrara, Ward les diría que él estaba en Daytona. La policía de Spencerville alertaría a la policía del estado de Ohio para que buscara al fugitivo en los aeropuertos de la zona o en Florida. No había ninguna razón para que pensaran en el lago Grey o en Billy Marlon y en la camioneta. Esperaba que no.

También quería saber si alguien contestaba al teléfono en casa de Baxter. Basándose en lo que Terry le había dicho, sin contar la pista de Atlanta —la Atlanta de Michigan— que Annie había dado, Keith pensaba que Baxter estaba en el lago Grey. Pero, por otra parte, temía que fuera un engaño, aunque le parecía excesivamente complicado y sofisticado como para que se lo hubiera inventado Cliff Baxter. Keith sabía que su problema era el hecho de haber vivido demasiado tiempo en una selva de espejos en la que miles de chicos inteligentes se gastaban unos a otros unas jugarretas extremadamente complicadas y elaboradas. Pero aquello era distinto. Baxter estaba en el único lugar que podía estar...: su pabellón de caza del lago Grey; y estaba solo con Annie y no sabía que Keith Landry se encontraba en camino hacia allá. Ya más tranquilo, Keith apartó aquella idea de su mente y pensó en su problema más inmediato.

Entró en el pequeño despacho y le dijo al empleado:

—Quisiera comprar una buena ballesta.

—Un leñador llamado Neil Johnson vende material deportivo —contestó el empleado—. De primera y de segunda mano. En efectivo. Ahora ya está cerrado, pero le puedo llamar si usted quiere.

—Muy bien.

El hombre efectuó una llamada y habló con Neil Johnson, el cual debía de estar cenando y preguntaba si el caballero en cuestión podía esperar un ratito.

—Preferiría seguir viaje enseguida —le dijo Keith al empleado—. No lo entretendré demasiado.

El empleado se lo dijo al señor Johnson y fijó la cita, indicándole a Keith el camino de la tienda de artículos deportivos de Neil. Keith le dio las gracias y subió a la camioneta.

—¿Qué pasa? —le preguntó Billy.

—Vamos a comprar una ballesta.

Keith salió de la gasolinera y giró hacie el este.

—¿No habría alguna manera de matar a Baxter sin necesidad de matar a sus perros? —preguntó Billy.

—Ya veremos.

Por supuesto que se podría apuntar a Baxter desde cien metros de distancia o más con el M-16 y la mira de cuatro aumentos, pensó Keith. Pero no era eso lo que él quería; él quería mirar a Baxter a los ojos.

Keith encontró la casa de Johnson, un pequeño edificio de madera en las afueras de Atlanta, que era como decir a unos pocos centenares de metros de la calle Mayor, y entró en la calzada.

Unos perros ladraron y se encendió la luz del porche. Keith y Billy bajaron de la camioneta y les recibió un hombre alto y nervudo masticando todavía la cena, el cual se presentó como Neil. Keith se presentó a sí mismo y a Billy como Bob y Jack. Neil estudió la vieja camioneta un segundo y después miró a Keith y Billy, tratando seguramente de establecer si merecía la pena perder el tiempo con ellos.

—Son ustedes de Ohio —dijo.

—Sí —contestó Keith—. Me gustaría probar con la ballesta.

—¿Con la ballesta? Pero eso no es un deporte, hombre. Mejor un arco.

—Es que no soy arquero. Sólo quiero cazar zorros.

—Ah, ¿sí? Bueno pues, tengo una ballesta que ahora mismo le voy a enseñar. Pasen.

El hombre acompañó a Keith y a Billy a una especie de almacén convertido en una tienda de artículos deportivos. Neil encendió las luces fluorescentes. En la pared de la derecha del alargado edificio había gran cantidad de armas, equipos de caza y municiones de todo tipo. El señor Johnson, pensó Keith, hubiera podido equipar a todo un batallón de infantería. El lado izquierdo de la tienda estaba dedicado a los equipos de pesca, caza con arco, prendas deportivas, tiendas de campaña y otros artículos de caza. Keith no vio raquetas de tenis ni zapatillas de atletismo.

En aquellos momentos, Keith no tenía demasiada prisa, pues sabía que lo que iba a hacer en el lago Grey tendría que esperar hasta las primeras horas de la madrugada. Aun así, quería ponerse en marcha cuanto antes. Sin embargo, en un pueblo de seiscientos habitantes, uno no se podía andar con prisas y cualquier compra, por sencilla que fuera, se tenía que tratar como si fuera el negocio del siglo.

Tras una breve charla intrascendente, Neil Johnson le entregó una ballesta a Keith, diciendo:

—Ésta es de segunda mano, fabricada en fibra de vidrio por una empresa llamada Pro Line. Muy buena.

Keith examinó el arma, consistente en un pequeño arco montado al través sobre una especie de caja de rifle también de fibra de vidrio. El mecanismo del gatillo soltaba la cuerda tensada que a su vez enviaba la flecha a lo largo de un surco que discurría por la parte superior de la caja.

—Parece fácil —dijo.

—Sí. Demasiado. Eso no es un deporte. En pocos días será usted tan bueno como el mejor. En cambio, el arco exige muchos años de práctica.

A Keith le dio la impresión de que el señor Johnson despreciaba la ballesta y a cualquiera que la utilizara.

—Un leñador me dijo una vez —añadió Neil Johnson— que el Papa prohibió la ballesta en los tiempos de los caballeros, ¿sabe usted?, porque su uso se consideraba indigno de los cristianos.

—No me diga. ¿Aunque fuera para matar ratas?

—Eso ya no lo sé. Bueno, sea como fuere, el tiro es muy preciso. Hay que vencer una resistencia de unos veinticinco kilos, se amartilla apoyando la caja contra el pecho y tirando de la cuerda hacia atrás con ambas manos. Mire, yo se lo enseño. —Neil tomó la ballesta, echó la cuerda hacia atrás y la pasó por la lengüeta del gatillo. Colocó una flecha en el surco y apuntó hacia una polvorienta cabeza de venado montada en la pared del fondo, a unos nueve metros de distancia. La pequeña flecha salió disparada de la ballesta y traspasó la cabeza del venado entre los ojos, clavándose con un sordo rumor en el soporte de madera—. ¿Qué tal?

—Estupendo.

—Sí. Eso no lo podría hacer con un arco. La flecha se desplaza a una velocidad de sesenta metros por segundo, por lo que, si usted está guiando a un animal hacia su terreno, lo tiene que guiar un poco más y recordar que eso no es un rifle. Otra cosa... a una distancia de cuarenta metros, la flecha se inclina algo más de un metro y lo tiene usted que compensar. —Neil tomó una flecha diciendo—: Éstas son de fibra de vidrio con barbas de plástico y punta ancha para cazar. Van ocho en una caja. ¿Cuántas quiere?

Keith contempló el carcaj de plástico que Neil había dejado encima del mostrador y contestó:

—Llénelo.

—Muy bien. Serán veinticuatro. ¿Necesita alguna otra cosa?

—¿Se le puede acoplar una mira?

—¿Una mira? No les quiere dar ninguna oportunidad, ¿eh?

—No.

—Vamos a ver qué es lo que tengo por aquí. —Neil sacó una mira de arco de cuatro aumentos y, en diez minutos, la acopló a la ballesta—. ¿Quiere probar la puntería?

—Sí, claro.

—Le voy a poner un blanco. Retroceda hacia la puerta. Eso son unos veinte metros.

Keith tomó la ballesta, se colgó el carcaj del hombro y retrocedió hacia la puerta mientras Neil Johnson colocaba un blanco contra una bala de paja y se apartaba a un lado. Keith amartilló la ballesta contra su pecho, colocó la flecha, apuntó a través de la mira telescópica y apretó el gatillo. La flecha salió muy baja y él ajustó la mira y volvió a disparar. Al tercer disparo, consiguió colocar la flecha en la diana.

—Muy bien. ¿Qué precisión tiene esto a unos cuarenta metros de distancia?

—Casi dos veces más que el arco —contestó Neil—, lo cual significa que, desde una distancia de cuarenta metros, tendría usted que colocar todas las flechas en el interior de una diana de veinticinco centímetros.

Keith asintió con la cabeza.

—¿Y desde ochenta metros?

—¿Ochenta metros? Desde ochenta metros no verá usted ni siquiera una rata... bueno, con esta mira, parecerán veinte metros, pero, si con cuarenta metros hay una inclinación de más de un metro, puede que, con ochenta, la inclinación sea de unos tres metros.

Esto está hecho para disparar contra un blanco situado a cuarenta metros. Puede disparar una flecha hasta setecientos metros, si quiere, pero no dará en ningún blanco, como no sea accidentalmente en alguna vaca del granjero Brown.

—Ya... ¿y usted cree que podría alcanzar desde ochenta metros y con esta mira, por ejemplo a un perro asilvestrado que no se moviera, siempre y cuando no hubiera viento?

Neil se rascó la barbilla.

—Bueno... la flecha saldría disparada en línea recta, pero tiene que pensar en la inclinación. ¿Qué es lo que se propone?

—Los perros atacan a las ovejas de mi rebaño en Ohio. Cuando disparo con el rifle, los demás huyen. Y pienso que, con una ballesta, no se asustarán.

—¿Y por qué no envenena a los malditos bichos?

—No me parece muy cristiano.

Neil soltó una carcajada.

—Haga lo que quiera. —Tomó un lápiz y garabateó unos números en el mostrador de madera—. Vamos a ver..., la ballesta, veinticuatro flechas, incluida la que he disparado..., ¿la quiere?

—No.

—Bueno pues, el carcaj, la funda, la mira..., serán seiscientos dólares, impuestos incluidos.

—Me parece muy bien.

Keith contó el dinero, que era casi todo el que le quedaba en efectivo, y recordó los mil dólares de Charlie Adair, lo cual le llevó a pensar en su amigo y a preguntarse cuándo y cómo le volvería a ver.

Mientras Billy lo introducía todo en una bolsa de lona, Keith preguntó:

—¿Sube mucha gente de Ohio hasta aquí?

Neil contó el dinero y contestó:

—Sube mucha en verano y durante la temporada de caza. Después no viene casi nadie. ¿Adónde van ustedes?

—A Presque Isle.

—Ah, ¿sí? No es fácil cruzar las colinas de noche a menos que uno conozca el camino.

—Nos lo tomaremos con calma. Veo que vende comida para perros.

—Si. Vendo municiones, comida para perros, cebos para pesca y cosas de este tipo. La gente suele llevar sus propios rifles. —Neil recordó el comentario de Keith y le preguntó—: ¿Necesita comida para perro?

—No, pero un amigo mío suele venir por aquí con dos o tres perros y comen como lobos. Creo que es aquí donde les compra la comida.

—Sí, cuando les obligas a hacer ejercicio, les tienes que dar mucho de comer. Hace unos días estuvo aquí un tipo de Ohio y les compró comida a sus perros para varios meses.

—Puede que fuera mi amigo. Está allá arriba.

—Podría ser.

Cuando la conversación se estaba estancando, Keith añadió imprudentemente:

—Me gustaría comprarme una casita por aquí, pero primero quisiera hablar con unos tipos de Ohio que tienen una.

—Sí, es mejor. Ese tipo que por poco me deja sin comida para perros está allá arriba, en el lago Grey. Si se acerca hasta allí, ya verá la indicación. Se llama Baxter. ¿Es amigo suyo?

Keith observó que Billy abría unos ojos como platos.

—Sí —dijo—, a lo mejor iré a verle a la vuelta, pero no quisiera presentarme sin más si está con la señora.

—No vi a ninguna señora en el coche. —Keith no dijo nada—. Aunque tampoco vi ningún perro, lo cual quiere decir que primero debió de subir y después regresó aquí. Puede llamarle antes si quiere. Su nombre figura en la guía. Dígale que va de mi parte. Me compra cosas de vez en cuando.

—Gracias. Puede que le llame a la vuelta. Ahora tengo que llamar a mi casa. ¿Me permite usar su teléfono?

—Faltaría más, allí lo tiene, junto a la caja registradora.

Keith se acercó a la caja, descolgó el teléfono y marcó. Billy se quedó con Neil, hablando de armas y de caza.

—¿Diga? —contestó Terry.

—Terry, soy yo.

—¡Keith! ¿Dónde estás?

—Estoy aquí. Oye, tienes el teléfono pinchado.

—¿Mi teléfono?

—Sí, pero no por el Departamento de Policía de Spencerville sino por el Gobierno central.

—¿Cómo? ¿Por qué...?

—Eso no importa ahora. Llama mañana a tu abogado y que retiren el dispositivo. Otra cosa, sé que él está aquí arriba, lo cual significa que ella también está aquí. No me cabe la menor duda de que está viva —añadió para tranquilizar a Terry.

—Gracias a Dios... ¿qué vas a hacer?

—He hablado con la policía local y se han mostrado muy serviciales. Sólo quiero recordaros una vez más a ti y a Larry que no hagáis nada que pueda poner en peligro la situación. Tampoco les digas nada a tus padres por teléfono. ¿De acuerdo?

—Sí...

—Confía en mí, Terry.

—Confío...
—Mañana la devolveré a casa.
—¿Lo dices en serio?
—Sí.
—¿Y él? ¿Lo van a detener?
—Eso no lo sé. Supongo que, si ella presenta una denuncia, lo harán.
—Ella no lo hará. Lo único que quiere es librarse de él.
—Bueno, cada cosa a su tiempo. La policía de aquí quiere esperar hasta mañana y se comprende. Te llamaré mañana para darte la buena noticia.
—De acuerdo... ¿puedo llamarte esta noche?
—Buscaré un motel, pero sólo te llamaré si tengo más información.
—Muy bien. Ten cuidado.
—Lo tendré. Y ahora un mensaje para la gente que está grabando esta conversación... «Hola, Charlie... he llegado aquí sin tu ayuda, pero gracias de todos modos. Billy me ha echado una mano y, si algo me ocurriera, te ruego que te ocupes de él. ¿De acuerdo? De momento, ya tengo otro dragón. Hasta pronto.» Quédate tranquila, Terry. Recuerdos a Larry de mi parte.
—Gracias...
Keith colgó. Después él, Billy y Neil regresaron a la camioneta.
—Nos veremos la semana que viene a la vuelta —le dijo Keith a Neil.
—Que vaya bien.
Keith y Billy subieron a la camioneta y regresaron a la carretera.
—¿Lo has oído? —dijo Billy—. Baxter está en el lago Grey.
—Pues sí —contestó Keith, ya más tranquilo.
—¡Ya lo tenemos! Tú sabías que estaba allí, ¿verdad? —Keith no contestó. Tras una pausa, Billy preguntó—: ¿Crees que él sabe que le estás buscando?
—No me cabe la menor duda.
—Ya..., pero, ¿crees que él pueda saber que tú sabrás dónde encontrarle?
—Ahí está la cuestión.
Billy examinó la ballesta y enfocó el parabrisas a través de la pequeña mira telescópica.
—Es tan precisa como un rifle, pero eso de la inclinación no sé lo que es —dijo examinando la ancha punta de la flecha fabricada en acero de alta calidad—. Qué barbaridad, esta punta tiene casi tres centímetros de anchura. Eso debe de abrir un boquete tremendo en la carne. ¿Estás seguro de que quieres matar a los perros? —le preguntó a Keith.

—Ya me lo preguntarás cuando lleguemos.

—De acuerdo... oye, a lo mejor, podremos cargarnos a Baxter sin necesidad de usar este trasto.

—A lo mejor.

Tanto si lo matara con el M-16 desde cien metros de distancia como si lo hiciera con la ballesta desde cuarenta metros, el tipo estaría tan muerto como si él le hubiera cortado la arteria femoral con la navaja. Pero habría una diferencia en el informe de la acción por así decirlo. Lo pensó un poco, teniendo en cuenta el hecho de que Annie estaría presente cuando ocurrieran los hechos. Consideró también la posibilidad de no matar a Baxter. Buena parte de lo que ocurriera antes del amanecer escaparía a su control, pero él se sentía en la obligación de pensar en la vida después de la muerte... es decir, en su vida después de la muerte del otro tío. Siempre lo hacía, aunque las cosas rara vez salían como él quería. Uno procuraba evitar, sobre todo, disparar al tío por la espalda o en los cojones. Aparte estas pequeñas concesiones a la caballerosidad, cualquier otra cosa estaba permitida.

Sin embargo, Baxter era un caso especial y Keith deseaba estar lo bastante cerca de él como para aspirar su olor, mirarle a los ojos y decirle, «Hola, Cliff, ¿te acuerdas de mí?».

—¿Estabas distraído? —le preguntó Billy.

—Creo que sí. ¿Me he pasado algo por alto?

—No, pero gira a la izquierda al llegar a la bifurcación.

—Muy bien. —Keith giró a la izquierda y se dirigieron al norte, pasando desde Atlanta a un inmenso e intacto territorio de colinas, lagos, arroyos y pantanos.

—Recuerdo que las carreteras del mapa no siempre coinciden con las carreteras de la zona —dijo Billy.

—Ya lo comprobaremos. —Keith encendió la luz del techo y estudió el mapa. La región en la que estaban a punto de adentrarse era en buena parte propiedad del estado, unos trescientos kilómetros cuadrados de bosque, casi todos ellos sólo accesibles a través de caminos forestales o embarcaciones fluviales. Keith no veía ningún pueblo en el mapa. Apagó la luz y le entregó el mapa a Billy—. Guíame tú.

Billy sacó una linterna de la guantera y estudió el mapa.

—El pabellón de caza de Baxter se encuentra en el lado norte del lago Grey —dijo Keith.

Billy le miró, pero no le preguntó cómo lo sabía.

—Bueno pues... aquí veo una carretera que rodea el lado este del lago —dijo Billy—, pero no da la vuelta hacia al lado norte.

—Ya lo encontraremos.

—Sí, aquí la gente usa unos letreros de madera como aquel de allí, con sus nombres y una flecha que indica el camino..., ¿te has fijado «El Escondrijo de John y Joan.» ¿Sabes cómo se llama su casa? —preguntó Billy.

—No... mejor dicho, sí, creo que se llama «El Pabellón del Gran Jefe Cliff». Pero tengo la sospecha de que lo habrá quitado.

—Sí... a lo mejor tendremos que preguntar por ahí.

—No veo a ningún ser humano a quien preguntar, Billy.

—Siempre hay alguien. Y nos lo podrá indicar.

—Sí y, a lo mejor, avisa a Baxter de nuestra llegada.

—Es posible. Oye, tú siempre lo piensas todo de antemano, ¿verdad? Yo también tendría que hacerlo de vez en cuando.

—No te vendría mal. Podrías empezar ahora mismo.

Siguieron adelante a través de la estrecha y tortuosa carretera bordeada de altos pinos en medio de la oscuridad de la noche.

—¿Vienes a cazar alguna vez por aquí? —le preguntó Keith a Billy.

—De vez en cuando. Aquí hay venados, linces e incluso osos. También hay algunos lobos grises, pero tienes que conocer bien la zona, de lo contrario, te puedes perder. No es que esto sea el fin del mundo, pero casi casi. —Al cabo de unos minutos, Billy añadió—: Ahora toma esta pequeña carretera que hay aquí a la izquierda. Llega casi hasta el extremo norte del lago Grey. A partir de allí, tendremos que arrerglárnoslas como podamos.

—Bien.

Keith enfiló una estrecha carretera por la que apenas podía pasar la camioneta, la cual rozaba a ambos lados las ramas de los pinos. A la izquierda, a través de los árboles, Keith vislumbró el lago. Bajo el claro fulgor de una luna casi llena, el lago era efectivamente de color gris, como el peltre bruñido.

Debía de tener una anchura de algo menos de dos kilómetros y estaba enteramente rodeado de pinos con algún que otro desnudo abedul en las orillas. No se veían luces de embarcaciones ni de casas entre los pinos.

Era verdaderamente un paraje espectacular, pero muy alejado de las zonas de esparcimiento de Michigan. Keith se preguntó qué habría opinado Annie del hecho de que su marido se comprara una casa en aquella inhóspita región. Se le ocurrió pensar que, para unas personas acostumbradas a los interminables horizontes y a los claros cielos azules de la campiña, aquel lugar debía de resultar clastrofóbico y casi espectral y, en la temporada invernal, debía de ser un infierno. Pero Baxter debía de encontrarse muy a gusto allí, un lobo gris en su propio elemento.

Keith vio a través de los árboles una cabaña que parecía deshabitada y pensó que buena parte de los edificios debían de ser residencias de fin de semana. Que él supiera, no había en los alrededores del lago más seres humanos que él y Billy y que Annie y Cliff Baxter, lo cual le parecía muy bien. Antes de que amaneciera, la población del lago Grey se reduciría a cero.

La carretera se curvaba alrededor del lago. Keith lo vio una vez más a su izquierda antes de que la carretera volviera a girar al norte. Entonces se acercó al borde y se detuvo.

—Tiene que haber por aquí detrás un camino lo bastante ancho como para que pase la camioneta —dijo Billy.

—Seguro.

Como no podía dar media vuelta, Keith hizo marcha atrás buscando una abertura entre los pinos y la maleza. Vio unos postes en los bordes de la angosta carretera y trató de distinguir algún tendido eléctrico o cable telefónico que bajara desde allí hacia el lago.

Al final, introdujo la camioneta en un angosto espacio de desagüe, dejando sitio para el paso de otro vehículo. Bajó de la camioneta y Billy imitó su ejemplo. Hacía frío y se podía ver el aliento. Era una típica noche otoñal de los bosques norteños. No se oía el menor rumor de insectos, pájaros u otros animales y la oscuridad perduraría hasta que las primeras nieves iluminaran la tierra y los árboles.

Keith y Billy recorrieron unos cien metros, buscando una abertura entre los pinos lo bastante ancha como para que pudiera pasar un vehículo.

—A lo mejor, convendría que atravesáramos el bosque, bajáramos al lago y echáramos un vistazo por allí —dijo Billy.

—Sí, creo que sí. Vamos a sacar el equipo.

Keith estudió los postes mientras regresaban a la camioneta. De pronto, se detuvo, le dio a Billy una palmada en el hombro y señaló con el dedo.

Billy levantó la vista hacia el oscuro cielo. Una ardilla estaba avanzando por un cable eléctrico casi invisible entre las negras sombras de los pinos. El cable bajaba hacia el lago. Debajo había otro que debía de ser de las líneas telefónicas, pensó Keith.

—Eso baja al lago —dijo Billy—, pero siempre discurren a lo largo de un camino y yo aquí no veo ninguno.

Keith se detuvo junto al poste, se adentró entre los árboles, rodeó con sus manos el tronco de un pino blanco de unos dos metros y medio de altura. Lo sacudió y lo arrancó.

Bylly examinó la base del pino aserrado y dijo:

—Qué barbaridad... este tío debe de ser un guerrillero de Vietcong.

Keith dio un puntapie a otro pino y éste se cayó. Alguien, indudablemente Cliff Baxter, había camuflado el angosto camino sin asfaltar que conducía a su pabellón de caza, utilizando pinos cortados, todos ellos de dos metros y medio a tres metros de altura. Debía de haber unos doce, clavados en el suelo del camino a lo largo de una distancia de seis metros para dar la impresión de un bosque ininterrumpido. Aún conservaban el verde de las hojas, observó Keith, y lo conservarían durante varias semanas, pero estaban un poco inclinados y eran ligeramente más bajos que los restantes pinos que los rodeaban.

Keith observó también que el lugar donde el camino sin asfaltar se juntaba con la carretera estaba cubierto de leña y ramas de pino para disimular los surcos de los neumáticos que conducían al camino oculto. No era un trabajo demasiado bueno, pensó Keith, pero sí lo suficiente como para evitar que un conductor curioso o extraviado se adentrara por el camino que conducía al pabellón de Baxter.

Miró a su alrededor y vio un poste cortado por la base y tirado en el suelo. No tenía ningún letrero que dijera «Pabellón del Gran Jefe Baxter», pero Keith estaba seguro de que alguien lo habría arrancado.

Era evidente, pensó Keith, que Cliff Baxter no deseaba recibir ninguna visita ni casual ni de ningún otro tipo. Los mismos pinos laboriosamente trasplantados que mantenían alejada a la gente evitaban también que Baxter hiciera ocasionales incursiones en el mundo exterior. Por consiguiente, de nada hubiera servido montar guardia en la carretera con la esperanza de que Baxter saliera un rato y ellos pudieran rescatar a Annie sin exponerla a los peligros de una pelea. Por lo visto, Baxter tenía todo lo necesario para una prolongada estancia. La pregunta más importante era, por supuesto, si Baxter tendría a Annie consigo y si ella estaría viva. Keith estaba casi seguro de que la tenía en la casa y ella estaba viva, aunque no en buenas condiciones. Ése era precisamente el propósito de la huida de Baxter a aquel remoto pabellón... encarcelar a su esposa infiel y descargar en ella toda su rabia y su cólera sin ninguna interferencia del mundo exterior.

A Keith se le ocurrió pensar que allí estaban destinados a acabar los Baxter más tarde o más temprano, independientemente de la existencia de Keith Landry o de cualquier otro como él, aunque mucho se temía que Annie no hubiera comprendido la finalidad psicológica de aquel pabellón de caza y futuro hogar de retiro. Recordó algo que ella le había dicho. *Las pocas veces que subíamos allí solos, sin los chicos y sin otra compañía, era otra persona. No necesariamente peor ni mejor... simplemente otra persona... taciturno y distante como si..., no sé..., estuviera pensando en algo. No me gusta subir allí sola con él y normalmente me suelo escabullir.*

Nadie podía saber lo que Cliff Baxter estaría pensando, pero

Keith confiaba en que cualquier cosa que le hubiera hecho a Annie durante aquellos tres días, tanto en el cuerpo como en el alma, no le dejara una cicatriz permanente.

Keith y Billy regresaron a la camioneta, recogieron el equipo y volvieron al punto donde Baxter había camuflado el camino. Ambos se guardaron mucho de utilizar aquel camino y entraron en el bosque, siguiendo un curso paralelo a su derecha. Se orientaban gracias a la brújula y a los pequeños postes que jalonaban el camino.

Al cabo de unos quince minutos de lento avance, Keith se arrodilló para prestar atención a los sonidos del bosque. Billy se arrodilló a su lado y ambos permanecieron inmóviles unos cinco minutos. Al final, Billy dijo en voz baja:

—Todos los sonidos y olores son normales. —Keith asintió con la cabeza. Hablando en susurros, Billy añadió—: Sé que ese camuflaje de aquí al lado parece obra de Baxter, pero, ¿cómo podemos estar seguros de que la casa que hay al final de esos cables es la suya? No sabemos cómo es y no podemos llamar a la puerta antes de disparar.

—Es una casa de madera oscura en forma de triángulo y se levanta a cierta distancia del lago —dijo Keith.

—Ah, ¿sí? Sabes más de lo que dices, ¿verdad? Eres un típico oficial —dijo Billy.

—Creo que ahora tú ya sabes todo lo que yo sé. Ya te dije al principio que eso iba a ser peligroso.

—Sí, es cierto.

—Y ahora te voy a decir otra cosa...: te he traído por ti, no por mí. Pero te agradezco la ayuda.

—Gracias.

—Si te llevo conmigo hasta el final, quiero que me prometas que terminarás el trabajo si yo no pudiera hacerlo.

Billy asintió con la cabeza.

—Tú sabes que yo tengo mis razones y tú tienes las tuyas..., por consiguiente, si uno de nosotros cae, el otro tendrá que poner toda la carne en el asador.

—Muy bien... y si, al final, resulta que sólo quedáis tú y ella, dile... lo que sea.

—De acuerdo, le diré lo que sea. ¿Alguna cosa en particular? —preguntó Billy.

La había, pero Keith se limitó a contestar:

—Cuéntale simplemente lo de hoy.

—Bien y tú haz lo mismo por mí. Puede que a ella no le importe, pero tiene que saberlo —dijo Billy.

—Lo haré. —Keith tenía la clara sensación de haber mantenido aquella misma conversación en otros lugares y con otras personas y ya estaba cansado—. En marcha —dijo.

Mientras avanzaban entre los árboles, Keith trató de adivinar cuánto cuidado habría puesto Baxter en los preparativos. El camuflaje del camino estaba muy bien, pero un dispositivo de alarma era fundamental. Para eso estaban los perros, claro, pero a él lo que más le preocupaba era la posible existencia de una mina de bengala, aunque dudaba mucho que a Baxter, que carecía de experiencia militar, se le hubiera ocurrido semejante posibilidad. Por si acaso, caminaba levantando mucho los pies y lo mismo hacía Billy, pensando sin duda en lo mismo.

Era curioso que los antiguos soldados recordaran tantas cosas, pensó Keith, incluso los tipos como Billy. Sin embargo, cuando uno había visto dispararse uno de aquellos artefactos, tanto si se producía una explosión luminosa como si estallaba una carga explosiva, ya no quería volver a vivir la experiencia.

La luna ya estaba más alta en el cielo e iluminaba levemente el pinar, pero Keith no podía ver más alla de seis metros. La temperatura era más baja de lo que Keith había imaginado y el viento del lago contribuía a enfriar la atmósfera.

Avanzaban tan despacio que, en media hora, recorrieron menos de un kilómetro. De pronto, Keith aminoró la marcha, se detuvo y señaló con el dedo.

Más adelante se adivinaba el comienzo de un claro a través de los pinos y, al final del claro, brillaban las aguas del lago Grey, iluminadas por la luz de la luna.

Avanzaron otros seis metros y volvieron a detenerse. A unos cien metros a su derecha, en el extenso claro que llegaba hasta la orilla del lago y recortándose contra el agua, se levantaba una casa de madera oscura en forma de triángulo invertido.

Ambos la contemplaron un momento en silencio y después Keith tomó los prismáticos. La casa era de estilo vagamente alpino y estaba construida sobre unas columnas de cemento de un piso de altura. Una terraza la rodeaba por sus cuatro costados, ofreciendo a Baxter una vista de trescientos sesenta grados. En el centro del tejado se levantaba una chimenea de piedra. El viento empujaba el humo hacia ellos, lo cual significaba que se encontraban contra el viento y los perros no podrían olfatear su presencia. En el garaje abierto que había debajo de la estructura en forma de triángulo invertido se podía ver un Ford Bronco de color oscuro.

La casa se había construido en ángulo con respecto a la orilla del río, por lo que Keith podía ver perfectamente la fachada y el largo muro del lado norte. La luz se filtraba por las ventanas bajo la inclinada línea del tejado y también las puertas correderas que daban a la terraza. Mientras Keith miraba, una figura —no supo si de hombre o de mujer— pasó fugazmente por delante de la puerta de cristal.

—No hay duda. Es ésta —dijo Keith, apartándose los prismáticos de los ojos.

Se oyó el ladrido de un perro desde la casa.

38

Cliff Baxter se ajustó la funda del arma y se puso el chaleco antibalas. Se acercó al armero y tomó su Sako, modelo TRG-21, un rifle nocturno con mira telescópica infrarroja procedente de los excedentes del Ejército. El rifle, de fabricación finlandesa, les había costado a los contribuyentes de Spencerville cuatro mil dólares y la mira mil más. En su opinión, el rifle combinado con la mira, era el sistema de tiro nocturno más preciso y mortífero del mundo.

Apagó las luces de la sala de estar para que su figura no se recortara contra la luz, y abrió la puerta de cristal que daba a la terraza.

Salió, se agachó detrás de la barandilla y levantó el rifle, enfocando la imagen infrarroja de la mira por medio de un botón. Aún tenía la visión del ojo derecho un poco borrosa a causa de la lesión que le había producido Landry, pero el aumento de la mira le ayudaba a suplir la deficiencia.

Miró hacia el bosque que empezaba unos cien metros más allá del claro que rodeaba la casa, pero no vio nada.

No sabía cuál de los perros había ladrado ni por qué, por cuyo motivo recorrió agachado el perímetro de la terraza, estudiando el bosque que rodeaba la casa por tres lados, y la orilla del lago que también se encontraba a unos cien metros del claro. En el lago no había ninguna embarcación. Uno de los perros, un labrador, estaba atado a la valla metálica de una perrera paralela al muro de la casa que miraba al lago. El segundo perro, un *golden retriever*, se encontraba en el interior de otra perrera al otro lado de la fachada de la casa, de cara al bosque y al camino que desembocaba en el claro. El tercer perro, un pastor alemán, estaba en la parte posterior de la casa, pero no dentro de una perrera de tela metálica sino sujeto con una correa de unos cincuenta metros de longitud atada a una estaca, lo cual le permitía llegar hasta el bosque y hasta la casa. Baxter estaba tranquilo, sabiendo que la situación de los perros cubría todo el perímetro del claro que rodeaba la casa.

Eran unos buenos perros, pensó Baxter, pero ladraban casi por cualquier cosa. No obstante, siempre que ladraban, él salía a mirar.

Regresó a la parte anterior de la terraza, se volvió a arrodillar, levantó el rifle y apuntó hacia el camino. Le parecía que el que había ladrado era el *golden retriever*, el cual se encontraba efectivamente al final de su perrera, mirando hacia el bosque. Sin embargo, el viento soplaba desde el lago y no era probable que los perros hubieran olfateado algo. Baxter se tendió boca abajo, apoyó el rifle en el suelo de la terraza y apuntó en la dirección hacia la cual estaba mirando el *retriever*. Apuntó hacia la base de los pinos y disparó un solo cartucho.

El disparo resonó entre los árboles y por encima del lago situado a su espalda, rasgando el silencio nocturno. Los tres perros se pusieron a ladrar. Baxter volvió a apuntar y disparó otro cartucho y después un tercero.

El eco se extinguió y los perros se calmaron. Baxter permaneció inmóvil un instante, vigilando el bosque a través de la mira, a la espera de algún sonido o movimiento o de un disparo de respuesta. Al cabo de dos minutos, llegó a la conclusión de que allí afuera no había nada o de que, si lo había, ya había huido o estaba muerto. Tal vez un venado, pensó. Durante la temporada de caza, les gustaba salir en busca de alimento por la noche, pero huían en cuanto los perros ladraban. Por consiguiente, ¿por qué razón el perro seguía mirando hacia el bosque? A lo mejor, un conejo o una ardilla. Sí...

—Bueno pues...

No quería llamar la atención y no le hubiera gustado cargarse a un cazador, aunque no creía que hubiera nadie en las pocas cabañas de aquella parte del lago y, aunque hubiera alguien, no hubiera salido al bosque de noche durante la temporada de caza del venado; o, por lo menos, no se hubiera acercado tanto a su casa.

Esperó unos minutos más, se alejó de la barandilla rodando por el suelo de la terraza, se levantó rápidamente y regresó al salón, entrando por la puerta corredera.

Volvió a guardar el rifle en el armero, lo cerró y se guardó la llave en el bolsillo. Tenía otros cuatro rifles semiautomáticos en el armero, uno con una mira telescópica especial para disparar de madrugada o al anochecer, otro con una mira telescópica estándar de cuatro aumentos para disparar de día, otro con una mira de largo alcance de doce aumentos para disparar hasta una distancia de un kilómetro y medio y un rifle de asalto AK-47 con miras abiertas para disparos a corta distancia.

Aparte las armas y los perros, tenía también seis anticuadas trampas de osos alrededor de la casa, lejos del alcance de los perros. Una de ellas estaba instalada cerca de la escalera que subía a la terraza. Y se guardaba otros trucos en la manga en caso de que se hubiera presentado algún visitante inoportuno e inesperado. No esperaba a nadie, pero no podía quitarse de la cabeza la imagen de Keith Landry.

Keith se tendió boca abajo en el suelo al lado de Billy entre las ramas de pino.

—Seguramente eran disparos de prueba —dijo en voz baja cuando cesaron los disparos.

Billy asintió con la cabeza.

—Sí... pero muy cerca.

—Creo que el perro nos ha olfateado.

—Sí...

—Lo tenías claramente visible cuando estaba arrodillado —murmuró Billy.

—Sí, pero...creo que llevaba un chaleco antibalas. Hubiera tenido que dispararle a la cabeza y, desde esta distancia, no es nada fácil.

—No, desde luego... oye, ¿has visto cómo nos miraba la lucecita roja?

—Sí.

El principal inconveniente de la mira telescópica infrarroja era el hecho de que uno pudiera ver el resplandor rojizo cuando la mira lo apuntaba directamente. A Keith no le sorprendía que Baxter tuviera una mira telescópica nocturna, pero tal circunstancia complicaría un poco más las cosas.

El perro, que se encontraba a unos veinte metros de ellos, emitió un sordo rugido.

Permanecieron inmóviles unos minutos y después el perro, respondiendo a otro sonido o estímulo, se volvió y recorrió toda la longitud de la tela metálica en dirección al lago.

Keith esperó un minuto más y se puso lentamente de rodillas. Levantó los prismáticos y enfocó la casa.

Baxter se quitó el chaleco antibalas, pero conservó la pistola al cinto. Después encendió la lámpara de pie que iluminaba suavemente el abovedado techo de catedral de la sala de estar. En las inclinadas paredes de la sala en forma de A había varias cabezas de animales disecados; un alce, un venado, un lince, un jabalí, dos osos negros, el uno de cara al otro en paredes opuestas, y, por encima de la repisa de la chimenea, uno de los escasos ejemplares de lobo gris americano, presidiendo toda la estancia.

Annie permanecía sentada en una mecedora, de cara al fuego de la chimenea.

Miró a su marido mientras éste se le acercaba.

—Esperas compañía, ¿cariño? —le preguntó Baxter. Annie sacudió la cabeza—. Pues yo creo que sí.

Baxter se sentó frente a ella en un sillón.

Estaba desnuda, pero envuelta en una manta para protegerse del frío. A pesar del fuego de la chimenea, aún no había conseguido que se le calentaran los pies. Sus tobillos estaban rodeados por unos grilletes unidos entre sí por una cadena de sesenta centímetros de longitud que le permitía moverse por la estancia, pero no echar a correr. La cadena estaba prendida con un candado a un gran perno enroscado en el suelo de madera de roble.

El único teléfono de la casa era el de pared que había en la cocina, pero Cliff había guardado bajo llave el auricular en el armario de la cocina junto con todos los cuchillos afilados. Cuando enviaba a Annie a la cama por la noche, le esposaba las muñecas al cabezal de hierro y le soltaba los grilletes de los tobillos.

«Para que puedas separar las piernas para mí, cariño.»

Cliff la miró en silencio un buen rato y después le dijo:

—Crees que él va a venir a rescatarte, pero la llamada telefónica que antes he recibido era de Blake y éste me ha dicho que tu querido amante ha secuestrado y torturado a Ward. Sin embargo, Ward le dijo que nos habíamos ido a Florida. O sea que el muy hijo de puta se irá para allá, si es que puede. Y si es que tú le importas algo —añadió.

Annie no contestó.

—No creo que le importes una mierda —prosiguió diciendo Baxter— y, aunque le importaras, no tendría cojones. Quiero decir que no tiene cojones de verdad —añadió, soltando una carcajada—. De todos modos, me encantaría que apareciera por aquí. ¿Has visto alguna vez a un hombre atrapado en una trampa de osos? No es nada agradable, te lo aseguro. Casi nunca consiguen abrirla y mueren de hambre y de sed. A veces, se cortan el pie para poder escapar. Si tu lindo amante se queda atrapado en una trampa alrededor de la casa, tú y yo podremos contemplar su agonía durante aproximadamente una semana. Por regla general, gritan y suplican y, al final, te piden que les pegues un tiro.

Annie clavó los ojos en el fuego de la chimenea sin decir nada.

—Yo nunca lo he visto —dijo Cliff—, pero sé de alguien que sí. Creo que me divertiría mucho. —Al ver que ella no reaccionaba, añadió—: Ahora ya no sé de qué te iba a servir. La última vez que le vi, yo tenía sus cojones en mis manos. ¿Has visto alguna vez los testículos de un hombre fuera de su funda? Lástima que no los guardara para enseñártelos. —Annie se volvió a mirarle. Cada vez que le contaba aquella historia, ella le miraba con creciente expresión de incredulidad. Decidió pasarse unos cuantos días sin hablarle de aquel asunto—. Espero no verme obligado a matarle directamente si aparece por aquí —añadió Cliff—. Si no queda atrapado en una de las trampas de osos, puede que los perros den buena cuenta de él o quizá yo lo podré atrapar y arrastrar aquí dentro para que tú me lo prepares debidamente y yo lo pueda desollar vivo y curtir su pellejo...

—¡Cállate!

Cliff se levantó del sillón.

—¿Qué has dicho?

—¡Basta!

—Ah, ¿sí? ¡Levántate!

—No.

—Levántate inmediatamente, puta asquerosa, si no quieres que yo te obligue.

Annie vaciló, pero, al final, se levantó.

—Quítate la manta.

Annie dejó caer la manta al suelo. Cliff se sacó la llave del bolsillo, se arrodilló y abrió el candado de la cadena de los grilletes.

—Vete allí e inclínate sobre el brazo del sofá.

Annie sacudió la cabeza.

Cliff extrajo el revólver y la apuntó al rostro.

—Haz lo que te mando.

—No. Pégame un tiro si quieres.

Cliff inclinó el revólver y la apuntó al estómago, diciendo:

—Si te disparo al vientre, tardarás un día en morir.

Annie permaneció de pie donde estaba, deseando con toda su alma la muerte. Pero entonces pensó en sus hijos y en la posibilidad de que Keith recordara lo que ella le había dicho sobre el lago Grey o en la posibilidad de que Keith hubiera hablado con Terry y ésta hubiera comprendido su alusión a Atlanta.

Sabía que no podrían permanecer indefinidamente en aquella casa y que, cuando apareciera alguien, habría derramamiento de sangre y, al final, Cliff probablemente la mataría y después se suicidaría.

Por consiguiente, dudaba entre el deseo de que él la matara cuanto antes y la voluntad de seguir viviendo, en la esperanza de poder hacer algo que acabara con aquella pesadilla. Pero no sabía cuánto tiempo podría aguantar de aquella manera ni cuánto tiempo tardaría él en destrozarla.

Llevaban tres días allí y ya estaba empezando a perder el contacto con la realidad y a doblegarse a sus pervertidos deseos con tal de evitarse un poco de dolor. Sabía que en eso él llevaba las de ganar. Baxter ostentaba todo el poder y su sutil resistencia intensificaba sus rasgos de sadismo. Aun así, se resistía, no quería ser voluntariamente su víctima.

—Vete al infierno —le dijo.

Baxter inclinó el revólver hacia el suelo, se acercó a la chimenea e introdujo el atizador entre las llamas.

No, no la mataría, pensó Annie, observándole. Todavía no. Pero haría lo que ahora se estaba disponiendo a hacer. Baxter retiró el atizador de las llamas con la punta al rojo vivo, lo sostuvo en alto y le escupió encima. La saliva se quemó mientras él acercaba el atizador a escasos centímetros de su pecho derecho.

—No quisiera hacerlo —dijo—, pero no me das otra opción.

—Yo tampoco quisiera hacerlo —replicó Annie—, pero tampoco me das otra opción.

—En cualquier caso —dijo Baxter mirándola—, yo me voy a salir con la mía.

Comprendiendo que ya había llegado al límite de su resistencia, Annie se volvió y se dirigió al sofá, arrastrando la cadena sobre la alfombra mientras los grilletes le magullaban los tobillos.

—Inclínate —le ordenó Baxter.

Ella se inclinó sobre el brazo tapizado del sofá y apoyó las manos sobre los almohadones. Oyó que Cliff posaba el atizador en el suelo, se desabrochaba el cinto de la pistola y lo dejaba en alguna parte. Después se le acercó por detrás y se desabrochó el cinturón.

—Bueno pues, ahora pagarás lo que has dicho. Y tendrás que pagar mucho por todo lo que has dicho a lo largo de los años.

Annie no quería contestar, pero sabía que, si no decía nada, el suplicio se prolongaría y ella no quería permanecer mucho rato en aquella humillante posición.

—Acaba de una vez —le dijo.

—Quiero que vayas pensando en lo que va a ocurrir y en el por qué.

—Maldito seas...

Baxter blandió el cinturón y lo descargó con toda la fuerza sobre sus nalgas.

Keith concentró la mirada en una de las ventanas que había en la fachada inclinada de la casa en forma de triángulo invertido. Le pareció distinguir algo y, al final, vio durante unos segundos a Annie de cintura para arriba y con el pecho al aire. Le veía la cara, pero, a aquella distancia, equivalente a unos veinticinco metros con la ampliación de cuatro aumentos, no le podía ver bien las facciones. Le pareció que estaba asustada, pero puede que fueran figuraciones suyas.

De pronto, ella desapareció y, en su lugar, surgió la figura de Cliff Baxter. Enfocó los prismáticos todo lo mejor que pudo y vio a Baxter, haciendo un extraño movimiento. Tardó unos segundos en darse cuenta de que Baxter blandía algo que parecía un látigo, un cinturón o una correa, y entonces comprendió lo que estaba ocurriendo. Se apartó los prismáticos de los ojos y se notó un nudo en el estómago.

—¿Qué es lo que ves? —le preguntó Billy.

—Nada...

—¿No has visto a nadie?

—Sí... he visto... —Keith miró a Billy en la oscuridad—. La está azotando. Voy a entrar.

Asió el rifle y, cuando ya estaba a punto de levantarse, Billy lo sujetó.

—¡No! ¡No! Espera.

Keith permaneció tendido en el suelo y le pareció oír el sonido de lo que estaba ocurriendo en aquella casa, los golpes de algo contra la piel desnuda y el llanto de Annie. Pero no podía oír nada, por supuesto, simplemente lo sentía como si le estuviera sucediendo a él.

Annie gritó de dolor sin poderlo remediar. Por regla general, estaba preparada para el primer golpe y apenas emitía el menor sonido hasta que no lo podía soportar.

La víspera había resistido diez azotes sin llorar, lo cual le había producido una cierta satisfacción.

—Te iba a propinar sólo cinco azotes —dijo Baxter—, pero ahora te has ganado diez. Tú misma los vas a contar y, si pierdes la cuenta, empezaré de nuevo por el principio. ¿Preparada? —Annie no contestó—. ¿Preparada?

—Sí.

Cliff Baxter descargó nueve lentos azotes sobre las nalgas de su mujer, en las cuales todavía se podían ver las ronchas de la víspera. Entre azote y azote, hacía una pausa para que Annie recuperara el resuello y pudiera contar. Antes de recibir el último azote, Annie rompió a llorar.

—Bueno —dijo Baxter—, como te di uno antes de empezar, contaré como si fueran diez. ¿Qué dices?

—Gracias —dijo Annie, reprimiendo un sollozo.

—De nada.

—¿Me puedo incorporar?

—No. Puedes separar las piernas aquí mismo.

Annie separó las piernas todo lo que la cadena le permitía y Cliff Baxter se bajó la cremallera de la bragueta y sacó su miembro en erección. La penetró por detrás, pero, antes de alcanzar el orgasno, se retiró diciendo:

—Date la vuelta.

Annie se levantó con paso vacilante y se volvió.

—Arrodíllate.

Annie se arrodilló delante de él y Baxter le acercó la cabeza diciendo:

—Métetela en la boca.

Annie sabía que, cuando hubiera experimentado el orgasmo, su marido se calmaría un poco. En aquel momento, lo único que quería era superar la noche de la manera que fuera. Sin embargo, al verla vacilar levemente, él le tiró del cabello diciendo:

—¡Ahora!

—Vamos, Keith, es mejor que no lo alarmemos. Es mejor que retrocedamos y esperemos un poco, ¿de acuerdo? ¿Estás bien? Ánimo, Keith, eso no es un ejercicio de instrucción.

Keith no contestó.

—Vamos. No podemos quedarnos aquí.

Keith se incorporó sobre una rodilla, se levantó y se acercó de nuevo los prismáticos a los ojos, pero ya no pudo ver nada a través de la ventana. Billy alargó la mano hacia él y lo obligó a agacharse.

—¡No seas bruto! Si está mirando a través de la mira telescópica infrarroja, eres hombre muerto. Vamos.

El perro volvió a ladrar.

—Trágatelo.

Annie se lo tragó.

Baxter se apartó y regresó a su sillón, dejando a Annie de rodillas. Se sentó y la miró, respirando afanosamente. Oyó el ladrido del perro, pero no hizo caso. Al cabo de un minuto, esbozó una sonrisa.

—Lo estás haciendo mejor. ¿Te diviertes?

—No.

—Puta de mierda. ¿Le hacías pajas a tu novio?

—No.

—No me mientas, guarra. Le chupabas la polla, ¿verdad?

—No.

—Te vas a quedar así toda la noche hasta que me digas la verdad. ¿Le chupabas la polla?

—Sí.

—Puta indecente. —Él se inclinó hacia adelante sin apartar los ojos de ella—. Mírame, puerca. Me mentiste acerca de él, ¿verdad?

—Sí.

—Dijiste que ni siquiera recordabas haberte tropezado con él por la calle. Pero te pasabas el rato chupándole la polla, ¿verdad?

—Sí.

—A lo mejor, tu amante tiene el sida y ahora tú también lo tienes y me lo has contagiado a mí, puta.

Annie no dijo nada.

—Seguramente el tío folla con todo lo que encuentra a mano y con todo el mundo. Probablemente folla con cabras, niños pequeños y putas de a dos dólares. Lo que él tenga, lo tienes tú. ¿Usaba preservativo?

Annie no contestó.

—¿Cuántas veces has follado con él?

—¿Quieres decir en el instituto y en la universidad o...?

—¡Calla! Me pones enfermo. Tendría que matarte, pero no escaparás tan fácilmente. Lo sabes, ¿verdad?

—Sí.

—Y lo vas a seguir pagando porque jamás podrías saldar la deuda. Apuesto a que te arrepientes de lo que hiciste, ¿a que sí?

Annie no contestó.

—Respóndeme.

—Sí.

—Sí, ¿qué?

—Me arrepiento.

—No me extraña. Pero todavía no te arrepientes ni la mitad de lo que te vas a arrepentir. Cuando acabe contigo, serás como mi *retriever*. Harás lo que yo diga y cuando yo te lo diga, comerás cuando yo te lo diga, te acurrucarás a mis pies, me lamerás la mano y me seguirás por todas partes con la cabeza gacha. ¿De acuerdo

—Sí.

—Sí, ¿qué?

—Sí, señor.

—Estupendo. Y yo te trataré bien, aunque no lo merezcas después de lo que has hecho. Comerás tres veces al día, tendrás un sitio abrigado donde dormir y te azotaré sólo cuando te lo tengas merecido. ¿De acuerdo?

—Sí, señor.

Cliff se reclinó en su sillón y la miró, todavía arrodillada, con la cabeza inclinada y los brazos alrededor del tronco.

—¿Tienes frío?

—Sí, señor.

—Ven aquí, junto al fuego. Pero no te levantes.

Annie vaciló y después se acercó a gatas a Baxter y se detuvo a sus pies.

—Incorpórate.

Annie se sentó en el suelo de cara a él, pero con la cabeza todavía inclinada.

—Mírame.

Annie le miró y observó con cierta satisfacción que aún tenía el ojo derecho inyectado en sangre.

—¿Cuándo follabas con él? ¿Dónde follabas con él?

—En su casa.
—¿Follaste con él en nuestra casa?
—Sí.
—¿Cómo coño lo conseguiste? —preguntó Baxter, sorprendido—. ¡Mientes! No es posible que hayas follado con él en nuestra casa.
—Si tú lo dices.
—Eres una puta desvergonzada, ¿lo sabes? Eres una maldita puta y te voy a tratar como tal.
Annie observó el cinto de la pistola en la mesita que había a la derecha del sillón. Pensó que podría agarrarlo, apartarse y extraer el arma antes de que él tuviera tiempo de reaccionar. Entonces podría obligarle a aherrojarse con los grilletes y huir de allí. Era lo único que quería... alejarse de él y huir de aquella casa. Sólo dispararía si él la obligara y, en tal caso, sólo intentaría herirle. Estaba esperando la ocasión.

Keith se apartó a regañadientes de la casa, seguido de Billy. A unos cien metros del borde del claro y unos doscientos de la casa, se detuvieron.
—El muy hijo de puta nos hubiera podido localizar con la mira telescópica infrarroja —dijo Billy, sentado con la espalda apoyada en el tronco de un pino.
Keith asintió con la cabeza y le miró en la oscuridad.
—No tienes por qué quedarte. Vuelve a la camioneta.
—Oye, hicimos un trato, no lo olvides.
—Sí, pero...
—Tranquilízate, Keith. Sé que has visto algo que yo no he visto y que este algo te ha alterado los nervios. Pero yo no necesito ver nada. Le conozco mejor que tú. Yo he estado en su cárcel.
Keith procuró dominarse.
—De acuerdo. Gracias.
—Nos quedaremos un rato aquí. Hasta que se calmen los perros y Baxter también se calme. Lo tenemos localizado. ¿Cómo era la frase, la recuerdas? —dijo Billy—. Buscarlos, localizarlos y acabar con ellos. Y joderlo —añadió.
Keith asintió sin decir nada. Pensó que quizá hubiera tenido que disparar. Pero había buenos disparos y malos disparos, disparos seguros y disparos largos. Aquél hubiera sido sin la menor duda un mal disparo largo y, si hubiera fallado o simplemente hubiera alcanzado el chaleco antibalas de Baxter, no hubiera podido rectificar. Pero nunca se sabía. En clase te decían que el primer disparo no siempre era el mejor que se podía conseguir, aunque cabía la posibilidad de que fuera el único y ya no se presentara otra oportunidad.

Tenías que efectuar un cálculo rápido, decidir cuándo disparar y lanzarte. Quizá si hubiera visto o previsto lo que Baxter le iba a hacer a Annie..., pero, por lo menos, sabía que ella estaba viva y seguiría viviendo mientras Baxter se divirtiera con ella.

—Hijo de la gran puta.

—Sí, eso y mucho más. Ese tío necesita una palabra nueva para describirlo.

—Yo tengo una palabra para él. Muerto.

—Me gusta la palabra.

Baxter la siguió maltratando verbalmente por espacio de uno o dos minutos, y ella, arrodillada a sus pies, le miró a los ojos tal como él le había ordenado hacer, pero no le escuchaba, pues estaba esperando una ocasión propicia para moverse. El arma se encontraba a menos de un metro y medio de distancia, pero ella tenía que distraerle.

—Tengo frío —dijo—. ¿Puedo recoger la manta?

—No, quiero que se te congelen las tetas, eso es lo que quiero. —Baxter pasó a otro tema y preguntó—: ¿Con cuántos otros tíos has follado desde que nos casamos?

—Con ninguno.

—A mí no me mientas. Tienes un coño muy caliente, cielo. Veo cómo miras a los hombres. Sólo piensas en la polla. Bueno pues, aquí te vas a dar un atracón de polla, cariño. ¿Con cuántos tíos has follado desde que nos casamos?

—Con ninguno.

—No digas idioteces. Antes de que termine contigo, me vas a nombrar a todos los tíos con quienes has follado a espaldas mías. Hubo otros tíos, ¿verdad?

Annie asintió con la cabeza.

—¿Cuántos?

—Sólo dos.

—Ah, ¿sí? ¿Sólo dos? —preguntó Baxter con súbito interés—. ¿Quiénes?

—Te vas a enfadar si te lo digo.

—¿Que me voy a enfadar dices? Más de lo que estoy ya no es posible. ¿Quiénes?

—Prométeme que no me pegarás.

—A ti no te prometo nada más que otra tanda de azotes como no me lo digas. ¿Quiénes?

Annie respiró hondo y contestó:

—Reggie Blake y tu hermano Phil.

Baxter se levantó.

—¿Qué has dicho?

Annie se cubrió el rostro con las manos, más que nada para evitar que él viera la sonrisa de sus labios.

—¡Estás... mintiendo! ¡Estás mintiendo, puta! ¡Mírame!

Annie se apartó las manos del rostro y le miró.

Cliff dobló una rodilla y acercó el rostro al suyo.

—Crees que me vas a volver loco, ¿verdad?

—Cliff, por favor, eso no es justo. He hecho todo lo que me has pedido. He contestado cien veces a todas tus preguntas sobre otros hombres. ¿Qué más quieres que te diga?

—Quiero la maldita verdad.

—Desde que nos casamos, sólo he mantenido relaciones sexuales... con él.

—¿Nunca follaste con Blake?

—No... pero él me busca.

—Ah, ¿sí? El muy cerdo... ¿y mi hermano?

—También me busca.

—No te creo.

—Lo siento.

Cliff la miró fijamente a los ojos.

—Bueno, vamos a averiguar toda la verdad. Hoy quizá no, pero, poquito a poco, me lo vas a decir todo sobre los demás hombres. ¿De acuerdo?

Annie sabía que Baxter estaba obsesionado por aquel tema y otros por el estilo. Por consiguiente, mientras él siguiera mostrando interés por todas aquellas cuestiones, ella estaría relativamente a salvo.

—Sí.

Baxter tardó un buen rato en hablar. Después, con la rodilla todavía hincada en tierra, le tomó la barbilla con una mano, le volvió el rostro hacia sí y le dijo en un susurro:

—Tú siempre supiste que acabarías aquí de esta manera, ¿verdad?

Annie le miró a los ojos y lo pensó. En cierto modo, creía conocerle, pero jamás le hubiera creído capaz de algo semejante. Y, sin embargo, en lo más hondo de su ser creía saberlo.

—Lo sabías, ¿verdad? Yo lo sabía y, por consiguiente, tú también tenías que saberlo. Y, si sabías que algún día iba a ocurrir algo así, significa que deseabas que ocurriera.

—¡No!

—Te encanta...

—¡No! Eres un hijo de puta...

Annie trató de pegarle un puñetazo, pero él la asió por la muñeca y le abofeteó el rostro. Annie cayó hacia atrás y se desplomó al suelo.

Baxter se levantó.

—¡Levántate! —Annie se cubrió el rostro con las manos, se acurrucó en el suelo y rompió en sollozos—. ¡Levántate!

—¡Déjame en paz! ¡Déjame en paz!

A Baxter no le gustaba que se pusiera histérica porque entonces no podía conseguir que le prestara atención e hiciera lo que él quería y se veía obligado a esperar a que se le pasara.

Annie permaneció acurrucada en el suelo, cubriéndose el rostro con las manos.

Al cabo de unos minutos, Baxter le dijo:

—Si ya has terminado con todas estas tonterías, te permitiré que te envuelvas en la manta y comas algo. Esperaré un poco, pero no demasiado, antes de tomar el látigo. Tienes diez segundos. Nueve —dijo, iniciando la cuenta atrás.

Annie se desenroscó en el suelo y volvió a ponerse lentamente de rodillas.

—Así está mejor. Mira, cariño, eso puede ser tan duro o tan cómodo como tú quieras. Cuanto antes comprendas que aquí el que manda soy yo y que tú tienes que aprender a cerrar la boca y a hacer todo lo que yo diga tal como yo diga, tanto más fácil te será. No tienes ninguna otra salida, cielo. Vas a cocinar, limpiar y lavar para mí, me vas a chupar la polla, vas a follar conmigo y me besarás los pies. Cuanto mejor lo hagas, tanto mejor para ti. ¿Lo has entendido bien, querida?

—Sí, señor.

—Mira, vosotras las chicas Prentis siempre habéis sido muy presumidas. ¿Crees que no sé cuánto nos despreciáis a mí y a mi familia? ¿Quién coño os habéis creído que sois? Lo que de verdad me gustaría es tener también aquí a tu puñetera hermana. Ésa necesita unas cuantas lecciones de chuperreteo de pollas. Mírame, puta. Te estoy hablando. ¿Qué tal te suena eso? Las dos tías en pelotas, sirviéndome a cuerpo de rey...

—Por favor, Cliff... no me encuentro bien... me voy a desmayar... no quiero coger una pulmonía... necesito comer algo... estoy a punto de desmayarme...

Baxter la miró detenidamente, diciendo:

—Bueno, no conviene que te pongas enferma. No quiero tener que cuidarte. No puedes vivir a base de chuparme la polla, ¿verdad?

—No.

—Muy bien pues, primero irás a buscar el botiquín y me cambiarás el vendaje. No te molestes en levantarte, cariño. Ahora eres un San Bernardo.

Annie se dirigió a gatas al otro extremo de la sala de estar, sacó el botiquín del armario y, sin necesidad de que Baxter se lo recordara, se colgó del cuello la bolsa de lona y regresó al lugar donde él se encontraba sentado en el sofá.

Baxter se bajó los pantalones y los calzoncillos y se tendió en el sofá.

Annie abrió la bolsa de lona y sacó unas tijeras de extremos romos para cortar esparadrapo. Introdujo la hoja inferior por debajo del esparadrapo que rodeaba el muslo izquierdo de Baxter y lo cortó. Vio que el esparadrapo todavía estaba manchado de sangre y, al retirar la gasa, observó que la herida no estaba cicatrizando debidamente, aunque no estaba infectada. Se preguntó si habría algún medio de infectarla.

Tomó una torunda de algodón, la empapó de alcohol y limpió la sangre reseca que rodeaba la herida. Baxter hizo una mueca. Después aplicó tintura de yodo en la herida de seis centímetros de longitud y esta vez él emitió un leve gemido y levantó el muslo para que ella le arrancara la venda, cosa que también le produjo dolor. Annie le aplicó una gasa limpia y empezó a vendar la herida. Había observado que Baxter jamás hacía el menor comentario acerca de la herida o de la lesión del ojo. El silencio era su manera de intentar convencerla a ella y convencerse a sí mismo de que en la habitación del motel él se había alzado con el triunfo. Sin embargo, Annie sabía que Keith había opuesto una tenaz resistencia y a punto había estado de seccionarle a Cliff la arteria femoral. Al principio, casi se había creído que Cliff había castrado a Keith, pero, poco a poco, la cólera y la furia que lo dominaban le habían hecho comprender que no.

Observó que Cliff mantenía los ojos cerrados y aprovechó para volver la cabeza hacia la mesita donde él había dejado la funda del arma al lado del sillón.

—¿Buscas algo? —le preguntó Baxter.

Annie se volvió rápidamente a mirarle.

—Ahora que yo estoy aquí tendido con los calzoncillos bajados hasta los tobillos, tú te preguntas si podrías alcanzar el cinto del arma antes que yo. Pues sí podrías, cariño, pero, cuando llegaras allí, te llevarías una buena sorpresa porque... —Baxter sacó la pistola de entre los cojines donde la había ocultado—, resulta que la tengo aquí. Tú y yo tenemos que recorrer un largo camino, ¿verdad? —dijo, golpeándole suavemente la cabeza con el cañón—. Cuando termine contigo, me irás a buscar las armas cuando yo te lo ordene y ni siquiera se te pasará por la cabeza utilizarlas contra mí.

Annie asintió en silencio, sabiendo tan bien como él que jamás llegaría aquel día. Se le ocurrió pensar que a Baxter le gustaba el juego del gato y el ratón y que se divertía con él de día y de noche. Quería demostrarle que era más listo que ella o que, por lo menos, era más astuto y estaba más capacitado para sobrevivir en aquel mundo que él mismo había creado. Por una parte, deseaba destruirla, pero, por otra, le gustaban su rebeldía y sus desafíos. Si la hubiera destruido demasiado fácilmente o con excesiva rapidez, se hubiera podido aburrir o deprimir y después se hubiera vuelto cada vez más sádico hasta que, al final, no hubiera tenido más remedio que terminar de una vez con todo. Sin embargo, si ella hubiera mostrado una resistencia excesiva o él la hubiera creído lo bastante lista como para hacerle una mala jugada, la hubiera matado de rabia o por simple instinto de supervivencia. Annie así lo había comprendido a lo largo de aquellos tres días, pero no había logrado establecer un equilibrio entre el desafío y la sumisión. En los momentos en que las humillaciones eran demasiado grotescas, sentía deseos de tirar la toalla y pensaba que ya todo le daba igual. Pero, cada vez que estaba a punto de ceder al desánimo, procuraba sacar fuerzas de flaqueza y se prometía a sí misma resistir una hora más y después otra hasta que, al final, él la esposaba a la cama y le permitía dormir.

—Lava las joyas de la familia Baxter, cariño —le dijo Baxter—. Utiliza alcohol. Me encanta.

Annie empapó una gasa con alcohol y le lavó los órganos genitales.

—¡Aaah! Qué sensación tan agradable. Ponles un poco de vaselina.

Annie tomó un tubo de vaselina, lo apretó sobre su miembro y sus testículos y empezó a frotárselos hasta que observó que se le empezaba a endurecer el miembro.

—¿Sabes que puedo follar tres veces al día? —dijo Baxter—. Me tiraba una o dos mujeres en un día y después regresaba a casa y te follaba a ti. ¿Qué te parece? Y tú te creías que eras la única que andaba tonteando por ahí.

Annie jamás había pensado que él fuera un marido fiel y no comprendía por qué razón él creía que semejante revelación le iba a doler. Pero el cerebro de Baxter trabajaba sin descanso, buscando cosas que pudieran hacerle daño, humillarla e inducirla a poner en duda su propio valor y su integridad. Pensaba que, si la llamaba puta, guarra y furcia el tiempo suficiente, ella acabaría por creérselo. Y si le dijera que había castrado a Keith, puede que ella se lo creyera. Cuando le decía que quería follar a su hermana, ella se enfurecía y se ponía tremendamente nerviosa. Cuando la azotaba con el cinturón, ella se sentía derrotada e impotente, pero, a pesar de su angustia, procuraba conservar un mínimo de dignidad y los azotes fortalecían su decisión de no perder la cordura.

—¿Me puedo cubrir con la manta y comer algo? —preguntó.

—Estabas desnuda cuando te encontré en el motel y desnuda te vas a quedar.

Cliff se levantó del sofá y se subió los calzoncillos y los pantalones.

—Por favor, Cliff, tengo hambre y frío. Necesito ir al lavabo.

—Ah, ¿sí? Bueno pues, levántate.

Annie se levantó y, sin que él le diera permiso, se envolvió con la manta.

—Vamos —dijo Baxter.

—¿No puedo ir sola?

—Ni hablar, cariño. En marcha.

Annie pasó por delante de la cocina, recorrió un corto pasillo y entró en el cuarto de baño.

Baxter se sentó en el borde de la bañera mientras ella se sentaba en la taza del excusado y orinaba, evitando mirarle a los ojos. Se secó con papel higiénico, se levantó y salió de nuevo al pasillo sin poder caminar a grandes zancadas tal como hubiera querido hacer, por culpa de la cadena. Entró en la cocina, pero él se le adelantó y se situó delante del frigorífico.

—¿Qué come una puta, aparte pollas desconocidas? —le preguntó.

Annie respiró hondo y contestó:

—Me gustaría comer algo caliente. Yo misma me lo podría preparar, si quieres.

—Tú comerás lo que yo te dé. Siéntate si no te duele demasiado el culo o quédate de pie o siéntate en el suelo y yo te traeré la comida de perro como la última vez.

Annie se acercó a la mesa y se sentó cuidadosamente en la silla de madera, con la manta echada sobre los hombros.

Baxter abrió el frigorífico, colocó dos rebanadas de pan en un plato de papel junto con unas cuantas lonchas de fiambres variados y depositó el plato sobre la mesa.

—Come.

Annie empezó a comer el pan con los fiambres mientras él la observaba. Estaba desfallecida y casi a punto de desmayarse de hambre, pero, aun así, procuró comer despacio. Baxter sacó una cerveza del frigorífico para sí mismo y le puso delante una botella de leche sin molestarse en darle un vaso.

—No pienso darte nada más. Por consiguiente, no me lo pidas —le dijo.

Annie consideró llegado el momento de entablar con él una conversación normal. Se le veía más calmado y satisfecho y pensó que, a lo mejor, conseguiría sacarle alguna información. Trató de adoptar un tono de voz amable, como si nada extraño hubiera ocurrido, como si él no acabara de azotarla y violarla.

—¿Cuánta comida nos queda, Cliff? —preguntó.

—La suficiente para dos o tres meses. Pasada la primera semana, ya no quedará mucha cosa fresca. Pero tengo latas y comida seca. Y cantidades industriales de cerveza.

—Y después, ¿qué?

—Después iré a la ciudad por más. ¿Por qué? ¿Acaso tienes algún sitio adonde ir?

—Sólo quiero saber cuánto tiempo tardaremos en regresar a casa.

—Ya estás en casa, guapita.

—Quiero decir a nuestra casa de Spencerville.

—¿Y por qué quieres ir?

—Me apetece pasar una temporada allí.

Baxter esbozó una sonrisa.

—Ah, ¿sí? No creo. Ahora estamos retirados, cariño. Voy a vender aquella casa.

—Me parece muy bien. —A Annie no le apetecía beber directamente de la botella de leche, pero lo hizo y después preguntó como el que no quiere la cosa—: ¿Cuándo podré hacer algunas llamadas telefónicas?

—Cuando empieces a lamentar lo que hiciste.

—Lo lamento, Cliff. Lamento lo que pasó. ¿Cuándo me perdonarás?

—Nunca. Pero puede que algún día decida tratarte con menos dureza. Sin embargo, todavía falta mucho para eso.

Annie asintió con la cabeza, sabiendo que aquel día no llegaría jamás. Sabía que era peligroso recordarle que no podrían mantenerse mucho tiempo apartados de sus hijos, los cuales querrían subir al lago Grey el día de Accción de Gracias o lo más tarde por Navidad. Después tenían que pensar también en su hermana y sus padres y en la familia de Baxter. Sin embargo, el hecho de recordarle la existencia de un mundo exterior del que no se podía prescindir podía provocarle un acceso de furia incontenible. De todos modos, ya le había planteado el tema, al hablarle de las llamadas telefónicas y ahora vio que él estaba meditando.

—Si pudiera llamar a unas cuantas personas, nadie se extrañaría ni se preguntaría dónde estamos. Les diría que ya hemos regresado de Florida y que...

—De eso me encargo yo. Puede que la semana que viene o la otra. Hasta ahora todos piensan que estamos disfrutando de una segunda luna de miel en Florida. No tengo por qué darle explicaciones a nadie. Me han concedido una larga excedencia y donde yo esté es asunto mío y de nadie más. Además, los chicos ya no son unos niños, ahora tienen sus propias vidas y nosotros les importamos una mierda. Ya los llamaré de vez en cuando.

—De acuerdo —dijo Annie, asintiendo con la cabeza—. Cliff, me has hecho pagar muy caro lo que hice y me lo tengo bien merecido. Por consiguiente, ¿por que no nos comportamos ahora como si nada hubiera ocurrido y regresamos a Spencerville? Tú sabes que te interesa volver al trabajo para cumplir los años que te faltan. Te prometo que ya he aprendido cómo tengo que tratarte y que... siento en el alma lo que hice y jamás volverá a ocurrir. Tú eres el único hombre que necesito. —Le estudió detenidamente y adivinó que sus palabras estaban haciendo mella en él—. No hay razón para que nos quedemos aquí mucho tiempo. Todo lo que he aprendido aquí, cómo satisfacerte y hacerte feliz, lo puedo hacer en Spencerville. Si regresamos dentro de unas semanas, no tendremos que responder a demasiadas preguntas. ¿Qué te parece?

Cliff permaneció en silencio un minuto largo y después se levantó sin decir nada. La miró y ella también se levantó, arrebujándose en la manta.

Mientras ambos se miraban a los ojos, Annie adivinó que su marido estaba librando una batalla interior. No sabía cuánta parte de su comportamiento era resultado de su cólera y cuánta se debía a su naturaleza psicopática, pero el hecho de que no se hubiera calmado y su estado se hubiera agravado en los tres últimos días le daba un miedo espantoso.

Al final, Baxter esbozó una sonrisa diciendo:

—Parece que deseas volver a nuestra vida de antes, mejorando lo presente.

—Sí.

—Lo cual significa que me quieres. No creo que estuvieras dispuesta a hacer todas estas cositas tan agradables por un hombre al que no amaras.

—No, desde luego.

—¿Me amas? —preguntó Baxter. Annie no contestó. Dime que me amas.

Annie sabía que tenía que decirle que lo amaba, de lo contrario, él comprendería que todo lo que le había dicho era mentira.

—Dime que me amas.

—No te amo.

—Ya lo suponía. Pero yo te amo a ti.

—Si me amaras, no me harías todo esto.

—No te he hecho nada que no te merecieras. ¿Te traté alguna vez de esta manera antes de que le abrieras las piernas a otro? ¿Lo hice?

—Tú... no, no lo hiciste.

—¿Lo ves? Lo que ocurre es que no te gusta pagar el precio. No quieres asumir la responsabilidad de tus acciones. Y eso es lo que tenéis de malo las mujeres. Siempre buscando ventajas, enchufes y medios de salir de los embrollos sin ningún esfuerzo por vuestra parte. Tú provocaste toda esa mierda en Spencerville y ahora no te vas a ir de rositas.

—Tú tampoco.

—¿Qué coño quieres decir con eso?
Annie no contestó.
—¿Quieres otra tanda de azotes?
—No.
—Ya me lo imagino. O sea que no me quieres. Pero ya me querrás. Y cuando finalmente me lo digas, lo dirás en serio. Desde el fondo de tu corazón. Me vas a decir: «Cliff, te quiero.» Y ahora te voy a decir una cosa... si yo tuviera aquí mi detector de mentiras, éste me diría que me estás diciendo la pura verdad. Pero no necesito para nada la máquina de la verdad, cariño, porque, cuando llegue el momento, yo lo sabré perfectamente y tú también.
—Nunca.
—Recuerda lo que acabas de decir. Entretanto, puedes dar gracias de que yo todavía te quiera, pues, en cuanto deje de quererte, eres mujer muerta. Cuando reces esta noche, pídele a Dios que mañana yo te quiera todavía.
—Cuando rece esta noche, rezaré por tu alma, Cliff, y le pediré a Dios que te perdone. Yo no puedo.
A Baxter no le gustaron aquellas palabras.
—Vete a encadenarte al suelo.
Annie dio media vuelta y salió de la cocina para dirigirse a la espaciosa sala de estar donde se arrodilló junto a la mecedora, de cara al fuego de la chimenea. Él entró a su espalda y la observó mientras pasaba el gancho del candado por un eslabón de la cadena y por la argolla del suelo y lo cerraba. Después Annie se arrebujó en la manta, la dobló bajo sus nalgas y se sentó.
Baxter atizó el fuego, echó otro tronco y se pasó un buen rato contemplando las llamas. Uno de los perros volvió a ladrar, pero él pareció no darse cuenta. Al final, se volvió a mirarla.
—Ya te lo dije, cuando termine contigo, no serás la misma y, cuando eso ocurra, ya no te apetecerá regresar a Spencerville. Vete acostumbrando, cariño. Ésta será tu vida por siempre jamás. —Señalando la cabeza del lobo gris que colgaba por encima de la repisa de la chimenea, Baxter añadió—: Estaremos solos tú y yo con la única compañía de estos bichos.
Annie apartó el rostro y contempló el fuego de la chimenea mientras una lágrima rodaba por sus mejillas.
Baxter apagó la lámpara de sobremesa que había al lado de su sillón y encendió la lámpara de pie de la estancia. Después se sentó y se enfrascó en la lectura de una revista de caza. Al cabo de un rato, levantó la vista y habló en tono casi normal.
—De todos modos, te voy a decir una cosa. En alguna parte hay un tío que folló contigo y, si mis chicos lo atrapan y me lo traen aquí o si él viniera por su cuenta y yo lo atrapara, una vez muerto él, po-

dría reconsiderar mi decisión. Entretanto, te quedarás aquí conmigo. Puedes pensar todo lo que quieras en aquella polla, pero yo te aseguro que nunca más volverás a verla como no sea en mis manos antes de que se la eche a los perros.

Annie se enjugó las lágrimas del rostro con la manta.

—No llores, cariño. Sé que estás muy preocupada por mí, amor mío, pero yo sé cuidar muy bien de mí mismo. Ya lo has descubierto, ¿verdad? —Baxter soltó una carcajada y reanudó la lectura de su revista—. Puta de mierda.

Hambrienta y muerta de frío, Annie permaneció sentada en la mecedora, sintiéndose violada, dolorida y exhausta. Había sido un día muy malo y habría otros mucho peores. Miró a su marido, cerró los ojos y pensó en Keith. Sentía su presencia dentro de sí y trataba de imaginárselo a su lado. Recordaba lo que él le había dicho... *aunque nos separemos durante un breve período de tiempo, recuerda que te quiero y ten por seguro que nos volveremos a reunir...*

—Te lo prometo.

—¿Cómo?

—Nada.

Baxter se enfrascó de nuevo en la revista.

—Apuesto a que ya sé lo que estás pensando —dijo al cabo de un rato— y te sorprendería saber que yo estoy pensando lo mismo. Yo también espero que venga.

39

Keith estaba impaciente, pero sabía que, cuanto más tarde fuera, tantas más posibilidades tendrían de pillar a Baxter desprevenido. El atacante, recordó, siempre tiene la ventaja de la sorpresa y la movilidad, aparte el hecho de estar mentalizado para la pelea. El defensor, por su parte, tiene la ventaja de haber elegido el lugar y de haberlo preparado a su gusto, aparte la ventaja de las comodidades materiales. Sin embargo, esto último era precisamente lo que a veces adormecía al defensor, infundiéndole una fatídica sensación de seguridad.

Billy se sacó del bolsillo una bolsa de celofán y la abrió.

—¿Quieres unos cacahuetes?

—No.

Billy masticó los cacahuetes.

—A lo mejor —dijo—, no será necesario que matemos a los perros. Ahora que he visto la casa, creo que podríamos alcanzarle desde lejos. Nos colocamos en posiciones estratégicas en el extremo del claro, hacemos ruido, los perros se ponen a ladrar, él sale a su bonita terraza y nosotros le pegamos un balazo en el trasero. Tenemos miras telescópicas y podemos disparar dos o tres cartuchos cada uno antes de que él descubra qué coño está pasando.

—Lleva chaleco antibalas.

—Da igual. Cuando las balas empiecen a silbar a su alrededor, lo alcanzaremos aunque lleve chaleco. Puede que le demos en un brazo o una pierna. Puede que le traspasemos la maldita cabeza. ¿Qué dices?

—Me gusta todo eso que estás diciendo. Pero, cuando lo hayamos abatido, ¿qué hacemos?

—Pues, cuando lo hayamos abatido, tú echas a correr... hay unos cien metros hasta la casa y la terraza... En doce o trece segundos te plantas allí y yo entretanto te cubro y, si él levantara el maldito trasero de la terraza, vuelvo a disparar. Si queda algo de él cuando llegues a la terraza, le cortas el cuello. Después voy yo y lo destripo. Estoy deseando destriparlo, Keith. Pero, bueno, si tú quieres, yo me encargo del asalto y tú me cubres a mí. Tú mandas, mi teniente.

Keith miró a Billy Marlon. El hombre se lo estaba pasando en grande y tenía todo el derecho.

—Fuego y maniobra estándar. No está mal. Es lo más seguro para nosotros.

—Muy bien. El que cubra al otro estará a salvo y el que efectúe el asalto a la casa tendrá que confiar en la puntería de su compañero. ¿Eres buen tirador?

—Bastante bueno, ¿y tú?

—Antes era el mejor —contestó Marlon tras una leve vacilación—. Depende de lo firme que pueda tener el brazo.

—¿Y lo puedes tener muy firme?

—Por ese hijo de puta, tan firme como una roca.

Keith asintió con la cabeza, pensando en la idea de Billy. La escuela de infantería le hubiera dado su aprobación. Pero había que tener en cuenta otras cosas. La existencia de un rehén, por una parte, y la posibilidad de encontrarse cara a cara con el contrincante, por otra. Todo eso no se estudiaba en las clases de táctica y ni siquiera en la escuela de espionaje. La venganza y la represalia eran cosas que uno aprendía por su propia cuenta.

—Baxter podría refugiarse antes de resultar gravemente herido —le dijo Keith a Billy—. Podría rodear la casa por la parte de atrás o, peor todavía, podría entrar de nuevo en la casa.

—Sí... pero...

—Mira, cien metros no es una distancia muy grande, pero, de noche y con el otro tío protegido por un chaleco antibalas, podría ser un desastre. No quiero que vuelva a entrar en la casa.

—Por eso tú o yo tenemos que recorrer el espacio abierto como si nos estuvieran persiguiendo cien guerrilleros de Vietkong. Nos le echaremos encima antes de que tenga tiempo de reaccionar. Y, aunque entre en la casa, le haremos daño.

—Podría matar a su mujer.

—Keith, le vamos a dar porque desde esta distancia y con miras telescópicas, tú y yo no podemos fallar. Aunque entre en la casa, no podrá pensar más que en sí mismo y en nosotros. No estará de humor para pensar en ella.

—Tal vez.

—Oye, ¿acaso temes alguna otra cosa?

—Pues sí. Lo que no quisiera por nada del mundo es que tú o yo le pegáramos un tiro certero en la cabeza. No quiero que muera enseguida. Para eso he venido. Conviene que lo sepas.

Billy permaneció en silencio un instante y después asintió muy despacio con la cabeza.

—Sí... ya me lo suponía. Mira, yo tampoco quiero verle de pie y verle caer de pronto fulminado con una bala alojada en el cerebro sin antes haber podido mirarle a la cara. Yo quisiera destriparlo vivo, Keith, y ver la expresión de sus ojos cuando le enseñara sus tripas. Pero, si piensas acercarte sigilosamente a la casa y pillarle desprevenido con el pulgar metido en el trasero, por ahí no paso. No tengo este valor. ¿Lo tienes tú?

—Sí.

—Pues entonces, hazlo. Yo te cubriré desde los árboles. Pero, en tal caso, tendrás que liquidar primero a los perros.

—Claro. Por eso compré la ballesta. Una solución sencilla a un problema sencillo.

—Supongo que sí. Pero, mira —añadió Billy—, una cosa es querer hacer algo y otra, poderlo hacer. Yo te estoy indicando el medio más fácil para eliminar a este hijo de puta y tú me vienes con mierdas propias de un comando.

—Billy, en cualquiera de los dos casos, tú tendrás que hacer lo mismo. Búscate una posición estratégica de disparo entre los árboles.

—Oye, que yo no estoy preocupado por mi propia seguridad. Lo que no quiero es que te dejen frito ahí afuera o que entres en la casa y descubras que él te está esperando. Yo no podría esperar, cruzado de brazos, tío. Si hacemos lo que yo digo, cuando lleguemos a él, o estará muerto o estará malherido. Y, en cualquiera de los dos casos, yo lo destriparé.

Keith respiró hondo, diciendo:

—Es que yo quiero atraparlo vivo.

—No será posible.

—Sí, lo quiero atar, colocarlo en la parte de atrás de la camioneta y entregarlo a la justicia. Lo he estado pensando mucho y eso es lo que quiero hacer. Piénsalo tú también.

—Ya lo he pensado, Keith. Comprendo lo que quieres decir. Sé que él preferiría estar muerto antes que enfrentarse con todas las consecuencias de lo que ha hecho. Pero te diré que la maldita justicia actúa de una forma muy curiosa. A mí la ley me persigue porque soy un desgraciado, a pesar de que nunca he hecho daño a nadie. En cambio, ese hijo de puta podría salir absuelto.

Keith reflexionó. Aparte todas las humillaciones que tendría que sufrir, en cuestión de uno o dos años Baxter podría salir a la calle. Baxter era un enfermo y cabía la posibilidad de que los jueces aceptaran la tesis de su defensor y llegaran a la conclusión de que necesitaba terapia y asesoramiento. Había vivido una experiencia traumática al ver a su mujer en la cama con otro hombre, un taimado seductor forastero, y había hecho lo que cualquier otro hombre hubiera hecho en las mismas circunstancias. Había agredido al amante y después, en lugar de pegarle una patada en el trasero a su mujer, se había tomado unas pequeñas vacaciones con ella para tratar de arreglar las cosas. Cierto que se le había ido un poco la mano, pero por eso precisamente necesitaba asesoramiento. Keith lo pensó un poco y, al final, llegó a la conclusión de que, a pesar de la promesa que le había hecho a Annie, Cliff Baxter tenía que morir.

—De acuerdo... habrá que liquidarlo —dijo—. Pero lo tengo que hacer de cerca. Quiero que él sepa que hemos sido tú y yo.

—Muy bien... si eso es lo que necesitas para justificar la acción, yo no tengo inconveniente. Me gusta y espero que podamos hacerlo.

—Lo haremos.

—Oye, cuando terminemos con esta mierda —dijo Billy—, iré a Columbus a buscar a mi mujer. Es algo que no puedo hacer mientras él esté vivo, ¿comprendes?

—Comprendo.

—No podía mirar a nadie a la cara, Keith. Me lo tropezaba por la calle y él se burlaba de mí. A veces, me mandaba detener cuando me veía borracho y me cacheaban y el muy hijo de puta me sacaba fotos con él y decía que se las mandaba a Beth...

Keith no dijo nada.

—Seguramente te estarás preguntando por qué me quedé en la ciudad. Pues porque quería armarme de valor para matarle, pero nunca tuve el valor de hacerlo... y jamás lo hubiera conseguido hasta que apareciste tú. Recuerda que, si no lo consigo...

—Bueno, ya basta.

Keith miró a Billy, sentado con la espalda apoyada en el tronco de un árbol y la mirada perdida en la oscuridad. Pensó que Billy Marlon, el cual estaba en aquellos momentos completamente sereno y tenía la perspicacia propia de las almas extraviadas que ven las cosas con toda claridad, había previsto su propia muerte y probablemente no se equivocaba, pero había alcanzado uno de aquellos insólitos instantes de la vida en el que a uno le da igual vivir que morir.

Esperaron, rodeados por los sonidos nocturnos del bosque otoñal... una ardilla listada, una ardilla común, una liebre, algún que otro pájaro. Keith contempló la luna casi en lo más alto del cielo. Seguramente se pondría en cuestión de unas tres o cuatro horas. Sería el mejor momento para iniciar la acción. Lo malo era que necesitaría la luz de la luna para poder utilizar la ballesta contra los perros.

Aunque no quería pensar en lo que estaba ocurriendo en el interior de la casa, no se lo podía quitar de la cabeza. Cliff Baxter había estallado y su afán de posesión se había convertido en algo mucho más peligroso. Sabía que golpearía a Annie, la humillaría y la castigaría por su infidelidad. En realidad, Baxter era un sádico sexual que, al final, había encontrado la excusa que buscaba para poner en práctica sus morbosas fantasías con la mujer a la que jamás había conseguido quebrar por completo. Keith estaba seguro de que Baxter aún no habría conseguido quebrarla y de que, cuando él la viera, Annie estaría como él... golpeada y ensangrentada, pero enhiesta.

Procuró mentalizarse para lo que estaba a punto de ocurrir. Tenía que actuar con frialdad y con la misma astucia de la que él creía capaz a Baxter. Sabía que éste podía matar a Annie en cualquier momento, pero estaba casi seguro de que aún no había terminado la tarea que se había propuesto cumplir. Lo que estaba sucediendo allí dentro era lo más exquisito que Baxter jamás hubiera hecho en su vida y él sabía que la culminación no se produciría más que en el último instante. Y, precisamente en aquel último instante en que ellos se vieran cara a cara, todo tendría que ocurrir simultáneamente: el rescate, la venganza y la redención tan largo tiempo esperada.

—Tengo la sensación de que él sabe que estamos aquí —dijo Billy—. Quiero decir que no lo sabe, pero lo intuye.

—No importa —dijo Keith—. Eso no variará nada ni para él ni para nosotros.

—Muy bien. Está acorralado. —Tras una pausa, Billy añadió—: Pero creo que nosotros también lo estamos. Podemos irnos, pero no podemos, ¿comprendes?

—Sí.

—Me apetece un pitillo.

—¿Necesitas un trago?

—Bueno... ¿tienes algo?

—No... te preguntaba si necesitas un trago.

—Pues sí. Pero... puedo esperar.

—¿Sabes una cosa? Yo creo que tú podrías rehacer tu vida cuando todo esto termine, siempre y cuando dejes el alcohol.

—Es posible.

—Yo te ayudaré.

—No te preocupes. Estamos en paz. ¿Piensas alguna vez que nos estafaron? —preguntó Billy.

—Sí, pero, ¿y qué? A todos los veteranos desde la Primera Guerra Mundial los han estafado. Convendría que dejaras de compadecerte de ti mismo. No hay ninguna guerra lo bastante larga o lo bastante encarnizada como para trastornarte la cabeza tal como tú mismo te la has trastornado por tu cuenta.

Billy reflexionó un buen rato y después replicó:

—Puede que a ti no te haya ocurrido porque siempre fuiste un tío muy entero. Mi cabeza no podía resistir demasiado.

—Lo siento.

—Te voy a decir otra cosa, Keith... si tú no crees que estás un poco jodido, es que no oyes las campanas y los silbidos de tu cerebro.

Keith no contestó. Esperaron una hora más sin apenas decir nada.

—Oye —dijo Billy al final—, ¿recuerdas aquel partido del Findlay en último curso?

—No.

—Yo aquel día jugaba de centrocampista y estábamos siete a doce y voy y recibo un pase y chuto hacia el medio izquierdo, me entran en la línea delantera, pero no me caigo... me revuelvo y te paso la pelota a ti. Tú aquel día jugabas de defensa, ¿recuerdas? Los muy hijos de puta del Findlay se te echaron todos encima y tú bombeaste la pelota hacia un delantero que ahora no recuerdo cómo se llamaba. Ah, sí, Davis. El tío ni siquiera sabía que participaba en la jugada, pero se da la vuelta, la pelota aterriza en sus manos, le entran, cae detrás de la meta contraria y marca un tanto. ¿Lo recuerdas?

—Sí.

—Fue un partido tremendo. Eso te demuestra que, incluso cuando van mal las cosas, si tú resistes, puedes aprovechar una oportunidad. No sé si conservarán la película.

—Probablemente sí.

—Pues me gustaría verla. Oye, ¿recuerdas a Baxter en el instituto?

—No... mejor dicho, sí.

—Siempre fue un malnacido. ¿Te peleaste alguna vez con él?

—No, pero hubiera tenido que hacerlo.

—Nunca es tarde si la dicha es buena.

—Eso es lo que él piensa y por eso estamos nosotros aquí.

—Sí..., pero nunca le hicimos nada en la escuela. Yo nunca le hice nada. Es un tío que se divierte jodiendo a la gente porque sí. No comprendo cómo es posible que nadie le haya dado su merecido hace tiempo.

—Se aprovecha de los más débiles —dijo Keith.

Billy Marlon no contestó directamente al comentario, pero dijo entre risas:

—Está furioso contigo. Al día siguiente de haberte visto en el bar, cuando ya estaba sereno, me acordé de ti y de Annie Prentis. Y se me metió en la cabeza la idea de que tú y ella os volveríais a reunir. Menuda intuición la mía, ¿verdad?

Keith no dijo nada.

—Creo que él también lo debió de pensar. A veces yo la veía por la calle... bueno, en la escuela yo nunca tuve mucha relación con ella, pero éramos antiguos compañeros de clase y ella siempre me saludaba sonriendo. A veces, se detenía a charlar un ratito conmigo y me preguntaba qué tal me iban las cosas. Y yo me quedaba allí sin saber qué decirle mientras pensaba para mis adentros, «Tu marido se tiró a mi mujer y yo tendría que decírtelo», pero, como es natural, jamás se lo dije y tampoco quería hablar demasiado rato con ella, por temor a que, si él me viera pegando la hebra con su mujer, me hiciera alguna mala jugada o se la hiciera a ella.

—Creo que tendría que permitirte que lo destriparas vivo —dijo Keith.

—No necesito tu permiso para hacerlo —replicó Billy.

Keith se sorprendió un poco de la respuesta, pero le pareció una buena indicación del estado de ánimo de Billy.

—Acordamos que las órdenes las iba a dar yo —dijo.

Billy no contestó.

Pasó otra hora y la temperatura empezó a bajar. Keith consultó su reloj. Eran las diez de la noche. Estaba deseando entrar en acción, pero era todavía demasiado temprano. Baxter aún debía de estar despierto y en estado de alerta y los perros también.

Keith sabía que la luna estaba en aquellos momentos en el suroeste y calculó que quedaban todavía dos o tres horas de luz lunar.

—Bueno pues, lo vamos a hacer de la manera siguiente —dijo—. Eliminaremos a los perros a la luz de la luna, esperaremos que se esconda la luna, yo atravesaré el claro corriendo, tú me cubrirás y yo subiré a la terraza y me colocaré con la espalda a la pared cerca de la puerta corredera de cristal. ¿De acuerdo?

—Hasta ahora, sí.

—Entonces tú lo tendrás que atraer al exterior. ¿Sabes ladrar como un perro?

—Pues claro.

—Muy bien pues. Te pones a ladrar y él sale a la terraza tal como ha hecho antes, pero esta vez yo estaré detrás de él, encañonándole la cabeza con mi pistola. Sencillo y seguro. ¿Ves alguna pega en el plan?

—Pues, en realidad, no le veo ninguna... porque, en teoría, los planes siempre están bien, ¿verdad?

—Sí. Y, a veces, incluso dan resultado.

—¿Recuerdas las sesiones teóricas de fútbol en la pizarra? —preguntó Billy sonriendo—. Todas las jugadas desembocaban en gol. Lo mismo ocurría en el Ejército. Pero nunca te decían lo que había ocurrido cuando caía algún compañero y nadie sabía lo que estaban tramando los del otro lado para hacerte la Pascua.

—Así es la vida.

—Pues sí —Billy reflexionó un instante antes de añadir—: Creo que yo mismo he destrozado mi vida. Sin la colaboración de los malos chicos. Pero resistiré justo el tiempo suficiente para aprovechar esta oportunidad.

Esperaron en medio de la fría oscuridad de la noche, envueltos en los ponchos de lona. A medianoche, Keith se levantó, arrojó su poncho al suelo y dijo:

—En marcha.

40

Cliff Baxter dejó la revista y bostezó. Apuró la lata de cerveza, sacó de la bolsa un puñado de galletitas saladas en forma de lazo y se lo comió.

Miró a su mujer, sentada en la mecedora, y le arrojó unas cuantas galletitas a la manta.

—Para que no digas que nunca te doy gollerías. Come. —Annie no prestó la menor atención a las galletitas y no contestó—. ¿Preparada para la cama, cariño? —preguntó Baxter.

Sin apartar los ojos de las mortecinas llamas del hogar, Annie replicó:

—No, quiero quedarme aquí sentada.

—Ah, ¿sí? ¿Toda la noche?

—Sí.

—¿Y a mí quién me va a acariciar?

—Yo, no. Estoy encadenada a la cama.

—Esposada, no encadenada.

—¿Y eso a mí qué más me da?

—Mira, si me fiara de ti, no tendría que encadenarte al suelo ni esposarte a la cama ni nada de todo eso. ¿Puedo confiar en ti?

—Sí.

Baxter soltó una carcajada.

—Ya, puedo confiar en que me saltarás la tapa de los sesos.

—¿Me tienes miedo? —preguntó Annie, mirándole fijamente.

—Le tengo miedo a cualquiera que pueda apretar un gatillo —contestó Baxter, entornando los ojos—. No soy tonto.

—No, desde luego —dijo Annie—. Pero eres...

—¿Qué?

—No te fías de la gente, Cliff. ¿No sabes confiar?

—No. ¿Por qué tengo que fiarme de la gente? ¿Por qué tengo que fiarme de ti?

—Si te doy mi palabra de que no intentaré matarte, ¿me quitarás las esposas?

—No. ¿Por qué te molesta tanto estar esposada?

—¿Por qué? Porque no quiero estar encadenada como un animal. Sólo por eso.

—No estás encadenada como un animal, mujer. Los animales gozan de más libertad. —Baxter se rió—. Tú estás encadenada como una delincuente que ha sido apresada por la ley. Los perros de ahí afuera no han hecho nada malo y por eso se pueden mover dentro de un radio de unos cien metros. Te falló la jugada, señora mía. Ya verás tú lo que es bueno. Puede que, dentro de unas semanas, te coloque en la perrera y entonces podrás decir que estás encandenada como un animal y encima darme las gracias.

Annie respiró hondo.

—Cliff... tuve la oportunidad de matarte aquella vez... yo jamás podría matar a nadie. Créeme, te lo ruego... tú sabes que es cierto. Tú mismo lo dijiste. Déjame dormir esta noche sin las esposas. No puedo dormir bien con las muñecas esposadas al cabezal de la cama. Por favor. Te juro que no te haré daño.

—¿No? Pero eso no quiere decir que yo no me despertara esposado a la cama y que tú no te largaras, ¿no es cierto? No, no te molestes en contestar —Baxter se inclinó hacia ella—. Eso me recuerda que, la próxima vez que tengas que mear, lo podrás hacer donde estés.

—Cliff... por favor...

—Y después tú misma lo limpiarás, pero no lo vayas a hacer en la cama, ¿eh? —Baxter volvió a bostezar—. ¿Prefieres dormir en esta maldita mecedora toda la noche en lugar de dormir conmigo?

Annie sacudió la cabeza.

—No... perdona. No quiero quedarme aquí sentada toda la noche. Iré a la cama. Tengo que ir al cuarto de baño.

—Ah, ¿sí? Se me ocurre una idea mejor. Quédate aquí. Te sentará bien. —Baxter se acercó a ella, le arrancó la manta de encima y la arrojó al otro extremo de la estancia—. Méate en la mecedora y a ver si se te congela el trasero.

—Hijo de puta.

Baxter le dio un doloroso pellizco en la mejilla.

—Mañana por la mañana recibirás diez azotes en el culo. Vete pensándolo toda la noche. Y no habrá desayuno. Te quedarás sentada en medio de tus propios orines y aspirarás el aroma de los huevos fritos con jamón —añadió. Después se acercó al armero, lo abrió, sacó el AK-47 y volvió a cerrar el armero con llave—. De todos modos, prefiero dormir con un rifle que contigo. El rifle es mucho más caliente de lo que tú nunca fuiste.

Annie permaneció sentada en la mecedora con los brazos cruzados, contemplando el brillo de los rescoldos.

—¿Quieres que eche otro tronco? —le preguntó Baxter.

Ella no contestó.

—No lo iba a hacer de todos modos.
Annie le miró.
—Cliff, por favor... te pido perdón. No me dejes aquí. Tengo frío. Necesito ir al...
—Hubieras tenido que pensar en todo eso antes de abrir la boca. ¿Recuerdas aquel doberman que tuve una vez, el que me ladraba constantemente y una vez incluso me mordió? Mucha gente me aconsejaba que le pegara un tiro. Eso lo puede hacer cualquiera. Yo tardé aproximadamente un mes en enseñarle quién era el jefe, ¿verdad? Acabó siendo el mejor perro que jamás he tenido en mi vida. Y así vas a ser tú, cariño.
Annie se levantó.
—¡Yo no soy un perro! Soy una persona, un ser humano. Soy tu esposa...
—¡No! Eras mi esposa. Ahora eres un objeto de mi propiedad.
—¡No!
Cliff la empujó de nuevo a la mecedora y se inclinó sobre ella, la miró largo rato y después le dijo en tono burlón:
—Bueno pues, si fueras mi esposa, llevarías una alianza de matrimonio y yo no te veo ninguna.
Annie no contestó.
—Y, si yo no veo ninguna alianza de matrimonio, no podemos decir que eres mi esposa. ¿Dónde crees que la perdiste?
Annie guardó silencio.
—Qué demonios, no necesitas para nada una alianza. Ya llevas grilletes y esposas. La verdad es que te los hubiera tenido que poner hace muchos años. Y también uno de esos cinturones de castidad que le hubiera evitado muchos problemas a este coño tan caliente que tienes. Bien sabe Dios que no te has tomado en serio las promesas matrimoniales.
—Tú...
—¿Qué? Me vas a decir que yo he follado por ahí, ¿verdad? ¿Y qué? Yo te voy a decir una cosa a ti... aquellas tías no significaban una mierda para mí. Si tú hubieras cumplido con tu obligación, yo no me hubiera visto obligado a meterla por aquí y por allá. Pero lo que ocurre es que tú te enamoraste, ¿verdad?
Annie no contestó.
Baxter se acercó a la mecedora y ella apartó el rostro.
—Mírame.
Annie le miró, haciendo un esfuerzo.
—¿Crees que podré olvidar alguna vez lo que vi en aquel motel? —dijo Baxter—. No me refiero al hecho de haberte visto follando con él. Qué demonios, te había imaginado montones de veces follando con tíos. Me refiero al hecho de que te abalanza-

ras sobre mí para que el tío pudiera... para que pudiera matarme. Me refiero al hecho de verte echada encima suyo para que yo no le pudiera machacar la cabeza. ¿Crees que eso yo lo podré olvidar alguna vez?

—No.

—No. Jamás.

Keith y Billy se arrodillaron junto al borde del claro.

Mientras Billy examinaba la zona a través de la mira telescópica, Keith estudió la casa con los prismáticos. Había una luz todavía encendida, pero no la que él había visto antes cerca de la puerta corredera de cristal. Era una luz más débil que se filtraba por la ventana a través de la cual él había visto a Annie, muy cerca del centro de la casa donde se levantaba la chimenea en el tejado. Debía de proceder de una única lámpara de sobremesa. No había otras luces ni se vislumbraba ningún resplandor procedente del fuego del hogar, aunque de la chimenea se escapaba todavía un poco de humo que el viento empujaba hacia ellos, de tal manera que los perros no podrían olfatear la presencia de Billy. Keith pensó que eso sería una ventaja en el momento del ataque.

Keith siguió estudiando la casa por medio de los prismáticos. No se veían movimientos ni sombras pasando por delante de la ventana. Tampoco se veía el inconfundible parpadeo blanco azulado de una pantalla de televisor, lo cual hubiera significado la presencia de un ruido en el interior de la casa. Puede que hubiera una radio encendida o un reproductor de casetes en marcha, pero Keith consideraba a Baxter lo bastante listo como para no crear ninguna situación de desventaja. Si Keith hubiera tenido que adivinar lo que estaba ocurriendo en aquellos momentos en el interior de la casa —cosa que no tenía más remedio que hacer—, hubiera dicho que uno de los dos o quizá ambos estaban todavía despiertos y sentados junto al fuego medio apagado del hogar, tal vez leyendo o conversando. Adivinó también que Annie debía de estar físicamente sujeta de alguna manera, de lo contrario, Baxter hubiera tenido que estar vigilándola constantemente.

Keith recorrió con los prismáticos el espacio abierto que rodeaba la casa. Vio al *golden retriever* al fondo de su perrera de cara al lago, tendido en el suelo, tal vez durmiendo. Vio mas allá la silueta de otro perro caminando cerca de la orilla, probablemente también en el interior de una perrera de tela metálica. El tercer perro, que, en aquellos momentos, no podía ver, debía de estar en la parte posterior de la casa. Se le ocurrió pensar que, mucho antes de retirarse a su guarida, Baxter habría mandado instalar aquellas perreras para poder disfrutar de la máxima seguridad. Pensó que, si él hubiera llevado la existencia de Baxter, también hubiera tomado precauciones.

Keith se apartó los prismáticos de los ojos y Billy depositó el rifle en el suelo. Ambos procuraban moverse lo menos posible y hablaban en susurros por temor a que los oyeran los perros.

—Cada vez hay menos visibilidad —musitó Billy.

Keith asintió con la cabeza. La luna se encontraba en aquellos momentos sobre el extremo suroeste del lago, apenas unos diez grados por encima de los pinos más altos. Hubiera preferido una oscuridad total y hubiera deseado actuar entre las tres y las cuatro de la madrugada, cuando los perros y los hombres dormían más profundamente. Pero, si ahora pudiera eliminar a los perros, aprovechando que todavía podía verlos, afrontaría con más confianza la carrerilla a través del espacio que mediaba entre los árboles y la casa.

Esperaron, confiando en que la luz de la casa se apagara antes de que la luna se pusiera detrás de los pinos.

Keith contempló la casa sin los prismáticos. Cuanto más la miraba, tanto más siniestra le parecía, elevándose en el centro de la parcela con su oscura forma triangular bajo la luz de la luna, en medio de una zona de seguridad deliberadamente despejada, con una débil luz brillando en algún lugar de una habitación. La bruma que estaba empezando a subir desde el lago confería al paraje un aire espectral. Keith trató de imaginarse lo que estaría ocurriendo en el interior de la casa, qué se estarían diciendo el uno al otro Annie y Cliff Baxter después de todos aquellos años y qué pensarían y sentirían ahora que ambos sabían que el final estaba tan cerca.

Annie miró a Cliff y, por primera vez en los tres últimos días o quizá por primera vez en muchos años, pensó, los ojos de ambos se cruzaron. Llevaba muchos años sin amarle y ambos lo sabían y, en los últimos años, ni siquiera se había preocupado por él como persona. Pero jamás había deseado que sufriera, a pesar de todo lo que él le había hecho. Y ahora, incluso después de todo el dolor físico que él le había causado, lamentaba el profundo sufrimiento moral que ella sabía que estaba experimentando. No se sentía emocionalmente unida a él... pues él ya había destruido mucho antes aquel sentimiento. Pero no hubiera querido que viera lo que había visto en la habitación del motel.

Baxter pareció adivinar lo que estaba pensando y le dijo:

—Tú no me lo hubieras querido hacer. Ni siquiera veinte años atrás.

—No, no hubiera querido. Lo siento en el alma, Cliff, te lo juro. Me puedes apalear, violar y hacer lo que tú quieras, pero lo único que yo siento por ti es compasión. Puede que en parte tenga yo la culpa por no haberte dejado antes. Hubieras tenido que dejarme ir.

Baxter no contestó, pero Annie intuyó que parte de sus palabras le había hecho efecto. Sabía que lo que ella le dijera le causaría un dolor todavía más hondo, pero, en aquellas circunstancias en que la vida había quedado reducida a lo más esencial y, puesto que él mismo había planteado el tema, le parecía que había llegado el momento de ser completamente sincera. No creía que lo que ella le dijera lo sanara de su locura sino que probablemente se la agravaría, pero, si ella tenía que morir o si tenían que morir los dos, quería que él supiera cuáles eran al final sus verdaderos sentimientos.

Keith empezó a experimentar la conocida calma que precede al combate, aquella disociación casi trascendental entre la mente y el cuerpo, como si nada de todo aquello le estuviera efectivamente ocurriendo a él. Sabía que así entraban casi todos los hombres en la batalla, pero más tarde, cuando la batalla empezaba y subía la adrenalina, uno salía de aquel estado de negación y el cuerpo y el alma se volvían a juntar.

Pensó en Annie. Confiaba en que ella estuviera esperando su ayuda y en que pudiera resistir y no venirse abajo, empujándole a él al borde del precipicio.

Baxter extrajo la pistola de su funda y la sostuvo en alto diciendo:

—Esta pistola es suya. Se la robé de su casa. Quiero que sepas que, si te pego un tiro, será con su arma.

—¿Y qué?

Baxter la apuntó con la pistola Glock de 9 mm.

—¿Quieres terminar ahora de una vez?

Annie contempló la negra pistola.

—La decisión es tuya, no mía. Nada de lo que yo diga te importa.

—Por supuesto que me importa. ¿Me quieres?

—No.

—¿Y a él lo quieres?

—Sí.

Baxter, se acercó la pistola a la sien y soltó el seguro.

—¿Quieres que apriete el gatillo?

—No.

—¿Por qué no?

—Yo... Cliff... no...

—¿No quieres ver salpicar mi cerebro por ahí?

Annie apartó el rostro.

—No. Déjalo, por favor.
—Mírame.
—No.
—No importa. Si me salto la tapa de los sesos, tú morirás de una muerte muy lenta, encadenada al suelo. Podrás ver cómo me pudro. Podrás aspirar el olor a podrido aquí mismo delante de ti.
Annie se cubrió el rostro con las manos diciendo:
—Cliff... por favor, no... no me atormentes, no te atormentes más a ti...
—Tiene que ser o tú o yo, cariño. Elige.
—¡Ya basta! ¡Basta!
—Adiós, car...

De repente, se oyó el rumor amortiguado de un disparo y Keith y Billy se agacharon un poco más. Esperaron un poco, pero no hubo un segundo disparo, sólo los ladridos de los perros.
—¿Procedía de la casa? —preguntó Billy.
—No lo sé...
Pero parecía que sí. No era el inconfundible estallido de un disparo de rifle al aire libre sino más bien el sonido amortiguado de una pistola disparada en el interior de un edificio. Keith se acercó los prismáticos a los ojos y observó que le temblaban las manos. No podía ver nada a través de las ventanas, pero cualquier cosa que hubiera ocurrido ya había terminado y él había llegado demasiado tarde para cambiar el curso de los acontecimientos.
—Tranquilízate —le dijo Billy en un susurro—. No sabemos qué ha ocurrido.
—No, pero muy pronto lo averiguaremos.

Annie oyó el disparo de la pistola, una ensordecedora detonación que le hizo pegar un respingo. Se volvió a mirarle y le vio de pie con la pistola en la mano y una sonrisa en los labios.
—He fallado —dijo Cliff, soltando una carcajada—. ¿Te has meado encima? —le preguntó entre risas.
Annie volvió a cubrirse el rostro con las manos y rompió a llorar.
Cliff tomó el rifle AK-47, el chaleco antibalas y una escopeta de caza y después apagó la luz, dejando la estancia sumida en la oscuridad.
Annie le oyó respirar muy cerca de ella.
—Buenas noches, cariño.
Ella no contestó.
—Te he dicho buenas noches, cariño.

—Buenas noches.

—No te pasees por ahí como una sonámbula —dijo Baxter, riéndose.

Annie le oyó abandonar la estancia.

Permaneció inmóvil un minuto largo y después abrió los ojos. Los rescoldos brillaban débilmente en el hogar. Respiró hondo y sintió que el corazón le latía apresuradamente en el pecho. A pesar de sus períodos de comportamiento irracional, ella todavía podía hacerle una insinuación y desencadenar una acción. Aquella noche Cliff no se mataría y tampoco la mataría a ella, pero quería hacerla sufrir y, por consiguiente, le encantaba la idea de dejarla allí desnuda y muerta de frío, con los pies encadenados al suelo. De momento, todo iba bien. Annie tenía una sola oportunidad. Se levantó sigilosamente de la mecedora, se deslizó al suelo y se acercó al hogar.

Mientras Keith miraba, se apagó la luz de la ventana y, unos segundos después, se encendió la luz de la ventana del fondo, probablemente un dormitorio. Un minuto después, se apagó la luz de la segunda ventana y él se apartó los prismáticos de los ojos. No parecía lógico que alguien de la casa acabara de ser asesinado y la otra persona apagara las luces y se fuera a la cama. En una zona de caza, pensó, se oían siempre disparos, incluso de noche y, debido a los árboles y el lago, no era fácil establecer su procedencia.

Procuró tranquilizarse y miró a Billy, el cual le estaba mirando a su vez, a la espera de que dijera algo. En aquellos momentos, en que ambos se encontraban en el punto de salida, la conversación se reducía esencialmente a tres órdenes: ir; no ir; esperar. «No ir» no era una alternativa, «Esperar» era lo que uno hubiera querido decir e «Ir» era una decisión irrevocable.

—¿Preparado? —preguntó Keith.

—Preparado.

—Vamos allá.

41

Annie se arrastró sigilosamente sobre el suelo de madera de roble y la cadena se fue deslizando a través del candado hasta que el grillete de su tobillo izquierdo entró en contacto con la argolla. Alargó la mano hacia el atizador de hierro fundido que Cliff había dejado apoyado contra el hogar de piedra, pero no lo pudo alcanzar.

Esperó un momento y prestó atención. Oyó los ronquidos de Cliff a unos seis metros de distancia desde el dormitorio del fondo del pasillo. Se estiró todo lo que pudo hacia el atizador, pero las puntas de sus dedos quedaron a unos dos centímetros de él.

Lo intentó de nuevo, estirándose al máximo, pero sólo consiguió rozar el mango del atizador. Se volvió a aflojar y la tensa cadena cayó al suelo, resonando contra las tablas de madera. Se quedó petrificada y prestó atención.

Los ronquidos de Cliff cesaron un segundo, pero inmediatamente se reanudaron. Annie se incorporó y miró a su alrededor en la estancia a oscuras. El rescoldo aún no se había apagado y la luz de la luna penetraba a través de las ventanas del sur. Necesitaba algo para alargar el alcance de sus dedos, pero no tenía nada a mano. De pronto, lo vio. En el hogar, iluminada por el rescoldo, había una retorcida galleta salada que había caído al suelo cuando Cliff le había arrancado la manta de encima. La gollería de Cliff. Gracias, Cliff. Tomó la galleta y volvió a estirar el cuerpo, alargando la mano hacia el atizador.

Con todos los músculos en tensión, Annie experimentaba unos intensos dolores en las piernas y en todo el magullado cuerpo, pero se mantuvo tranquila y serena, sosteniendo fuertemente la galleta entre las puntas de los dedos hasta conseguir enganchar con ella el mango del atizador y tirar de éste. El atizador se inclinó hacia ella y Annie lo atrapó. Después permaneció inmóvil, respirando afanosamente.

Al final, en la seguridad de que él no había oído nada, retrocedió poco a poco hacia la mecedora y se sentó en el suelo. Se inclinó hacia adelante y examinó la cadena, el candado y la argolla. No creía que pudiera arrancar la argolla del suelo ni abrir el grillete. Pero sí podía desenroscar la argolla del suelo. Introdujo la punta del atizador a través de la argolla y lo movió en sentido contrario al de las manecillas del reloj, utilizándolo como palanca para retorcer el candado de tal forma que éste hiciera girar la argolla a la que estaba conectado. La argolla enroscada chirrió en las tablas de madera de roble. Annie se detuvo para prestar atención, modificó la posición del atizador para que no rozara la cadena y siguió dándole vueltas. Al cabo de unas cuantas vueltas, tocó la argolla con los dedos y advirtió que ésta se estaba levantando del suelo. Recordó que era una argolla de unos diez o doce centímetros y que, cuando Cliff la había enroscado al suelo, éste le había dicho: «Eso no sale de aquí». Te equivocas, Cliff. Pero le llevaría un buen rato desenroscarla. Siguió dando vueltas al atizador y, al cabo de unos minutos, observó que la argolla ya se había levantado unos cuatro centímetros del suelo, pero aún estaba fuertemente sujeta.

Oyó crujir la cama y las tablas del suelo mientras los pies de Cliff avanzaban por el pasillo. Ocultó rápidamente el atizador bajo la alfombra del hogar y se sentó en la mecedora, cubriendo con los pies descalzos la argolla y el candado. Se inclinó hacia un lado simulando estar dormida y le miró a través del ojo izquierdo entornado.

Cliff encendió la lámpara de sobremesa, pero no dijo nada. Se limitó a permanecer de pie en calzoncillos y camiseta. Sus ojos miraron a su alrededor como los de un animal, tratando de descubrir si algo no estaba como hubiera tenido que estar. Después le miraron los pies, pero enseguida se desviaron a otro lugar. Se comportaba como uno de sus perros, pensó Annie, y algunas veces incluso le parecía que había desarrollado unos sentidos del olfato y del oído tan agudos como los de un perro o una astucia tan certera como la de un lobo. Sin embargo, su debilidad era sobreestimar su propia inteligencia y subestimar la de todos los demás, especialmente la de las mujeres y muy especialmente la de ella.

—¡Eh! ¡Despierta!

Annie abrió los ojos y se incorporó.

—¿Estás cómoda, cariño?

—No.

—¿Aún no te has hecho pipí?

—No... pero tengo que ir...

—Muy bien. Hazlo aquí mismo.

—No.

—Ya lo harás. ¿Tienes frío?

—Sí.

—Estaba pensando que podría dejarte ir a la cama. —Cliff hizo sonar las llaves que le colgaban de una cadena alrededor del cuello—. ¿Quieres ir a la cama?

No, no, no, pensó Annie, pero procuró mostrar una expresión de alivio y gratitud.

—Sí, muchas gracias —dijo—. Necesito ir al lavabo. Tengo frío, Cliff, y estoy muerta de hambre. Creo que me está a punto de venir la regla. Necesito una compresa. Por favor —añadió.

Cliff reflexionó un momento. Si le quedara un gramo de compasión, pensó Annie, se apiadaría de ella y accedería a sus peticiones. Pero apostaba a que ya no le quedaba la menor compasión y a que la expresión «por favor» era lo que más deseaba escuchar para poder darse el gusto de no concederle nada.

—Bueno, ya lo pensaré —dijo Baxter—. Vendré dentro de un rato para ver si tienes frío y estás mojada y hambrienta.

—Por favor, Cliff...

—Recuerda —dijo Baxter— que mañana por la mañana te tocan diez azotes y que no habrá desayuno. Pero puede que lleguemos a un acuerdo. Piensa en esa cosa que nunca me has permitido hacerte.

Baxter le guiñó el ojo y alargó la mano hacia el interruptor de la luz. Antes de que la apagara, Annie echó un vistazo al reloj de la repisa de la chimenea.

Annie le oyó alejarse por el pasillo y después oyó el rumor del agua del excusado y el crujido de la cama. Oyó el tic tac del reloj de la repisa. En las últimas dos noches, Baxter había colocado el dispositivo del timbre del despertador para que sonara a intervalos de dos horas, contando a partir de la una y media. Eran las doce y cuarenta y cinco minutos y, por consiguiente, tenía tiempo, pensó Annie, a no ser que aquella noche lo hubiera modificado para que sonara a otros intervalos. No podía saberlo, pero tenía que esperar hasta tener la certeza de que él se había vuelto a dormir.

Dejó pasar unos veinte minutos y le pareció oír sus ronquidos. Se agachó de nuevo al suelo, sacó el atizador de debajo de la alfombra del hogar y volvió a empezar.

Uno de los perros ladró, pero sólo una vez, después el viento hizo vibrar el cristal de una ventana y una ráfaga hizo caer un poco de hollín a través de la chimenea, provocando el chisporroteo del rescoldo. Todos los sonidos y crujidos de la casa la sobresaltaban y le aceleraban los latidos del corazón.

Mientras seguía desenroscando la argolla, se imaginó libre. Tendría los grilletes en las piernas, pero podría caminar. Sabía en qué lugar de la cocina estaban las llaves del Bronco. Lo único que tendría que hacer sería tomarlas, envolverse en la manta, abrir la puerta corredera de la terraza y bajar por la escalera. Recordó lo que él le había dicho acerca de la trampa de osos y comprendió que, antes de llegar abajo, tendría que saltar por encima de la barandilla, dirigirse al garaje abierto donde estaba aparcado el Bronco debajo de la casa, subir al vehículo y ponerlo en marcha. En cuestión de unos segundos, podría alcanzar el camino sin asfaltar. Se preguntó si él dispararía contra el coche en caso de que pudiera hacerlo. Recordó lo que él le había dicho acerca del camuflaje de la entrada del camino y se preguntó si el Bronco, con tracción en las cuatro ruedas, lo podría superar. Ninguna de aquellas dos preguntas tendría la menor importancia si ella se limitara a entrar en el dormitorio con el atizador y le machacara la cabeza con él. Entonces se podría vestir tranquilamente y llamar a la policía.

Sintió el peso del atizador de hierro fundido en su mano. El gesto sería sencillo, más sencillo que correr. Pero, si no había podido matarle la vez en que ambos estaban armados y se habían mirado cara a cara, ¿cómo podría matarle estando él dormido? Un centímetro más, unos cuantos minutos más, y sería libre.

42

Keith y Billy avanzaron por el pinar y se detuvieron al borde del claro, de cara a la parte posterior de la casa.

Keith apoyó la ballesta contra su pecho y tensó la cuerda de treinta kilos de resistencia hasta introducirla en el dispositivo del gatillo. Después colocó una corta flecha en el surco y se arrodilló junto a un pino, se apoyó en el tronco para afinar la puntería y miró a través de la mira telescópica.

A unos sesenta metros de distancia, paseando bajo la luz de la luna que iluminaba el claro, vio un pastor alemán de gran tamaño. Observó que el perro no se encontraba en el interior de una perrera de tela metálica sino atado a un poste por medio de una larga correa.

Esperó a que el perro se acercara un poco más o, por lo menos, se estuviera quieto unos segundos en un sitio, pero el animal no paraba de moverse.

Billy enfocó la casa con los prismáticos y le dijo en voz baja:

—Todo bien por ahora.

Al final, el pastor alemán dejó de pasear a unos cuarenta metros de distancia y levantó la cabeza como si hubiera oído algo. Sería un disparo de perfil, por lo que Keith apuntó al cuarto delantero del perro en la esperanza de traspasarle el corazón o los pulmones. Apretó el gatillo y la flecha salió disparada de la ballesta.

No pudo ver adónde había ido a parar, pero el perro no había sido alcanzado. Aun así, éste, que la había oído pasar silbando por su lado, emitió un breve ladrido de desconcierto y empezó a dar vueltas.

Keith volvió a amartillar la cuerda y colocó otra flecha.

—Todo bien todavía —murmuró Billy.

Keith se levantó y efectuó un disparo deliberadamente corto. La flecha se clavó en el suelo a unos veinte metros de distancia. El pastor alemán lo oyó y se acercó directamente a la flecha mientras Keith volvía a amartillar, colocaba otra flecha y apuntaba a través de la mira. El perro se detuvo y empezó a mordisquear las barbas del extremo de la flecha. Keith apretó el gatillo.

Vio que la flecha traspasaba la cabeza del pastor alemán y le pareció que el perro ya estaba muerto cuando se desplomó al suelo.

Le dio a Billy una palmada en el hombro diciendo:

—Uno menos. Vamos allá.

Se colgó el M-16 del hombro y tomó la ballesta con la otra mano. Billy se colgó el M-14 del hombro y tomó la escopeta de caza. Juntos avanzaron por el pinar en dirección a los otros dos perros.

Tardaron más de veinte minutos en abrirse camino a través del oscuro bosque que rodeaba el perímetro del claro. Dieron una carrerilla para cruzar el camino sin asfaltar y avanzaron en semicírculo a través de los pinos en dirección al lago.

Se detuvieron en un punto desde el cual se podía ver el lago. La luna ya casi se había ocultado detrás de los pinos y el lago estaba mucho más oscuro. Keith calculó que sólo faltaban unos cuantos minutos para que la luna desapareciera del todo.

En la zona había unos cuantos pinos que probablemente habrían sido talados para ampliar el claro. Keith utilizó la base aserrada de un tronco para apoyar la caja de la ballesta. Miró a través de la mira telescópica y vio el Labrador en su perrera de tela metálica, sentado a unos veinte metros de distancia, de cara al lago.

Billy estaba vigilando la casa a través de la mira telescópica de su rifle y podía ver de soslayo la puerta corredera de cristal de la terraza.

—Todo bien en la casa —musitó. Desplazó la mira y localizó al *golden retriever*—. El tercer perro está durmiendo.

Keith enfocó el costado izquierdo del Labrador con el retículo de la mira. El perro levantó la cabeza y bostezó. Keith apretó el gatillo. Exceptuando la vibración del arco, no se oyó el menor sonido cuando la flecha se disparó. Un segundo después, el perro pegó un brinco, emitió un breve sonido de sorpresa en pleno bostezo y se desplomó al suelo. Gimió unos segundos y se quedó inmóvil.

Keith cambió de posición y, apoyándose la ballesta contra el pecho, amartilló de nuevo la cuerda mientras Billy le entregaba otra flecha del carcaj. Colocó la flecha en el surco y se levantó. Una vez eliminados los dos perros, el silencio absoluto ya no era tan importante como la velocidad. Consultó su reloj y vio que era la una y veintiocho minutos.

Abandonó la protección de los pinos y avanzó directamente hacia el *golden retriever*, el cual parecía dormir acurrucado en el suelo a unos cincuenta metros de distancia. Keith se acercó hasta unos veinte metros y entonces el perro se despertó y se levantó. Keith disparó y, antes de comprobar si la flecha había dado o no en el blanco, arrojó la ballesta al suelo y corrió hacia el perro, sacando simultáneamente la navaja.

El *retriever* emitió un gañido y trató de abalanzarse sobre Keith, pero la flecha le había traspasado el cuarto trasero y tropezó. Mientras el perro se volvía para ver lo que había ocurrido, Keith le saltó encima con ambas rodillas, le quebró el espinazo y, sujetándole al mismo tiempo el hocico para que no pudiera abrir la boca, le cortó la garganta.

Percibió los espasmos del perro y la sangre que se escapaba a borbotones a través de la herida. En cuestión de unos segundos, el perro quedó tendido inmóvil en el suelo.

Keith contempló la casa situada a unos cien metros de distancia. Nada se interponía ahora entre él y la casa... los perros ya no podrían advertir a Baxter, pero no había ningún lugar donde poder ocultarse. Sólo cien metros de espacio abierto. Todo estaba oscuro, pero menos de lo que estaría en cuestión de unos minutos cuando la luna se ocultara por completo detrás de los pinos. Sabía que, según el plan, hubiera tenido que esperar, pero la adrenalina le estaba subiendo, había conseguido matar a unos animales y ya se sentía preparado.

Billy se había ocultado en posición de disparo entre los árboles detrás de Keith, pero un poco desviado con respecto a la puerta corredera de la terraza para poder cubrir a Keith sin que éste se encontrara directamente en la línea de fuego.

—Keith —dijo en un susurro—, vuelve a esconderte o lánzate de una vez. No puedes quedarte aquí parado. —Keith se volvió hacia Billy y levantó el pulgar de una mano—. De acuerdo —dijo Billy—, yo te cubro. Buena suerte.

Keith contempló la casa y, sin dudar ni un instante, inició la carrera de cien metros a través del espacio abierto.

No quería que nada dificultara sus movimientos y, como no necesitaba el rifle, sólo llevaba el revólver de reglamento de la policía y el cuchillo de monte.

Ochenta metros. Diez segundos más y llegaría a los peldaños del porche. Clavó la mirada en la oscura puerta corredera de cristal.

Sesenta metros. Corriendo a través del claro, se sentía vulnerable y desnudo y sabía que, si Baxter hubiera salido por aquella puerta con el rifle y la mira telescópica infrarroja, éste ni siquiera hubiera tenido que apresurarse a pegarle un tiro e incluso hubiera tenido tiempo de mirarle con una sonrisa en los labios y decirle algo desagradable. Confiaba en que Billy Marlon fuera un buen tirador.

Tras oír sonar el timbre del despertador, Cliff Baxter se levantó de la cama y, todavía en ropa interior, se dirigió a la sala de estar y encendió la lámpara de sobremesa.

Annie estaba arrodillada en el suelo delante de la mecedora con los tobillos aherrojados a su espalda. Mantenía el atizador oculto entre sus muslos y el extremo de éste asomaba entre sus pies debajo de la mecedora, pero Baxter no podía verlo desde el lugar donde se encontraba.

—¿Por qué estás arrodillada en la oscuridad? —preguntó Baxter.

—No podía dormir en la mecedora. Me voy a tender en el suelo.

—Ah, ¿sí? —Baxter se acercó a la puerta corredera de cristal—. Pues yo voy a despertar a los perros.

Extrajo la pistola y abrió la puerta corredera justo lo suficiente como para poder introducir el cañón por el resquicio y disparar al aire. Mientras volvía a cerrar la puerta, se quedó inmóvil y prestó atención. Los perros no habían ladrado.

Billy Marlon, utilizando la mira telescópica de su rifle M-14, cubrió la carrera de Keith a través del claro, manteniendo el retículo en línea con la puerta corredera.

De pronto, se encendió una luz en la casa y, segundos después, Billy vio una figura recortada en la puerta, pero no pudo estar seguro de que fuera Baxter. La puerta pareció moverse y sonó un disparo, pero, antes de que él pudiera disparar, la figura desapareció.

—¡Maldita sea! —Vio a Keith a través de la mira, todavía corriendo—. Bueno, menos mal. —Después, a pocos metros de los peldaños de la entrada, Keith se desvió y desapareció de la mira—. Pero, ¿qué demonios...?

Billy Marlon se levantó, confuso y enfurecido, pensando que había dejado a Keith en la estacada. No había en el mundo una decepción comparable a la de un disparo no efectuado o un blanco no alcanzado. Inclinó el rifle y, sin pensarlo demasiado, cruzó corriendo el espacio abierto en dirección a la casa.

Treinta metros. Unos cuatro o cinco segundos más. Keith levantó los ojos y vio encenderse una luz en el interior de la casa, pero no interrumpió el ritmo de su carrera.

Veinte metros. Una figura se recortó de pronto en la puerta corredera de cristal y a Keith le pareció que la puerta se abría. Tomó una rápida decisión y se desvió a un lado bajo la terraza colgante, deteniéndose junto a una de las columnas de hormigón que sostenían la casa. Se oyó un disparo. Keith apoyó la espalda en la columna y apuntó con el revólver hacia arriba. La luz de la casa se filtraba débilmente a través de las tablas de madera de la terraza. Esperaba ver alguna sombra o algún movimiento en la terraza por encima de su cabeza, pero no vio ni oyó nada. Un segundo después oyó cerrarse la puerta corredera.

Estaba casi seguro de que era Baxter y de que éste no le había visto ni oído acercarse a la casa, de lo contrario, no hubiera encendido la luz. Baxter había elegido un mal momento para despertar a los perros de un disparo y los perros no le habían contestado. Ni jamás le contestarían. Cliff Baxter comprendió que tenía visita.

Cerró la puerta corredera de cristal y retrocedió de espaldas al armero. Permaneció absolutamente inmóvil, apuntando hacia la puerta con la Glock automática de 9 mm de Keith. Volvió la cabeza hacia la lámpara de sobremesa, situada a unos seis metros de distancia. Hubiera deseado apagarla, pero no quería moverse. Prestó atención.

Pensaba que nadie podía haber liquidado a sus tres perros, que éstos no estaban muertos y que simplemente el disparo no los había despertado. Pero no era posible. Maldita sea.

Miró a su mujer, arrodillada en el suelo en el otro extremo de la estancia, y los ojos de ambos se cruzaron.

Annie le aguantó la mirada y vio en su rostro la misma expresión que le había visto la vez que ella le había apuntado con la escopeta de caza. Hubiera querido sonreír y decirle algo, pero intuía la cercanía de la muerte y no sabía quién iba a morir.

Baxter tomó la cadena de las llaves que llevaba colgada alrededor del cuello y abrió el armero. Tomó el rifle Sako, encendió la mira electrónica infrarroja y quitó el seguro.

Keith permanecía inmóvil pegado a la columna de hormigón y apuntando todavía con el revólver hacia la terraza. A su espalda se encontraba el garaje abierto donde estaba aparcado el Bronco y, encima del garaje, estaba la casa. Prestó atención, pero no oyó rumor de pisadas en la casa.

Miró hacia el lugar donde había dejado a Billy Marlon cerca del borde del claro donde yacía el *retriever* muerto. La luna ya se había ocultado detrás de los pinos y el claro estaba sumido en una oscuridad casi absoluta.

Keith se preguntó por qué razón Billy no había disparado, pero se alegró de que no lo hubiera hecho. Probablemente todo había ocurrido demasiado rápido como para que Billy pudiera reaccionar o, a lo mejor, éste pensó que él abriría fuego y subiría por la escalera, situándose directamente en la línea de fuego. En cualquier caso, Baxter se encontraba en estado de alerta, Billy vigilaba desde cien metros de distancia al otro lado del claro y él se hallaba bajo los pies de

Baxter, probablemente a menos de tres metros de él. Hubiera querido subir a la terraza y quizá hubiera convenido que lo hiciera, pero estaba casi seguro de que Baxter no sabía que él se encontraba allí. Lo único que tenía que hacer era esperar a que Baxter decidiera salir con su mira infrarroja para resolver el problema.

Oyó un ruido y miró hacia el oscuro espacio abierto. Tardó unos cuantos segundos en darse cuenta de que allí afuera había movimiento. Después vio a Billy Marlon corriendo velozmente en dirección a la casa.

Maldita fuera su estampa. Keith estaba furioso con Billy por no haber cumplido sus órdenes, aunque nunca pensó que lo hiciera.

Billy cubrió rápidamente la distancia con el rifle a la altura de la cadera listo para disparar como un soldado de infantería asaltando una posición enemiga.

Aunque no podía cubrir a Marlon, Keith trató de indicarle por señas que se desviara y se situara debajo de la casa. Pero Billy estaba totalmente inmerso en su intento de subir a la terraza. Quería cargarse a Cliff Baxter y su mente estaba exclusivamente concentrada en aquel objetivo.

Cliff Baxter analizó rápidamente la situación. No podía saber en qué momento habían eliminado a los perros ni quién lo había hecho, pero lo sospechaba. Sin los perros, no había recibido el aviso y no podía saber dónde estaba Keith Landry en aquel momento. Sintió que una gota de sudor se formaba en su frente y le bajaba por la mejilla. Maldita sea.

Estaba a punto de cruzar la estancia y apagar la luz cuando le pareció oír algo fuera, el rumor de alguien que se acercaba corriendo.

Billy Marlon se encontraba a menos de tres metros del pie de la escalera y no parecía tener la menor intención de desviarse y reunirse con Keith debajo de la terraza. Keith no tuvo más remedio que abandonar su escondrijo y seguir a Billy Marlon escalera arriba, a pesar de no saber lo que iban a hacer cuando llegaran allí. Suponía que Billy rompería el cristal de la puerta corredera con la culata del rifle y que entrarían en la casa por allí.

Keith empezó a moverse en el momento en que Marlon se encontraba a cosa de un metro y medio del primer peldaño de madera. Keith vio demasiado tarde las cuatro estacas de maderas clavadas en el suelo al pie de la escalera. Billy pisó algo que parecía tierra, pero que era, en realidad, un lienzo de lona o de plástico asegurado en sus extremos por las estacas y cubierto por una delgada capa de tierra.

Keith lo vio todo como en cámara lenta: la expresión de sorpresa de Billy al sentir que la tierra cedía bajo sus pies y su caída en el hoyo. Keith pensaba que Billy iba a seguir cayendo como los hombres que, en Vietnam, caían en un profundo pozo *punji* y quedaban empalados en unas afiladas estacas de bambú. Pero Marlon se detuvo a la altura de las rodillas con los pies atrapados en la estrecha base del agujero cónico. Keith oyó un chasquido metálico, seguido de un terrible crujido y de un agudo y penetrante grito de Billy. Keith se quedó petrificado bajo la terraza a escasos metros de Billy y oyó que se abría la puerta corredera de cristal.

Baxter oyó el chasquido de la trampa de osos seguido de un grito desgarrador e inmediatamente abrió la puerta corredera para que el grito penetrara en la estancia.

—¡Ya te tengo! ¡Ya te tengo!

La figura atrapada al pie de la escalera se retorcía y gritaba de dolor, pero seguía sosteniendo fuertemente el rifle en su mano.

Baxter se dio cuenta enseguida de que no era Landry y gritó:

—Pero, ¿quién coño...? ¡Marlon! ¡Pedazo de mierda!

Sin apartarse del marco de la puerta, Baxter apuntó a Marlon con su rifle.

Billy Marlon, a pesar del terrible dolor que sentía, consiguió efectuar un solo disparo desde la altura de la cadera mientras Baxter disparaba contra él. El disparo de Billy se desvió demasiado arriba y la bala penetró en la madera del marco de la puerta por encima de la cabeza de Baxter. La bala de Baxter siguió la trayectoria prevista y traspasó el corazón de Billy Marlon.

Casi al mismo tiempo Keith efectuó tres disparos en rápida sucesión a través de las tablas de madera donde él calculaba que Baxter se encontraba de pie en el marco de la puerta corredera.

Un disparo destrozó la puerta de cristal, otro rozó el antebrazo de Baxter y el tercero le alcanzó en el pecho, cortándole la respiración y derribándole hacia atrás a través de la puerta hasta dejarle tendido en el suelo.

Annie lanzó un grito.

Baxter trató de levantarse sin soltar el rifle.

Al oír caer a Baxter, Keith salió disparado de debajo de la terraza, se agarró al pilar de la barandilla y tomó impulso para saltar por encima del hoyo donde Billy yacía muerto. Subió los peldaños de tres en tres, apuntando con la pistola hacia la puerta y, al no ver a Baxter en el suelo ni en ningún lugar de la estancia medio a oscuras, cruzó a toda prisa la terraza, irrumpió en la sala a través de la puerta abierta y rodó por el suelo a su derecha para ocultarse detrás del sofá, recorriendo la estancia con el cañón de la pistola.

Permaneció tendido detrás del sofá, mirando y prestando atención, pero no vio a nadie ni oyó nada. La única lámpara que brillaba al fondo de la sala de estar arrojaba oscuras sombras sobre el otro extremo de la estancia. El sofá le impedía ver la parte de la habitación donde estaba la chimenea, pero no así la chimenea de piedra que se elevaba hacia el alto techo abovedado y por encima de cuya repisa una cabeza de lobo gris presidía la sala de estar a unos nueve metros del lugar donde él se encontraba.

Procurando controlar su respiración y hacerse una idea de la disposición de la espaciosa sala de estar a partir de lo que él podía ver, Keith permaneció inmóvil, tendido de espaldas mientras recorría la estancia con el cañón de la pistola. Estaba casi seguro de haber alcanzado a Baxter, pero, a juzgar por el rumor de su cuerpo al desplomarse al suelo, suponía que éste llevaba un chaleco antibalas y que el disparo le había simplemente derribado al suelo y que después él se había apartado a rastras de la puerta. Baxter podía estar herido, pensó Keith, pero una bala de pistola del calibre 38 que había atravesado una tabla de madera y se había estrellado contra un chaleco antibalas no podía haberle hecho mucho daño.

Como apenas podía ver nada más allá del sofá y de los demás muebles, se deslizó un poco hacia la pared. Sus ojos recorrían incesantemente la estancia de izquierda a derecha, confiando en su visión periférica y en su oído para cubrir lo que no tenía directamente en la línea de visión y fiándose de su instinto para abrir fuego contra cualquier cosa que se moviera.

Keith no sabía quién iba a hacer el primer movimiento, pero estaba casi seguro de que ya no quedaban demasiados movimientos posibles en el ejercicio teórico de la pizarra.

Cruzaron por su mente varias imágenes de Billy Marlon: en el bar de la John's Place, cuando le preguntó si podía acompañarle, en el interior de la camioneta mientras subían hacia allí, sentado con él en el bosque... retorciéndose de dolor en aquel agujero. Muerto.

Pensó también en Annie. Sabía que no estaba muy lejos y que ella sabía que él se encontraba allí, en aquella estancia.

Decidió hacer el primer movimiento, no basándose en la rabia o el orgullo sino en la suposición de que Baxter sabía que había alguien en la sala de estar y conocía más o menos el lugar que ocupaba aquella persona mientras que él no tenía ni idea de dónde estaba Baxter.

Mientras empezaba a incorporarse sobre una rodilla, oyó una voz femenina, diciéndole desde la chimenea:

—Está en el rincón derecho del fondo, agachado con una pistola.

Casi antes de que ella terminara de hablar, Keith se incorporó rápidamente sobre una rodilla, apuntó por encima del respaldo del sofá y efectuó dos disparos contra Baxter, el cual se había refugiado detrás de un arca de madera que había en el rincón. Inmediatamemte volvió a ocultarse detrás del sofá y rodó hacia la derecha en dirección a la pared mientras dos disparos de respuesta atravesaban el respaldo del sofá.

Keith permaneció inmóvil detrás de un sillón.

En los dos segundos que había empleado en disparar, había vislumbrado fugazmente a Annie a su izquierda, desnuda y arrodillada en el suelo cerca del hogar. Estaba seguro de que ella también le había visto a él.

Tenía la casi absoluta certeza de que por lo menos uno de sus disparos había alcanzado a Baxter, pero, una vez más, el chaleco antibalas lo había salvado. No le satisfacía demasiado el revólver de reglamento de seis cartuchos Smith & Wesson Police Model 10 que utilizaban los hombres de Baxter, sobre todo en una situación como aquella en que, cuando sólo le quedaba una bala, no podía correr el riesgo de abrir la recámara, retirar los casquillos usados y volver a cargar, cámara por cámara.

Se preguntó si Baxter estaría usando la Glock de dieciséis cartuchos y recámara de carga rápida. De todos modos, no importaba, pues, tal como él sospechaba, ahora que Baxter ya sabía con toda seguridad que su contrincante era Landry, el juego de la cuenta de los disparos estaba a punto de terminar.

Como si hubiera leído sus pensamientos, Baxter gritó:

—No dispares, Landry, estoy situado justo detrás de ella, apuntándola en la cabeza. Por consiguiente, levántate con las manos en alto para que yo pueda verte.

Keith ya se había imaginado lo que iba a ocurrir porque conocía a Baxter. La voz de Baxter sonaba firme, pero no enteramente tranquila, a pesar de que tenía todas las bazas a su favor.

—Primero quiero ver las manos vacías.

A Keith sólo le quedaba una alternativa, la que Baxter le había ofrecido al disparar contra él. Hacerse el muerto.

Pasaron unos cuantos segundos, a cuyo término Baxter gritó:

—Oye, hijo de la gran puta, ¿acaso quieres que ella muera? Levántate como un hombre o le salto a esta tía la maldita tapa de los sesos. Hablo en serio.

Keith oyó la voz de Annie diciendo:

—No lo hagas, Keith...

Después se oyó un sonoro bofetón y un grito de dolor.

Baxter volvió a hablar:

—Oye, héroe, te doy cinco segundos antes de matarla. ¡Uno!

Keith no creía que Baxter matara a su mujer por varias razones, la más importante de las cuales era la necesidad de no perder su escudo humano.

—¡Dos!

Keith sabía que, si se levantaba, su muerte no sería rápida. Se acercó el revólver al cuerpo para amortiguar el sonido, abrió la recámara y extrajo los cinco casquillos usados.

¡Tres!

Keith empezó a introducir cartuchos en las cámaras vacías.

—¡Cuatro! Te juro por Dios, Landry, que, como no te levantes, la mato.

—¡No! —gritó Annie—. ¡No lo hagas...!

Otro bofetón y otro grito de dolor, durante los cuales Keith volvió a encajar rápidamente la recámara en su sitio.

—¡Cinco! Muy bien pues, se acabó.

Keith contuvo la respiración y procuró tranquilizarse. Hubiera querido levantarse, gritar, disparar, dejar que Baxter lo matara, hacer en aquella décima de segundo cualquier cosa menos lo que él sabía que tenía que hacer, que era nada.

Tras un prolongado silencio, se oyó de nuevo la voz de Baxter:

—¡Oye, tú! ¿Estás muerto o te haces el muerto?

Keith lanzó un suspiro de alivio y esbozó una sonrisa.

Ven aquí y lo verás.

—Puedo esperar toda la maldita noche, Landry.

Yo también. Keith esperó. Una cosa con la cual podía contar era el hecho de que Annie le avisara en caso de que Baxter hiciera ademán de acercarse a él. La rehén y el escudo de Baxter era, al mismo tiempo, su mayor problema. Pero, al parecer, Baxter ya lo había comprendido, pues, de repente, se apagó la luz y la habitación se quedó a oscuras.

El silencio era tan absoluto que Keith podía oír el tic tac del reloj de la repisa de la chimenea desde nueve metros de distancia.

—Uno de nosotros tiene una mira telescópica infrarroja y el otro, no —dijo Baxter al cabo de un rato—. Adivina quién puede ver en la oscuridad.

Keith oyó crujir las tablas del suelo y las volvió a oír más cerca. Se imaginó a Baxter, de pie aproximadamente en el centro de la estancia, recorriendo el suelo, las paredes y los muebles con su mira telescópica nocturna montada en el rifle. El juego estaba a punto de tocar a su fin y a Keith sólo le quedaban dos posibilidades...: levantarse y disparar en la oscuridad o hacerse el muerto.

Se colocó la mano derecha en la que empuñaba el revóver bajo las nalgas como si hubiera caído muerto sobre su antebrazo y, con la mano izquierda, extrajo la navaja, se hizo un corte en el nacimiento del cabello y se ensució toda la cara y el ojo izquierdo con la sangre. Después se volvió a guardar la navaja en el bolsillo y mantuvo los ojos abiertos, mirando hacia el techo como un muerto.

Oyó a Baxter muy cerca, en el otro extremo del sofá.

—Muy bien... —dijo Baxter— o sea que no estabas jugando.

Keith no podía verle, pero sentía su presencia y adivinaba por su voz que se encontraba a unos tres metros de distancia y que, desde tan cerca, la imagen infrarroja sería demasiado borrosa como para permitir detectar la menor señal de vida. Pese a ello, contuvo la respiración y mantuvo los párpados y los ojos completamente inmóviles. Pero no pudo evitar que unas gotas de sudor se formaran sobre su labio superior. Tuvo la sensación de que la mira telescópica infrarroja penetraba en su rostro e intuyó el cañón del rifle apuntando contra su garganta. Oyó sollozar a Annie desde el otro extremo de la estancia.

—Oye, Landry —dijo Baxter—, ¿te estás haciendo el muerto o qué...?

Keith sabía que necesitaba disparar a la cabeza, pero tal cosa no hubiera sido posible en la oscuridad. Sólo podía abrigar la esperanza de disparar contra el chaleco antibalas para derribar a Baxter al suelo y aprovechar entonces para utilizar la navaja.

—Espero con toda el alma que no estés muerto, pedazo de mierda. Quiero que pruebes esto.

Keith comprendió que Baxter estaba a punto de dispararle a la pierna o la ingle y que él tenía que actuar sin pérdida de tiempo. Sacó la mano en la que empuñaba el arma y efectuó tres disparos hacia arriba y a su derecha donde había oído la voz de Baxter, rodó por el suelo, volvió a efectuar tres disparos y se detuvo junto a la pared, cerca de la destrozada puerta de cristal. Miró en la oscuridad y esperó.

No oyó a Baxter gritar de dolor ni las balas estrellándose contra su chaleco antibalas ni el rumor de un cuerpo al desplomarse al suelo. Comprendió que Baxter se debía de haber desplazado y agachado antes de que él abriera fuego. Baxter había hecho una buena jugada y Keith había hecho una jugada fatídica. Oyó la voz de Baxter desde otro lugar.

—Hasta luego, imbécil...

En lugar de la explosión del rifle de Baxter disparando contra él, Keith oyó un sordo rumor. No tenía ni idea de lo que era, pero le hizo comprender que Baxter no estaba muerto. Se puso en pie de un salto y se lanzó hacia el sofá con la navaja en la mano, blandiéndola en la oscuridad. De pronto, algo le rozó las piernas y cayó al suelo con un ruido más débil.

No se oyó nada más en la estancia a oscuras. Después Keith oyó una especie de gruñido justo en el momento en que se encendía una lámpara de pie al lado del sofá.

Sus ojos tardaron unos segundos en acostumbrarse a la luz, pero ni siquiera entonces pudo asimilar por completo lo que vio.

Baxter estaba arrodillado en el sofá con el tronco inclinado sobre el respaldo y la cabeza y los brazos desnudos colgando. Llevaba un grueso chaleco de nailon de color gris y la sangre le manaba del brazo izquierdo donde Keith suponía que una de sus balas lo había rozado. Contempló sus ojos abiertos clavados en él.

Con la navaja todavía en la mano, Keith bajó la mirada, vio el rifle con la mira nocturna en el suelo y comprendió que eso era lo que le había golpeado las piernas. Sabía que no había alcanzado a Baxter con su navaja y, sin embargo, Baxter estaba sangrando por la boca.

Vio a Annie de pie a su izquierda. Estaba completamente desnuda y permanecía rígidamente de pie, con los ojos a un millón de kilómetros de distancia y la mano derecha todavía apoyada en el interruptor de la lámpara. Después vio el atizador en su mano izquierda, colgando a su lado. Annie no le estaba mirando a él sino que mantenía los ojos clavados en la cabeza de Baxter.

Baxter gruñía y mantenía la cabeza inclinada hacia un lado mientras un hilillo de sangre le manaba de la boca.

Keith miró de nuevo a Annie sin decir nada ni hacer ningún movimiento hasta que, al final, ella se volvió a mirarle.

El sofá se interponía entre ambos, pero él alargó el brazo más allá de Baxter, le indicó por señas a Annie que le diera el atizador y justo en aquel momento se percató de que ésta llevaba unos grilletes en los tobillos. Volvió a pedirle por señas el atizador, pero ella sacudió la cabeza.

Cliff Baxter emitió otro gruñido mientras Keith le miraba. La sangre le bajaba a ahora por ambos lados del cuello.

—Tú te lo has buscado y lo sabes —le dijo Keith en un intento de tranquilizar a Annie.

Baxter levantó la cabeza y, todavía consciente, miró a Keith.

—Vete a la puta mierda... —le dijo. Después trató de incorporarse y de darse la vuelta, moviendo la cabeza mientras sus ojos recorrían la estancia—. Annie, Annie, yo...

Annie levantó el atizador en un amplio arco por encima de su cabeza y lo descargó con fuerza sobre la coronilla de su marido, dejándolo tendido en el sofá.

Keith oyó el crujido del cráneo y vio que los ojos de Baxter se desorbitaban y que la sangre le manaba de la nariz. No se sorprendió en absoluto de aquel segundo golpe fatal... estaba seguro de que ella sabía mejor que nadie lo que estaba haciendo y el por qué.

Annie soltó el atizador y miró a Keith.

—Tranquila... no pasa nada... —le dijo Keith, rodeando el sofá. Ella dio un vacilante paso hacia él y después otro, pero la cadena se tensó y la hizo tropezar. Keith la tomó por los brazos, la acompañó a un sillón y la hizo sentarse. Después se quitó la camisa, se la puso sobre los hombros y le acarició la mejilla con la mano—. Tranquila —repitió.

Se apartó de ella y recogió el atizador del suelo. Adelantándose hacia el sofá, descargó con todas sus fuerzas el atizador sobre el ya machacado cráneo de Baxter. Entonces observó que Baxter iba en ropa interior y tenía la piel muy pálida y se le había aflojado el esfínter.

Arrojó el atizador al suelo y se volvió hacia Annie.

—Yo lo he matado —dijo en un susurro.

Ella no contestó.

—Yo lo he matado, Annie —repitió Keith—. Está muerto. Todo ha terminado.

Annie le miró.

Keith se arrodilló delante de ella y tomó sus frías y sudorosas manos.

—Tranquilízate —le dijo—. Todo ira bien. Ahora mismo regresamos a Spencerville.

—Gracias —dijo Annie, mientras las lágrimas rodaban por sus mejillas.

No era el momento, pensó Keith, para darle las gracias por haberle salvado la vida, pues su intención era crear en su mente una secuencia distinta de acontecimientos. Le frotó las manos y le preguntó:

—¿Estás herida?

—No... —Annie le acarició el rostro donde la sangre del corte de la navaja estaba todavía húmeda—. El que está herido eres tú.

—No te preocupes. —Keith vio una magulladura en su rostro y varias magulladuras en sus piernas. Su mirada era normal, pero su piel estaba pálida y fría. Tomó sus manos y comprobó que su pulso era rápido, pero regular—. Estás bien. Eres fuerte.

—Tiene las llaves colgadas del cuello —dijo Annie—. Quiero quitarme esto —añadió, haciendo sonar los grilletes que le rodeaban los tobillos—. Me los quiero quitar.

—Muy bien —dijo Keith, mirándola con una sonrisa.

Se levantó, se acercó al cuerpo de Baxter y arrancó la cadena de las llaves de su ensangrentado cuello. Volvió a arrodillarse delante de Annie y, mientras probaba algunas de las llaves, observó el candado que colgaba de la cadena y el gancho que pasaba a través de la argolla.

—¿Cómo lo conseguiste? —preguntó.
—La desenrosqué con el atizador.
Keith abrió los grilletes y le frotó los tobillos.
—¿Va bien?
—Sí.
—Ahora te vas a vestir y nos iremos de aquí.
—Sí —dijo Annie, contemplando a Cliff Baxter muerto en el sofá—, quiero irme de aquí. Ayúdame a levantarme.
Keith se puso en pie y la ayudó a levantarse, apartándola del cadáver. Después la rodeó con su brazo mientras ella se encaminaba hacia el pasillo con su camisa echada sobre los hombros.
De pronto, Annie se detuvo y se apartó de él.
—Puedo hacerlo yo sola. Espérame aquí. Me visto enseguida.
—De acuerdo.
Annie vaciló un instante y después se volvió a mirarle y le preguntó:
—Había alguien más aquí afuera, ¿verdad?
—Sí.
—¿Está muerto?
—Sí.
—Lo siento.
—Tú no tienes la culpa.
Annie miró a Cliff Baxter y dijo mirando a Keith:
—Yo lo he matado.
Keith no contestó.
Annie apoyó la mano en su mejilla y le miró largo rato a los ojos.
—Sabía que vendrías —le dijo al final.
—Ya te lo dije.
—Bueno... confío en que pienses que ha merecido la pena.
Keith la besó sonriendo.
—¿Para qué son los amigos?

43

La camioneta de Billy Marlon bajó al sur por la carretera 127. Cuando Keith y Annie llegaron a la frontera de Ohio, ya estaba amaneciendo sobre los campos y prados cubiertos de escarcha.

Keith miró a Annie y le preguntó:

—¿Por qué no intentas dormir un poco?

—Quiero estar despierta para mirarte.

—No tengo muy buena cara— dijo Keith con una sonrisa.

—Estás estupendo.

—Tú también —dijo Keith, pese a constarle que ninguno de los dos tenía demasiado buen aspecto.

Annie se había maquillado un poco y vestía un jersey blanco de lana de cuello cisne y unos pantalones vaqueros. Se había lavado y le había vendado la herida de la frente a Keith, pero ninguno de los dos había querido permanecer en el pabellón de caza el tiempo suficiente como para ducharse o para que ella recogiera sus cosas y Keith no se había llevado ninguna de las armas. Ambos habían llegado al tácito acuerdo de dejarlo todo a su espalda y huir cuanto antes de aquella casa de los horrores.

—Entré en tu casa antes de subir al pabellón, en busca de alguna clave —dijo Keith—. Quería que lo supieras.

—Me parece muy bien. —Annie le miró con una sonrisa—. Eres todo un caballero. ¿Lo encontraste todo limpio?

—Es una casa muy bonita —contestó Keith—. Sigues siendo una maniática de la limpieza.

—Pero dentro tengo un cerdo que está intentando salir.

—Pues que salga.

Permanecieron un rato en silencio y, cuando volvieron a hablar, apenas se refirieron a lo ocurrido en los últimos tres días.

Annie se había pasado casi todo el rato tomándole de la mano y, cada vez que él tenía que hacer un cambio de marcha, apoyaba la mano sobre la suya. A Keith le hizo recordar las ocasiones en que, en su época del instituto, no podía utilizar el automóvil de su familia y tenía que ir a recogerla en la camioneta de la granja y ella apoyaba la mano en la suya cuando hacía un cambio de marcha. Hacía mil años.

—Va a ser un día precioso —dijo Keith.

—Sí. Me gusta ver salir el sol —contestó Annie—. Sobre todo, éste —añadió.

—Claro. —Tras una pausa, Keith comentó—: Billy Marlon me dijo que siempre fuiste amable con él. Y lo agradecía mucho.

Annie no dijo nada.

—Quería hacer lo que hizo. Tenía una cuenta pendiente.

—Lo sé. Sé lo de su mujer.

Keith asintió en silencio con la cabeza.

—Yo siempre supe que algún día todas las malas obras de Cliff lo llevarían a la perdición —dijo Annie—. Él se lo buscó.

—Es lo que suele ocurrir.

—¿Tú lo hubieras matado? —le preguntó Annie a Keith—. Quiero decir en caso de que no te hubieras visto obligado a hacerlo en defensa propia.

—No lo sé. Sinceramente no lo sé.

—Yo no lo creo. No importa. Eres una buena persona. Me hiciste una promesa. Pero yo no le prometí nada a nadie —dijo Annie.

Keith prefirió no hacer ningún comentario y cambió de tema.

—Pararemos en un sitio cerca de la Interestatal. Quiero invitarte a desayunar.

—Estoy horrible. Y tú también.

—Tengo que reunirme con alguien en la zona de descanso de camiones.

—Ah... ¿el hombre al que llamaste desde el pabellón?

—Sí.

—¿Tu amigo de Washington?

—Sí.

Annie no hizo ninguna otra pregunta y, minutos después, Keith se detuvo en una zona de descanso de camiones cerca de la entrada de la autopista de peaje de Ohio.

—Yo me quedo aquí —dijo.

—No, te quiero presentar a Charlie y quiero que llames a tu hermana.

Bajaron de la camioneta y entraron en la cafetería.

Charlie Adair estaba sentado en un reservado cerca de una ventana, vestido con el único traje de tweed británico que había en el local, bebiendo café, fumando y leyendo el periódico. Se levantó al verles acercarse y esbozó una sonrisa, diciendo:

—Buenos días.

Keith y Charlie se estrecharon la mano. Después, Keith le dijo a su amigo:

—Charlie Adair, quiero presentarte a Annie Baxter.

—Me alegro de que haya podido venir —dijo Charlie, estrechando la mano de Annie.

Los tres se sentaron y Charlie pidió dos cafés más.

—Este sitio es estupendo —dijo Charlie—. Aquí todo el mundo fuma. ¿Le importa que fume? —le preguntó a Annie.

Annie sacudió la cabeza.

—Keith y yo tuvimos una discusión antes de que él subiera a Michigan —explicó Charlie, encendiendo otro cigarrillo—, y ahora queríamos pedirnos perdón el uno al otro personalmente.

—Y, de paso, usted quería echarme un vistazo a mí —dijo Annie.

—Por supuesto. Es usted preciosa.

—Pues lo soy, mire usted, pero no en este momento.

—Yo creo que sí —dijo Charlie, sonriendo—. No pienso quitarle a Keith, por consiguiente, podemos ser amigos.

—De acuerdo.

—No te creas ni una palabra de lo que dice —le advirtió Keith a Annie.

—Ya me lo había imaginado —contestó Annie.

Les sirvieron el café y los tres tomaron un sorbo.

—Le diré algo que puede usted creerse —dijo Charlie—. Keith Landry es el hombre más bueno, valiente y honrado que conozco.

—Lo sé —dijo Annie, sonriendo.

—Bueno, ya basta —dijo Keith—. Esta mujer me ha salvado la vida —añadió, dirigiéndose a Charlie.

—En realidad, fue Keith quien arriesgó su vida por salvar la mía —dijo Annie.

—Ya basta —repitió Keith.

—¿Os puede invitar a desayunar el Tío Sam? —preguntó Charlie—. No se exigen contrapartidas cuando la suma es inferior a los diez dólares.

Ambos amigos se estrecharon la mano.

—¿Necesitas dinero? —preguntó Charlie.

—No, estamos bien.

—O sea que os conocéis desde pequeños —dijo Charlie—. ¿Quién de los dos era mejor alumno en la escuela?

—Yo —contestó Annie—. Él tiene una capacidad de atención tan breve como la de un mosquito.

—Depende del tema que sea —dijo Charlie sonriendo—. Sabe leer el ruso. ¿Lo sabía usted?

—La cuestión jamás salió en nuestras conversaciones y probablemente nunca saldrá.

Charlie se rió de buena gana y, mientras apuraba su café, le dijo a Annie:

—Sé que seguramente ha pasado usted por una experiencia muy

dura y le agradezco que haya accedido a mantener una charla intrascendente conmigo.

—Estoy segura de que, cuando me levante para llamar por teléfono, prescindirán ustedes de las charlas intrascendentes.

Charlie la miró diciendo:

—Me solía reunir con él cuando regresaba de algún lugar... por regla general, en un pequeño café de una pequeña localidad cercana a una peligrosa frontera. Por consiguiente, eso me parece más o menos como lo de entonces. Nos tomábamos un café o una copa y yo le informaba de los más recientes acontecimientos deportivos. Nunca discutíamos los detalles de su viaje hasta mucho más tarde. Pero esta vez, como no creo que vuelva a verle durante algún tiempo...

Annie se levantó.

—Voy a hacer la llamada telefónica.

Charlie y Keith se levantaron cuando ella se retiró y todos los camioneros se los quedaron mirando.

Volvieron a sentarse.

—Estupenda mujer —dijo Charlie—. Buena presencia, ojos preciosos, cara bonita y buen cuerpo. Pero mal gusto para elegir a los hombres.

—Eso parece.

—¿Sigues enamorado de ella?

—Sí.

—Me imagino que el marido incómodo ya ha quedado fuera de combate.

—Más bien sí.

—¿Necesitas algún servicio de limpieza?

—Sí. Él está en el interior del pabellón y Billy Marlon, fuera.

Charlie asintió con la cabeza.

Keith le indicó a Charlie el camino del pabellón.

—Quiero que se saquen de allí todos los efectos personales de Annie y quiero que se saque el cuerpo de Marlon. Puede que decidas incendiar la casa. Haz lo que gustes. Después, supongo que alguien podría efectuar una llamada anónima a la policía local. Que se inventen lo que quieran.

Charlie volvió a asentir con la cabeza.

—Ya lo arreglaremos. ¿Y qué hacemos con el cuerpo de Marlon?

—Busca a sus familiares más próximos en Spencerville. Tiene una ex mujer y unos hijos en Fort Wayne y una ex mujer llamada Beth en Columbus, Ohio. Quiero que se celebre un funeral militar con todos los honores en Spencerville.

—De acuerdo. Oye, ¿te encuentras bien o mal?

—Ambas cosas a la vez.

—¿De verdad te salvó ella la vida?

—Sí, le rompió la cabeza con un atizador.

—¡No! Aparte el hecho de haber intentado matarte, supongo que él lo tenía merecido.

—Más de lo que nunca podremos saber.

—¿Y cómo está ella?

—Bien.

—Cuando empiece a asimilar lo ocurrido, lo va a pasar un poco mal. Me refiero a los hijos y demás.

—Lo superará. Pero nadie más tiene que saber lo que ocurrió allí arriba.

—Nadie lo sabrá jamás.

—Gracias.

—O sea que lo hiciste todo tú solito —dijo Charlie, sonriendo—. Pero yo tengo que limpiar los destrozos.

—Eso es lo que mejor sabes hacer.

—¿Te estoy haciendo un favor gratuito?

—Sí.

—¿Y no me darás nada a cambio?

—No.

—¿Vas a volver?

—No —contestó Keith.

—¿Entonces es el final?

—Sí.

—Bien. Puede que, en tal caso, yo ocupe el puesto.

—Que te aproveche.

Annie regresó y ambos hombres volvieron a levantarse y salieron del reservado.

—Nos vamos —le dijo Keith a Annie.

—De acuerdo —dijo Annie, tendiéndole la mano a Charlie—. Ha sido un placer. Espero que nos volvamos a ver en otra ocasión.

—Por supuesto que sí. Quiero que sea usted mi huésped en Washington.

—Es muy amable de su parte.

Charlie estrechó la mano de Keith, diciendo:

—Buena suerte, amigo mío. Nos volveremos a ver en circunstancias más afortunadas.

—No me cabe la menor duda.

Los tres se despidieron y Keith y Annie salieron del local y regresaron a la camioneta.

Mientras entraba en la autopista, Keith le preguntó a Annie:

—¿Has hablado con Terry?

—Sí. Está muy contenta y aliviada. Me ha dicho que te dé las gracias.

—¿Le has contado lo ocurrido?

—Sí. Y ha dicho: «En paz descanse».

Keith no hizo ningún comentario.

—Charlie es un hombre encantador —dijo Annie mientras proseguían su viaje hacia el sur en dirección a Spencerville.

—Tremendamente encantador.

—¿Era tu jefe?

—Sí, pero nunca se lo tomó demasiado en serio.

Tras una pausa, Annie preguntó:

—¿Quieres volver?

—No.

—¿Por qué no? Apuesto a que era una actividad fascinante y llena de emoción. ¿Qué otra cosa podrías hacer después de haber llevado esa clase de vida?

—Cultivar maíz.

—Keith... —dijo Annie, volviéndose a mirarle— ¿sabes lo de tu casa?

—Sí, lo sé.

—Lo siento mucho.

—No te preocupes, Annie. La tierra sigue en su sitio y en aquel lugar hubo dos casas antes que la última. Yo construiré la cuarta.

Annie asintió con la cabeza diciendo:

—Podría decirte que te vinieras a vivir conmigo, pero no creo que pueda volver a vivir en aquella casa.

—No, no puedes.

—No, claro... bueno pues..., ¿qué...? ¿Cuáles son tus planes?

—Te voy a llevar a Roma y esta vez veremos el Coliseo de noche los dos juntos.

Annie sonrió y le rodeó los hombros con su brazo diciendo:

—Bienvenido a casa, Keith.

Esta obra, publicada por
GRIJALBO,
se terminó de imprimir en los talleres
de Hurope, S. L., de Barcelona,
el día 27 de noviembre
de 1995